디지털 헬스케어 총서 02

의료 AI와 법

이원복 편

| 발행기관 | 이화여자대학교 생명의료법연구소

디지털 헬스케어 총서 2: 의료 AI와 법

발 행 | 2024년 8월 20일
저 자 | 이원복 편
펴낸이 | 한건희
펴낸곳 | 주식회사 부크크
출판사등록 | 2014.07.15.(제2014-16호)
주 소 | | 서울 금천구 가산디지털1로 119
SK트윈테크타워 A동 305-7호

전 화 | 1670-8316
이메일 | info@bookk.co.kr

ISBN | 979-11-419-5448-2

www.bookk.co.kr
ⓒ 생명의료법연구소

디지털 헬스케어 총서 2

의료 AI와 법

생명의료법연구소

목차

서론

이원복 / 대표 편집자

필자는 디지털 헬스 세계의 구루(guru)로 알려진 에릭 토플(Eric Topol) 교수의 애독자이다. 그의 베스트 셀러들을 읽으면서 한편으로는 많은 영감도 얻었고 다른 한편으로는 심장내과 전문의이면서 의료정보학은 물론이거니와 미래학을 넘나드는 그의 넓은 학문적 영역에 경외를 느끼기도 하였다. 그런데 의료 AI에 관한 그의 예측이 꼭 잘 들어맞지는 않는 것 같다. 대표적으로 전자의무기록(Electronic Health Records) 작성을 돕는 AI에 관한 그의 예측이 그렇다.

미국 의료에서 전자의무기록은 단순히 종이 위에 존재하던 환자의 진료기록이 컴퓨터 안으로 옮겨졌다는 것 이상의 큰 의미가 있다. 환자의 입장에서는 의료기관을 옮길 때 종이 의무기록을 잔뜩 복사해서 가져갈 필요가 없어지는 것이고, 의료기관의 입장에서는 의무기록의 보관이 편리해질 뿐만 아니라 대량의 진료정보를 연구 등에 활용하기가 용이해진다. 그런데 전자의무기록의 보편화가 미국 의료에 가져온 예측 못한 부정적인 변화도 있다. 이제는 의료인이 업무 시간의 상당 부분을 전자의무기록 입력에 쏟아야 하게 되었다는 점이다.[1] 이로 인하여 미국에서는 의사들의 직업 만족도가 추락하고,[2] 의사가 환자를 보는 동안 옆에서 의사 대신 전자의

---

[1] 한 연구에 따르면 미국 의사들은 업무 시간의 평균 40% 이상을 전자의무기록 입력에 소모한다고 한다. Fabrizio Toscano, Eloise O'Donnell, Joan E. Broderick, Marcella May, Pippa Tucker, Mark A. Unruh, Gabriele Messina and Lawrence P. Casalino, "How Physicians Spend Their Work Time: An Ecological Momentary Assessment," *Journal of General Internal Medicine*, Vol. 35, No. 11 (2020), pp.3166-3172

[2] Tania Tajirian, Vicky Stergiopoulos, Gillian Strudwick, Lydia Sequeira, Marcos Sanches, Jessica Kemp, Karishini Ramamoorthi, Timothy Zhang and Damian Jankowicz, "The Influence of Electronic Health Record Use on Physician Burnout: Cross-Sectional Survey," *Journal of Medical Internet Research*, Vol. 22,

무기록 입력을 도와줄 대필가(scribe)가 고용되기도 한다.[3]

2019년에 출간된 그의 가장 최근 베스트셀러 『Deep Medicine: How Artificial Intelligence Can Make Healthcare Human Again』에서 에릭 토플 교수는 이 문제의 해결이 멀지 않았다고 예측했다. AI가 인간 대필가 대신 의사와 환자 사이의 대화를 들으면서 전자의무기록의 정해진 형식에 맞춰 내용을 입력하는 날이 곧 온다는 것이다. 그러나 의료인이 사용할 수 있는 수준으로 전자의무기록을 자동 입력하는 AI는 나타나지 않았다.[4] 개인용 핸드폰에 탑재된 음성인식 기능은 이미 정확도가 놀라울 정도이지만, 의사와 환자 사이의 대화를 녹취록을 작성하듯 그대로 글로 옮기는 것이 아니라 이용자인 의료인이 사용하는 의학 용어로 전환하여 정리하는 작업은 그리 녹록한 일은 아니었다. 판세를 바꾼 것은 다름 아닌 거대언어모델과 그에 기반한 생성형 AI의 등장이다. 동일한 컨텐츠를 독자의 전문성과 눈높이에 맞춰 재구성하는 데 프롬프트 하나면 충분한 생성형 AI는 의사와 환자 사이의 대화를 진료기록 형식으로 탈바꿈하는 데 제격인 것이다.[5] 이제는 음성인식과 생성형 AI가 결합한 전자의무기록 자동 작성 솔루션이 세계 최대의 전자의무기록 소프트웨어인 Epic에 탑재된다고 하니,[6] 에릭 토플 교수가 2019년에 예측했던 세상이 2024년에는 도래했다고 봐도 무방해 보인다. 과연 후대가 의료 AI의 역사를 거대언어모델 등 기반모델(foundation model) 등장 이전과 이후로 나누어 평가할 정도로 대단한 것이었는지는 두고 볼 일이나, 분명히 하나의 커다란 분수령이 될 것이라는 생각이다.

기반모델의 등장이 의료 AI의 기술적인 분수령이라면, EU를 비롯한 여러 나라의 AI 규제 움직임은 의료 AI의 규범적인 분수령이다. 특히 이 책에서도 자세히 다루는 EU의 Artificial

---

No. 7 (2020), p.e19274

[3] George A. Gellert, Ricardo Ramirez and S. Luke Webster, "The Rise of the Medical Scribe Industry: Implications for the Advancement of Electronic Health Records," *JAMA*, Vol. 313, No. 13 (2015), pp.1315-1316.

[4] 바로 아래에서 언급할 완전 자동화된 전자의무기록 입력 어플리케이션을 개발한 Nuance사가 의사와 환자의 대화를 음성인식하여 글로 정리하는 서비스를 2020년부터 제공하고 있었으나, 정확성을 기하기 위하여 인간이 검토하는 작업을 거쳐야 했으므로 자동화된 솔루션이라고 하기는 어렵다.

[5] Nuance, "Nuance and Microsoft Announce the First Fully AI-Automated Clinical Documentation Application for Healthcare" (https://news.nuance.com/2023-03-20-Nuance-and-Microsoft-Announce-the-First-Fully-AI-Automated-Clinical-Documentation-Application-for-Healthcare)

[6] Epic, "Nuance and Epic Expand Ambient Documentation Integration Across the Clinical Experience with DAX Express for Epic" (https://www.epic.com/epic/post/nuance-and-epic-expand-ambient-documentation-integration-across-the-clinical-experience-with-dax-express-for-epic/)

Intelligence Act는 주목하지 않을 수 없다. EU는 커다란 시장이기에 AI 산업에 실질적인 영향을 미칠 뿐만 아니라, 다수 회원국의 이해관계를 조율한 끝에 나오는 EU 차원의 규제는 사실상 전 세계의 표준처럼 작용을 하고 다른 국가들도 유사한 규제를 하는 소위 "Brussels Effect"로 이어진다.[7]

그런데 이 대목에서 먼저 고민해야 할 문제가 있다. 새로운 기술적 혁신에는 늘 새로운 법으로 대응을 해야 하는 것인가? 미국 연방법원의 저명한 Easterbrook 판사는 "인터넷에 관한 규율을 모아 사이버법(cyber law)이라고 부르는 것은 말에 관한 규율을 모아 馬法(the law of the horse)이라고 부르는 것과 다를 바 없다"는 흥미로운 비유를 꺼낸 바 있다.[8] 말과 관련하여서 소유권 분쟁도 있을 수 있고, 말의 매매와 같은 계약도 있을 수 있고, 다른 사람의 말에 의하여 다친 사람이 제기하는 손해배상 소송도 있을 수 있지만, 이는 기존의 재산법, 계약법, 불법행위법을 말이라는 특정한 객체가 관여된 상황에 적용하면 될 일이지 별도의 馬法이라는 규범을 만들어서 접근할 노릇이 아닌 것과 마찬가지로, 기존의 다양한 법리를 새로운 사회 현상에 적용하는 작업을 넘어 거창하게 사이버법이라는 별도의 규범을 필요로 하는 것은 아니라는 일 갈이다. 사이버법에 대한 Easterbrook 판사의 신랄한 지적이 있은 지 30년이 되어가는데, 큰 줄기에서는 지금 보더라도 그다지 틀린 지적은 아니다.

그렇다면 AI는 어떠한가? 인간 사회가 갖고 있는 기존의 법적 규범으로는 해결이 용이하지 않기 때문에 별도의 법을 제정해야 할 정도의 특수성이 있는 것일까? EU는 그렇다는 결론을 내린 것이지만 다른 기술 선도국들은 2024년 현재 아직은 신중하다. 적극적인 규제와 신중하고 점진적인 접근 가운데 우리나라는 과연 어떤 태도를 취해야 할 것인가는 법학자들의 고민이 필요한 문제이다.

AI를 규제하기 위한 별도의 규범을 제정한다고 하더라도 일반적인 AI 규범을 의료 AI에 그대로 접목하기보다는 의료 AI에 고유한 규범론이 필요할 수 있다. 의료 AI가 일반 AI와 구분되는 다음과 같은 성질 때문이다.[9]

---

7) Anu Bradford, "The Brussels Effect," *Northwestern University Law Review*, Vol. 107, No. 1 (2012), pp.1-67.

8) Frank H. Easterbrook, "Cyberspace and the Law of the Horse," *University of Chicago Legal Forum*, Vol. 1996 (1996), p.207-216.

9) 이하는 통상적인 의미의 의료 AI, 즉 의료인의 진료를 직접적으로 보조하는 기능의 AI의 특수성이라고 할 수 있다. 의료 AI의 의미를 병원 관리나 공중 보건을 보조하는 기능의 AI로 확장하면 완전히 일치하

객관적으로 관측 가능한 표적 변수

첫째, 예측형 알고리즘으로서의 의료 AI는 항상은 아니더라도 많은 경우 표적 변수(target variable)가 객관적으로 관측 가능하다. 환언하면 객관적인 참값, 소위 "ground truth"가 있다. 예를 들어 흉부 X선 영상에 나타난 종양의 악성 여부라든가 중환자실에 입원한 환자의 심정지 발생은 객관적으로 관측 가능한 사실이다. 객관적으로 관측이 가능한 "ground truth"가 있는 지 여부는 AI의 개발과 검증에 커다란 영향을 미친다. 객관적 정보에 기초하여 정확하게 라벨링 된 데이터를 학습하여 예측의 정확성을 높이고, 검증이나 실제 활용 단계에서 예측도를 객관적으로 평가하는 데 도움이 된다.

그에 반하여 다른 분야에서 사용되는 예측형 AI에서는 표적 변수가 평가자의 주관적 평가에 영향을 받게 되거나 원하는 바를 객관적으로 보여주는 표적 변수가 존재하지 않아 대리 변수를 사용해야 하는 경우가 허다하다. 예를 들어 입사지원자의 이력서 내용을 분석해서 장차 성장 가능성이 높은 인재를 선별한다거나, 입학지원서의 내용을 보고 좋은 학생을 선발하려는 경우가 그러하다. "인재"나 "좋은 학생"은 주관적인 판단이므로 AI 학습에 사용하기에는 부적절한 지표이다. 대신 회사에서의 직책이라든가 학교에서의 성적과 같은 대리변수를 사용할 수밖에 없고, 그 치환으로 인하여 예상하지 못한 부작용이 발생한다.[10] AI로 달성하려는 목적(예컨대 인재 선발) 대신 다른 표적 변수(예컨대 회사에서의 직책)를 사용할 수밖에 없는 상황을 AI가 촉발하는 규범론적인 문제들의 커다란 원인으로 지목하는 견해도 있다.[11] 물론 의료에서도 비슷한 문제가 얼마든지 발생할 수 있고 실제로 발생한 사례도 보고되었으나,[12] 대부분의 의료 AI는 몰가치적이고 객관적인 표적 변수를 대상으로 한다는 점은 분명한 차별점이다.

지 않을 수 있다.

[10] Amazon의 입사지원자 이력서 분석 알고리즘 사례가 그러하다. Jeffrey Dastin, "Insight - Amazon Scraps Secret AI Recruiting Tool that Showed Bias Against Women," Reuters (2018. 10. 11) https://www.reuters.com/article/idUSKCN1MK0AG/).

[11] 대표적으로 Solon Barocas, Moritz Hardt and Arvind Narayanan, *Fairness and Machine Learning: Limitations and Opportunities* (MIT Press, 2023).

[12] 장차 건강 상태가 악화될 환자를 판별하는 알고리즘에서 "건강상태"의 대리변수로서 "지출된 의료비" 를 사용하여 학습하는 바람에 동일한 건강상태에서도 경제적인 이유로 인하여 의료기관 이용이 적었던 흑인들을 상대적으로 건강상태가 양호한 것으로 판정하는 오류로 이어졌음을 밝힌 연구로 Ziad Obermeyer, Brian Powers, Christine Vogeli and Sendhil Mullainathan, "Dissecting Racial Bias in an Algorithm Used to Manage the Health of Populations," *Science*, Vol. 366, No. 6464 (2019), pp.447-453.

임상에서의 규격화된 의료 신기술 검증 절차

둘째, 의료 AI의 정확성에 대한 검증이 용이하다. 의료 현장은 신기술이 늘 연구되고, 개발되고, 검증의 대상이 되는 장소이다. 그것은 신약일 수도 있고, 혁신적 의료기기일 수도 있고, 의료 AI일 수도 있다. 그리고 그러한 검증은 지하철에서 종종 볼 수 있는 참가자 모집 광고에 나오는 임상시험만이 유일한 것이 아니다. 때로는 질병 치료를 위한 진료 자체가 임상연구를 겸하기도 하고, 때로는 진료가 종료된 후 가명화된 진료기록을 통하여 후향적 임상연구나 후향적 검증이 이루어지기도 한다. 그래서 의료 신기술의 검증은 어느 정도 규모가 되는 의료기관 및 그 봉직자라면 매우 익숙한 절차이다. 그들의 의학 논문에는 늘 데이터 분석과 통계적 유의성이 등장한다.

검증을 통하여 충분히 정확성이 확인된 의료 AI임에도 설명가능성이 부족한 경우에 어떻게 할 것인가가 논란이 되는 것도 그와 같은 배경에서이다. 설명가능성은 미국 국방성 산하의 연구비 지원 기관인 Defense Advanced Research Projects Agency(DARPA)가 살상용으로 개발되는 군사용 AI의 신뢰성을 높이기 위한 수단으로 채택된 후,[13] 일반 AI에도 요구되어야 하는 원칙으로 많은 호응을 얻기 시작하고 있다. 그러나 의료 AI에 대해서는 설명가능성이나 해석가능성을 엄격한 검증이 대체할 수 있다는 주장이 대두된다.[14] 이는 그 작용 원리를 정확히 모르지만 오랜 기간 사용되어 온 의약품과 비교되면서 논리적인 설득력을 얻고 있다. 대표적으로 가정 상비약으로 사용되는 아세트아미노펜(상품명 타이레놀)이 있다. 일반 소비자들이 들으면 깜짝 놀랄 수도 있는데, 아세트아미노펜의 작용 기전은 아직 정확히 모른다.[15] 오랜 경험 또는 임상시험을 통하여 부작용이 크지 않으면서 효능이 충분한 것이 검증되었기 때문에 사용하고 있는 것이다. 작용 기전을 모르지만 경험적으로 안전성과 효능이 검증된 의약품과 완전히

---

13) David Gunning and David Aha, "DARPA's Explainable Artificial Intelligence (XAI) Program," *AI Magazine*, Vol. 40, No. 2 (2019), pp.44-58

14) 예를 들어 Marzyeh Ghassemi, Luke Oakden-Rayner and Andrew L Beam, "The False Hope of Current Approaches to Explainable Artificial Intelligence in Health Care," The Lancet Digital Health, Vol. 3, No. 11 (2021), pp.e745-e750; Liam G. McCoy, Connor T. A. Brenna, Stacy S. Chen, Karina Vold and Sunit Das, "Believing in Black Boxes: Machine Learning for Healthcare Does Not Need Explainability to Be Evidence-Based," *Journal of Clinical Epidemiology*, Vol. 142 (2022), pp.252-257 등.

15) Garry G. Graham, Michael J. Davies, Richard O. Day, Anthoulla Mohamudally and Kieran F. Scott, "The Modern Pharmacology of Paracetamol: Therapeutic Actions, Mechanism of Action, Metabolism, Toxicity and Recent Pharmacological Findings," *Inflammopharmacology*, Vol. 21, No. 3 (2013), pp.201-232

동일 선상에서 바라볼 수는 없지만, 의료 AI는 임상적 검증이 익숙한 전문가 집단에 의하여 정확성을 충분히 확인할 수 있다는 점은 다른 영역의 AI와는 분명한 차별점이다.

의료 AI의 예측과 인간의 의사결정 사이의 역학

셋째, 의료 AI의 예측과 인간의 의사결정 사이의 역학 관계가 다른 영역과 차이가 있다. 보다 구체적으로는, 자동화된 의사결정의 부재 그리고 AI 사용자의 의사결정이 AI 예측에 미치는 영향이 적다는 점에서 그러하다.

자동화된 의사결정(automated decision-making)이란 말 그대로 인간의 감독 없이 컴퓨터 알고리즘을 이용하여 상대방에 대한 중요한 결정을 자동으로 내리는 절차를 의미한다. 자동화된 의사결정은 상대방의 권익에 결정적인 영향을 미치는 반면 그러한 결정에 이르게 된 동기나 논리는 쉽게 파악되지 않으므로 자칫하면 부당한 의사결정이 자동적, 반복적으로 이루어질 위험이 있다. 회귀분석과 같이 이미 오래전부터 사용되어 온 알고리즘도 이러한 위험에서 자유롭지 않지만, 오늘날 심층 학습을 거친 고도의 AI와 관련하여 자동화된 의사결정이 더욱 문제가 되는 것은 AI의 블랙박스(black box) 성격으로 인하여 어떠한 결정이 내려진 이유나 근거를 사후적으로 검토하는 것이 매우 어렵기 때문이다. 따라서 자동화된 의사결정에 사용되는 AI의 경우에는 왜 그런 결정을 내리게 되었는지 답해 줄 사람이 부재한 상황에 대처하는 규범이 필요하다. EU의 GDPR 제22조가 일정한 요건 하에 아예 자동화된 의사결정을 거부할 권리를 개인에게 부여하는 것이라든가,[16] 2021년 3월 새로 제정된 우리나라 행정기본법 제20조에서 자동적 처분을 허용하면서도 재량행위에 대하여는 금지하는 것이[17] 대표적인 예이다. 그런데 법적인 이유와 윤리적인 이유에서 아직 의료 AI는 자동화된 의사결정 도구로 이용되지 않는다. (AI가 지금보다도 훨씬 발전하는 미래에는 모르겠으나 적어도 현재로서는) 임상에서 사용되는 AI는 심층 학습에 기반하였다고 하더라도 인간(결국 의료인)이 참고를 할 뿐 임상에서의 최종 결정은 인간이 내리게 된다. 자동화된 의사 결정이 야기하는 규범적 문제에서 아직은 자유롭다는 의미이다.

---

[16] GDPR 제22조에 관한 글로는 주민호, "자동화된 의사결정에 대한 기본권의 실효적 보장- EU AI법 제54조와 GDPR 제22조의 관계를 중심으로 -," 법학논고, (2023).

[17] 정남철, "인공지능 시대의 도래와 디지털화에 따른 행정자동결정의 법적 쟁점―특히 행정기본법상 자동적 처분의 문제점을 중심으로 -", 「공법연구」, 제50권 2호 (2021).

또한, 의료 영역에서는 인간이 최종적인 의사결정을 내리는 일련의 과정이 역으로 AI의 예측의 정확성에 미치는 영향도 상대적으로 적다. AI의 예측은 때로는 "자기충족적 예언"이 되기도 한다.[18] 지역별 범죄 발생률을 예측하는 알고리즘이 좋은 예다. 그 예측 결과에 따라 경찰은 범죄 발생 가능성이 높은 지역에 상대적으로 많은 경찰력을 집중할 텐데, 현실에서 모든 범죄가 신고되지 않는 이상 범죄 발생률이라는 것은 적발되는 범죄에 비례할 수밖에 없으므로 특정 지역에 경찰력이 증가하면 실제 그 지역 범죄 발생률이 올라가게 된다. AI의 예측을 참고하여 의사결정을 내리는 인간의 행동 자체가 AI 예측의 정확도를 높여주는 것이다.[19] 이는 최초의 범죄 발생률 예측에 실제로는 오류가 있었더라도 인간의 행동으로 인하여 오류가 묻히게 되고, 혹시라도 잘못된 예측으로 불이익을 받는 집단은 이를 회복할 기회가 사라진다는 의미가 된다. 인간의 행동이 AI의 예측에 미치는 영향 및 이로 인한 불합리한 불이익을 막기 위한 규범이 거론되는 이유이다. 그에 반하여 의료에서는 의료인의 행동으로 인하여 AI의 잘못된 예측이 결과적으로 옳았던 것으로 탈바꿈되는 상황이 발생하기 어려운 구조이다. 무엇보다 의료 AI의 예측에 전적으로 의존하여 임상에서의 진료 결정을 내린다는 것은 생각하기 어렵다. 또한, 의료 AI의 예측이 위양성이었거나 위음성이었던 경우 어느 경우든 의료인의 이후 행동으로 인하여 없던 질환이 생기거나 역으로 존재하던 질환이 처음부터 없었던 것처럼 사라질 수는 없기 때문이다.[20]

---

[18] 자기충족적 예언의 사회적 문제를 가장 먼저 제기한 사회학자 Merton 교수는 애초에 잘못된 예측이었으나 그 예측을 믿고 행동한 사람에 의하여 결과적으로 예측이 옳았던 것으로 변질되는 현상을 자기충족적 예언으로 정의하였다. Robert K. Merton, "The Self-Fulfilling Prophecy," *The Antioch Review*, Vol. 8, No. 2 (1948), pp.193-210. 재정이 건전한 은행임에도 불구하고 곧 파산할 것이라는 잘못된 소문을 듣고 몰려온 예금자들이 대량으로 자금을 인출하는 바람에 뱅크런이 발생하여 실제로 은행이 파산하는 경우가 Merton 교수가 언급한 대표적인 자기충족적 예언의 예시에 해당한다.

[19] Owen C. King and Mayli Mertens, "Self-Fulfilling Prophecy in Practical and Automated Prediction," *Ethical Theory and Moral Practice*, Vol. 26, No. 1 (2023), pp.127-152.

[20] 의료 AI의 경우에도 다른 분야와 다를 바 없이 잘못된 예측도 의료인의 행동으로 인하여 결과적으로 옳은 것으로 변질되는 자기충족적 예언이 문제될 수 있다는 지적도 있다. 예컨대 혼수상태에 빠진 환자가 생존하기 힘들다는 알고리즘의 예측에 의존하여 의료진이 연명치료를 중단할 경우 환자는 곧 사망하게 되므로 여전히 자기충족적 예언이 문제될 수 있다는 주장이 그러하다. 위의 글 p.143. 그런데 이러한 예는 다소 극단적인 사례를 상정한 것이고, 연명치료 중단이라는 중대한 의사결정을 잘못된 AI의 예측에 기초하여 내리는 상황이 현실에서 발생할 수 있는지 의문이다.
AI의 예측이 잘못된 것이 아니라 정확한 예측이지만 예측을 믿고 행동한 의사에 의하여 실제로 환자가 곧 사망한다면 결과적으로 AI의 예측이 옳았던 것으로 판정 지어지는 상황은 충분히 예상할 수 있다. 잘못된 예측이 사람들의 행동으로 인하여 옳았던 예측으로 변질되는 "자기충족적 예언"의 상황과 구분

위와 같은 차이점들은 일반 AI에 대한 규범과 의료 AI에 대한 규범이 달라질 수밖에 없는 이유들이다. 의료 AI에 적합한 규범의 방향을 제시하기 위하여 저자들이 이 책을 펴내게 된 취지이기도 하다.

모든 첨단 기술이 그러하듯이 의료 AI의 기술 발전 속도는 매우 빠를 것이다. 첨단 산업의 사회적인 문제를 다루는 문헌은 그래서 금세 낡게 되는 운명을 피하기 어렵다. 어렵게 출간한 이 책을 주기적으로 개정하면서 의료 AI가 야기하는 새로운 규범적 문제들의 최신 지견을 담은 책으로 유지할 것을 약속한다.

하여, 정확한 예측이었는데 사람들의 행동으로 인하여 예측된 결과로 확실하게 귀결되는 상황을 "자기 강화적 예언(self-reinforcing prophecy)"이라고 칭하기도 한다. Dominic Wilkinson, "The Self-Fulfilling Prophecy in Intensive Care," *Theoretical Medicine and Bioethics*, Vol. 30, No. 6 (2009), pp.401-410. "자기 강화적 예언" 역시 "자기 충족적 예언"과 마찬가지로 인간의 행동으로 인하여 결과적으로 그렇지 않았을 경우보다 상대적으로 더 불리한 처우를 받게 될 수 있으므로 규범론적인 고민이 필요할 수는 있다. 그러나 예측이 정확했다는 것이 전제가 되므로, "자기충족적 예언"의 맥락과는 성질이 다르다.

제 1 장

의료인공지능의 규범적 범주와 사용자

배현아 (이화여자대학교 법학전문대학원 교수)

생명의료법연구소

1

의료인공지능의 규범적 범주와 사용자

배현아 (이화여자대학교 법학전문대학원 교수)

I. 들어가며

우리나라 보건의료법제 하에서 아직 의료 인공지능을 정의하고 있지 못하다. 다만, 그간 보건의료법체계 내에서 정의되고 구체화되어 온 '의료'의 개념과[1] 국내 실정법체계 하에서 '인공지능' 개념과 관련성이 높다고 여겨지는 개념을 통합하여 의료 인공지능의 '의료'의 대상과 적용 범위를 유추해볼 수는 있을 것이다. 이러한 의료의 개념에 따라 의료 인공지능이 적용되어 활용되는 범위가 달라질 수 있고 그에 따라 실질적인 의료 인공지능의 대상과 사용자 역시 달라질 수 있다. 즉 의료 인공지능의 최종적인 산출물과 적용되는 대상, 활용 분야에 따라 의료 인공지능의 범주는 매우 다양하게 나타날 수 있다. 여기서는 국내 보건의료법제 하에서 의료 인공지능의 개념을 규범적으로 범주화하여 법체계 내에서 적용할 수 있는 근거 법제를 살펴보

---

[1] 의료 또는 의료행위의 개념은 유동적·가변적 개념으로 인식되어 왔으며, 그 간 입법자가 아닌 법원의 판례 또는 행정부의 유권해석 등에 의하여 형성되어 구체화되어 왔다고 볼 수 있다.
배현아, 김효신, 강민아, "보건의료법제의 연혁적 검토를 통해 본 건강과 의료행위 개념의 변화와 정책 적용", 「법제연구」 통권 제44호, 2013. pp. 394 이하.

고, 그에 따라 각 영역에서의 의료 인공지능의 사용자가 누가 될 수 있는지 내지는 누가 되어야 하는지 검토해보고자 한다. 구체적으로 보건의료법제 하에서 면허와 자격을 갖춘 보건의료인의 업무범위를 고려하여 각 범주에 따른 의료 인공지능의 사용자 제한에 대하여 논의해보고, 더 나아가 각 사용자의 확장 가능성을 검토해보고자 한다.

II. 보건의료법제와 의료 인공지능

1. 규제 대상으로서의 의료 인공지능

앞서 언급한 대로 현행 보건의료법제 하에서 의료 인공지능의 개념을 정의하고 있지는 않지만, 의료 인공지능 개념은 보건의료 분야에서 활용될 수 있는 인공지능으로 '보건의료'와 '인공지능기술'을 결합하여 설명할 수는 있을 것이다.

먼저 국내 실정법체계 하에서 인공지능기술과 가장 관련성이 높다고 여겨지는 개념은 「지능정보화 기본법」에서의 지능정보기술로 전자적 방법으로 학습·추론·판단 등을 구현하는 기술, 데이터(부호, 문자, 음성, 음향 및 영상 등으로 표현된 모든 종류의 자료 또는 지식을 말한다)를 전자적 방법으로 수집·분석·가공 등 처리하는 기술, 물건 상호 간 또는 사람과 물건 사이에 데이터를 처리하거나 물건을 이용·제어 또는 관리할 수 있도록 하는 기술, 「클라우드컴퓨팅 발전 및 이용자 보호에 관한 법률」 제2조 제2호에 따른 클라우드컴퓨팅 기술, 무선 또는 유·무선이 결합된 초연결지능정보통신기반 기술 등이 포함될 것이다(법 제2조 제4호). 또한 인공지능기술과 관련성이 높다고 여겨지는 개념으로, 「지능형 로봇 개발 및 보급 촉진법」 제2조 제1호(이하 지능형로봇법이라 함)에 따르면 "지능형로봇"을 '외부환경을 스스로 인식하고 상황을 판단하여 자율적으로 동작하는 기계장치(기계장치의 작동에 필요한 소프트웨어를 포함한다)'로 정의하고 있다. 이는 현 법체계 하에서 '인공지능기술'을 정의함에 있어 '스스로 인식', 상황을 '판단' '자율'적 과 같은 개념이 핵심적임을 알 수 있다.[2] 이러한 인공지능기술이

---

[2] 고학수, 김용대, 윤성로 외 4인, 인공지능 원론-설명가능성을 중심으로, 박영사, 2021, p. 4.

보건의료법체계 내에서는 법률에서 개념화된 바는 없지만, 식품의약품안전처 가이드라인에서 인공지능기술은 인지, 학습 등 인간의 지적능력(지능)의 일부 또는 전체를 컴퓨터를 이용해 기계학습 등으로 구현하는 기술로 정의된 바 있다.[3]

한편 '보건의료'의 개념은 보건의료기본법에서 "보건의료"란 국민의 건강을 보호 · 증진하기 위하여 국가 · 지방자치단체 · 보건의료기관 또는 보건의료인 등이 행하는 모든 활동으로 정의하고 있다(법 제3조 제1호). 이에 따라 "보건의료서비스"는 국민의 건강을 보호 · 증진하기 위하여 보건의료인이 행하는 모든 활동(법 제3조 제2호)으로 비교적 포괄적으로 정의된다. 여기서 "보건의료인"이란 보건의료 관계 법령에서 정하는 바에 따라 자격 · 면허 등을 취득하거나 보건의료서비스에 종사하는 것이 허용된 자(법 제3조 제3호)로 의료법에서 정하고 있는 의료인을 포함하여[4] 약사, 의료기사, 응급구조사 등 보다 다양한 보건의료 전문직종들이 포함된다고 볼 수 있다. 또한 보건의료의 제공 주체 역시 국가 · 지방자치단체 · 보건의료기관 또는 보건의료인 등이 행하는 모든 활동을 의미하므로, 의료법에서 의료행위를 "의료인이 하는 의료 · 조산 · 간호 등 의료기술의 시행"이라고 한정한 '의료행위'보다(의료법 제12조 제1항) '보건의료'는 좀 더 넓은 개념으로 그 제공 주체 역시 의료인을 포함한 다양한 보건의료인과 국가 및 지방자치단체를 포함하고 있다. 이처럼 보건의료법체계 내에서 '의료행위'나 '보건의료'의 개념은 구체적이고 명시적인 정의 규정을 두고 있지 않다. 이에 대하여 대법원은 의료행위의 개념은 고정불변인 것이 아니라 의료기술의 발전과 시대 상황의 변화, 의료서비스에 대한 수요자의 인식과 필요에 따라 달라질 수 있는 가변적인 것이라 하면서, 의료행위의 종류가 극히 다양하고 그 개념도 의학의 발달과 사회의 발전, 의료서비스 수요자의 인식과 요구에 수반하여 얼마든지 변화될 수 있는 것임을 감안하여, 법률로 일의적으로 규정하는 경직된 형태보다는 시대적 상황에 맞는 합리적인 법 해석에 맡기는 유연한 형태가 더 적절하다는 입법 의지에 기인한다고 밝힌 바 있다.[5] 또한 이러한 입법방식 내지는 입법기술 상의 한계로 인한 포괄적 규정이 죄형법정주의 명확성 원칙에 위배되지 않는다고 판단한 바 있고[6], 또한 처벌법규의

---

[3] 식품의약품안전처, 「빅데이터 및 인공지능[AI] 기술이 적용된 의료기기의 허가심사 가이드라인」, 2019, p. 2.

[4] 의료법 제2조 제1항에서 의료인이란 보건복지부장관의 면허를 받은 의사 · 치과의사 · 한의사 · 조산사 및 간호사를 말한다.

[5] 대법원 2016. 7. 21., 선고, 2013도850, 전원합의체 판결

구성요건을 일일이 세분하여 명확성의 요건을 모든 경우에 요구하는 것은 입법기술상 불가능하거나 현저히 곤란한 것이므로 어느 정도의 보편적이거나 일반적인 뜻을 지닌 용어를 사용하는 것은 부득이하다고 할 수밖에 없고, 당해 법률이 제정된 목적과 다른 법률조항과의 연관성을 고려하여 합리적인 해석이 가능한지의 여부에 따라 명확성의 요건을 갖추었는지의 여부를 가릴 수밖에 없다고 하였다.7) 따라서 의료 인공지능을 규범적으로 정의하기 위해 '의료'의 개념과 '인공지능' 기술의 법적 정의를 통합하여 그 개념을 도출한다면 의료 인공지능의 '의료'의 개념 역시 가변적으로 적용될 것이다. 더 나아가 의료 인공지능을 규범적으로 정의하고 범주화함에 있어 인공지능기술을 포함하는 과학기술의 발전과 이러한 기술을 수용하고 사용하는 주체들의 인식과 요구까지 반영된다면 더욱 그러할 것이다.

의료 인공지능은 매우 다양한 영역에서 다양한 형태로 개발되고 있다. 의료 인공지능은 복잡한 의료 데이터에서 의학적 통찰을 도출하는 인공지능, 이미지 형식의 의료 데이터를 분석 및 판독하는 인공지능, 연속적 의료 데이터를 모니터링하여 질병을 예측하는 인공지능 등으로 구분하기도 한다.8) 이러한 구분은 의료 인공지능의 데이터의 종류와 적용되어 활용되는 분야, 대상자 등에 따른 분류이다.

그런데 이후에서는 규제 대상으로서의 의료 인공지능에 대하여 살피기 위해 의료 인공지능을 보건의료법체계 내에서 규범적으로 그 범주를 구분해보고자 한다.

최근 발의된 의료 인공지능을 규제의 대상으로 한 인공지능 관련 법안들에서는 의료 인공지능을 '고위험 인공지능'9), '특수한 영역에서 활용되는 인공지능'10) 또는 '고위험 영역에서 활용되는 인공지능'이라고11) 구분하여 규정하고자 하는 시도가 있다. 이러한 고위험 인공지능에는 개발사업자의 책무, 이용사업자의 책무, 이용자의 보호 등의 추가 규제와 이용자에 대한

---

6) 헌법재판소 1996. 12. 26. 93헌바65

7) 헌법재판소 2003. 2. 27. 선고 2002헌바23 전원재판부

8) 최윤섭, 의료 인공지능, 클라우드나인, 2019, p. 65.

9) 윤영찬 의원안, 알고리즘 및 인공지능에 관한 법률안 제2조 여기서 고위험 인공지능은 국민의 생명, 신체의 안전 및 기본권의 보호에 중대한 영향을 미치는 인공지능으로, 인간의 생명과 관련된 인공지능을 포함하고 있다.

10) 정필모 의원안, 인공지능 육성 및 신뢰 기반 조성 등에 관한 법률안 제2조 제2호

11) 윤두현 의원안, 인공지능산업 육성 및 신뢰 확보에 관한 법률안 제2조 제3호

사전 고지 의무 등을 부과하고 있다. 그러나 여기서도 의료 인공지능을 직접적·구체적으로 정의하고 있지는 못하고, 규제 대상이 되는 인공지능에 관하여 '의료행위 또는 의료기기에 적용되어 사람의 생명·신체에 직접 사용되는 인공지능'으로 정의하거나 앞서 언급한 '보건의료기본법상의 보건의료의 제공 및 이용체계 등에 사용되는 인공지능', '의료기기법 제2조 제1항에서 따른 의료기기에 사용되는 인공지능'으로만 정의하여 규정하고 있다. 이처럼 의료 인공지능의 개념을 규범적으로 정의하고자 하는 시도가 있으나 그 대상을 모는 의료행위, 별도의 등급을 고려하지 않은 모든 의료기기, 앞서 살펴본 포괄적인 보건의료의 개념 등을 적용하면 현 보건의료법체계 내에서 의료 인공지능의 규범적 범주나 그 특수성을 고려한 개념화가 이루어질 수 없는 한계가 있다. 또한 이 법안의 인공지능(산업) 육성이라는 입법 취지와 달리 그 규제 대상의 확대로 인해 의료 인공지능의 연구개발과 활용 측면에서 오히려 걸림돌이 될 가능성도 있다. 실제로 최근 의료 인공지능이 활용되는 분야에서는 '혁신'이라는 근거 하에[12] 오히려 인허가 절차나 기간을 단축하게 해 '신속'하게 시장에 진입시키고자 지원하는 정책들이 진행되고 있는데[13], 새로운 법안들이 규제 대상을 광범위하게 포함함으로써 최근의 정책 방향과는 분명하게 대치되는 면이 있다.

따라서 규제 대상으로의 의료 인공지능의 규범적 정의, 의료 인공지능 기술의 적용 대상과 범위, 그에 따른 사용자의 제한 문제 등을 의료 인공지능의 보건의료법체계 내에서의 규범적 범주화를 통해 논의할 필요가 있다.

또한 21대 국회에서 발의된 디지털 헬스케어 관련 법안에서는 의료 인공지능에 관한 정의는

---

[12] 여기서 혁신의료기기란 「의료기기법」 제2조 제1항에 따른 의료기기 중 정보통신기술, 생명공학기술, 로봇기술 등 기술집약도가 높고 혁신 속도가 빠른 분야의 첨단 기술의 적용이나 사용방법의 개선 등을 통하여 기존의 의료기기나 치료법에 비하여 안전성·유효성을 현저히 개선하였거나 개선할 것으로 예상되는 의료기기로서 제21조에 따라 식품의약품안전처장으로부터 지정을 받은 의료기기를 말한다. 정의에서 알 수 있듯이 개념적으로 혁신의료기기로 지정된 의료기기는 안전성과 유효성의 현저한 개선을 전제로 하기 때문에 기존의 의료기기나 치료법에 우월하다는 근거하에 지정된다. 의료기기산업 육성 및 혁신의료기기 지원법은 그 입법 목적에서 의료기기산업을 육성·지원하고 혁신의료기기의 제품화를 촉진하는 등 그 발전기반을 조성함으로써 의료기기산업의 경쟁력 강화를 목적으로, 인증과 지정을 통해 허가심사에 있어 특례를 줌으로써 규제적 측면에서의 완화, 신속성 확보로 볼 수 있다.

[13] 의료기기 허가·신고 심사 등에 관한 규정은 최근 개정을 통해 디지털기술(웨어러블, 빅데이터, 인공지능 등)이 적용된 의료기기의 특수성을 반영하여, 디지털 헬스기기 등 신개발 의료기기의 맞춤형 신속 분류절차를 도입하고자 하는 방향으로 진행되고 있다. (안 제3조 제8항, 제60조 제3항) 이러한 규정의 개정을 통해 디지털 헬스기기 등 신개발 의료기기의 맞춤형 신속 분류 절차 도입 절차를 마련하여 신개발 의료기기의 신속 제품화를 지원하고자 함이라 밝히고 있다.

아니지만 '디지털 헬스케어'를 지능정보기술과 보건의료데이터를 활용하여 질병의 예방·진단·치료 및 건강 관리 등 국민의 건강증진에 기여하는 일련의 활동과 수단으로 정의하면서 '지능정보기술'을[14] 활용하는 영역에 대하여 예방·진단·치료에 해당하는 의료 영역뿐 아니라 건강 관리 즉 국내 보건의료법체계 하에서는 '의료'에 해당하지 않는 비의료 영역까지도 그 대상을 확장하고 있음에 유의해야 한다. 인공지능기술의 급속하고 다양한 발전에 따라 의료 인공지능 역시 더욱 유용하게 활용되기 위해서는 이러한 적용 범위의 확장이 실질적인 도움이 될 것이다. 이러한 비의료 건강관리 영역으로의 확장은 그 사용자를 환자 외 건강인을 포함하는 대상의 확장 역시 필요할 수 있다. 이에 여기서는 의료 인공지능의 범주를 의료 영역에만 한정된 것이 아닌 개념적으로 건강 관리의 영역까지 확장시킨 보건의료 영역에서 활용되는 인공지능을 포함하여 논의하고자 한다.

다만, 이러한 복수의 입법 시도들을 통해 의료 인공지능을 포함한 인공지능산업에 대한 우려와 그에 따른 규제 필요성에 대한 공통된 인식은 알 수 있다. 또한 규제 대상으로서의 고위험 인공지능과 같이 특수한 영역에서 활용되는 인공지능에 대하여 이를 제공하는 자뿐 아니라 개발자, 이러한 서비스를 이용하는 자를 보호함과 동시에 이용자의 책무성을 강조함으로써 규제 대상도 확장하고 있다. 이러한 빅데이터 및 인공지능 기술이 적용된 소프트웨어에 대한 규제는 기술발전의 속도, 빈번한 변경과 업그레이드, 복잡한 알고리즘 등의 특수성을 반영하기 위한 규제의 유연성이 강조되기도 한다.[15] 동시에 이러한 소프트웨어의 주된 사용 주체가 누구인지에 따라 환자와 건강인, 면허와 자격이 다른 보건의료인 등과 같은 사용자와 사용 환경에 대한 고려도 필요하다. 이미 의료 인공지능을 포함하여 인공지능 영역은 그 관여자가 다양해지고 다양한 관여자의 역할과 이른바 업무 범위에 따른 책임이 발생할 수 있다. 따라서 각각의 관여자와 실질적 사용 주체의 윤리적·법적 의무에 대한 논의가 필요한 시점이다. 이에 이후에서 인공

---

[14] 여기서 지능정보기술이란 「지능정보화 기본법」에서는 전자적 방법으로 학습·추론·판단 등을 구현하는 기술, 데이터(부호, 문자, 음성, 음향 및 영상 등으로 표현된 모든 종류의 자료 또는 지식을 말한다)를 전자적 방법으로 수집·분석·가공 등 처리하는 기술, 물건 상호간 또는 사람과 물건 사이에 데이터를 처리하거나 물건을 이용·제어 또는 관리할 수 있도록 하는 기술, 「클라우드컴퓨팅 발전 및 이용자 보호에 관한 법률」 제2조 제2호에 따른 클라우드컴퓨팅기술, 무선 또는 유·무선이 결합된 초연결지능정보통신기반 기술 등과 이러한 기술 또는 그 결합 및 활용기술을 의미하고, 이 정의를 통해 디지털 헬스케어 개념에는 인공지능기술이 포함된다고 볼 수 있다.

[15] 식품의약품안전처, 「빅데이터 및 인공지능[AI] 기술이 적용된 의료기기의 허가심사 가이드라인」, 2019, p. 4.

지능기술의 활용이 필수적일 수밖에 없는 디지털 헬스케어를 포함하여 의료 인공지능의 사용자에 대하여 논의해보고자 한다.

2. 의료 인공지능의 규범적 범주

통상 의료 개념에 대하여 논의함에 있어 의료인과 같은 주체, 여기서는 의료 인공지능의 사용 주체는 주체의 차원, 의료행위라는 실질적인 행위 그리고 그 수단으로 사용되는 의료기재 차원으로 구분하여 분석하기도 한다.[16] 의료 인공지능은 규제석 측면에서 수단에 해당하는 의료기재 즉 의료기기로서의 의료 인공지능과 의료기기를 활용하는 의료행위적 측면으로 구분될 수 있다. 또한 의료기기 또는 의료행위에 해당하지 않는 영역에서 이른바 비의료 건강관리 서비스 등에서 활용되는 (비)의료 인공지능의 사용자에 대한 논의도 필요하다. 다만, 여기서도 국내에서는 비의료로 구분되는 대상이지만 기술적으로나 또는 내용적으로 '의료'를 어떻게 정의하는지에 따라 건강 관리 등의 영역이 비의료의 영역될 수도 있고, 경우에 따라서는 의료 인공지능으로 분류될 수 있는 가변성은 얼마든지 있다. 다만, 이 경우 의료행위의 영역은 국내 보건의료법법체계 하에서는 '의료인' 또는 '의료기관' 등이 제공 주체가 되어야 하는 제공 주체에 대한 규제로 인해 이것이 사용자 제한의 문제로 연결될 수 있어 이를 구분하여 논의를 이어가고자 한다.

(1) 의료기기로서의 의료 인공지능

의료 인공지능 기술이 구현되는 방식은 의료기기에 해당할 가능성이 크다.[17] 여기서 의료기기는 「의료기기법」에 의해 사람이나 동물에게 단독 또는 조합하여 사용되는 기구 · 기계 · 장치 · 재료 · 소프트웨어 또는 이와 유사한 제품으로 정의되며(제2조 제1항), 2018년 12월 의료기기 기술발전 및 국제적 기준을 반영하여 현생 의료기기 정의에 '소프트웨어'를 명확하게 추가하여 개정한 바 있다. 특히 이러한 소프트웨어 인공지능에 대하여는 그 기능에 따라 의료

---

16) 김나경, 의료법 강의, 법문사, 2009, pp. 3 이하.
17) 박혜진, "의료 인공지능의 활용을 둘러싼 법적 과제: 규제의 진화 및 책임의 배분을 중심으로", 「비교사법」 제29권 4호, 2022, pp. 220 이하.

정보의 검색, 검색된 정보의 분석, 진단 및 예측과 같이 기술 유형이나 적용 단계에 따라 규범적으로 구분하기도 한다.[18] 또한 그 사용 목적에 대하여 질병을 진단·치료·경감·처치 또는 예방할 목적, 상해(傷害) 또는 장애를 진단·치료·경감 또는 보정할 목적, 구조 또는 기능을 검사·대체 또는 변형할 목적, 임신을 조절할 목적으로 사용되는 제품으로 그 목적성을 고려하여 의료기기 해당성을 판단하게 된다.[19]

또한 「체외진단의료기기법」에서 체외진단의료기기를 정의하면서 사람이나 동물로부터 유래하는 검체를 체외에서 검사하기 위하여 단독 또는 조합하여 사용되는 시약, 대조·보정 물질, 기구·기계·장치, 소프트웨어 등 「의료기기법」 제2조 제1항에 따른 의료기기로 이러한 '목적'에 대하여 구체적으로 각 제품의 목적에 대하여 생리학적 또는 병리학적 상태를 진단할 목적으로, 질병의 소인(素因)을 판단하거나 질병의 예후를 관찰하기 위한 목적으로, 선천적인 장애에 대한 정보 제공을 목적으로, 혈액, 조직 등을 다른 사람에게 수혈하거나 이식하고자 할 때 안전성 및 적합성 판단에 필요한 정보 제공을 목적으로, 치료 반응 및 치료 결과를 예측하기 위한 목적으로, 치료 방법을 결정하거나 치료 효과 또는 부작용을 모니터링하기 위한 목적으로 사용되는 제품으로 구체적으로 해당성 판단 기준을 제시하고 있다(법 제2조 제1호).

이처럼 소프트웨어의 형태로 의료목적에 사용되는 앱 즉 '모바일 의료용 앱(Mobile Medical Application)'은 사용 목적, 성능 등이 「의료기기법 제2조에 규정된 의료기기에 정의에 해당하는 모바일 앱으로[20] 그 유형은 의료기기를 무선으로 제어하는 모바일 앱이나 질병의 진단 또는 환자 모니터링 등을 위해 의료기기에서 측정된 데이터 등을 받아 표시 또는 분석하는 모바일 앱, 모바일 플랫폼에 별도의 전극, 프로브 등이 연결되어 의료기기로 동작할 수 있도록 하는 모바일 앱, 모바일 플랫폼에 내장된 센서 등을 이용하여 의료기기로 사용하는 모바일 앱, 환자에 대한 분석·질병 진단 또는 치료법을 제공하는 모바일 앱으로 구분될 수 있다. 이렇게 구분되는 의료용 모바일 앱에 인공지능 기술이 적용되기 앞서 의료용 모바일 앱의 안전관리 규제와 함께 이후 논의하게 될 '인공지능기술이 적용된 의료기기'로서의 규제가 추가적으로

---

[18] 김재선, "인공지능 의료기기 위험관리를 위한 규범론적 접근-인공지능 소프트웨어 규범화 논의를 중심으로", 「공법연구」 제48집 제2호, 2017, pp. 143-144.

[19] 배현아, "새로운 과학기술도입과 의료기기 해당성 판단", 「과학기술법연구」 제21집 제3호, 2015, pp. 127 이하.

[20] 식품의약품안전처 의료기기안전국, 「모바일 의료용 앱 안전관리 지침」, 2020, p. 2.

적용되게 된다. 이러한 의료용 앱에 대하여도 식품의약품안전처는 일반적인 모바일 앱과 달리 제품의 미세한 오류 등에 따른 진단 및 측정값의 변화로 불특정 다수의 모바일 앱 사용자에게 의학적 오류 등 잠재적 위해요소가 내재 되어 있다고 보고, 위해요소 사전 예방 차원의 관리가 필요하다고 하여 별도의 안전 지침을 마련하고 있기 때문이다.[21]

. 의료 인공지능과 관련하여 비교적 가장 구체적인 규범적 개념을 제시하고 있는 식품의약품 안전처 가이드라인은 빅데이터 및 인공지능 기술이 적용된 의료기기에 대하여 '의료용 빅데이터를 인공지능 기술로 분석하여 질병을 진단 또는 관리하거나 예측하여 <u>의료인의 업무를 보조하는</u> 의료기기'로 의료기기인 의료 인공지능을 정의하고 있다.[22]

관련하여 과거 암환자 치료 분야에 도입되었던 왓슨 포 온콜로지(Watson for Oncology)는 방대한 분량의 의학문헌과 환자 의무기록과 같은 데이터들을 분석하여 선택할 수 있는 여러 치료방법을 평가하고 비교하여 최적의 치료방법을 제시해주는 일종의 의료적 의사결정을 보조하는 CDSS(Clinical Decision Support System)으로 활용되었었는데, 이 WFO와 같은 소프트웨어는 의료문헌을 분석하여 해당 문헌에서의 환자의 질병 진단법 또는 치료법을 검색 요약하거나, 환자의 처방전 및 의약품 목록을 제시하는 소프트웨어(의료정보검색용)로 분류되어 의료기기에 해당하지 않는다고 보았다.[23] 다만, 의사의 진료과정에서 의료적 의사결정에 WFO와 같은 CDSS의 도움을 받는, 즉 WFO와 같은 소프트웨어를 이용하는 '행위'는 의사의 진료과정 중 일부일 것이고, 의사 결정 과정에서 최종적인 결정의 일부 근거로 활용될 뿐 아니라 영상의학적 진단이나 병리학적 진단의 <u>보조적 역할</u>을 의료 인공지능이 수행할 경우 특정 의료기기를 사용하는 의료기술에[24] 해당하여 의료행위로 구분될 수 있다.[25]

인공지능 소프트웨어의 특수성과 의료기기성에 대하여 의료정보의 검색부터 검색된 정보

---

21) 식품의약품안전처 의료기기안전국, 앞의 지침

22) 식품의약품안전처, 「빅데이터 및 인공지능[AI] 기술이 적용된 의료기기의 허가심사 가이드라인」, 2019, p. 2.

23) 식품의약품안전처, 「빅데이터 및 인공지능[AI] 기술이 적용된 의료기기의 허가심사 가이드라인」, 2016, p. 6.

24) 신의료기술평가에 관한 규칙 제2조 제2항

25) 배현아, "보건의료법제 하에서 인공지능기술의 의료영역 도입의 의의와 법적 문제", 「법조」 통권 제724호, 2017, p. 55.

의 분석단계로, 이후 진단 및 예측단계로 구분하여 최종적으로 인공지능이 내리는 진단 및 예측이 진단, 치료, 예방적 조치에 포함되는지 여부를 검토하여 위험관리를 하고, 규범체계로서 의료기기 해당성을 판단하고자 하기도 한다.[26] 즉 의료 인공지능의 최종적인 산출물의 형태와 내용에 따라 의료기기 해당성이 달라질 수 있고 그에 따른 규범체계의 적용 역시 달라질 수 있다. 이처럼 의료 인공지능은 의료기기로서 활용될 수도 있고, 의료행위의 수단으로 활용할 수 있다. 의료기기로서의 의료 인공지능은 의료행위를 위하여 필요한 도구·약품·기타 시설 및 재료인 '의료기재'로 볼 수 있다.[27] 이후에 논의할 의료 인공지능의 사용자는 이러한 행위를 하는 자로서 그 행위가 의료행위라면 의료 인공지능을 의료기재로 사용하는 자가 된다.

반대로 의료용 소프트웨어에는 해당하지만 의료기기가 아닌 의료기관의 행정사무를 지원하는 소프트웨어, 교육연구 목적의 소프트웨어, 질병 치료·진단 등과 관계없는 의료기록 관리 목적의 소프트웨어 그리고 이후에서 논의할 운동·레저 및 일상적인 건강관리 목적의 소프트웨어도 의료용 소프트웨어에는 해당하나 의료기기에는 해당하지 않는다.[28] 이러한 소프트웨어를 사용하는 행위는 의료행위에 해당하지 않는다.

결국 인공지능 기술을 활용하는 의료용 소프트웨어가 의료기기에 해당하는지 여부의 판단 기준은 사용 목적과 위해도로 요약될 수 있다. 구체적으로는 소프트웨어가 의도한 대로 작동하지 않아 환자에게 위해를 끼칠 가능성이 있는지 여부와 소프트웨어가 의료인의 임상적 판단을 어느 정도로 보장하는지 여부가 그러하다. 그러나 이때에도 의료인인 사용자가 환자에 대한 임상적 진단이나 치료방법 등을 결정할 경우 의료 인공지능의 권고만으로 주요 판단을 내리는 것이 아니라는 점에 근거하여 해당 소프트웨어는 개념적·태생적으로 진료의 '보조적' 역할을 하는 의료기기이다. 이에 따라 의료기기로서의 의료 인공지능의 사용자 역시 규제적 측면에서 접근하여 그 제한 여부에 대한 고려가 이루어져야 한다.

의료 인공지능이 의료기기에 해당하면 식품의약품안전처장은 의료기기의 사용 목적과 사

---

[26] 김재선, "인공지능 의료기기 위험관리를 위한 규범론적 접근-인공지능 소프트웨어 규범화 논의를 중심으로", 「공법연구」 제46집 제2호, 2017, pp. 143 이하.

[27] 의료법에서는 이에 대하여 제13조(의료기재 압류 금지) 의료인의 의료 업무에 필요한 기구·약품, 그 밖의 재료는 압류하지 못한다. 제14조(기구 등 우선공급) 제1항 의료인은 의료행위에 필요한 기구·약품, 그 밖의 시설 및 재료를 우선적으로 공급받을 권리가 있다. 등으로 규정하고 있다.

[28] 식품의약품안전처, 위 가이드라인(주 17), pp. 7 이하.

용 시 인체에 미치는 잠재적 위해성(危害性) 등의 차이에 따라 체계적·합리적 안전관리를 할 수 있도록 의료기기의 등급을 분류하여 지정하여야 한다(법 제3조 제1항).[29] 이러한 의료기기의 등급 분류 결과에 따라 사용자가 제한될 수 있다.

일례로 의료기기의 정의에 「약사법」에 따른 의약품과 의약외품 및 「장애인복지법」 제65조에 따른 장애인 보조기구 중 의지(義肢)·보조기(補助器)는 제외되는데, 구체적으로 최근 도입된 디지털 치료기기를 정의하면서 과거 디지털치료제 또는 전자약 등과 구분하여 소프트웨어 의료기기(SaMD)임을 명확히 하면서, 식품의약품안전처는 디지털 치료기기를 의학적 장애나 질병을 예방, 관리, 치료하기 위해 환자에게 근거 기반의 치료적 개입을 제공하는 '소프트웨어 의료기기'로 정의하고[30], 이때 디지털 치료기기의 사용은 치료적 개입이 필요한 '환자'를 대상으로 한다고 일반 의료기기와 구분하고 있다. 디지털 치료기기는 대상자를 '환자'로 제한함과 동시에 환자에게 치료적 개입을 제공하는 자는 처방을 전제로 하여 의사로 제한되게 된다. 실제로 디지털 치료기기의 주된 사용자는 의사가 디지털 치료기기를 처방한 후 해당 치료기기를 사용하는 환자이다. 불면증 개선을 목적으로 개발된 디지털 치료기기의 경우 인지행동치료를 모바일 어플리케이션으로 구현한 것으로, 수면습관 교육, 실시간 피드백, 행동교정을 환자에게 제공함으로써 환자의 불면증 증상을 개선하는 것으로,[31] 의사의 처방을 매개로 하여 실시간 사용자는 환자 스스로 사용하게 되는 내용으로 인해 제공자의 제한은 있고[32], 불면증 환자라는 대상자에 대한 사용자 제한이 있지만, 실제 면허와 자격을 필요로 하는 보건의료인이 사용자로 제한되는 것은 아니다.

---

29) 식품의약품안전처장은 의료기기를 사용 목적과 사용 시 인체에 미치는 잠재적 위해성의 정도에 따라 의료기기위원회의 심의를 거쳐 4개의 등급으로 분류하며, 1등급은 잠재적 위해성이 거의 없는 의료기기, 2등급은 잠재적 위해성이 낮은 의료기기, 3등급은 중증도의 잠재적 위해성을 가진 의료기기, 4등급은 고도의 위해성을 가진 의료기기로 구분된다. 여기서 '잠재적 위해성'에 대한 판단기준은 인체와 접촉하고 있는 기간, 침습의 정도, 약품이나 에너지를 환자에게 전달하는지 여부, 환자에게 생물학적 영향을 미치는지 여부이다. 의료기기법 시행규칙 [별표1] 의료 인공지능 즉 인공지능기술이 적용된 의료기기의 경우 이 등급 분류체계상 1-2등급에 해당할 것이다.

30) 식품의약품안전처, 「디지털치료기기 허가심사 가이드라인」, 2020, pp. 3 이하.

31) 대한민국 정책브리핑, "'국내 첫 디지털치료기기 허가' 브리핑", 2023.<https://www.korea.kr/briefing/policyBriefingView.do?newsId=156552779>.(마지막 접속일 2023.9.21.)

32) 이후 논의하는 비의료 건강관리서비스용 어플리케이션의 경우 제공하는 서비스의 내용에 따라서 제공자를 의료인 또는 의료기관으로 제한하지 않는 경우에 비의료 건강관리서비스로 분류된다.

(2) 의료 인공지능을 활용한 의료행위

　의료 인공지능은 전체 의료행위 중 일부 단계에서 직간접적으로 진단의 보조적 역할을 할 수 있다. 앞서 언급한 '특정 의료기기를 사용하는 의료기술'은 의료기기 해당성에 대한 판단 외에도 행위의 내용을 고려하여 해당 행위가 의학적 전문지식을 기초로 하는 경험과 기능으로, 진찰, 검안, 처방, 투약 또는 외과적 수술을 시행하여야 하는 질병의 예방 또는 치료 행위와 그 밖에 의료인이 행하지 아니하면 보건위생상 위해가 생길 우려가 있는 행위라면[33] '의료행위'에 해당하고 의료법 등에 의해 의료인이 아닌 자는 의료행위를 해서는 안 된다.[34] 또한 이러한 의료행위가 새로 개발된 의료기술로서 안전성·유효성을 평가할 필요성이 있다고 인정되면 의료법상 신의료기술평가를 거쳐(의료법 제53조) 임상현장에 도입되게 된다.[35] 앞서 살펴본 의료기기로서의 의료 인공지능은 의료기기법에 의한 임상시험을 시행하여 안전성과 유효성을 검증하게 되는 것과 대비된다.[36] 이처럼 의료 인공지능은 규범적 범주 즉 보건의료법체계 내에서 그 구분에 따라 각각 시장에 진입하는 절차나 규제하는 법제가 다르다. 마찬가지로 의료 인공지능을 활용한 의료행위의 주체는 의료법에 의해 의료인으로 제한된다. 특히 해당 행위의 내용이 진단과 치료 영역이라면 의료인 중에서도 의사, 치과의사 또는 한의사가 되어야 한다. 왜냐하면 현행 보건의료법제 하에서 의료인 중 진단 등 의료행위의 일부를 직접 수행할 수 있는 주체는 의사, 치과의사, 한의사에 한정된다고 보기 때문이다. 그렇다면 의사가 아닌 간호사의 의료행위는 어떠한가. 의료법에 의해 의료인 중 간호사, 조산사는 의사, 치과의사, 한의사의 지도하에 시행하는 진료의 보조 업무를 할 수 있다(의료법 제2조 제2항 제5호 나목). 여기서도 간호사가 진료의 보조를 함에 있어서 모든 행위 하나하나마다 항상 의사가 현장에 입회하여 일일이 지도, 감독하여야 하지는 않고, 경우에 따라서는 의사가 진료의 보조행위 현장에 입회할 필요 없이 일반적인 지도, 감독을 하는 것으로 족한 경우도 있다.[37] 구체적으로 환자의 간호 요구에 대한 관찰, 자료수집, 간호 판단 및 요양을 위한 간호 업무 등과 같은 업무는 의사 등의 현장 입회와 같은 직접적인 지도·감독 없이도 업무를 수행할 수 있을 것이고(의료법 제2조 제2항

---

[33] 대법원 2000. 9. 8. 선고 2000도432 판결 외 다수

[34] 의료법 제27조 제1항 및 보건범죄단속에 관한 특별조치법 제5조

[35] 의료법 제53조 외

[36] 의료기기법 제10조 외

[37] 대법원 2003. 8. 19. 선고 2001도3667 판결

제5호 가, 다, 라 목) 이때 간호사가 사용자로서 의료 인공지능을 활용할 수도 있을 것이다. 또한 일부 대통령령으로 정하는 보건활동과 같이 보건진료 전담공무원으로 하는 보건활동38), 모자보건전문가가 행하는 모자보건 활동39), 결핵예방법에 따른 보건활동40) 역시 의료 취약지역과 같이 의사가 현장에 입회하지 않은 채 간호사가 의료법 제27조에도 불구하고 경미한 '의료행위'에 해당하는 업무를 수행하기도 할 수 있는 법적 근거가 마련되어 있다. 앞서 간호사의 진료 보조 행위에 대하여 의사의 일반적 지도·감독으로 족한 경우인지 여부를 판단하는 것은 보조행위의 유형에 따라 일률적으로 결정할 수는 없고, 구체적인 경우에 있어서 그 행위의 객관적인 특성상 위험이 따르거나 부작용 혹은 후유증이 있을 수 있는지, 당시의 환자 상태가 어떠한지, 간호사의 자질과 숙련도는 어느 정도인지 등의 여러 사정을 참작하여 개별적으로 결정하여야 한다.41) 반대로 해당 행위가 의사의 지시나 위임을 받았다고 하더라도 고도의 지식과 기술을 요하여 반드시 의사만이 할 수 있는 의료행위라고 판단된다면 간호사의 행위는 무면허의료행위에 해당할 수 있다.42) 결국 의료 인공지능을 활용한 의료행위의 사용자는 대상이 되는 환자의 상태, 제공되는 서비스의 객관적인 특성상 위험이 따르거나 부작용 혹은 후유증이 있을 수 있는지와 함께 의사 또는 간호사의 자질과 숙련도를 고려하여 개별적으로 평가한다면 이 범주에 해당하는 의료 인공지능의 사용자는 간호사도 가능하다는 결론에 이를 수 있다. 왜냐하면 의료 인공지능을 활용한 의료행위의 경우 의료인의 업무를 보조하기 위해 또한 데이터를 분석하여 권고사항을 도출하거나 판독하여 산출물을 송출하거나 의료 데이터 모니터링을 통해 질

---

38) 「농어촌 등 보건의료를 위한 특별조치법」에 의해 "보건진료 전담공무원"이란 제19조에 따른 의료행위를 하기 위하여 보건진료소에 근무하는 사람을 말한다(제2조 제3호). 보건진료 전담공무원은 「의료법」 제27조에도 불구하고 근무지역으로 지정받은 의료 취약지역에서 대통령령으로 정하는 경미한 의료행위를 할 수 있다(같은 법 제19조).

39) 「모자보건법」 제10조 제1항 제10조(임산부 · 영유아 · 미숙아 등의 건강관리 등) ① 특별자치시장 · 특별자치도지사 또는 시장 · 군수 · 구청장은 임산부 · 영유아 · 미숙아 등에 대하여 대통령령으로 정하는 바에 따라 정기적으로 건강진단 · 예방접종을 실시하거나 모자보건전문가(의사 · 한의사 · 조산사 · 간호사의 면허를 받은 사람 또는 간호조무사의 자격을 인정받은 사람으로서 모자보건사업에 종사하는 사람을 말한다)에게 그 가정을 방문하여 보건진료를 하게 하는 등 보건관리에 필요한 조치를 하여야 한다.

40) 「결핵예방법」 제18조(결핵환자 등의 의료) ① 시 · 도지사 또는 시장 · 군수 · 구청장은 관할 구역에 거주하는 결핵환자 등에 대한 적절한 의료 등을 실시하기 위하여 전문 인력을 배치하고, 보건복지부령으로 정하는 조치를 하여야 한다.

41) 대법원 2003. 8. 19. 선고 2001도3667 판결

42) 대법원 2007. 9. 6. 선고 2006도2306 판결

병이나 의학적 상태 변화를 예측하고자 하는 시도를 통해 이 행위의 객관적인 특성상 행위의 내재적 위험을 감소시키고자 하는 방향으로 시행될 것이기 때문이다.

실제로 한의사의 의료기기의 사용에 관하여 헌법재판소는 의료인의 면허된 것 이외의 의료행위에 대하여 판단할 때 구체적인 의료행위의 태양 및 목적, 그 행위의 학문적 기초가 되는 전문지식, 해당 의료행위에 관련된 규정, 그에 대한 한의사의 교육 및 숙련의 정도 등을 종합적으로 고려하여 사회통념에 비추어 합리적으로 판단하여야 한다고 하면서, 이러한 판단에는 '국민의 건강을 보호하고 증진'한다는 의료법의 목적(제1조)이 중심이 되어야 하므로, 과학기술의 발전으로 의료기기의 성능이 대폭 향상되어 보건위생상 위해의 우려 없이 진단이 이루어질 수 있다면 자격이 있는 의료인에게 그 사용 권한을 부여하는 방향으로 해석되어야 할 것이라 한 바 있다.[43] 이에 안압측정기, 자동안굴절검사기, 세극등현미경, 자동시야측정장비, 청력검사기(이하 '이 사건 기기들'이라 한다)는 '측정결과가 자동으로 추출되는 기기들'로서 신체에 아무런 위해를 발생시키지 않고, 측정결과를 한의사가 판독할 수 없을 정도로 전문적인 식견을 필요로 한다고 보기 어렵다고 하여 자동화된 의료기기 사용자를 확장한 바 있다. 이러한 헌법재판소의 결정 근거는 자동화된 추천기능이나 해석기능을 포함하고 있는 인공지능기술이 적용된 의료기기를 의료행위에 보조적으로 활용하는 의료 인공지능의 경우에 적용될 수 있을 것이고, 이것이 서비스 제공자나 의료 인공지능 사용자 확대의 논거가 될 수 있을 것이다.

의료 인공지능을 활용한 의료행위는 매우 다양한 단계에서 사용될 수 있다. 이 중 '진찰'과 그 '진찰 방법'에 대하여 대법원은 환자의 용태를 관찰하여 병상과 병명을 규명·판단하는 작용으로 그 진단 방법으로는 문진, 시진, 청진, 타진, 촉진, 기타 각종의 과학적 방법을 써서 검사하는 등 여러 가지가 있다고 하여 '과학기술 발전에 따라 기타 각종의 과학적 방법 등의 여러 가지 검사방법의 활용 가능성'을 염두에 두고 판시한 바 있다.[44] 이처럼 의료행위, 더 나아가 건강을 증진시키기 위한 행위 중 사용되는 수단은 매우 다양하게 적용될 수 있고, 의료 인공지능의 활용 역시 그러하다. 의료기술의 발전과 시대 상황의 변화에 근거한 의료행위 개념의 가변성과 마찬가지로 의료행위 수단으로 사용하는 의료기재 즉, 의료서비스의 제공 수단도 그간 의생명과학기술의 발전에 따라 변화되어 왔다. 대법원은 이러한 '진찰 방법'에 대하여 '직접 진

---

43) 헌법재판소 2013. 12. 26. 선고 2012헌마551,561(병합) 전원재판부
44) 대법원 2001. 7. 13. 선고 99도2328 판결

찰'에 대한 문언적 해석에 있어 대면 진찰만을 의미하는 진찰 방법이나 전화 등의 수단을 규제하는 것이 아니라고 판시한 바 있다.[45] 이 판결에서 대법원은 의료행위의 제공 수단 내지 진찰 방법에 대하여 진찰방식의 한계나 범위를 규정한 것은 아님이 분명하다고 밝혀 향후 이러한 첨단기술의 발전으로 인해 기존의 진찰 방법에 있는 시진, 청진, 촉진, 타진 기타 여러 가지 진찰의 방법 역시 다양한 의료기기들과 접목하여 다양한 방식으로 나타날 수 있고, 이러한 기술의 발전이 안전성과 효과에 대한 향상을 전제로 사용자의 편의를 도모한다면 얼마든지 다양한 방식으로 다양한 대상자에게 받아들여질 필요가 있다는 것을 의미한다고도 볼 수 있다. 왜냐하면 대법원도 이 판결에서 의료법은 국민이 수준 높은 의료 혜택을 받을 수 있도록 국민의료에 필요한 사항을 규정함으로써 국민의 건강을 보호하고 증진하는 데에 목적이 있으므로(제1조), 그에 반하지 않는 한도 내에서 국민의 편의를 도모하는 방향으로 제도를 운용하는 것을 금지할 이유가 없는 점, 국민건강보험제도의 운용을 통하여 제한된 범위 내에서만 비대면진료를 허용한다거나 보험수가를 조정하는 등으로 비대면진료의 남용을 방지할 수단도 존재하는 점, 첨단기술의 발전 등으로 현재 세계 각국은 원격의료의 범위를 확대하는 방향으로 바뀌어 가고 있다는 점도 고려할 필요가 있다고 하면서,[46] 향후 정책적으로 매우 빠르게 발전하고 변화하고 있는 의생명과학기술의 발전이 수단으로서의 의료기재, 새로운 의료기술의 도입과 활용에 고려되어야 함을 제시하고 있기 때문이다.

다만 의료행위에 사용되는 의료기기나 치료재료의 위험성에 따라 해당 행위가 의료행위에 해당하는지 여부가 결정되기도 한다.[47] 여기서 의료기기를 사용하는 것이 곧바로 의료행위에 해당한다기보다 사용되는 의료기기의 특성과 위험성 등을 포함하여 의료행위 해당성을 판단

---

45) 대법원 2013. 4. 11. 선고 2010도1388 판결

46) 대법원 2013. 4. 11. 선고 2010도1388 판결

47) 피부미용을 위하여 화장품으로 분류되는 필링크림 등을 사용하여 얼굴맛사지를 하는 행위는 그로 인하여 피부의 상태에 따라 피부가 다소 벗겨지는 증상이 나타난다 하더라도 이를 들어 의료행위라고 할 수 없을 것이지만, 의약품인 프로페셔널 필링 포뮬러를 사용하여 얼굴의 표피전부를 벗겨내는 박피술을 시행한 경우, 인체의 생리구조에 대한 전문지식이 없는 피고인이 그와 같은 행위를 하는 것은 사람의 생명, 신체나 공중위생상 위해를 발생시킬 우려가 있는 것이므로, 이는 단순한 미용술이 아니라 의료행위에 해당한다고 보았다. 즉 인체의 생리구조에 대한 전문지식이 없는 자가 의약품을 사용하여 얼굴의 표피전부를 벗겨내는 박피술을 시행하는 것은 사람의 생명, 신체나 공중위생상 위해를 발생시킬 우려가 있는 것이므로 이는 단순한 미용술이 아니라 의료행위에 해당한다는 것이다. [대법원 1994. 5. 10. 선고 93도2544 판결]

하게 됨을 의미한다. 의료 인공지능을 활용하는 행위가 의료행위인지 여부를 판단함에 있어 질병의 예방과 치료에 사용된 기기가 의료기기인지 여부보다는 의료기기 자체의 위험성을 고려하되, 의학적 전문지식이 없는 자가 이를 질병의 예방이나 치료에 사용함으로써 사람의 생명, 신체나 공중위생에 위험을 발생케 할 우려가 있느냐의 여부에 따라 결정되어야 한다.[48] 여기서 사용자의 의학적 전문지식에는 의료 인공지능 활용에 있어서 수반되어 발생할 수 있는 사람의 생명, 신체나 공중위생상 위해에 대한 인식과 더불어 사용하는 과정에서 의료 인공지능을 활용한 행위에 대하여 추가적·보충적으로 최종적인 판단을 하기 위한 정도의 의학적 전문지식도 필요로 할 것이다. 살펴본 바와 같이 의료 인공지능을 활용한 의료행위의 사용자에 대한 논의를 위해서는 행위의 구체적인 내용을 포함하여 의료기기 자체의 '위험성'이 고려되긴 하지만, 위험성만을 그 판단기준으로 하지는 않는다. 의료기기나 시술 자체의 위험성에 대한 평가뿐 아니라 일반인들의 인식 즉 얼마나 해당 서비스를 받는 것에 대하여 관용적인 입장인지, 시술자의 시술의 동기, 목적, 방법, 횟수, 시술에 대한 지식수준, 시술경력, 피시술자의 나이, 체질, 건강상태, 시술행위로 인한 부작용 내지 위험발생 가능성 등을 종합적으로 고려된다.[49] 여기서 일반인의 수용적·관용적 인식은 의료 인공지능과 같은 첨단과학기술에 대한 이해와 인식, 디지털 리터러시와 같은 지식의 습득 정도와 그로 인한 격차 등이 반영되는 부분이고 이러한 사회적 변화가 결국 규범적 판단에 있어서도 반영될 것이다. 이처럼 의료행위 개념이 의학의 발달과 사회의 발전, 의료서비스 수요자의 인식과 요구에 수반하여 얼마든지 변화될 수 있는 것이므로,[50] 이러한 개념을 포함하고 있는 의료 인공지능도 그 가변적이다. 또한 의료서비스 수요자의 인식과 요구에 대응하기 위해 의료 인공지능의 사용자 또는 제공자가 환자나 건강인인 대상자에게 공유되는 지식과 정보도 중요하다.

요약하자면 기존의 보건의료법체계 하에서 의료행위는 의료인만이 행하는 것으로만 한정되어 있었고, 의료인이 아닌 자에 의한 의료행위는 금지되어 왔다. 그러나 의료기재를 사용하

---

[48] 대법원은 고객의 시력을 측정한 후 사용한 이 사건 가압식 미용기는 눈주위의 근육을 맛사지하여 혈액순환을 원활하게 하고 눈의 모든 기능을 회복시켜 줌으로써 시력을 회복한다는 것이니 눈주위의 근육 및 신경조직 등 인체의 생리구조에 대한 전문지식이 없는 자가 이를 행할 때에는 시신경 등 인체에 위해를 발생케 할 우려가 있으므로 피고인의 이 사건 가압식 미용기 사용은 의료행위에 해당한다고 보았다. [대법원 1989. 9. 29. 선고 88도2190 판결]

[49] 대법원 2000. 4. 25. 선고 98도2389 판결

[50] 대법원 2016. 7. 21. 선고 2013도850 판결

는 일부의 의료행위에 대해 의료 인공지능인 의료기재의 특성을 고려한다면, 면허 또는 자격이 있는 자로 한정하여 의료인, 그중에서도 의사로 그 사용자를 한정하는 것은 국민의 편의를 위해 국민의 건강을 보호하고 증진하며 더 나아가 국민이 수준 높은 의료혜택을 받을 수 있도록 하는 의료법의 입법 목적을 달성하기에도 한계가 있을 것이다.

(3) 비의료 건강관리서비스 제공 수단으로의 의료 인공지능

실제로 보건의료 영역에서 인공지능기술은 의료기기로서 또는 의료행위의 수단으로만 사용되지는 않는다. 오히려 수요자 측면이나 실제로 적용되어 사용되는 영역은 의료의 밖에서 양적인 성장을 하고 있다고도 볼 수 있다. 물론 기술적으로나 내용적으로는 그 경계가 불분명할 수도 있지만, 우리 보건의료법체계 내에서 이러한 서비스를 의료영역의 그것과 구분하여 '비의료' 건강관리서비스라 한다. 의료 인공지능과 비의료 건강관리서비스의 관계는 비의료 건강관리서비스의 제공방식에서 알 수 있는데, 비의료 건강관리서비스는 이용자와 제공자 간 대면서비스는 물론 App 등을 활용한 비대면서비스를 포함하고 있고, 'App의 자동화된 알고리즘에 기반한 서비스'로 제공하는 것이 가능하기 때문에 인공지능기술이 적용되어 App의 형태로 자동화된 추천기능 등을 활용하여 이용자의 자가관리 중심 서비스로 제공될 수 있다. 양적 성장 또는 산업화 측면에서 의료와 관련된 인공지능에 관한 논의를 할 때 이러한 비의료 건강관리서비스를 제외하고 논의하는 것은 불충분하거나 가능하지 않을 수 있다. 왜냐하면 비의료 건강관리서비스의 형태로 의료기관이나 의료인이 아닌 자가 제공하는 서비스라 하더라도 의료기기나 의료행위에 해당하는 의료 인공지능과 그 구조는 유사하고 제공되는 서비스의 내용에서만 차이를 보이는 경우가 다수 존재하기 때문이다. 즉 비의료 건강관리서비스 역시 그 제공 주체를 의료인 또는 의료기관으로 한정하여야 하는지 여부를 해당 건강관리서비스의 내용에 따라 제한하고 있다.

실제로 보건복지부는 「비의료 건강관리서비스 가이드라인과 사례집」의 발간 목적을 '의료행위의 개념이 의료법 등에 근거하고 법원의 해석에 의존하는 바 불명확한 개념으로 인해 민간의 건강관리서비스 개발·제공에 어려움을 겪고 있는 상황에 도움을 주기 위해 의료법상 의료행위와 그 외의 비의료기관에서[51] 제공할 수 있는 행위에 대한 구분 기준을 명확히 하기 위함'이라고 밝히고 있다.[52] 여기서 건강관리서비스를 제공하려는 자인 개발자는 본래 영업허가를 받은 목적에 따라 영업할 때 그 서비스 내용이 '의료행위'에 저촉되는지를 판단하기 위해 이러한 구분 기준을 활용할 수 있다. 왜냐하면 개발 또는 서비스 제공에 관한 계획단계에서 서비스 제공목적과 서비스의 내용을 확정하지 않은 채 진행하다가 앞서 무면허의료행위와 같은 다른 규제에 막혀 실제 활용단계에서 혼란이 발생할 수 있기 때문이다. 또한 이러한 비의료 건강관리서비스 개발자들이 건강인 또는 환자에게 서비스를 제공한 후에는 건강인 또는 환자가 사용자가 된다. 개념적으로 비의료 건강관리서비스는 건강의 유지·증진과 질병의 사전 예방·악화방지를 목적으로, 위해한 생활습관을 개선하고 올바른 건강관리를 유도하기 위해 제공자의 판단이 개입(의료적 판단 제외)된 상담·교육·훈련·실천 프로그램 작성 및 유관서비스를 제공하는 행위이다.53) 따라서 실제 이러한 서비스를 활용하여 건강의 유지 증진하는 활동, 질병의 사전 예방 악화 방비를 위한 활동, 위해한 생활습관을 개선하여야 하는 주체는 건강인 또는 환자 스스로가 된다. 그렇다면 이러한 비의료 건강관리서비스의 규제 대상은 제공자를 포함해 이 서비스를 이용하는 건강인 또는 환자이다.

비의료 건강관리서비스는 내용상 보건의료의 경계에서 인공지능기술을 활용한 서비스를 제공하기 때문에 일부에서는 의료 영역과 중복이 발생할 수 있다. 이러한 이유로 가이드라인을 통해 어느 정도의 구분 기준을 제시하고자 하였지만, 이 역시도 실제 구체적인 사례에 적용되는 과정에서는 개별적으로 추가적인 판단과 규범적인 '해석'이 필수적인 절차가 될 수밖에 없고, 이러한 내재적 특성으로 인해 의료행위 또는 의료기기 해당성 판단에 있어서 명확한 기준을 제공하는 것은 한계가 있다.

다만 비의료 건강관리서비스는 그 목적을 질병의 치료보다는 질병의 사전 예방·악화 방지로 한정하거나 건강의 유지증진이라는 목적을 제시하고 있고 그 내용상으로도 생활습관 개선이나 올바른 건강관리를 유도한다고 한정하고는 있다. 그러나 실제로는 비의료기관이 제공 가능한 건강관리서비스에 대하여 객관적 건강정보의 확인 및 점검과 그러한 건강정보에 근거한 '비의료적'54) 상담이나 조언을 제공할 수 있다고 하는데, 여기서 비의료적이 개념은 '의료행

---

51) 여기서 비의료기관이란 의료법 제3조의 의료기관에 해당하지 않고, 체육시설업, 소프트웨어개발업 등 건강관리서비스를 제공하는 것을 업으로 하는 자를 말한다.

52) 보건복지부, 「비의료 건강관리서비스 가이드라인 및 사례집」, 2019, p. 3.

53) 보건복지부, 앞의 가이드라인(주53), p. 4.

54) 여기서 '비의료적'이라 함은 의료행위가 아닌, 의료행위 해당성을 판단하면서 이 지침에서 비의료기관

위가 아닌'이기 때문에 앞서 살펴본 가변적인 의료의 개념과 비의료의 개념은 연동될 수밖에 없다. 또 다른 서비스로 건강정보의 확인·점검으로 건강검진결과 단순 확인 및 개인동의에 기반한 자료수집, 웰니스 기기를 활용한 건강정보지표의 측정 및 모니터링(체성분, 심박수, 걸음수, 수면 패턴, 호흡량 등), 섭취 식품의 기록 및 영양소 분석 안내, 개인용 의료기기(심전도, 혈압, 혈당 등)를 활용한 건강정보 지표수치의 측정 서비스 제공 등을 예로 들고 있다. 다만 이러한 서비스의 제공 내용에는 이미 '건강에 관한 정보'가 포함되어 있고[55] 개인용 의료기기의 활용 가능성이 포함되어 있으며, 결과에 대한 수치 해석 등은 불가능하다고 하지만 기술적으로는 매우 적은 노력으로 다른 의료 인공지능에서 활용되는 기술을 융합하여 서비스 내용의 추가나 변경은 가능할 것이다. 다만 기술적 문제가 아닌 규제로 인해 이것이 제한될 뿐이다. 따라서 향후 이러한 기술의 발전과 융합, 이후 비의료 인공지능 사용자, 여기서는 제공자나 제공기관에 대한 제한을 두고 있는 비의료 건강관리서비스는 제공 주체는 얼마든지 확장될 수 있고 그럴 필요성도 여전히 존재한다.

객관적 건강정보의 확인 및 점검에서 더 나아가 '상담·조언'의 영역에서는 더욱 그러하다. 현재로서는 서비스 내용상 객관적 정보의 제공 및 분석에 따라 건강 목표를 설정하고 관리하되, 이때 의학적 전문지식이나 판단이 필요하지 않은 일반적인 건강증진 활동 및 질환의 예방관리 활동에 대한 목표설정 및 관리 등을 제공하는 것이 비의료적 상담조언에 해당한다고 한다.[56] 그러나 앞서 살펴본 대로 의료행위의 개념이 이미 질병의 예방이라는 개념을 포함하고 있고, 결국 서비스 사용자가 정보를 분석하고 분석결과를 제공하는 과정, 목표를 설정하는 과정과 이후 건강증진 활동이나 예방관리 활동을 하는 주체로 해당 활동을 함에 있어서, 의학적 전문지식·판단이 필요한지가 의료와 비의료를 구분하는 기준이 되는 것이 합리적이다. 이처럼 해당 서비스의 내용상 제공자, 제공기관 또는 사용자가 의학적 전문지식·판단이 필요하지 않

이 제공 불가능한 서비스에 대하여 「의료법」상 의료행위, 「의료법」 및 「의료기사 등에 관한 법률」에서 면허·자격을 갖추어야만 할 수 있는 행위는 비의료기관에서 제공 불가하다고 제시하고는 있다. 결국 앞서 의료행위의 개념이나 보건의료인의 업무범위에 해당하는 것이 '의료적'에 해당하고 그 외 영역이 비의료적으로 규정하기 때문에 비의료의 개념은 의료의 개념과 연동될 수밖에 없다.

[55] '건강에 관한 정보'는 「개인정보보호법」상 민감정보에 해당 정보주체에게 별도의 동의를 받거나 법령에서 민감정보의 처리를 요구하거나 허용하는 경우가 아니면 처리가 제한되는 정보에 해당한다(법 제23조 제1항).

[56] 보건복지부, 앞의 가이드라인(주53), p. 6.

은 활동이거나 자동화된 알고리듬이 의학적 전문지식의 필요성을 대체하거나 보완해 줄 수 있다면 그 기준은 달라질 것이다. 또한 상담 교육 및 조언 과정에서도 운동·영양·수면 등 일상적 건강증진 활동을 돕기 위한 교습 및 이행 프로그램 등을 제공하는 것은 비의료적 상담조언에 해당하지만, 이러한 상담·교육·조언 역시 내용적으로 의료인의 진단·처방 등 의료적 내용을 포함한다면 의료서비스에 해당할 수 있다. 지침에서도 대상이 건강인이 아닌 일부 질환 환자군, 만성질환자 대상 서비스의 경우 만성질환을 '관리'하는 목적으로 행해지는 것은 비의료 건강관리서비스에 해당하지만, 특정 질환의 치료를 직접적 목적으로 하는 상담조언은 의료행위성이 높아 의료기관에서 제공하여야 한다고만 제한하고 있어 환자에 대한 '관리'의 영역과 의료행위에 대한 구분이 명확하지 않음을 알 수 있다. 또한 비의료기관이 의료인의 판단·지도·감독·의뢰 하에서 행하는 경우를 예외적으로 허용하고 있어, 비의료 건강관리서비스 사용자 또는 제공자가 '의료인의 지도·감독이 가능하다면'이라는 전제로, 서비스 내용상 비의료에서 의료로의 확장 가능성을 제시하고 있다. 결국 예외적으로 비의료 건강관리서비스라 하더라도 질환 보유자의 특성을 고려하여 의료인이 특정 방법의 운동·영양 등의 프로그램을 의뢰하거나 (서면·전자적 방식 등 무관) 의사와 환자 간 진료내용에 따른 처방(약 복용 등)이 존재하는 경우 해당 처방을 관리·점검하는 행위는 허용된다. 이러한 예외적 상황은 많은 부분 의료기관과 의료인이 제공하는 의료서비스의 연속선상에서 이루어질 수 있다.

최근 대두되고 있는 마이 헬스웨이 건강정보 고속도로와 같이[57] 환자 또는 건강인의 건강에 관한 자기 정보결정권, 의료정보 자기결정권이나 의료소비자로서 자신의 건강관리의 주체성을 강조하고자 하는 환경 변화를 고려한다면 의료와 비의료의 연동되는 가변성과 연속성, 그에 따른 주체의 확장이 비의료 건강관리서비스에서도 고려되어야 한다. 왜냐하면 최근 디지털 헬스케어의 도입 움직임과 같이 보건의료가 환자 중심의 질병 치료에만 국한되는 것이 아니라 개념적·실질적으로 일상의 건강관리까지로 확장되고 있는 것이 현실이고[58] 동시에 환자나 건강인이 건강에 관한 정보 자기결정권이 강조되는 것과 같이 실제로 의료제공자 중심의 의료서비스가 의료소비자 중심으로의 전환이 이루어지고 있어 그에 따라 보건의료서비스 영역에서

---

57) 이은솔, "의료정보 플랫폼과 마이헬스웨이", 「의료정책포럼」 제20권 제3호, 2022, pp. 41 이하.

58) 심우현, 박정원, "디지털 헬스케어 규제 개선방안에 관한 연구", 「규제연구」 제27권 제1호, 2018, pp. 40 이하.

도 사용 주체의 패러다임의 변화 내지는 전체 헬스케어 패러다임에 변화 움직임이 있기 때문이다.[59]

결론적으로 '비의료'의 개념과 범위, 내용은 의료의 '개념'과 함께 가변적일 수밖에 없고, 이때 앞서 언급한 기술의 발전, 수요자의 인식변화와 같은 사회의 변화가 반영되어야 할 것이다. 관련하여 이후에서는 이러한 의료/비의료의 개념에 대하여 이러한 사회 변화를 고려한 해석의 영역에서 최근 법원의 판례들을 통해 의료행위 해당성을 판단하는 기준과 그에 따른 보건의료인의 면허 종별 업무범위에 대하여 검토해 보고 의료 인공지능의 사용 주체 확장 가능성에 대하여 논의해보고자 한다.

3. 의료 인공지능의 사용자

앞서 구분한 대로 의료 인공지능은 비의료 건강관리서비스에서부터 진단이나 진찰처럼 의료인의 업무를 보조하거나, 다양한 의료기기에 인공지능 기술이 적용될 수 있음을 확인하였다. 더 나아가 의료 인공지능은 기술적으로 의료인의 업무를 보조함에 그치지 않고 직접적·확증적으로 진단을 하거나 치료방법의 추천도 가능해질 수 있을 것이다. 다만 이러한 의료 인공지능을 사용하는 자는 적용 대상과 활용 영역에 따라 건강인이나 환자, 의사·치과의사·한의사와 같은 의사, 간호사나 조산사를 포함하는 의료인으로 한정되거나 보건의료 관련 면허와 자격이 있는 의료기사, 응급구조사,[60] 약사와 같은 보건의료인까지도[61] 포함할 수도 있을 것이다. 의료 인공지능은 그 범주에 따라 사용자가 각각 달리 적용되고 제한될 수 있다. 물론 이 경우 앞서 살펴본 의료 인공지능의 규범적 범주에 따라 각 사용자에게 의학적 전문지식이 필요한지, 필요하다면 어느 정도의 의학적 전문지식인지에 따라 의사의 의료행위뿐 아니라 한방과 치과 의료행위 내지는 간호사의 업무, 의료기사나 응급구조사의 자격으로도 적절할지 보건의료인 간의 업

---

59) 선종수, "헬스케어 패러다임 변화에 따른 형사법적 쟁점과 과제", 「의료법학」 제24권 제1호, 2022, pp. 56 이하.

60) 최근 인공지능기술을 활용하여 응급의료시스템 관련 연구성과를 통해 응급환자 중증도 분류와 이송병원 선정과 같은 영역에 적용하여 119구급대에서 활용하여 그 성과를 내고 있다.

61) 여기서 보건의료인은 앞서 「보건의료기본법」에서 정하고 있는 보건의료 관계 법령에서 정하는 바에 따라 자격·면허 등을 취득하거나 보건의료서비스에 종사하는 것이 허용된 자(법 제3조 제3호)로 비교적 포괄적으로 약사, 의료기사, 응급구조사 등 보다 다양한 보건의료 전문직종들이 포함된다고 볼 수 있다.

무 범위에 따른 층위도 구분되어야 한다.

비의료 건강관리서비스를 제공할 수 있는 자를 비의료기관으로 한정하고는 있지만, 예외적 허용으로 만성질환자 대상 서비스에 대하여 비의료인이 의료인의 판단·지도·감독 의뢰 하에서 행하는 경우와 의사 환자 간 진료 이후에 처방 관리·점검하는 서비스와 같이 진료의 연속성 상에서 복수의 제공기관이나 제공 주체에 의한 서비스나 의료인과 면허나 자격을 보유하지 않은 보건의료인이 아닌 자와의 공동의 서비스 제공까지도 가능하다.

또한 의료인과 비의료인뿐 아니라 의료인 중에서도 의사와 간호사, 의사와 치과의사, 한의사가 의료 인공지능의 사용자가 될 경우 우리나라 의료인 면허제도 하에서 각 면허 종별 업무 범위에 따라 면허된 것 이외의 의료행위에 해당하는지 여부에 대하여 의료 인공지능이 활용되는 영역과 제공하는 서비스 내용을 고려한 법적 판단이 필요할 수 있다. 즉 의료 인공지능을 활용한 행위의 경우 의료행위 중에서도 의사의 업무범위에 해당하는지 또는 간호사의 업무범위에 해당하는지에 대한 판단도 필요하다. 간호사의 업무범위 중에서도 독립적으로 수행할 수 있는 업무인지 의사 등의 지도·감독이 필수적인 진료의 보조 업무에 해당하는지, 의사의 업무 중에서도 치과 의료행위 또는 한방 의료행위에 해당하는지 등에 대한 검토도 필요하다.

그러나 최근 이러한 각 의료인 간의 업무범위 내용과 각 면허 종별 의료행위의 한계에 대하여 과거 비교적 명확하게 유지되어 오던 이원적 의료체계와 같은 경계가 변화되고 있음이 감지되고 있다.

관련하여 최근 대법원은 한의사가 의료공학 및 그 근간이 되는 과학기술의 발전에 따라 개발·제작된 진단용 의료기기를 사용하는 것이 한의사의 '면허된 것 이외의 의료행위'에 해당하는지는 관련 법령에 한의사의 해당 의료기기 사용을 금지하는 규정이 있는지, 해당 진단용 의료기기의 특성과 그 사용에 필요한 기본적·전문적 지식과 기술 수준에 비추어 한의사가 진단의 보조수단으로 사용하게 되면 의료행위에 통상적으로 수반되는 수준을 넘어서는 보건위생상 위해가 생길 우려가 있는지, 전체 의료행위의 경위·목적·태양에 비추어 한의사가 그 진단용 의료기기를 사용하는 것이 한의학적 의료행위의 원리에 입각하여 이를 적용 내지 응용하는 행위와 무관한 것임이 명백한지 등을 종합적으로 고려하여 사회통념에 따라 합리적으로 판단하여야 한다고 하면서 대법원 2014. 2. 13. 선고 2010도10352 판결의 '종전 판단 기준'을 변경하였다.[62] 한의사의 초음파 진단기기 사용을 금지하는 취지의 규정은 존재하지 않고, 초음파 진단기기가 발전해 온 과학기술 문화의 역사적 맥락과 특성 및 그 사용에 필요한 기본적·전문적 지식과 기술 수준을 감안하면, 한의사가 한방의료행위를 하면서 진단의 보조수단으로 이를 사용하는 것이 의료행위에 통상적으로 수반되는 수준을 넘어서는 보건위생상 위해가 생길 우려가 있는 경우에 해당한다고 단정하기 어렵고, 전체 의료행위의 경위·목적·태양에 비추어 한의사가 초음파 진단기기를 사용하는 것이 한의학적 의료행위의 원리에 입각하여 이를 적용 또는 응용하는 행위와 무관한 것임이 명백히 증명되었다고 보기도 어렵다는 근거를 들어 한의사의 초음파 진단기기를 한의학적 진단의 보조수단으로 사용하는 것이 한의사의 '면허된 것 이외의 의료행위'에 해당하지 않는다고 판시한 바 있다.[63] 여기서도 대법원은 의료공학 및 그 근간이 되는 과학기술의 발전에 따라 개발·제작된 진단용 의료기기임을 고려하고, 향후 기술발전에 따른 인공지능 기술을 적용한 의료기기나 SaMD와 같이 예측하기도 어려운 의료 인공지능 분야의 의료영역의 도입, 적용 활용의 활성화를 위해 그 사용 주체의 확장을 염두에 두고, 그 가능성을 전향적으로 제시한 것으로 볼 수도 있다. 대법원도 이 판결에서 초음파 진단기기가 한의사의 교육과정 및 초음파 진단기기의 과학기술적 발전 상황을 감안하면, 이와 같이 범용성·대중성·기술적 안전성이 담보된다고 하면서, 초음파 진단기기는 방사선 발생장치가 아니고, 다기능전자혈압계, 귀적외선체온계와 같이 위해도 2등급(잠재적 위해성이 낮은 의료기기)로 지정되어, 인체에 대한 잠재적 위해성 등의 측면에서 혈압계나 체온계 등 일상생활 영역에서 널리 이용되는 의료기기와 크게 다르지 않다고 보아 '위해성' 측면의 평가를 하여 고려한 바는 있다.

---

[62] 종전에 대법원은 의료법령에는 의사, 한의사 등의 면허된 의료행위의 내용을 정의하거나 구분 기준을 제시한 규정이 없으므로, 의사나 한의사의 구체적인 의료행위가 '면허된 것 이외의 의료행위'에 해당하는지 여부는 구체적 사안에 따라 이원적 의료체계의 입법 목적, 당해 의료행위에 관련된 법령의 규정 및 취지, 당해 의료행위의 기초가 되는 학문적 원리, 당해 의료행위의 경위·목적·태양, 의과대학 및 한의과대학의 교육과정이나 국가시험 등을 통해 당해 의료행위의 전문성을 확보할 수 있는지 여부 등을 종합적으로 고려하여 사회통념에 비추어 합리적으로 판단하여야 한다고 하였다. 한의사가 전통적으로 내려오는 의료기기나 의료기술(이하 '의료기기 등'이라 한다) 이외에 의료공학의 발전에 따라 새로 개발·제작된 의료기기 등을 사용하는 것이 한의사의 '면허된 것 이외의 의료행위'에 해당하는지 여부도 이러한 법리에 기초하여, 관련 법령에 한의사의 당해 의료기기 등 사용을 금지하는 취지의 규정이 있는지, 당해 의료기기 등의 개발·제작 원리가 한의학의 학문적 원리에 기초한 것인지, 당해 의료기기 등을 사용하는 의료행위가 한의학의 이론이나 원리의 응용 또는 적용을 위한 것으로 볼 수 있는지, 당해 의료기기 등의 사용에 서양의학에 관한 전문지식과 기술을 필요로 하지 않아 한의사가 이를 사용하더라도 보건위생상 위해가 생길 우려가 없는지 등을 종합적으로 고려하여 판단하여야 한다고 지속적으로 판시한 바 있다.

[63] 대법원 2022. 12. 22. 선고 2016도21314 전원합의체 판결

앞서 살펴본 헌법재판소도[64] 안압측정기, 자동안굴절검사기, 세극등현미경, 자동시야측정 장비, 청력검사기와 같이 '측정결과가 자동으로 추출되는 기기들'이 신체에 아무런 위해를 발생시키지 않고, 측정결과를 한의사가 판독할 수 없을 정도로 전문적인 식견을 필요로 한다고 보기 어렵다고 한 것 역시 유사한 논리에 근거한다고 볼 수 있다. 그러나 이에 대한 반대 입장에서 자동화된 의료기기라 하더라도 자체에 수반되는 위험성뿐만 아니라 해당 의료기기에서 도출된 결과와 환자 진찰로 수집한 모든 정보를 종합적으로 해석, 적용하여 질병을 제대로 진단하고 진단될 질병을 치료할 수 있는 능력을 갖추었는지가 추가적으로 고려되어야 한다는 의견도 있다.[65] 결국 진료 과정 중 사용뿐 아니라 도출된 결과를 적용하고 이후 최종적으로 이어질 수 있는 의료적 개입을 할 수 있는지도 고려되어야 한다는 것이다.

과거 양방의료행위와 한방의료행위의 중첩적 상황에 대하여 WFO(Watson for Oncology)와 같은 임상의사결정지원시스템(CDSS:Clinical Decision Support System)을 한의사가 사용하기 위해서는 왓슨에 제공되는 학습 데이터가 한방의료행위로 한정된다는 전제가 성립하여야 할 것이라는 주장도 있었다.[66] 그 근거로 우리나라 보건의료법체계 상 한방의료행위와 양방의료행위를 구분하고 있고, 의료인 종별에 의하여 수행 주체가 달라진다는 이원적 의료체계를 제시하기도 하였다.[67] 그러나 이미 당시에도 WFO는 검색용 소프트웨어로 분류되어 의료기기에 해당하지 않고, 의사의 판단을 돕는 의료정보기술 및 분석 서비스 소프트웨어로 해석되었다. 이러한 소프트웨어를 활용한 행위의 사용자는 이원적 의료체계에 의한 면허된 범위 외의 의료행위인지 여부에 대한 판단보다는 내용상 실질적으로 한방의료영역에서도 의료적 의사결정에 도움을 받을 수 있는 소프트웨어인지 여부, 즉 한방의료관련 학습데이터의 유용성이 검토되었어야 할 뿐 그 사용자 제한에 대한 논의는 의미가 없다.

---

[64] 헌법재판소 2013. 12. 26. 선고 2012헌마551,561(병합) 전원재판부

[65] 이동필, "한의사의 안과 의료기기 사용 허용 관련 헌법재판소 판결에 대한 비판적 검토", 「의료정책포럼」 제13권 제1호, 2015, pp. 118 이하.

[66] 백경희, 장연화, "인공지능을 이용한 의료행위와 민사책임에 관한 고찰", 「법조」 통권 제724호, 2017, p. 110.

[67] 백경희, 장연화, "양방의료행위와 한방의료행위의 의의 및 중첩 양상에 관한 판례 태도에 대한 고찰", 「한국의료법학회지」 제22권 제1호, 2014, pp. 123 이하.

따라서 현재에는 앞서 법원의 판례의 변경 근거, 과학기술의 발전에 따른 자동화된 의료기기라는 점, 그로 인한 안전성·유효성의 향상과 같은 혁신성, 의료소비자의 합리적 선택 가능성 등을 근거로 한 의료 인공지능의 사용 주체에 대한 확장이 고려되어야 할 시점이라는 결론에 이르게 된다.

III. 결론: 의료 인공지능의 규범적 범주화와 사용자 확장 가능성

앞서 의료 인공지능을 규범적으로 범주화하였고, 그에 따라 의료 인공지능의 사용자에 대하여 의료 인공지능이 제공하는 서비스의 내용과 대상에 따라 건강인과 환자로부터 보건의료인의 면허 종별 업무범위 등을 고려한 검토를 하였다.

의료 인공지능은 태생적·개념적으로 진료의 '보조적 수단'임을 포함하고 있다. 따라서 의료 인공지능은 최종적인 판단을 하는 의사와 같은 그 사용 주체를 완전히 대체할 수는 없을 것이며 오히려 보완제로서의 역할이 더 강화될 것이다. 더 나아가 자신의 건강관리를 스스로 하고자 하는 의료소비자의 주체적 역할과 자신의 건강정보에 대한 정보 자기결정권을 행사하고자 하는 의료 인공지능서비스의 대상이자 이용자의 역할 역시 매우 비중 있게 변화하고 있다. 자연스럽게 이러한 의료 인공지능의 제공자나 사용자가 의료인, 그중에서도 의사로 한정되는 것이 아니라 의사에서 치과의사, 한의사, 간호사, 조산사와 같은 의료인의 각 면허된 범위의 경계 확장에 대한 고려와 함께 응급구조사와 의료기사, 약사와 같은 의료인이 아닌 보건의료인에게까지도 확장이 가능할 것이라 예측할 수 있다. 비의료 건강관리서비스나 디지털 치료기기처럼 이미 개념적으로 그 개발 목적을 고려할 때 실제로 해당 서비스를 사용하는 자는 환자나 건강인이 될 수도 있다. 앞서 검토한 변경된 판례와 헌법재판소의 최근 결정들은 이러한 사용자 확장의 문제에 대한 근거로 적용될 수 있을 것이다.

전통적으로 의료 영역은 의료가 가지는 고도의 전문성 때문에 의료분야를 전공하지 않은 일반인이 이해하기에 한계가 있다고 알려져 있었으나, 인공지능이 의료에 도입되면서 전문가 영역의 경계까지도 허물게 될 가능성이 있다고도 본다.[68] 왜냐하면 이러한 의료 인공지능을 보조적 수단으로 활용함으로써 '의학적 전문지식·판단의 필요성'이 보완되고, 의료기술의 발전이 위험성을 줄이고 안전성을 확보해줄 수 있기 때문이다. 사용자와 대상 확장에 대한 고려는 인공지능을 의료 영역을 포함해 많은 다양한 영역에 도입하여 활용하고자 하는 연구개발목적에도 부합할 것이다. 시장성과 산업의 발전, 국제 경쟁력 강화와 더 나아가 우리 국민에게 더 높은 수준의 의료서비스를 제공하기 위한 목적을 달성하기 위해서도 그러하다.[69] 다만 이 과정에서 처방이나 의뢰의 형태로 서비스 이용을 개시하는 절차를 필요로 하고, 서비스의 제공자에서 사용자로의 변경이 이루어지고 동시에 이를 의뢰받아 연속성상에서 이용하고 관리·점검하는 다양한 관여자들의 개입이 필요로 하여 권리·의무의 변동이나 인수과정이 필요할 수 있다.

이때 의사 등의 역할은 이른바 '지도·감독'을 통해 사용자에 대한 안전성과 효과를 보완할 수 있을 것이다. 의사 등의 지도·감독이 필요한 서비스도 일반적 지도·감독으로 충분한 서비스와 실시간, 직접적인 지시나 지도·감독을 필요로 하는 서비스로 구분하여 이 역시 기술적으로 실현이 가능할 것이다.

물론 의사 고유의 고도의 지식을 필요로 하는 전문적인 의료행위의 경우 의료 인공지능을 활용한 의료적 의사결정에 있어서도 최종적인 확정의 역할은 의사와 같은 면허나 자격이 있는 자에 의한 수행이 필요할 수 있다. 이러한 범주에 해당하는 경우 그 사용자를 한정할 필요가 있고, 이 경우 책임의 발생 역시 그 사용자에게 귀결될 것이다. 이때 책임 발생에 대한 법적 판단에 있어 중요한 것이 사전적·사후적 설명이나 확인일 것이고, 이러한 기능은 반드시 의학적 전문지식의 필요 등으로 인해 적절한 주체가 수행하여야 한다. 즉 '설명할 수 있는 자'가 제공자나 사용자가 되어야 윤리적·법적 정당화가 가능할 것이다.[70]

---

68) 엄주희, 김소윤, "인공지능 의료와 법제", 「한국의료법학회지」 제28권 제2호, 2020, pp. 58 이하.

69) 앞서 대법원은 한의사의 한의학적 진단의 보조수단으로 초음파 진단기기를 사용하는 것에 대하여도 「한의약 육성법」에서 정하고 있는 한의약에 대한 개념 정의와 그 입법 목적을 인용하여 과거 이 법에서 '한의약'을 우리의 선조들로부터 전통적으로 내려오는 한의학을 기초로 한 의료행위와 한약사를 말한다고 규정하였으나, 한의약의 외연을 과학적으로 응용·개발한 한방의료행위까지 확대하여 한의약 산업의 발전과 국제 경쟁력 강화를 도모하고 종국적으로 높은 수준의 의료서비스를 제공하기 위하여 이 정의를 '우리의 선조들로부터 전통적으로 내려오는 한의학을 기초로 한 한방의료행위와 이를 기초로 하여 과학적으로 응용·개발한 한방의료행위 및 한약사'로 개정한 것을 그 근거로 제시하기도 하였다. [대법원 2022. 12. 22. 선고 2016도21314 전원합의체 판결]

70) 이한솔, 천현득, "인공지능 윤리에서 해명가능성 원리", 「인문학연구」 제35집, 2021, p. 54.

　　결론적으로 현행 보건의료법제 하에서 의료 인공지능은 연속적이기는 하나 어느 정도의 규범적 범주화는 가능하고, 그에 따른 서비스 제공자와 대상자, 이용자가 구분되어야 하며, 일관되게 의사에 의한 의료 인공지능에만 한정하여 논의하는 것은 한계가 있다. 의료 인공지능의 규범적 범주화는 의료와 비의료 이분법적 구분이 아닌 서비스 내용과 활용 대상, 영역에 따라 과학기술 발전에 따른 안전성 향상 내지 잠재적 위해성 등에 대한 평가와 함께 의료소비자의 선택권, 수요자의 인식변화와 필요성 등이 함께 고려되어야만 한다. 이러한 의료 인공지능의 특성을 고려한 법과 제도가 마련되어야만 우리 국민에게 수준 높은 의료서비스를 안전하게 제공하기 위한 정책목표도 달성할 수 있고 더 나아가 이 분야의 산업 발전과 국제 경쟁력을 확보할 수 있을 것이다.

제2장

의료 인공지능과 인권

김현철 (이화여자대학교 법학전문대학원 교수)

생명의료법연구소

2

의료 인공지능과 인권

김현철 (이화여자대학교 법학전문대학원 교수)

I. 들어가는 말

현대 사회의 특징 중의 하나는 과학기술이 사회의 변화를 주도한다는 점이다. 인공지능, 블록체인, 로봇기술, 바이오기술 등 새롭게 등장한 과학기술은 정치, 경제, 문화 등 삶의 모든 영역에 영향을 주고 있으며, 나아가 사회의 제도와 관행도 변화시키고 있다. 즉, 현대 사회는 '과학기술사회'라고 부를 수 있다.[1]

그런데 이런 과학기술사회의 시민들 중에는 그 변화를 긍정적으로 수용할 수 있는 사람이 있는 반면, 그렇지 못한 사람도 있다. 과학기술이 과거의 사회문제에 대한 새로운 해결가능성을 제시할 수 있다는 낙관적인 전망도 있지만, 새로운 사회문제를 만들어 낼 수 있다는 우려, 그리고 오히려 과거의 사회문제를 더욱 고착화할 수 있다는 우려도 제기된다. 이런 우려는 과거에 없었던 새로운 인권 사각지대가 생길 수 있다는 것을 의미하기도 한다. 사실 인권 담론은 항상 시대적 상황에 따라 새롭게 변화해 왔다. 이런 인권 담론의 변화는 제도화된 권리와 다른 인

---

[1] 김현철 외, 「과학기술 관련 인권 규범에 대한 연구」, 한국법제연구원, 2019, p. 24.

권이 가지고 있는 고유한 특징이기도 하다. 즉, 과학기술사회라는 새로운 시대적 변화는 그에 대응할 수 있는 새로운 인권 담론을 요청한다. 새로운 인권담론은 과학기술사회에서 새로운 사회문제를 제시하고, 과거에 없었던 취약 계층을 발굴하고 그들의 삶에 주목할 필요성이 있다. 이런 새로운 인권 담론에서 제시하는 인권을 과학기술사회에 대응하는 '과학기술 인권'이라고 범주화할 수 있다.[2]

'의료 인공지능'[3]에 관한 인권 담론도 기본적으로 과학기술사회에서 과학기술 인권 담론의 맥락에서 이루어진다. 인공지능 기술은 지능형 로봇, 자율주행 자동차, 챗GPT 등 여러 양상으로 우리 삶에 급속도로 들어오고 있으며, 그 기술은 우리 삶을 실질적으로 변화시키고 있다.[4] 그리고 그 변화 상황에서 인권 담론은 새로운 의미를 창출하게 되므로, 인공지능 기술은 새로운 인권 지형에서 살펴볼 필요가 있다. 그리고 이 맥락은 의료 인공지능 분야에서도 동일하게 진행된다. 오히려 '의료' 영역은 경제, 사회적 다른 영역보다 더 직접적으로 신체에 위해를 줄 수 있기 때문에, 의료 인공지능의 인권 담론은 더 예민한 감각으로 살펴보아야 할 필요성이 생긴다.

이하에서는 의료 인공지능의 인권 문제를 4가지 측면에서 접근하고자 한다. 그것은 의료 인공지능 개념이 '의료'와 '인공지능'이라는 부분 개념으로 구성되어 있기 때문이다. 즉, 의료 인공지능의 인권 문제는 의료 인권의 문제이면서 동시에 인공지능 인권의 문제이다. 그리고 의료와 인공지능 모두 과학기술 영역에 속하기 때문에 과학기술 인권의 문제이기도 하다. 이런 측

---

[2] 과학기술 인권 개념에 대해서는 위 김현철 외, 2019, 121-123면 참조. "이런 인권 담론의 배경이 되는 사회적 지형의 변화는 과학기술과 관련된 인권을 하나의 개념으로 정립해야 하는 강력한 이유의 하나이다. 나아가 과학기술과 관련된 인권이 하나의 개념으로 정립되면, 과학기술에 관한 인권 쟁점들이 좀 더 조직화되고 효율적으로 담론화할 수 있는 가능성이 커질 수 있을 것이다."

[3] 이 글에서는 의료 인공지능을 '의료 분야에 적용되는 인공지능 기술'이라는 포괄적인 의미로 사용하고자 한다. 앤소니 창은 의료 인공지능 분야로 의료 영상, 변형 현실, 의사 결정 지원, 의료 진단, 정미르이학, 신약 발견, 디지털 헬스, 웨어러블 기술, 로봇 기술, 가상 비서 등으로 구분하고, 현재 가용도 측면에서는 의료 영상이 가장 높으며, 의사 결정 지원과 로봇 공학이 그 다음이라고 하고 있다. Anthony C. Chang(고석범 옮김), 「인공지능 기반 의료」, 에이콘, 2023, 382-384면. 최윤섭은 의료 인공지능을 '복잡한 의료 데이터에서 의학적 통찰을 도출하는 인공지능', '이미지 형식의 의료 데이터를 분석 및 판독하는 인공지능', '연속적 의료 데이터를 모니터링하여 질병을 예측하는 인공지능'으로 구분하고 있는데, 이 3가지는 현재 가장 많이 사용되고 있는 의료 인공지능 분야라고 할 수 있다. 최윤섭, 「의료 인공지능」, 클라우드나인, 2018, 65-66면.

[4] 의료 인공지능에 관한 법적 논의로는 정채연, "인공지능과 의료", 「인공지능과 법」(한국인공지능법학회), 2019 참조.

면에서 이하에서는 먼저, 포괄적으로 과학기술과 인권의 맥락을 살펴본다. 다음에는 인공지능과 인권이라는 주제와 보건의료와 인권이라는 주제를 순서대로 다루고자 한다. 마지막에는 '의료 인공지능' 그 자체를 주제로 하여 인권 문제를 살펴보고자 한다.

II. 과학기술과 인권

1. 인권

'인권(Human Rights)'이란 무엇인가? 인권의 개념이나 본질에 대해서는 다양한 견해가 제시되고 있어, 이에 대한 확고한 개념 정의를 하기는 어렵다. 다만, 최초의 국제적 인권 문서라고 할 수 있는 1948년 UN 「세계인권선언(Universal Declaration of Human Rights)」에서는 인권 개념이 보유하는 주요 특징을 명시하고 있다. 세계인권선언 서문에서는 '인류의 모든 구성원(all members of the human family)'들의 '내재적 존엄성(inherent dignity)'과 '평등하고 양도할 수 없는 권리(equal and inalienable rights)'라는 표현이 있고, 제1조에는 "모든 인간은 태어날 때부터 자유로우며 존엄과 권리에 있어 평등하다"라고 명기하고 있다. 그리고 세계인권선언 이후 지금까지 발표된 국제적 인권 문서들의 표현을 고려하면, 일응 인권에 대해 다음과 같은 공통된 이해에 도달할 수 있다.

우선 인권은 인간이면 누구나 태어나면서 가지는 보편적 권리이다. 그리고 인권은 다음과 같은 특징을 가진다. 첫째, 인권은 '권리(rights)'이다. 따라서 기본적으로 권리로서의 속성을 가진다. 둘째, 인권은 보편적 권리이므로, 권리의 효력은 보편적이다. 즉, 인권은 누구에게는 효력이 있고 또 다른 사람에게는 효력이 없는 그런 상대적 효력을 갖지 않는다. 셋째, 인권은 다른 가치보다 '우선성(priority)'을 가진다. 인간이 추구하는 다른 가치 예를 들어 경제적 가치가 중요하다 하더라도, 인권 개념과 담론은 인권적 고려가 그 가치보다 더 우선한다고 주장한다. 넷째, 인권은 하나의 선언으로만 존재하는 것이 아니라, 실제 입법으로 이어서 그 권리를 보장받고자 한다. 따라서 인권에 관한 다양한 국제 선언은 국내 입법에 대한 국제적 기준으로 작용한다. 마지막으로, 인권은 보편적 권리이기는 하지만, 특히 취약한(vulnerable) 사람들의 관점에 더 많은 주의를 기울인다. 사회적, 경제적 지위가 높은 사람들은 이미 충분한 권리를 누리고 있을 가능성이 높은 반면, 그렇지 않은 사람은 제대로 권리를 누리지 못하는 경우가 매우 많다. 인권이 인간이라면 누구나 가지는 보편적인 권리라는 것을 감안하면, 인권은 이 보편적 권리를 제대로 향유하지 못하는 사람에게 특히 관심을 가지는 것은 당연한 일이다.

2. 과학기술 인권

의료 인공지능은 크게 보면 과학기술의 일종이다. 따라서 의료 인공지능의 인권 쟁점은 과학기술 인권 쟁점과 밀접한 관계를 가지고 있으며, 나아가 과학기술 인권 쟁점의 일부분을 이룬다고도 할 수 있다. '과학기술 인권(Science-Technology Human Rights : STHR)'이라는 개념 자체는 아직 정립 중인 상태이지만, 1948년 세계인권선언 이후 과학기술의 인권 쟁점에 대해 우려를 나타내는 국제적 수준의 인권선언과 인권 문서는 다양하게 제시되었다. 이런 국제적 인권선언과 인권 문서를 검토해 보면, 과학기술 인권 쟁점에 대해 접근하는 방식은 크게 3단계로 구분할 수 있음을 알 수 있다. 그것은 과학기술의 중립성에 기초한 1단계, 과학기술의 위험성을 강조한 2단계, 과학기술을 시민의 역량 아래 두는 새로운 접근을 제안하는 3단계 등이다.[5]

과학기술 인권 규범의 1단계는 과학의 중립성(neutrality of science) 테제에 기반한다는 점이 특징적이다. 즉, 과학기술 자체는 중립적인데 이를 사용하는 사람들의 욕심과 악의가 나쁜 결과를 일으킨다는 관점이다. 과학의 중립성 테제를 의료 인공지능에 적용한다면, 의료 인공지능 자체는 좋지도 나쁘지도 않은 것이다. 단지, 의료 인공지능을 개발하거나 사용하는 사람들이 잘못 활용하게 되면 사회와 개인에게 나쁜 해악을 미칠 수 있기 때문에, 개발자나 사용자의 행위를 규제하는 것이 필요할 뿐이다.

과학기술 인권 1단계에서 강조하는 인권 목록으로는 다음과 같은 것들을 들 수 있다. 1948년 「세계인권선언」 제27조에서 규정하고 있는 '과학의 발전과 혜택을 공유할 권리', '자신이 창작한 과학적 산물로부터 발생하는 정신적(moral), 물질적 이익을 보호받을 권리' 등이 있다.

---

[5] 이에 대해서는 김현철, "과학기술사회와 시민의 권리: 헌법적 대응을 중심으로", 「4차산업혁명법과정책」 제1권 제1호, 2020 참조.

그리고 1948년 「세계인권선언」을 실효적으로 보장하기 위해 인권보장 의무를 국가에 부여한 1966년 「경제적, 사회적 및 문화적 권리에 관한 국제규약(A규약)」과 「시민적, 정치적 권리에 관한 국제규약(B규약)」은 '과학의 진보 및 응용으로부터 이익을 향유할 권리', '과학적 결과물로부터 이익을 보호받을 권리', '자유로운 동의 아래 실험에 참여할 권리' 등을 제시하고 있다. 이들 인권 목록에 해당하는 권리들은 의료 인공지능 영역에도 당연히 적용되는데, 의료 인공지능의 개발에 따른 사회적 이익을 시민들이 누릴 수 있는 권리와 그 권리의 보장이 한 측면이고(시민의 권리), 다른 측면에서는 의료 인공지능 개발자 등이 그 개발로부터 발생한 적절한 이익을 보호받을 권리(개발자의 권리)가 보장되어야 한다.

과학기술 인권 규범의 2단계는 과학기술의 위험에 대한 새로운 경각심을 제시한다는 점에서 특징적이다. 즉, 과학기술은 중립적인 것이 아니라 그 자체에 위험을 내포하고 있으므로 과학기술이 인권을 위태롭게 할 수 있다는 것이다. 따라서 과학기술이 야기할 위험성에 대한 지속적인 주의와 모니터링이 중요한 인권 보호 방향이 된다. 이런 경향성은 1968년 「테헤란 선언」[6]을 시작으로 1974년 「과학연구자의 지위에 관한 권고」(유네스코), 1975년 「평화와 인류 복지를 위한 과학과 기술적 진보의 이용에 관한 선언」(UN), 1986년 「인권과 기본적 자유의 향상과 보호를 위한 과학적·기술적 발전의 이용」(UN인권위원회) 등을 거쳐 1992년 「리우 선언」, 1993년 「빈 선언」, 1997년 「인간유전체와 인권에 관한 보편 선언」, 1999년 「과학적 지식의 이용에 관한 선언」(유네스코), 2005년 「생명윤리 및 인권에 관한 보편 선언」, 2017년 「과학 및 과학연구자에 대한 권고」(유네스코) 등으로 이어진다.

「빈 선언」은 "특히 생의학과 생명공학 및 정보기술의 일정한 진보가 잠재적으로 개인의 완전성, 존엄과 인권에 해로운 결과를 초래할 수 있다는 데 주목하고, 보편적 관심사가 되는 이 영역에서 인간의 권리와 존엄이 완전히 존중될 것을 보장하기 위한 국제적 협력을 요청한다"라고 하고 있다. 의료 인공지능은 빈 선언에서 언급하는 '생의학과 생명공학 및 정보기술의 일정한 진보'에 해당하는 대표적인 과학기술이기 때문에, 이 선언에 따르면 의료 인공지능이 인권에 해로운 결과를 초래할 수 있는 잠재성이 있다는 점을 주목하는 것은 인권 보호를 위한 필수적이다. 나아가 의료 인공지능에서 초래되는 인권 침해를 방지하기 위한 국제적 협력이 요청된다.

---

[6] 제18조 최근의 과학적 발견과 기술적 개선은 경제적, 사회적 그리고 문화적 진보의 광대한 전망을 열어준 것이지만, 그러한 발전은 개인의 권리와 자유를 위험하게 할 수 있으므로 계속적인 주의가 필요하다.

그리고 유네스코의 「과학적 지식의 이용에 관한 선언」은 "과학 연구의 실행과 그 연구로부터 나온 지식의 이용은 항상 인류의 빈곤의 감소를 포함하는 복지를 목표로 해야 하고, 인간의 존엄성과 권리 및 전지구적 환경을 존중해야 하며, 현 세대와 미래 세대들을 향한 우리의 책임을 완전하게 고려해야 한다"고 규정하여, 인권 보호의 방향성을 보다 구체적으로 제시하고 있다. 즉, 인간의 존엄성과 권리에 더해 전지구적 환경, 인류의 빈곤 감소, 미래 세대에 대한 현세대의 책임 등을 고려해야 한다고 하고 있다.

과학기술 인권 규범의 3단계는 새로운 과학기술 인권을 모색하는데, 그것은 과학기술에 대한 시민의 참여권, 즉 기술 시민권(technological citizenship)을 제시한다는 점에서 특징이 있다. 시민이 적극적으로 과학기술에 참여하려면 우선 시민의 과학기술 역량이 증진되어야 하기 때문에, 기술 시민권은 과학기술 역량 증진을 위한 권리를 내포하고 있다. 예를 들어, 「리우선언」은 다른 인권 규범과는 달리 국가의 의무로서 '과학적, 기술적 지식의 교환'의 중요성, '과학적 이해의 향상', '지속 가능한 개발을 위한 내재적 능력 형성' 등을 제시하고 있다. 즉, 국가가 직접 과학기술의 위험을 통제하는 방식이 아니라 과학적 이해를 향상시키는 방식을 통해 내재적 능력 형성을 강화하는 방식을 채택하고 있는 것이다. 그리고 「과학과 과학적 지식의 이용에 관한 선언」에서도 과학기술인의 사회 윤리적 해득력, 특히 인권에 대한 해득력을 갖추어야 함을 명시하고 있다. 또한 '과학에 대한 접근에 있어서의 평등'이 '인간 발달을 위한 사회적, 윤리적 요구사항'이라고 함으로써 과학에 대한 평등한 접근권이 시민의 역량 문제임을 시사하고 있다. 나아가 그 평등한 접근권은 '과학적 진보를 인류의 필요를 충족시키는' 필수적인 조건이라는 점을 강조하고 있으며, 특히 시민과 과학기술자가 과학기술에 관한 윤리적 쟁점을 토론할 수 있는 공적 논의의 장이 마련되어야 함도 지적하고 있다. 이런 관점은 의료 인공지능 영역에서도 적용될 수 있는데, 의료 인공지능 개발자와 사용자는 인권에 대한 해득력(literacy)을 갖출 수 있는 교육의 기회를 가져야 하고, 의료 인공지능의 혜택에 대해 평등하게 접근할 수 있는 시민의 권리를 보장해야 하며, 의료 인공지능이 인권에 미치는 영향에 대해 토론할 수 있는 공적 논의의 장이 마련되어야 한다.

III. 인공지능과 인권

앞의 과학기술 인권의 쟁점에 이어, 살펴볼 것은 과학기술 일반이 아닌 인공지능 차원의 인권 쟁점이다. 의료 인공지능은 인공지능의 일부이기 때문에, 인공지능에 관한 인권 담론은 당연히 의료 인권지능에 적용되기 때문이다. 다만, 인공지능에 관한 인권 담론은 때로 인공지능 윤리의 차원에서 다루어진다. 이는 인권 담론이 그 자체 윤리적 측면을 갖고 있기 때문이기도 하고, 인공지능이 초래하는 해악은 인권 침해이면서 동시에 윤리적 문제이기도 하기 때문이다. 그래서 인공지능에 관한 많은 국제적 윤리 선언이나 문서들은 그 내용 중에 인권에 관한 쟁점을 포함하고 있고, 인권 보호를 윤리적 행위로 이해하고 있다.

1. 유네스코「인공지능 윤리에 관한 권고」

인공지능 윤리 및 인권에 관한 문서로 먼저 살펴볼 것은 2021년 11월에 유네스코가 발표한 「인공지능 윤리에 관한 권고(Recommendation on the Ethics of Artificial Intelligence)」이다. 이 권고에서는 인공지능 윤리가 추구해야 할 가치에 대해 언급하고 있는데, 그중 '인권, 기본적 자유, 인간 존엄에 대한 존중, 보호, 증진(Respect, protection and promotion of human rights and fundamental freedoms and human dignity)'을 제시하고 있다.[7]

이 가치를 바탕으로 인공지능 인권에 관한 중요한 권고를 하고 있다. 우선 권고13에서는 "국제인권법을 포함한 국제법에 따라 확립된 인간의 존엄성 및 권리의 존중, 보호, 증진이 인공지능 시스템 수명주기 전반에서 실현되어야 한다"고 하고 있다. 즉, 인공지능 인권 보호는 "인공지능 시스템 수명주기 전반"에서 실현되어야 할 문제이며, 설계나 개발 단계에서만 고려해도 되는 문제가 아니다. 이어서 권고14에서는 "그 어떤 개인 혹은 공동체도 인공지능 시스템 수명주기 단계에서 물리적, 경제적, 사회적, 정치적, 문화적, 정신적인 피해를 입거나 종속되어서는 안 된다"라고 하고 있다. 따라서 의료 인공지능에서도 인공지능 시스템 수명주기 전반에

---

[7] 이 외 다른 가치로는 환경과 생태계 번영(Environment and ecosystem flourishing), 다양성과 포용성 확보(Ensuring diversity and inclusiveness), 평화롭고 정의로우며 서로 결속된 사회 속의 삶(Living in peaceful, just and interconnected societies) 등이 제시되었다.

대해 인권 침해가 일어나지 않도록 주의해야 한다. 그리고 권고16은 "정부, 민간 분야, 시민 사회, 국제기구, 기술 공동체, 학계는 인공지능 시스템 수명주기와 관련된 과정에서 인권 기구 및 프레임워크의 개입을 존중해야 한다"고 하고 있다. 그러므로 인권 침해에 대한 주의는 인권 기구 등의 개입 활동을 포함하게 된다.

한편, 권고15에서는 "인간은 인공지능 시스템의 수명주기 전반에서 인공지능과 상호작용을 하고 어린이, 노약자, 장애인을 포함한 취약계층 혹은 취약한 상황에 노출된 사람이 받는 케어와 같은 도움을 받을 수 있다. 이러한 상호작용 내에서 인간은 결코 대상화되어서는 안 되며, 존엄성이 훼손되거나 인권 및 기본 자유가 침해 혹은 남용되어서는 안 된다"고 제시하고 있다. 의료 인공지능에서도 인간과 인공지능의 상호작용이 일어날 때, 취약계층에 대한 보호와 도움이 필요하게 된다. 이는 앞서 언급한 인권의 특징인 취약성에 대한 고려라는 점에서 대단히 중요한 인권적 함의를 가진다.

나아가 이 권고에서는 윤리적 기본 원칙들을 제시하고 있는데, 이는 인권에도 해당하는 원칙이라고 할 수 있다. 이 원칙에는 '비례성과 해악 금지(Proportionality and Do No Harm)', '안전과 보안(Safety and security)', '공정과 차별금지(Fairness and non-discrimination)', '지속가능성(Sustainability)', '프라이버시권과 데이터 보호(Right to Privacy, and Data Protection)', '인간의 감독과 결정(Human oversight and determination)', '투명성과 설명가능성(Transparency and explainability)', '인식과 해득력(Awareness and literacy)', '책임성과 해명책무(Responsibility and accountability)', '다중 이해관계자와 적응형 거버넌스와 협력(Multi-stakeholder and adaptive governance and collaboration)' 등이 포함되어 있다. 의료 인공지능 영역에도 이 원칙들이 적용되는데, 해악 금지, 안전 등은 전통적인 의료윤리에서도 강조하는 부분이며, 프라이버시권과 데이터 보호는 의료 인공지능이 상용하는 데이터가 이른바 민감정보에 해당하는 것들이 많다는 점을 고려하면 특히 중요한 원칙으로 받아들여야 할 것이다. 나아가 의료 인공지능이 초래하는 인권 침해를 방지하기 위해서는 인간이 감독하고 결정해야 하며, 의료 인공지능의 투명성과 설명가능성이 확보되어야 하며, 개발자나 운용자가 인권 쟁점에 대해 책임성과 해명책무를 부담하는 것이 필요할 것이다.

2. EU「인공지능법(Artificial Intelligence Act)」

EU는 인공지능이 초래할 수 있는 사회적 위험에 대처하기 위해「인공지능법」을 제정하기로 하고, 2021년 초안을 2023년 개정안을 제시하였다. 이 법에서도 인공지능이 인권을 침해할 가능성에 대비하여 인권에 관한 여러 언급을 하고 있다. 이 법의 설명각서(Explanatory Memorandum)에서는 이 법의 목적 중의 하나로 인공지능 시스템에 적용되는 기본권(fundamental rights) 보호를 들고 있다. 기본권(fundamental rights) 개념은 인권(human rights)과 표현은 다르지만, 국제 인권 문서에서는 인권에 해당하는 표현으로 기본적 자유(fundamental freedom)와 함께 흔히 사용되고 있다. 이런 맥락에서 이 법의 기본권은 인권의 의미와 거의 차이가 없다고 할 수 있다.

그리고 설명각서에서는 인공지능 사용에는 불투명성(opacity), 복잡성(complexity), 데이터 의존성(dependency on data), 자동 행동(autonomous behaviour) 등의 특성이 드러난다고 지적하고 있다. 그런데 이런 특성들은「EU 기본권 헌장(EU Charter of Fundamental Rights)」에서 열거하고 있는 기본권에 부정적인 영향을 끼칠 수 있다고 우려하고 있다. 그리고 인공지능의 부정적 영향을 받을 수 있는 기본권들을 범주화하고 있는데, 기본권을 증진할(enhance and promote) 권리 범주, 위축 효과를 방지할(prevent a chilling effect) 권리 범주, 보호를 보장할(ensure protection) 권리 범주, 긍정적인 영향을 줄(positively affect) 수 있는 권리 범주 등으로 구분하고, 각각의 범주에 해당하는 구체적인 기본권 목록을 제시하고 있다.

증진할 권리 범주에는 인간 존엄에 대한 권리, 사생활 존중과 개인 데이터 보호, 차별금지, 여성과 남성 사이의 평등 등을 열거하고 있다. 이는 기존에 보호받고 있던 기본권이지만, 인공지능 시대에는 침해될 가능성이 크므로 그 권리를 더 증진해야 한다는 의미이다. 흔히 사생활 보호, 데이터 보호, 차별금지 등에 대해서는 언급되지만, 양성평등도 인공지능 시대에 쟁점이 될 수 있다는 점을 여기서 지적하고 있다.[8]

위축 효과를 방지할 권리 범주에는 표현의 자유와 결사의 자유가 포함되어 있다. 이는 인공지능 사용으로 개인의 정치적, 사회적 견해를 쉽게 수집할 수 있게 됨에 따라, 개인이 보복을 두

---

[8] 인공지능과 젠더 문제에 대해서는 한애라, "인공지능과 젠더차별",「인공지능 윤리와 거버넌스」(한국인공지능법학회), 2021. 참조.

려워하여 쉽게 자신의 견해를 표현하거나 조직을 결성하지 못하고 위축될 수 있는 위험성을 지적한 것이다.

보호를 보장할 권리 범주에는 효과적인 피해 구제를 받을 권리, 공정한 재판을 받을 권리, 방어권 및 무죄추정 등이 포함된다. 보호를 보장한다는 것은 기본권 침해가 발생했을 경우, 이를 실제로 구제할 수 있는 사법적 절차가 마련되어야 한다는 의미이다.

인공지능이 긍정적 영향을 줄 수 있는 권리 범주로는 공정하고 정당한 근로 조건에 관한 노동자의 권리(workers' rights to fair and just working conditions), 높은 수준의 소비자 보호, 아동의 권리, 장애인의 통합(integration of persons with disabilities), 높은 수준의 환경 보호와 환경의 질 개선에 대한 권리(right to a high level of environmental protection and the improvement of the quality of the environment) 등을 제시하고 있다. 이는 인공지능의 활용으로 근로조건이 개선되고, 환경을 보호할 가능성이 높아진다는 기대를 포함하고 있으며, 소비자, 아동, 장애인의 권리도 더 잘 보장될 수 있다고 예상한다는 의미이다.

이 설명각서에서 언급하고 있는 기본권, 즉 인공지능 인권에 관한 부분은 대부분 의료 인공지능에도 유효한 것들이라고 할 수 있다. 특히, 의료과정에서 인공지능이 활용된다고 하더라도 환자나 연구참여자를 대응할 때 수단화, 대상화해서는 안 된다는 점, 의료 및 건강 데이터는 민감정보이므로 인공지능을 위해 데이터를 활용하더라도 사생활 보호와 데이터 보호에 만전을 기해야 한다는 점, 이 데이터 유출 등을 통해 사회적 차별이 생길 우려를 방지해야 한다는 점, 그리고 인공지능이 데이터를 학습하는 과정에서 젠더적인 편견이 생기지 않도록 주의해야 한다는 점은 매우 중요한 부분이다. 그리고 이런 인권 침해가 발생했을 경우, 신속하고 공정하게 구제할 수 있는 절차를 마련해야 한다는 것도 의료 인공지능의 인권에서 중요한 쟁점 사항이 된다.

EU 「인공지능법」 서문에서도 기본권, 즉 인공지능 인권에 대한 보호에 대해 언급하고 있다. 이 법이 추구하는 공익으로 건강, 안전 및 기본권에 대한 높은 수준의 보호를 제시하고 있으며, 특히 고위험 인공지능 시스템(high-risk AI system)에 관한 표준을 설정할 때 「EU 기본권 헌장」에 부합해야 한다는 점을 지적하고 있다. 나아가 인공지능이 초래하는 해악이 인간존엄, 자유, 평등, 민주주의, 법의 지배 및 기본권이라는 EU의 가치를 침해해서는 안 된다고 강조하고 있다. 이 서문에서는 이어서 고위험 인공지능이 초래할 수 있는 부작용과 침해할 가능성이 있는 기본권에 대해 열거하고 있는데, 그 내용은 다음과 같다. 즉, 인간 존엄에 대한 권리, 사생활과 가족생활의 존중, 개인 데이터 보호, 표현과 정보의 자유, 집회와 결사의 자유, 차별금지, 소비자 보호, 노동자의 권리, 장애인의 권리, 효과적인 구제와 공정한 재판에 대한 권리, 방어권과 무죄추정, 좋은 행정에 대한 권리(right to good administration) 등이 그것이다.

3.「인공지능 개발과 활용에 관한 인권 가이드라인」

우리나라에서도 유네스코나 EU 등에서 인공지능이 초래할 인권 침해에 관한 권고문이나 법안을 만드는 국제적인 추세에 발맞추어 2022년 4월 국가인권위원회 결정으로 「인공지능 개발과 활용에 관한 인권 가이드라인」을 발표한 바 있다.

우선 이 가이드라인은 제정 배경을 다음과 같이 설명하고 있다. 즉, 인공지능의 발전과 확산으로 국가경쟁력과 개인 삶의 질을 높일 것으로 기대하지만 동시에 개인정보 및 사생활에 대한 권리, 차별받지 않을 권리 등을 침해할 문제점이 대두되고 있다는 점을 먼저 지적하고 있다. 그리고 "인공지능으로 영향을 받는 당사자들은 인공지능의 도입, 운영, 결정에 대하여 의견 제시와 참여의 기회를 보장받고 있지 못하며, 인공지능에 의해 인권 침해가 발생한 경우에도 효과적인 권리구제를 받을 수 있는 절차와 방법이 미흡한 상황"이라고 진단하고 있다. "따라서 인공지능을 개발할 때부터 개인의 삶과 사회적 공익에 기여할 수 있도록 개발하고, 인간의 존엄성과 자기결정권의 보장 및 차별받지 않을 권리 등 인권에 기반하여 활용하며, 인공지능 기술로 발생할 수 있는 인권침해의 예방 및 권리 구제 절차를 마련하는 것이 중요"하다는 것이다.[9] 이에 따라 이 가이드라인은 인간의 존엄성 존중, 투명성과 설명 의무, 자기결정권의 보장, 차별금지, 인공지능 인권영향평가 시행, 위험도 등급 및 관련 법제도 마련 등의 내용을 담고 있다.

결정문에서는 인공지능에 관한 국제 인권 기준을 정리하고 있는데, 우선 "'인권 및 인간 존엄성의 존중'을 최우선적 가치로 명시하고 있고, 인공지능을 개발하고 활용하는 모든 이해관계자는 인공지능의 개발, 배치, 활용 등 전 과정에서 인권을 존중하고 보호해야 하며, 이에 위배되는 결과에 대해 적절한 보호수단을 강구하도록 하고 있다"고 설명하고 있다. 그리고 '인공지능이 사용하는 데이터의 편향, 불완전성 등에 대한 사전적 식별과 조치', '설명가능성과 책임성

---

[9] 이상 「인공지능 개발과 활용에 관한 인권 가이드라인」 제1장 제1절 제3~5조

의 확보', '개인정보 및 사생활의 보호', '인공지능 알고리즘의 보안과 안전성 확보' 등이 강조되고 있음을 지적하고 있다.[10]

특히 투명성과 설명 의무에 대해 "완전히 자동화된 의사결정으로만 개인에게 법적 효력 또는 생명, 신체, 정신, 재산에 중대한 영향을 미치는 일은 제한되어야 하고, 이러한 의사결정이 이루어진 경우에는 당사자가 해당 방식을 거부하거나 인적 개입을 요구할 수 있는 권리를 보장해야" 한다고 하고 있다.[11] 의료 인공지능의 경우, 의료 인공지능이 자동화된 의사결정을 하는 것은 개인의 생명, 신체, 정신 등에 중대한 영향을 끼칠 수 있기 때문에 이를 제한해야 한다는 귀결로 이어진다. 특히 환자나 연구참여자는 의료 인공지능이 의사결정을 하는 경우에 직면하여, 그 방식을 거부할 수 있다는 함의를 가진다. 또한 인공지능 중 개인의 생명, 안전 등 기본적 인권에 중대한 영향을 미치는 인공지능의 경우, 사용된 데이터와 인공지능 알고리즘의 주요 요소를 일반에게 공개하고 설명하도록 하고 있다.[12]

그리고 자기결정권과 관련하여 정보주체의 권리로 처리된 개인정보에 관하여 고지를 받을 권리, 개인정보 접근 및 열람권, 개인정보처리 동의권 및 정정·삭제권, 처리정지요구권 등을 제시하고 있으며, 정보주체는 인공지능 서비스가 언제, 어디서 자신의 개인정보를 수집하고, 어떻게 개인정보를 처리하여 사용, 보관, 삭제하는지에 대해 알고 참여할 권리도 인정하고 있다.[13] 또한 인공지능 인권 보호를 위해 개발 단계부터 다양한 계층의 의견을 수렴하고[14] 개발한 인공지능에 대해 주기적인 모니터링을 거쳐 데이터 품질과 위험을 관리하고, 차별적 결과나 의도치 않은 결과에 대해 개선의 조치를 주기적으로 수행해야 할 것을 규정하고 있다.[15]

---

[10] 국가인권위원회 2022. 4. 11. 결정, 결정문 3면. 여기에서 '설명가능성 또는 투명성'에 대해 '인공지능 시스템에 의해 내려진 판단이나 결정에 대해 그 이유, 과정, 결과 등을 인간이 이해하고 설명을 들을 수 있어야 한다는 것'으로 정의하고 있으며, '책임성'은 '인공지능의 판단이나 결정에 대해 책임을 질 수 있는 주체와 절차를 명확히 하고 그에 맞는 법적·제도적 근거를 갖출 것을 요구하는 것'으로 정의하고 있다.

[11] 위 결정문 5면.

[12] 위 가이드라인 제2장 제2절 제22조

[13] 위 가이드라인 제2장 제3절 제27조

[14] 위 가이드라인 제2장 제4절 제33조

[15] 위 가이드라인 제2장 제4절 제36조

4. 「디지털 시대의 프라이버시권(The right to privacy in the digital age)」[16]

이런 인공지능 인권과 관련하여, 2021년 유엔인권고등판무관은 특히 프라이버시권에 관한 보고를 하였다. 이 「디지털 시대의 프라이버시권」이라는 제목의 보고에서 인공지능 사용 환경에서 프라이버시권을 포함한 인권에 관한 주요한 내용을 담고 있다. 우선 "인공지능 사용 환경에서 특히 중요한 프라이버시 측면으로 정보 프라이버시가 포함되며, 이러한 정보 프라이버시에는 개인과 개인의 삶에 대해 존재하거나 도출할 수 있는 정보와 해당 정보에 기초한 결정을 포함하며, 개인의 정체성을 결정할 자유도 포함된다"고 하고 있다.[17]

이 보고 3장에서는 "인공지능이 프라이버시권 및 기타 인권에 미치는 영향"에 대해 다루고 있다. 여기서 인공지능 시스템이 일반적으로 광범위한 데이터 수집, 저장 및 처리를 촉진하는 개인정보를 포함한 대용량 데이터셋에 의존한다고 지적한 다음, 이러한 데이터셋은 기업과 국가에 사람들의 사생활, 수백만 명의 민감 정보를 노출하는 것 외에도 여러 가지 방법으로 개인들을 취약하게 만든다고 지적하고 있다. 예를 들어, 다양한 출처의 데이터를 결합함으로써 탈익명화가 촉진될 가능성이 있으며, 성별을 2개 항으로 기록하는 데이터셋은 남성 또는 여성으로 식별되지 않는 사람들을 오인하게 한다.[18] 나아가 인공지능이 만든 추론과 예측은 그 확률적 특성에도 불구하고 때때로 완전히 자동화된 방식으로 사람들 권리에 영향을 미치는 의사결정의 기반이 될 수 있다고 지적한 다음[19], 인공지능 기반 결정은 오류에서 자유롭지 않다는 점을 강조하고 있다.[20] 게다가 많은 인공지능 시스템의 의사 결정 과정은 불투명한데, 머신러닝 시스템은 불투명성의 핵심적인 요인이 된다.(블랙박스 문제) 이런 불투명성으로 인해 인공지능 시스템을 유의미하게 조사하는 것이 어려워지고, 인공지능 시스템이 위해를 야기하는 경우 불투명성이 효과적인 책무성 확보에 장벽이 될 수 있다.[21] 이는 의료 인공지능 개발과 사용에서도 동일하게 지적될 수 있다. 특히 의료 인공지능은 건강에 치명적인 영향을 줄 수 있으므로

[16] Report of the United Nations High Commissioner for Human Rights. A/HRC/48/31. 2021

[17] 「디지털 시대의 프라이버시권」 제7조. 이 항에서 프라이버시권의 의의에 대해, "프라이버시권은 인간의 존엄성의 표현이며 인간의 자율성과 개인 정체성의 보호와 관련이 있다"고 하고 있다.

[18] 위 보고 제13~14조

[19] 위 보고 제16조

[20] 위 보고 제18조

[21] 위 보고 제20조

의사 결정 과정의 불투명성을 최소화하는 것이 필요하고, 앞의 다른 규범이나 문서에서 지적되었던 투명성과 설명가능성을 확보하는 것이 필수적이다.

이 보고는 나아가 이런 인공지능 시대에 프라이버시권을 포함한 인권 침해라는 문제에 대해 언급하고 있다. 이 보고는 인권 침해에 대처하기 위한 수단으로 입법 및 규제, 인권 실사, 국가-기업 연합, 투명성 등을 제시하고 있다. 우선 국가가 수립한 법률, 규제 및 제도적 체계가 인권을 효과적으로 보호해야 하고[22], 국가나 기업은 인공지능 시스템의 구입, 개발, 배치 및 운영할 때뿐 아니라 개인에 대한 빅데이터를 공유하거나 사용하기 전에 포괄적인 인권실사를 실시해야 한다.[23] 그리고 "국가, 기업 및 기타 인공지능 사용자는 그들이 사용하는 시스템의 종류, 사용 목적, 시스템 개발자와 운영자의 신원에 대한 정보를 제공해야 한다. 의사결정이 자동으로 이루어지고 있거나 이루어졌을 때 또는 자동화 도구의 도움을 받아 이루어졌을 때 영향을 받는 개인에게 이를 체계적으로 알려야 한다. 개인이 제공하는 개인 정보가 인공지능 시스템에서 사용하는 데이터셋의 일부가 될 경우 이를 통지해야 한다." 또한 인공지능 시스템을 보다 설명가능하게 하는 방법론의 개발 및 체계적 배치가 중요하다.[24]

IV. 보건의료와 인권

의료 인공지능은 의료에 관련된 인공지능이기 때문에, 인공지능의 인권 쟁점뿐 아니라 보건의료의 인권 쟁점도 직접 관련된다. 보건의료의 인권 쟁점은 통상 생명윤리(Bioethics)의 문제로 논의되고 있는데, 역사적으로 현대 생명윤리가 형성되기 시작한 중요한 요인에는 제2차 세계대전에서 독일군과 일본군이 저지른 잔혹한 인체 실험이라는 인권을 유린한 만행이 자리잡고 있다. 즉, 보건의료에 관한 생명윤리는 인권의 문제였던 것이다.[25] 특히 독일군에 대한 전범 재판에서 재판부가 제시한 「뉘른베르크 강령」은 생명윤리 규범의 시작이라고 할 수 있다. 「뉘

---

22) 위 보고 제40조
23) 위 보고 제48조
24) 위 보고 제55~56조
25) 권복규, 김현철, 배현아, 생명윤리와 법 제4개정판, 이화여자대학교 출판문화원, 2020, p. 39.

른베르크 강령」이후 「헬싱키 선언」, 「벨몬트 보고서」, 「CIOMS 가이드라인」등 생명윤리와 인권에 관한 규범과 문서가 지속적으로 제시되었는데, 그중 2005년 유네스코에서 각국 정부의 동의를 얻어 제정한 「생명윤리와 인권에 관한 보편 선언(Universal Declaration on Bioethics and Human Rights)」은 보건의료 분야의 인권 쟁점에 대해 가장 권위 있는 규범으로 자리매 김하고 있다.

1. 유네스코 「생명윤리와 인권에 관한 보편 선언」

「생명윤리와 인권에 관한 보편 선언」에서는 보건의료에 관한 주요한 원칙 및 고려사항을 제시하고 있는데, 그중 인권과 관련하여 중요한 부분들을 검토하면 다음과 같다. 우선 제3조는 인간 존엄 및 인권(Human Dignity and Human Rights)이라는 표제를 가지고 있으며, "인간 존엄, 인권 및 기본적 자유를 전적으로 존중"하며, "개인의 이익과 복지가 과학이나 사회의 독점적 이익에 대해 우선권을 가진다"는 점을 선언하고 있다. 그리고 제4조에서는 "과학 지식, 의료 및 관련 기술들을 적용하고 발전시킬 때, 환자, 연구진 및 그것들의 영향을 받는 여타의 개인들이 받는 직·간접적인 이득은 최대화해야 하고, 이들이 받을 수 있는 해악은 어떠한 것일지라도 최소화해야 한다"고 규정하고 있다.

자기결정권은 「생명윤리와 인권에 관한 보편 선언」에서 중요한 인권으로 여겨지는데, 이는 동의(Consent)라는 구체적인 형태로 제시된다. 제6조에서는 "관련 개인의 적절하고 충분한 정보에 근거한 자유로운 동의가 선행할 때에만" 의료 시술이나 과학 연구를 행할 수 있으며, 이 동의는 "어떠한 이유에서건 불이익이나 손해 없이 어느 때고 관련 개인에 의해 철회될 수 있다"고 규정하고 있다. 따라서 의료 인공지능을 질병의 예방, 진단, 치료에 사용하거나 의료 인공지능 개발을 위한 임상연구에 참여할 때에는 반드시 적절하고 충분한 정보에 근거한 자유로운 동의가 있어야 하고, 만일 그런 동의가 없었다면 이는 심각한 인권 침해가 되는 것이다.

그리고 앞서 언급한 것처럼, 인권을 이해하는 데 있어 취약성을 고려하는 것은 매우 중요한 일이다. 이 선언은 제8조에서 "인간의 취약성과 완전성에 대한 존중(Respect for Human Vulnerability and Personal Integrity)"이라는 표제 아래, "과학 지식, 의료 및 관련 기술들을 적용하고 발전시킬 때, 인간의 취약성이 고려되어야 한다. 특별한 취약성을 가진 개인들과 단체들은 보호되어야 하고, 동시에 이들의 완전성은 존중되어야 한다"라고 규정하고 있다. 이 이외에 앞서 언급된 프라이버시(제9조), 차별금지(제11조) 등이 규정되어 있고, 특히 미래 세대보호에 대해서도 규정하고 있다.

2. 오비에도 협약(Oviedo Convention)

유네스코 「생명윤리와 인권에 관한 보편 선언」이 성립하기 몇 년 전에 EU 차원에서도 생의학과 인권에 대한 협약이 성립되었는데, 이것이 「생물학과 의학의 적용에 있어 인권과 인간의 존엄을 보호하기 위한 협약」이며 흔히 오비에도 협약26)이라고 한다. 이 오비에도 협약에서도 중요한 인권에 관한 내용을 담고 있는데, 그중 중요한 것으로 '인간의 우선성'(제2조), '보건의료에 대한 평등한 접근권'(제3조), '동의'(제2장), '사생활과 정보권'(제3장), '차별금지'(제11조), '연구참여자 보호'(제16조), '공공 토론(Public debate)'(제10장) 등이 있다.

이 협약의 내용도 위 유네스코 보편 선언의 내용과 유사한 점이 많은데, 그중 공공 토론을 강조하고 있는 것이 특징적이다. 사실 인권 침해에 대해서는 그것이 인권 쟁점인지 그리고 그것이 실제 침해인지 다양한 의견이 있을 수밖에 없다. 명확한 규정으로 만들어진 법조문과는 달리 인권 규범은 다소 추상적인 형태를 갖고 있기 때문이다. 그렇기 때문에 중요한 인권 침해라고 생각되는 쟁점이 있으면, 공공 토론을 통해 서로 의견을 밝히고 이에 대한 사회적 공론을 만들어 가는 것이 필요하다. 의료 인공지능은 아직 활발히 개발되는 중이고, 의료 현장에서 사용하는 것도 아직 제한적이기 때문에, 이 시점에서 공공 토론이 이루어지는 것은 매우 중요하다.

---

26) Convention for the Protection of Human Rights and Dignity of the Human Being with regard to the Application of Biology and Medicine: Convention on Human Rights and Biomedicine (1997)

V. 의료 인공지능과 인권

지금까지 의료 인공지능의 인권 쟁점을 의료 인공지능이 과학기술이라는 점, 인공지능이라는 점, 의료 분야라는 점에 착안하여 각각의 인권 규범과 문서를 살펴보았다. 여기서는 의료 인공지능 자체의 인권 쟁점을 다루는 규범과 문서를 다루는데, 그중 2021년에 발표된 WHO의 보건의료 인공지능 지침과 2019년 유럽평의회에서 발표한 액션 플랜을 살펴보겠다.

1. WHO 보건의료 인공지능 지침

세계보건기구(WHO)는 2021년 보건의료에 적용되는 인공지능에 대한 지침(guidence)을 발표하였는데, 「보건의료 인공지능의 윤리와 거버넌스(Ethics and Governance of Artificial Intelligence for Health)」(2021)가 그것이다. 이 지침은 인공지능과 인권의 문제에 대해 이미 「세계인권선언」을 포함한 많은 인권 선언이 열거하고 있는 인권 목록이 존중되어야 하고, 이 인권들이 헌법이나 인권 법제를 통해 국내입법으로 보호되는 것이 중요하다고 밝히고 있다. 그리고 유엔인권고등판무관실을 인용하면서, "새로운 기술은 해명책무적(accountable) 방식으로 설계될 때, 인공지능과 빅데이터는 보건의료에 대한 인권을 증진시킬 수 있다"라고 언급하고 있다. 그리고 "그 기술이 비인간적인 치료를 야기하고, 노인의 자율성과 독립성을 훼손하며, 환자의 프라이버시에 심각한 위험을 초래한다면" 이 기술은 보건의료 인권에 반하는 것이라고 지적하고 있다.[27] 그리고 데이터 보호 법제는 "권리기반 접근법"을 사용하여, 데이터 처리에 대한 규제 표준은 개인의 권리 보호와 데이터 통제자 및 처리자의 의무 설정을 모두 포함해야 한다고 규정하고 있다.[28]

이 지침은 이어서 보건의료 인공지능 사용에 대한 윤리 원칙을 제시하고 있는데, '자율성 보호', '안녕(human well-being), 안전, 공익 증진', '투명성(transparency), 설명가능성(explainability)[29], 이해가능성(intelligibility) 확보', '책임성과 해명책무 촉진', '포용성과 형

---

[27] 「보건의료 인공지능의 윤리와 거버넌스」 4.1 Artificial intelligence and human rights

[28] 위 지침 4.2 Data protection laws and policies

[29] 의료 인공지능의 설명가능성에 대해서는 김정훈, "의료 영역에서 인공지능의 활용과 설명가능한 인공

평 확보', '응답적이고 지속가능한(responsive and sustainable) 인공지능 증진' 등이 그것이다.[30] 여기서 인공지능이 포용성을 확보해야 한다는 것은 인공지능의 혜택으로부터 소외된 사람이 최소화되어야 한다는 함의를 가지고 있으며, 응답적인 인공지능을 증진해야 한다는 것은 인공지능 개발에서 사회적 요구를 고려하여야 한다는 함의를 가지고 있다.

나아가 보건의료 인공지능 사용에서 문제가 될 수 있는 주제를 언급하고 있는데, 디지털 격차(digital divide), 데이터 수집 및 사용, 의사결정 인공지능에 있어 해명책무와 책임성, 인공지능과 결합된 편견과 차별, 안전과 사이버보안, 보건의료 분야의 노동과 고용에서 인공지능의 영향 등이 주요한 내용이다. 이들 내용은 모두 인권적 쟁점이 되는 것인데, 특히 보건의료 분야 노동과 고용에 대한 주제는 인공지능 인권 쟁점에서 잘 다루지 않는 부분이지만 매우 의미 있는 사항이라고 생각된다.

2. 유럽 평의회(Council of Europe) 전략적 액션 플랜

유럽 평의회는 2019년 11월 2020년에서 2025년까지 생의학(biomedicine) 분야에서 새로운 기술의 도래에 따른 인권 문제를 어떻게 처리할 것인가에 대한 전략적 액션 플랜을 발표하였다.[31] 이 플랜은 제일 서두에서 "우리는 지금 생의학 분야의 인권 문제에서 전환점에 서 있다"라는 문장으로 시작한다. 생의학 분야의 기존 관행에서 중요한 인권 문제가 발생하고 있는데, 의사결정 능력에 대한 인식의 변화가 자율성을 존중하는 것과 보호하는 것 사이의 균형을 다시 생각하도록 하고 있고, 중요한 인구학적 변화로 인해 의료서비스 접근성에 대한 새로운 장벽이 생겨나고 있으며, 혁신적인 치료법이 개발되어도 취약한 사람들은 이를 이용할 수 없다는 사실은 그 예라고 할 수 있다. 따라서 보건의료 기술 발전은 이런 보건의료에 대한 공평한 접근을 보장할 수 있어야 한다는 것이다. 이런 상황에서 이 액션 플랜은 보건의료 영역에서 인간의 존엄성, 기본권, 기본적 자유를 보호하는 것을 비전으로 삼고 있다.

이 플랜은 '보건의료 기술 개발에 인권을 접목'하는 것을 기술 거버넌스의 핵심으로 삼고 있

지능의 필요성", 「인공지능원론」(고학수 외), 2021 참조.

[30] 위 지침 5. KEY ETHICAL PRINCIPLES FOR USE OF ARTIFICIAL INTELLIGENCE FOR HEALTH

[31] 이 액션 플랜의 공식 명칭은 「Strategic Action Plan on Human Rights and Technologies in Biomedicine (2020-2025)」(2019.11.)이다.

다. 이는 보건의료 인공지능이 의사-환자 관계에 미치는 영향에 대해 주목하면서, 치료 관계에서 환자의 자율성과 정보권을 존중하고 투명성과 환자 신뢰를 유지하는 보건의료 전문가의 역할을 강조하고 있다. 그리고 보건의료 분야의 민주적 거버넌스와 투명성을 증진하기 위한 공공대화(public dialogue)를 촉진할 것을 강조하고 있다. 그리고 보건의료에서 동등한 적시의 접근기회 제공, 젠더 평등과 다양성 존중 등에 대해서도 언급하고 있다.

이 액션 플랜의 함의를 의료 인공지능에 적용하여 볼 수 있다. 의료 인공지능을 활용할 경우와 그렇지 않은 경우를 비교해 보면, 의사의 정보 제공 방식이나 정도에서 큰 차이가 생기는데 이 경우 의사-환자 관계에서도 많은 변화가 생길 수밖에 없다. 따라서 의사가 의료 인공지능을 활용할 경우, 자신의 의료 정보 제공과 권고가 의료 인공지능에 기반하고 있음을 알려야 할 것이고 그렇지 않을 경우 환자 신뢰에 문제가 생길 가능성이 크다.

VI. 함의

이상으로 의료 인공지능과 관련된 인권적 문제에 대해 국내외 규범과 문서들을 활용하여 전반적으로 점검해 보았다. 의료 인공지능의 윤리적 쟁점과 중복되지 않는 선에서 인권적 함의를 정리하여 보면 다음과 같다.

첫째, 의료 인공지능의 인권 쟁점은 인권 일반 쟁점 및 과학기술, 생명의료, 인공지능 등 분야의 인권 쟁점을 반영하고 있다. 인권 쟁점은 그동안 역사적으로 확립되어 온 인권 목록의 존재를 전제로 그 인권이 새로운 상황에서 어떻게 침해되고 있으며 또 그 침해에 대해 어떤 보호조치를 하는 것이 적절한가 하는 방식으로 논의되었다. 이는 의료 인공지능 분야에도 동일하게 적용되는 것으로 생각된다. 즉, 이미 「세계인권선언」을 비롯한 많은 인권 규범과 인권 문서에서 적시한 인권들이 의료 인공지능 분야에서도 적절히 보호되고 있는가가 쟁점이 된다. 물론 역사적으로 확립된 인권 목록은 고정된 것은 아니며, 새로운 상황에서 새로운 인권이 제시되고 이 제시된 인권이 공감을 얻어 새로운 인권 목록에 추가되기도 한다.[32] 다만 향후 새로운 문제

---

32) 이런 권리 메커니즘에 대해서는 김현철, "형식적 권리론-권리의 개념구조에 대하여", 「법철학연구」 제5

상황에서 다시 새로운 인권 제안이 등장할 수는 있겠지만, 아직 의료 인공지능 분야에서 고유하게 제기된 새로운 인권 제안은 없는 것으로 파악된다.

둘째, 의료 인공지능의 인권 쟁점은 의료 인공지능의 개발과 활용을 일부 제한하는 인권 정책적 결론으로 이어진다. 즉, 인공지능 개발과 활용에서 무제약적인 자유를 누릴 수는 없고, 인권을 인공지능 개발과 활용에 접목하는 방식을 인권 정책의 목표로 삼는 것이 필요하다. 특히 프라이버시와 개인정보의 보호는 의료 인공지능이 데이터 수집과 처리를 기반으로 한다는 점에서 가장 먼저 제기될 인권 정책이 될 것이다. 그리고 대화형 의료 인공지능의 경우 혐오와 차별금지라는 인권 쟁점이 제기되지 않도록 개발 단계에서부터 모니터링하는 것이 필요할 것이다.

셋째, 의료 인공지능이 가지고 있는 불투명한 기술적 측면을 개선하여 보다 투명하고 설명가능한 방향으로 개발되는 것이 필요하다. 의료 인공지능은 무엇보다 사람의 건강에 관한 기술로서 심하게는 생명에 심각한 영향을 줄 수도 있기 때문에, 불투명한 기술적 측면이 있다면 이를 적극적으로 개선하는 것이 필요하다. 가장 바람직한 것은 설명가능한 인공지능(explainable AI) 중심으로 의료 인공지능이 개발되는 것이라고 생각되며, 향후 설명가능한 인공지능 기술이 발전해 가면 그에 대응하여 의료 인공지능도 그 방향으로 적극적 변화를 모색하는 것이 인권 측면에서 바람직할 것이다. 그리고 이는 의료 인공지능 개발자나 기업이 인공지능 기술에 대해 해명책무를 부담해야 한다는 것을 함축한다.

넷째, 이런 의료 인공지능 개발과 활용을 제한하는 것과 반대로, 의료 인공지능이 갖는 성과와 효과에 접근할 수 있는, 즉 의료 인공지능을 사회적, 경제적 취약계층도 활용할 수 있도록 의료 인공지능을 확산하는 것도 인권적 고려사항이 된다. 이를 위해서는 의료 인공지능 개발이 의료적 수요에 적합할 수 있는 응답성을 갖출 수 있도록 하고, 의료 인공지능 개발이 지속가능할 수 있도록 하기 위해 국가와 사회의 적절한 지원이 이루어지는 것이 바람직하다고 생각된다.

다섯째, 의료 인공지능의 인권적 쟁점에 대처하기 위해서는 정부와 의료 인공지능 개발 기업, 사용자 등의 협력을 통해 인권영향평가 혹은 인권실사가 이루어지는 것이 바람직하다. 인권 침해가 발생한 다음 이를 해결하려고 하는 것은 어리석은 일일 것이다. 인권 침해를 미리 예방하기 위해서는 사전에 인권영향평가나 인권실사를 통해 인권 침해 요소를 미리 점검하는 것

권 제1호, 2002. 참조

이 바람직하다. 그리고 인권영향평가나 인권실사는 일회성으로 그쳐서는 안 되고, 고위험의 의료 인공지능일 경우 지속적 인권 모니터링을 통해 적시에 인권 문제를 개선할 수 있는 체제를 마련하는 것이 필요하다. 이에 대해 이런 조치들은 개발자의 연구 자유를 제한하고 쓸모없는 비용을 기업에게 부담시키는 것이라고 생각할 수 있지만, 넓게 보면 오히려 의료 인공지능의 사회적 신뢰를 높여 사회적 수용성을 제고시키고 보다 빠르고 넓은 범위에서 활용할 수 있도록 하는 효과를 낳을 것으로 생각한다. 그렇다면 이를 위한 비용은 정부 지원이나 의료 인공지능 개발자 조직 등의 기금 마련을 통해 조달하는 것은 명분 있는 일이 될 것이고, 영세한 개발자들에게는 비용 부담을 줄여줄 수 있는 방안이 될 것이다.

제3장

의료 인공지능과 민사책임

김화 (이화여자대학교 법학전문대학원 교수)

생명의료법연구소

의료 인공지능과 민사책임

김화 (이화여자대학교 법학전문대학원 교수)

I. 인공지능의 정의 및 그 특성

1. 인공지능에 대한 다양한 정의

이른바 인공지능이라는 용어는 다양한 정의가 존재한다. 이러한 인공지능이라는 용어는 다트머스대학교 수학과 조교수로 있던 존 매카시가 1956년 다트머스 학회에서 인공지능(Artificial Intelligence)이라는 용어를 처음으로 사용함으로써 등장하게 되었다. 존 매카시의 정의에 따르면 인공지능이란 "지능적인 기계를 만드는 과학 및 엔지니어링(science and engineering of making intelligent machines)"로 정의된다.[1] 그러나 학계에서 널리 통용되는 인공지능에 대한 정의는 스튜어트 러셀(Stuart Russell)과 피터 노빅(Peter Norvig)의 정의라고 할 수 있다. 그들에 따르면 인공지능이란 "합리적으로 행동하는 시스템"으로 정의된다.[2]

---

[1] 최민수, "인공지능 로봇의 오작동에 의한 사고로 인한 불법행위책임", 「민사법의 이론과 실무」 제23권 제2호, 2020, p. 5. ; 이도국, "인공지능(AI)의 민사법적 지위와 책임에 관한 소고", 한양대학교 「법학논총」 제34권 제4호, 2017, p. 319.

[2] 김진아, "약한 인공지능 오류사고와 손해배상책임: 과실 판단을 중심으로", 서울대학교 대학원 박사학

그러나 그 외에도 인공지능을 고도의 문제해결 능력을 가진 인공적 기능으로 정의하면서 이를 강한 인공지능과 약한 인공지능으로 구별하기도 한다.

강한 인공지능(Strong AI)이란 사람처럼 자유로운 사고가 가능한 자아를 지닌 인공지능으로서 인간처럼 여러 가지 일을 수행할 수 있다고 하여 이른바 범용인공지능이라고 부르기도 한다. 이와 대비되어서 특정 분야에 특화된 형태로 개발되어 인간의 한계를 보완하고 생산성을 높이기 위해 활용되는 인공지능으로서 이른바 약한 인공지능(weak AI)으로 불리는 인공지능의 형태를 상정하고 있기도 하다.[3]

인공지능과 관련한 법제로서 법률상 정의는 "지능형 로봇 개발 및 보급 촉진법"을 살펴볼 수 있다. 지능형 로봇 개발 및 보급 촉진법 제2조 제1호에 따르면 인공지능이란 "외부환경을 스스로 인식하고 상황을 판단하여 자율적으로 동작하는 기계장치"를 의미한다.[4]

2. 인공지능이 가진 특성의 민사책임에서의 발현

(1) 인공지능의 자율성

인공지능의 가장 큰 특징 중의 하나는 바로 자율성이라고 할 수 있을 것이다.[5] 즉 인공지능의 경우 인간의 개입이 없거나 최소화된 상황에서도 주위환경을 스스로 분석하여서 일정한 결정을 내리고 그러한 결정에 따라 일정한 작동을 할 수 있게 된다.[6] 특히 인공지능의 경우에는

위논문, 2022, pp. 7, 8.

[3] 최민수, "인공지능 로봇의 오작동에 의한 사고로 인한 불법행위책임", 「민사법의 이론과 실무」 제23권 제2호, 2020, pp. 8-9.; 강한 인공지능과 강한 인공지능의 상세에 대해서는 이도국, "인공지능(AI)의 민사법적 지위와 책임에 관한 소고", 한양대학교 「법학논총」 제34권 제4호, 2017, pp. 322, 323.; 이러한 강한 인공지능과 약한 인공지능의 구별 외에도 이른바 초인공지능(Super AI)을 인정하고 이는 인간의 마음을 이해하고 표현할 수 있는 수준의 인공지능으로 정의하기도 한다(정진명, "인공지능에 대한 민사책임 법리", 「재산법연구」 제34권 제4호, 2018, p. 140.

[4] 이와 관련하여서는 최민수, "인공지능 로봇의 오작동에 의한 사고로 인한 불법행위책임", 「민사법의 이론과 실무」 제23권 제2호, 2020, p. 6. 각주 11 참조; 2019년 9월 발의된 「인공지능 기술개발 및 산업 진흥에 관한 법률」 제2조 제1호에 따르면 인공지능이란 학습, 추론, 판단, 이해, 행동 등 인간의 지적 능력의 일부 또는 전체가 컴퓨터 프로그램을 통하여 구현된 것을 말한다(이경미, "인공지능의 소프트웨어 오류로 인한 민사책임", 「가천법학」 통권 제42호, 2020, p. 185.

[5] 박수곤, "자율적 지능 로봇과 민사책임법상 법정책적 과제- 프랑스법에서의 논의를 중심으로." 「민사법학」 제100호. 2022, p. 31.

[6] 최민수, "인공지능 로봇의 오작동에 의한 사고로 인한 불법행위책임", 「민사법의 이론과 실무」 제23권

모든 동작 내지 작동에 대해서 구체적, 세부적으로 프로그램이 되어 있어서 이에 따라서 또는 이렇게 이미 규정된 프로그램에 맞추어 일정한 작동을 하는 것이 아니라, 이른바 기계학습 기술을 활용하여서 스스로 학습하면서 자신의 알고리즘을 발전시켜 나가게 된다.[7] 인공지능이 어떠한 알고리즘으로 스스로 발전시켜 나갈 것인가, 최종적으로 어떠한 형태의 알고리즘으로 진화될 것인가에 대해서는 처음의 알고리즘을 만든 개발자라도 이를 예측하기 어렵고, 따라서 나중에 당해 인공지능이 어떠한 작동을 할 것인가에 대해서 이를 완벽하게 예측하거나 통제하기는 쉽지 않다.[8]

여기서 인공지능의 작동으로 인한 민사상 책임인정의 난점이 발생하게 된다. 즉, 인공지능의 자율적인 판단에 대해서 누군가는 발생한 손해에 대해서 책임을 져야 하지만 누가 이러한 인공지능의 일정한 작동에 대해서 책임을 질 것인지를 판단하는 것이 쉽지 않다는 것이다. 어떠한 면에서는 자율적인 판단을 한 인공지능 자체가 책임을 지는 것이 가장 자연스럽고 논리적인 귀결이 될 수는 있지만 현재의 책임법상에서 이러한 인공지능 자체가 책임을 지는 것은 가능하지 않다.[9] 결국 인공지능은 일정한 위험이 존재하고 이러한 위험의 발현을 통해서 사고가 발생할 수 있지만 이를 책임질 사람이 없다는 특징을 가지고 있다.[10]

이러한 특징은 결국 인공지능의 동작이나 오류에 대해서 관련되어 있는 사람들인 제조자, 개발자, 이용자 누구도 인공지능을 완전히 통제할 수 있는 가능성을 가지고 있지 않다는 것에 기인한다.[11] 즉, 당해 인공지능의 동작에 대해서 이를 통제할 수 있는 자, 즉 이를 예측하고 잘

제2호, 2020, p. 9.

[7] 인공지능의 경우 머신러닝을 통하여서 인간의 특정 정보를 사전에 설계 및 제시하는 방식이 아니라, 인공지능 스스로가 추상적 차원의 특징을 획득하여서 이미지 및 데이터를 스스로 분류할 수 있고, 인간의 뇌와 유사하게 스스로 일정한 체계에 따라서 정보를 축적하고 발전할 수 있는 것을 의미하게 된다: 이도국, "인공지능(AI)의 민사법적 지위와 책임에 관한 소고", 한양대학교 「법학논총」 제34권 제4호, 2017, p. 321.

[8] 이러한 의미로 최민수, "인공지능 로봇의 오작동에 의한 사고로 인한 불법행위책임", 「민사법의 이론과 실무」 제23권 제2호, 2020, p. 4; 최경진, "인공지능과 불법행위책임", 「정보법학」 제25권 제2호, 2021, p. 48.

[9] 인공지능 자체에 일종의 법적인 인격을 부여하여서 인공지능 자체가 책임을 지게 한다는 이른바 전자인 제도의 도입이 생각될 수 있지만, 이러한 전자인의 도입 자체가 쉬운 것은 아니라고 생각된다. 전자인의 상세에 대해서는 이도국, "인공지능(AI)의 민사법적 지위와 책임에 관한 소고", 한양대학교 「법학논총」 제34권 제4호, 2017, pp. 329 이하 참조; 전자인의 도입에 반대하는 견해로 오병철, "인공지능 로봇에 의한 손해의 불법행위책임", 연세대학교 「법학연구」,제27권 제4호, 2017, pp. 169 이하.

[10] 이러한 의미로 박수곤, "자율적 지능 로봇과 민사책임법상 법정책적 과제- 프랑스법에서의 논의를 중심으로", 「민사법학」 제100호, 2022, p 32.

못된 결과에 대해서 이를 회피시킬 수 있는 자가 인공지능의 일정한 작동에 대해서 책임을 져야 할 자이겠지만 관계자인 제조자와 개발자, 이용자 누구도 인공지능에 대한 완전한 통제 가능성을 가지고 있지 않으므로, 누구에게도 책임을 물을 수 없게 되는 문제가 발생하게 되는 것이다.[12]

즉, 인공지능의 일정한 동작에 따라서 악결과가 발생하고 이에 따라서 손해가 발생할 수 있는 가능성이 상존하고 있지만, 이러한 악결과를 예측하거나 이를 사전에 회피할 수 있는 배후자로서의 사람이 존재하지 않기 때문에 그 누구에게도 그로 인한 책임을 물을 수 없다는 책임법상의 어려움이 발생하게 된다.

(2) 인공지능의 예측 불가능성

인공지능의 경우 어떠한 결정과 그에 따른 어떠한 작동을 할 것인지 그 배후자로서의 사람, 즉 제조자나 개발자, 이용자도 이를 사전에 알기 어렵다는 특징을 가지고 있다.[13] 즉, 인공지능의 경우 예측 불가능성을 잠재적으로 가지고 있는 것이다. 이러한 결과는 인공지능이 취하고 있는 머신러닝의 결과라고 할 수 있다. 즉, 인공지능은 머신러닝[14]을 통해서 인공지능 스스로가 자신의 알고리즘을 진화시켜 나갈 수 있다. 따라서 인공지능의 최초 설계자라고 하더라도 이후에 당해 인공지능이 어떠한 알고리즘에 따라서 어떠한 작동을 할 것인지 완전히 예측하는 것은 불가능하다.[15] 따라서 이러한 인공지능의 오작동이나 인공지능을 통한 악결과의 발생에

---

11) 정진명, "인공지능에 대한 민사책임 법리", 「재산법연구」 제34권 제4호, 2018, p. 141.

12) 이도국, "인공지능(AI)의 민사법적 지위와 책임에 관한 소고", 한양대학교 「법학논총」 제34권 제4호, 2017, p 318. 즉, 인공지능이 스스로 진화하는 단계에 있어서 인공지능의 독자적인 행위로 인하여 발생한 손해를 누구의 책임으로 돌릴 것인가의 문제가 발생한다는 것이다.

13) 이를 인공지능의 특성으로서 불확실성으로 설명하기도 한다(김진아, "약한 인공지능 오류사고와 손해배상책임: 과실 판단을 중심으로", 서울대학교 대학원 박사학위논문, 2022, p. 24.

14) 머신러닝이란 많은 데이터를 컴퓨터에 입력하고 비슷한 것끼리 분류하도록 하는 기술을 의미하며, 이는 딥러닝을 위한 하나의 방법이라고 할 수 있다(최민수, "인공지능 로봇의 오작동에 의한 사고로 인한 불법행위책임", 「민사법의 이론과 실무」 제23권 제2호, 2020, p. 6. 각주 29. 또다른 정의로는 컴퓨터가 주어진 특정 정보에 기반을 두어 데이터분류 방법을 자동적으로 습득하고, 이를 새로운 데이터에 적용 및 분류하는 방식을 의미하기도 한다(이도국, "인공지능(AI)의 민사법적 지위와 책임에 관한 소고", 한양대학교 「법학논총」 제34권 제4호, 2017, p 321. 각주 15.

15) 이러한 의미로 최경진, "인공지능과 불법행위책임", 「정보법학」 제25권 제2호, 2021, p. 47.; 정진명, "인공지능에 대한 민사책임 법리", 「재산법연구」 제34권 제4호, 2018, p. 143.

대해서 최초 설계자에게 지금까지의 책임론에 따라서 일정한 책임을 묻기는 쉽지 않다.[16) 또한 인공지능을 사용하는 소유자나 이용자의 경우에도 이러한 결과는 마찬가지라고 할 수 있을 것이다. 왜냐하면 인공지능의 소유자나 이용자의 경우도 당해 인공지능을 사용하여서 일정한 이익을 얻을 뿐 인공지능을 완전히 제어하거나 컨트롤할 수 없다는 점은 인공지능의 설계자와 마찬가지이기 때문이다. 따라서 인공지능과 일정한 관계를 맺고 있는 자, 즉 인공지능의 설계자, 제조자, 이용자, 소유자 모두에게 기존의 민사상 책임론에 따른 책임을 묻기가 쉽지 않다는 결론에 이르게 된다.[17)

(3) 인공지능의 설명 불가능성

이러한 인공지능에 대한 완전한 통제나 지배 가능성이 인정되기 어렵다면 이후에 인공지능을 통해서 일정한 악결과가 발생한 후 인공지능이 왜 그러한 결정이나 동작을 하게 된 것인지 사후적으로는 그 원인을 밝혀내는 것은 가능한 일인가? 만약 이러한 것이 가능하다면 그러한 인공지능의 악결과를 만들어낸 결정이나 동작의 원인을 제공한 자에 대하여서 책임을 사후적으로 묻는 것도 불가능하지는 않게 될 것이다.

그러나 이러한 것도 인공지능의 특성과 관련하여서는 어렵다고 보고 있다. 즉, 인공지능의 경우 일정한 결정이나 동작을 하였을 때 왜 그러한 결정이나 동작을 한 것인지 사후적으로 이를 이해하고 해명하기 어렵다는 문제가 발생하게 된다. 이를 이른바 인공지능의 블랙박스의 문제라고 부르고 있다.[18)

이른바 인공지능이 발달하면 발달할수록 인공지능은 인공지능의 최초 설계자의 의도와는 달리, 독립하여서 외부적 상황을 인식하고 자율적인 판단을 하게 된다. 따라서 인공지능이 어떻게 정보를 분류하고 취사선택하며 이러한 정보를 어떠한 기준으로 판단하여서 일정한 동작을 하는지 인간으로서는 알 수 없게 된다는 이른바 인공지능의 블랙박스의 문제가 발생하게 된다.[19)

---

16) 양종모, "인공지능의 위험의 특성과 법적 규제방안", 「홍익법학」 제17권 제4호, 2016, p. 545.
17) 최민수, "인공지능 로봇의 오작동에 의한 사고로 인한 불법행위책임", 「민사법의 이론과 실무」 제23권 제2호, 2020, p. 4.
18) 김진아, "약한 인공지능 오류사고와 손해배상책임: 과실 판단을 중심으로", 서울대학교 대학원 박사학위논문, 2022, p. 16.
19) 이러한 의미로 최경진, "인공지능과 불법행위책임", 「정보법학」 제25권 제2호, 2021, p. 65.

지금까지는 일반적으로 전문가의 오류에 대해서 일정한 책임을 묻는 과정은 사후적인 재추적 과정을 통해서 일정한 전문가가 어떠한 근거와 어떠한 생각에서 그와 같은 판단을 하였는가를 역추적하는 이른바 사고 발생 후의 사후적인 재구성이 핵심적인 역할을 하였다.[20] 즉, 일정한 악결과나 손해가 발생하였다면 이에 대하여 원인을 제공했다고 생각되는 전문가가 책임이 있는가 여부를 알기 위해서는, 어떠한 근거에서 전문가가 그러한 일정한 행위를 하였는가를 탐색하게 된다. 이 과정에서 전문가가 규범적으로 일정하게 요구되는 주의의무를 다하여서, 즉 일정한 행위를 결정하고 나아가는 데 있어서 필요한 충분한 주의와 그러한 결정과 행위에 대한 충분한 근거를 가지고서 행위를 하게 되었다면 비록 당해 행위를 통해서 악결과나 손해가 발생하였다고 하더라도 그에 그러한 악결과에 대하여서 과실이 존재하지 않고, 따라서 발생한 손해 내지 악결과에 대해서 책임도 없다는 결론에 도달하게 되었다.[21]

지금까지는 이러한 과정을 통해서 당해 전문가가 필요한 주의의무를 다하였는가 여부를 확인하고 이를 통하여서 그 책임의 인정 여부를 판단해 낼 수 있었지만, 인공지능과 관련하여서는 책임인정을 판단하기 위한 사후적 탐색을 해나가는 것이 극히 어렵게 되었다. 예를 들어 인공지능이 일정한 동작을 하여서 일정한 악결과나 손해를 발생시켰다고 하더라도 이러한 일정한 동작을 하게 된 원인이 처음부터 알고리즘에 대한 설계가 잘못되었기 때문인지, 아니면 그 외의 다른 외부적 원인에 의해서 그러한 동작을 하게 된 것인지, 그 원인을 악결과의 발생 이후에 사후적으로 역추적해 낼 수가 없다는 것을 의미한다.

즉, 전문가의 책임에 있어서는 당해 전문가가 마땅히 했어야 할 주의의무를 다하였는지 여부를 사후적으로 역추적하여서 탐색해 볼 수 있고, 이에 따라서 당해 사정에서 해야 할 주의의무는 무엇이었는지, 이러한 주의의무를 다하였는지 여부를 판단해 낼 수 있지만,[22] 인공지능의 경우에는 이러한 사후적 판단과정을 위해서 반드시 필요한 인공지능이 어떠한 점을 근거로 일정한 판단을 하게 되었는지 여부가 드러나지 않기 때문에 어떠한 원인에 의해서 일정한 악결과적 사고가 발생하였는지 여부를 사후적으로 밝혀낼 수가 없게 된다. 이는 결국 이러한 사고

[20] 김화. "의료계약의 입법화와 추정규정 - 독일민법 제630조의h를 중심으로." 「경희법학」 제57권 제3호, 2022, p. 41.

[21] 즉, 당해 행위에 있어서 과실이 없었다는 점을 증명할 수 있게 된다는 것을 의미한다.

[22] 특히 의료행위와 관련하여서 이러한 점을 강조하는 것으로 김화, "의료계약의 입법화와 추정규정 - 독일민법 제630조의h를 중심으로", 「경희법학」 제57권 제3호, 2022, p. 43.

나 악결과의 원인을 알 수 없다는 것이고 이는 또한 그러한 원인을 제공한 자를 탐색하여서 책임을 물을 수 없게 된다는 것을 의미하게 된다.

3. 민사책임에 있어서 인공지능 특성의 발현

(1) 사후적 책임 인정을 위한 행위성?

일정한 사고나 악결과에 대해서 인공지능 자체에 책임을 지울 수 없다면 인공지능으로 인한 사고나 악결과에 대해서 책임을 지울 주체를 결정하여야 하는데, 인공지능과 관련하여서는 이를 인정하기 위한 적합한 인간의 행위를 찾기가 쉽지 않다는 문제가 발생하게 된다.[23] 특히 이는 인공지능이 가진 자율성 때문에 발생하는 문제이다. 인공지능이 가진 자율성은 인간의 개입이 최소화된 상태에서 스스로 외부에서 정보를 수집하고 스스로 판단하여서 활동을 하게 되므로 인공지능의 이러한 활동에 대해서 그 배후에 있는 누구의 행위로 인하여서 일정한 사고나 악결과가 발생하는 것인가, 누구의 행위를 이러한 악결과의 원인으로 볼 것인가가 문제가 될 수 있다.[24] 이는 민사책임의 일반원칙상 근본적으로 일정한 결과의 원인이 된 자 내지 원인을 제공한 자에 대해서만 그 책임을 물을 수 있기 때문이다.[25]

지금까지 민사책임론과 관련하여서는 인간의 일정한 행위에 초점을 맞추어서 어떠한 악결과가 발생한 경우에는 그러한 결과를 발생시킨 원인이 된 행위를 한 자가 누구인가를 찾고, 그에 대해서 발생한 결과에 대한 책임을 인정시킬 것인가, 말 것인가 여부를 과실의 존재 여부를 통해서 판단하게 되는 구조였는데[26] 이제는 일정한 악결과에 인간의 개입 내지 인간의 행위는

---

[23] 정진명, "인공지능에 대한 민사책임 법리", 「재산법연구」 제34권 제4호, 2018, p. 155. 이에 대하여서 인공지능의 작동결과에 의한 책임귀속을 위해 논리필연적으로 인간의 행위와 연결 지을 필요가 없다는 견해가 주장되기도 한다(서종희, "4차 산업혁명 시대 위험책임의 역할과 한계 -인공지능 로봇에 의해 발생한 손해의 책임귀속을 고려하여", 「사법」, 2018, p. 78.

[24] 인공지능으로 인한 악결과의 경우 타인에게 손해를 끼친 행위에 대한 직접적인 행위자가 존재하지 않기 때문이다: 최민수, "인공지능 로봇의 오작동에 의한 사고로 인한 불법행위책임", 「민사법의 이론과 실무」 제23권 제2호, 2020, p. 21.

[25] 이른바 손해발생에 기여한 사람이 이에 대하여 책임을 져야 하는데 이러한 책임을 져야 하는 사람의 확정이 인공지능으로 인한 손해발생에 있어서는 어려운 난제가 된다: 이도국, "인공지능(AI)의 민사법적 지위와 책임에 관한 소고", 한양대학교 「법학논총」 제34권 제4호, 2017, p 324.

[26] 이와 관련하여서 인공지능의 작동을 타인에게 귀속시키기 위한 행위성의 문제가 발생하게 된다. 이러한 의미로 최민수, "인공지능 로봇의 오작동에 의한 사고로 인한 불법행위책임", 「민사법의 이론과 실

최소화되고 이제는 인공지능 자체의 판단이나 결정이 존재할 뿐이다. 따라서 발생한 악결과에 대해서 일정한 책임과의 접점을 형성할 수 있는 인간의 행위는 인공지능에 있어서 계속적으로 멀어지게 된다는 문제가 발생한다.[27] 결국 이러한 인간의 개입이 옅어질수록 배후의 인간에 대한 책임을 묻기는 어려워지게 된다. 그러나 인공지능으로 인한 악결과나 손해는 언제든지 나타나고 이에 대한 배상책임을 인정해야 할 필요성은 높아지고 있다는 것이 인공지능과 관련된 책임인정의 난점이라고 할 수 있을 것이다.

(2) 예측 불가능성과 과실의 문제?

기본적으로 당해 상황에서 필요한 주의의무를 다 갖추지 못한 것을 이른바 과실로 보고 있고 이러한 과실이 없으면 아무리 악결과가 발생하였다고 하더라도 그에 대한 책임은 묻지 못한다는 것이 우리 민사책임의 일반원칙으로 기능하고 있다. 즉, 과실책임주의는 민사책임에 있어서 일반적인 귀책원리로서 기능하고 있는 것이다.[28] 즉, 과실이 없으면 책임도 없다는 것이 우리 민사책임의 기본원리이고,[29] 이는 결국 당해 상황에서 필요하고 또한 법적으로 요구되는 주의의무를 다하였다면 어떠한 악결과가 발생하더라도 이에 대해서는 행위자는 책임을 지지 않는다는 것을 의미하게 된다.

이러한 과실의 개념을 통해서 인간이 책임져야 하고 또한 책임질 수 있는 사고와 인간이 책임질 수 없는 불운을 구별할 수 있게 되고, 인간이 책임질 수 있는 사고에 대해서만 그러한 사고의 원인이 된 행위자에 대해서 책임을 물을 수 있다는 구조라고 설명할 수 있을 것이다.

과실 인정을 위해서는 기본적으로 일정한 악결과에 대한 예측 가능성을 그 기초로 한다. 인간이 예측할 수 없거나 회피할 수 없는 이른바 인간에게 불가능한 것에 대해서는 책임을 지울

무」제23권 제2호, 2020, p. 41. ; 오병철, "인공지능 로봇에 의한 손해의 불법행위책임", 연세대학교 「법학연구」제27권 제4호, 2017, p. 177.

[27] 이러한 의미로 오병철, "인공지능 로봇에 의한 손해의 불법행위책임", 연세대학교 「법학연구」제27권 제4호, 2017, p. 163.

[28] 송덕수, 신민법강의 제16판, 2023, pp. 14, 15.

[29] 민사책임의 기본원리로서 원인과 결과의 관계에 있어야 한다는 것과(인과관계), 이는 과실이 있어야 한다, 즉 이러한 결과가 발생한 것은 운명이 아니라 필연으로서 이를 막을 수 있었음에도 발생한 것이다(과실책임)라는 것이 인정되어야 한다는 것이다.

수 없기 때문이다. 따라서 누구도 인공지능의 일정한 오류에 대해서 예측할 수 없었다면 누구도 그로 인한 과실이 있었다고 볼 수 없다. 이러한 상황에서는 이른바 과실책임의 원리로 인공지능의 민사책임을 규율하는 것이 매우 까다롭거나 때로는 불가능하게 보일 수밖에는 없다.

과실책임의 원리는 기본적으로 일정한 악결과에 대한 예측 가능성과 그에 대한 회피 가능성으로 구성되어 있는데,[30] 이는 일정한 악결과가 발생한다는 점에 대해서 이를 사전에 예측하고 이를 예측하였다면 결과가 발생하지 않을 수 있도록 회피할 수 있어야 한다는 것을 의미한다. 그러나 인공지능의 경우에는 처음에 일정한 알고리즘을 형성시켜 놓았다고 하더라도 머신러닝을 통해서 계속적으로 자신의 알고리즘을 변화시켜 나가므로,[31] 그러한 인공지능이 장래에 어떠한 판단이나 동작을 하게 될지에 대해서 예측이 어렵거나 불가능하게 되고, 따라서 과실책임의 중요한 축인 예측 가능성이 부정되는 문제가 발생하게 된다.

(3) 설명불가능성과 사후적 책임추궁의 문제?

기본적으로 일정한 인공지능에 의한 사고에 대해서는 그러한 악결과가 어떻게 발생하였는가를 결과 발생이 일어난 이후에, 사후적으로 추적하여서 그러한 악결과의 원인이 되는 요소들과의 인과관계를 재구성하고 그러한 인과관계의 재구성을 통하여서 그에 대해서 원인이 있는 행위를 한 자에 대해서 책임을 지우는 구조를 일반적으로 가질 수 밖에는 없다..

그러나 인공지능의 경우 앞서 언급한 인공지능의 블랙박스의 문제 때문에 어떠한 원인에 의해서 일정한 악결과가 발생하게 되었는지를 사후적으로 추적하여서 재구성해 내는 것이 극히 어렵게 된다. 따라서 일정한 악결과는 존재하지만 그러한 결과에 대한 원인을 사후적으로 추적해낼 수가 없으므로 당해 결과에 대한 책임추궁이 매우 어렵게 된다는 문제가 발생하게 된다.[32]

---

[30] 최경진, "인공지능과 불법행위책임", 「정보법학」 제25권 제2호, 2021, p. 49.

[31] 인공지능이 스스로 머신러닝 등의 학습효과를 통하여 발전하는 과정에서 독자적으로 의사결정을 한 결과 손해를 야기하였다면 현행법상의 책임법리로는 해결이 어렵게 된다: 최민수, "인공지능 로봇의 오작동에 의한 사고로 인한 불법행위책임", 「민사법의 이론과 실무」 제23권 제2호, 2020, p. 43.

[32] 이러한 의미로 박수곤, "자율적 지능 로봇과 민사책임법상 법정책적 과제- 프랑스법에서의 논의를 중심으로", 「민사법학」 제100호, 2022, pp. 40, 41.:양종모, "인공지능의 위험의 특성과 법적 규제방안", 「홍익법학」 제17권 제4호, 2016, p. 557.

일반적으로 민사책임의 구조는 일단 악결과가 발생하게 되면 그와 관련하여서 사후적 책임을 묻는 구조를 가지고 있기 때문에, 이를 위해서는 어떠한 원인에 의해서 어떠한 과정에 의해서 당해 결과가 발생하게 된 것인가를 사후적으로 정확하게 재구성해낼 수 있는 것이 결정적인 의미를 가지게 되는데, 인공지능의 경우 어떠한 원인에 의해서 그러한 판단 내지 동작을 하게 되었는지를 알 수가 없으므로 이러한 사후적 책임추궁을 위한 사건의 재구성이 매우 어려울 수밖에는 없게 된다.[33]

(4) 소결

결국 인공지능의 오류나 동작에 대한 민사책임의 문제는 인공지능이 일으키는 사고나 악결과는 존재하지만, 그로 인하여 책임을 지울 수 있는 사람은 찾기 힘들다는 결론에 도달할 수밖에는 없게 된다. 특히 지금까지 민사책임에 있어서 주된 책임원리로서 기능하고 있는 과실책임의 원리가 인공지능과 관련하여서는 제대로 작동하기가 어렵다는 것도 알 수 있게 된다. 이는 인공지능의 오류나 작동은 있지만 그것이 어떠한 원인에 의해서 발생한 것인지를 사후적으로 알아내는 것이 거의 불가능하고 그러한 인공지능의 오류 등을 막기 위한 조치를 처음부터 취할수는 있겠지만 머신러닝을 통하여서 계속적으로 동시에 스스로 변화되는 인공지능의 알고리즘의 특성상 인공지능을 완전히 통제하는 것이 불가능하다는 것에 기인한다.

특히 이와 관련하여서 인공지능 알고리즘의 최초 설계자가 알고리즘을 최초에 올바르게 설계하였다고 하더라도 그 이후에 계속적으로 이러한 알고리즘이 변화하여 잘못된 작동이나 결과를 도출해 낼 수 있는 가능성도 존재한다. 따라서 이러한 인공지능의 특성상 인공지능의 최초 설계자의 과실을 인정하기 매우 어려운 특징을 가지게 된다.[34]

인공지능과 관련되어 있는 자로서 인공지능을 이용하는 자 또한 당해 인공지능을 자신의 목

---

[33] 이른바 이러한 인공지능의 불투명성의 문제를 입증책임의 문제로 해결하려는 견해도 제기된다. 즉, 인공지능의 오작동 외에 다른 원인이 있다고 보기 어려운 간접사실들을 증명하면 그와 같은 피해는 인공지능 작동상의 오류나 과실에 의한 것으로 추정한다는 것이다(최경진, "인공지능과 불법행위책임", 「정보법학」 제25권 제2호, 2021. p. 51.) 그러나 이러한 견해는 인공지능의 특성, 즉 인간의 행위성이나 개입이 최소화되고 인공지능 자체의 일정한 알고리즘에 따른 판단이 주로 문제가 된다는 점에서 여전히 해명의 어려움이 남는다고 생각된다. 특히 인공지능의 오작동에 의한 것으로 추정한다고 하더라도 인공지능과 관련된 어떤 자에게 그 책임을 인정시킬 것인가라는 문제는 여전히 남게 된다.

[34] 김진우. "지능형 로봇과 민사책임." 「저스티스」 제164호, 2018, p. 53.

적을 위해서 이용하고 있을 뿐 그 구체적인 알고리즘에 접근하기는 쉽지 않고 따라서 일정한 사고나 악결과에 대해서 이를 예측하고 회피할 수 있는 능력이 있다거나 그러한 지위를 법적으로 부여할 수 있다고 보기는 어렵다. 즉, 인공지능 이용자의 과실을 인정하는 것도 인공지능과 관련된 사고에 있어서 쉽게 인정되기 어렵게 된다.[35]

II. 의료 인공지능의 특성

1. 인공지능의 의료분야의 활용

앞서서 인공지능의 일반의 특성과 그에 따른 민사상 책임인정의 어려움에 대해서 살펴보았다. 특히 문제가 되는 것은 의료 인공지능의 경우에 의료 인공지능을 이용하여서 의료사고가 발생한 경우에는 그 책임을 어떻게 인정해야 할 것인가와 관련된 것이다.

인공지능의 의료분야 활용의 대표적인 예는 IBM사에서 개발한 왓슨(Watson)을 들 수 있을 것이다. 왓슨과 관련하여서는 2015년 8월경 동경대 의대 병원에 빈혈 증세로 내원한 60세 환자에 대하여서 급성 골수성 백혈병으로 진단한 의사들과는 달리 희귀한 유형의 백혈병으로 판단하여서 왓슨의 판단에 따라 처방한 항암제로 환자가 완치된 사례가 존재한다.[36] 왓슨은 딥러닝을 통하여 수천 개에 달하는 환자의 유전적 특성과 특히 2000만 개의 논문을 비교하여 10분 만에 진단을 할 수 있는 시스템으로 인간 의사들이 같은 작업을 수행하였을 경우에는 이를 위해서 2주 이상이 소요되었을 것으로 보고 있다.

IBM이 메모리얼 슬론 케더링(Memorial Sloan Kettering(MSK)) 암센터와 협업하여 개발한 인공지능으로서 의사에게 암환자의 치료방법을 제시하는 왓슨 포 온콜로지(Watson for Oncology)를 예로 들어 설명하자면, 당해 인공지능은 인터넷을 통해 왓슨 헬스 클라우드에 정보를 저장하고 필요할 때 정보를 재전송하는 방식으로 기능하고 있다. 이는 환자의 정보를 입

35) 이러한 의미로 김진우. "지능형 로봇과 민사책임." 「저스티스」 제164호, 2018, p. 61.
36) 백경희, 장연화. "인공지능을 이용한 의료행위와 민사책임에 관한 고찰." 「법조」 제66권 제4호, 2017. p. 92.

력하면 빅데이터를 바탕으로 가장 확률 높은 병명과 성공 가능성이 큰 치료법을 알려주는 방식으로 운영되고 있으며,[37] 구글의 경우에도 당뇨병 망막 병증을 정확하게 진단할 수 있는 딥러닝 기반의 인공지능 개발에 성공하였으며, 그 외 인공지능을 사용한 영상판독 기술로서 엑스레이, 컴퓨터단층촬영(CT), 자기공명영상(MRI) 등의 영상자료의 판독을 도와주는 인공지능으로서 국내기업으로는 뷰노, 루닛 등의 대표적인 기업이 존재한다.[38]

2. 인공지능의 의료분야의 활용에 있어서 오류 가능성?

왓슨 포 온콜로지(Watson for Oncology)를 국내에서 처음 도입한 길병원의 보고의 경우 실제 의사들의 치료법과 왓슨이 제시한 치료법이 80-90% 정도 일치했음을 보고 하고 있다.[39] 그러나 2015년 12월 경부터 왓슨을 도입하여 사용하였던 인도 마니팔 병원의 경우 암환자 1,000명의 진료에 관한 의료진의 판단과 왓슨의 판단을 비교한 결과 유의미한 차이점이 발견되었음을 보고하였다.

즉, 의료진이 제안한 치료법 중 50%는 왓슨이 추천한 치료법과 일치하였으며, 28%는 왓슨의 고려에 해당하는 치료법과, 17%는 비추천에 해당한 치료법과 일치하였다. 나아가 나머지 5%의 경우는 왓슨의 권고안에는 나타나 있지도 않았던 것으로 보고되었다. 특히 폐암의 경우 왓슨과 의료진의 견해가 17.8%에서 일치하였을 뿐이었다.[40]

3. 인공지능의 의료분야의 활용 확대와 오류 가능성

왓슨의 예가 가장 대표적이라고 할 수 있을 것이지만, 인공지능을 의료분야에 활용하려는 노력은 계속될 것으로 생각된다. 특히 진단, 영상판독 등에서 인공지능을 활용하여서 의사들의 과중한 업무를 덜고 의사들이 핵심적인 내용으로서 진료에 집중할 수 있도록 하려는 경향이 확

---

37) 백경희, 장연화. "인공지능을 이용한 의료행위와 민사책임에 관한 고찰." 「법조」 제66권 제4호, 2017. p. 96.
38) 백경희, 장연화. "인공지능을 이용한 의료행위와 민사책임에 관한 고찰." 「법조」 제66권 제4호, 2017. p. 97.
39) 이현경, "인공지능을 활용한 의료행위와 환자의 법적 구제수단 - IBM Watson(왓슨)의 이용을 중심으로." 「LAW & TECHNOLOGY」 제14권 제2호, 2018, p. 4.
40) 이현경, "인공지능을 활용한 의료행위와 환자의 법적 구제수단 - IBM Watson(왓슨)의 이용을 중심으로." 「LAW & TECHNOLOGY」 제14권 제2호, 2018, p. 8.

대될 것으로 예측될 수 있다. 이러한 의료 인공지능의 활용이 확대될수록 의료 인공지능의 오류에 의한 문제가 더 많이 나타날 수 있게 될 것이다.

이러한 점은 앞서 언급한 바와 같이 인도 마니팔 병원의 경우와 같이 의료 인공지능인 왓슨의 판단과 실제 의사의 판단이 차이가 많이 나는 경우가 발생할 수 있으며 이러한 의료 인공지능이 확대되어 이용될수록 의료 인공지능의 오류에 의한 문제가 더 많이 나타날 수 있게 된다. 그러나 그와 반대되어 기존의 민사상 책임법 이론을 통해서는 이러한 인공지능의 오류와 그로 인한 악결과 내지 손해에 대하여서 책임귀속의 어려움 때문에 사후적인 책임의 문제가 더 심각해질 수 있을 것임을 예상해 볼 수 있다.

4. 의료분야에 있어서 인간의 치료와 관련된 특징

(1) 의료행위 자체의 특수성

의료행위의 객체가 되는 것은 인간의 신체이다. 그러나 인간의 신체는 각각 그 환자들마다 다양한 차이를 가지고 있으므로 이러한 다양성과 함께 그 치료 성공의 예측이 어렵다는 특징이 있다. 즉, 똑같은 증상에 대해서 똑같은 치료의 방법을 취한다고 하더라도 다른 양상이 나타날 수 있다는 것이다. 이러한 특징들 때문에 전문가인 의료인에게만 의료행위가 허용되는 것이고 또한 의료행위에 있어서 의료인이라는 전문가에게 자신의 전문지식과 경험에 근거한 폭넓은 재량이 부여되게 된다.

의료과실에 있어서 민사책임은 의사의 업무상 주의의무 위반과 그러한 의료과실과 환자에게 나타난 악결과 사이의 인과관계의 존재가 인정되어야 하나 이를 입증하는 것이 일반인으로서는 극히 어렵다는 난점을 가지고 있다.[41]

앞서 언급한 바와 같이 인간에게 인체란 아직도 미지의 영역이며 최선의 치료, 즉 주의의무를 모두 다 한 치료를 했다고 하더라도 환자에게 악결과가 발생하는 경우의 수는 언제나 존재할 수밖에는 없다. 따라서 환자의 악결과 발생만으로 의사의 업무상 주의의무 위반이 있었다는 것을 단정하거나 또는 추정할 수는 없고, 이를 추정하기 위해서는 다른 요소가 필요하게 된

---

[41] 김화. "의료계약의 입법화와 추정규정 - 독일민법 제630조의h를 중심으로." 「경희법학」 제57권 제3호, 2022, p. 44.

다.[42] 즉, 의사가 최선의 노력을 다했음에도 불구하고 환자에게는 악결과가 나타날 수 있는 가능성이 있으며, 따라서 환자에게 일정한 악결과가 나타났다고 해서 그것이 다 의사의 치료에 따른 주의의무위반, 즉 의료과오에 따른 것이라고 볼 수 없다는 특징을 지니고 있다.

(2) 의료과오로 인한 결과의 심각성

의료행위는 인간의 신체를 대상으로 하기 때문에 의료행위에 과오가 있다는 것은 인간의 신체, 특히 건강에 대한 침해를 야기할 수 있다는 것을 의미한다. 일반적인 재산적 침해의 경우와 달리 인간의 신체, 건강에 대한 침해는 매우 심각한 손해를 야기하게 되고, 특히 그 악결과가 금전에 의한 배상만으로 완전히 보상될 수 없으며, 많은 경우 비가역적, 비회복적 손해를 야기한다는 점에서 그 결과는 매우 심각하다고 말할 수 있다.[43]

5. 의료분야에 있어서 인공지능의 활용에 있어서의 특징

의료분야에 있어서 인공지능 활용의 경우, 특히 의료과오로 인한 결과가 바로 신체나 건강의 침해와 연결된다는 점에서 다른 영역에서와 달리 인공지능을 활용함에 있어서도 전문가인 인간의 통제의 필요성이 매우 높다는 특징을 보이게 된다. 즉, 다른 영역과는 달리 인공지능을 통한 일정한 기능의 수행에 있어서 인간의 개입이 적극적으로 요구되는 환경이 처음부터 설정되어 있으며, 특히 최종적인 의료적 판단 내지 의료적 처치에 있어서는 의료 인공지능의 자율적 판단에 이를 쉽게 맡기거나 또는 의료 인공지능이 도출한 결과에 대해서 이를 쉽게 속단해서는 안 되며 반드시 전문가인 의사가 자신의 전문가적인 고려 내지 결단을 해야 하며 이러한 것이 의료 인공지능의 기능수행과 관련하여서는 마지막 통제 장치로 개입되어야 할 필요성이 있다.

---

[42] 따라서 당해 발생한 악결과에 대해서 의료과오를 제외한 다른 원인이 있다고 보기 어려운 여러 간접사실을 증명하여서 의료인의 의료과오를 추정하게 된다는 것으로 김화. "의료계약의 입법화와 추정규정 - 독일민법 제630조의h를 중심으로." 「경희법학」 제57권 제3호, 2022, p. 42. 각주 10.

[43] 따라서 사람의 생명, 신체와 직결되는 인공지능의 경우 혁신이 사고의 예방이나 손해의 회복만큼 더 크게 고려될 수는 없다고 본다(김진아, "약한 인공지능 오류사고와 손해배상책임: 과실 판단을 중심으로", 서울대학교 대학원 박사학위논문, 2022, p. 58.)

6. 의료분야에 있어서 인공지능의 활용에 있어서 인간의 적극적 개입 유무

인공지능 기술의 경우 인간의 직접적인 개입 없이도 자동적으로 행동하도록 설계되는 경우가 매우 많은 경우를 차지하고 있으며, 따라서 인공지능의 경우 인간의 제어 수준이 어디까지 개입하는가에 따라서 인공지능을 분류하기도 한다. 즉, 인간의 개입 수준에 따라서 인간 배제형 인공지능(Human-out-of-loop AI), 인간감독형 인공지능(Human-on-the-loop AI), 인간개입형 인공지능(Human-in-the-loop AI)로 분류할 수 있다.[44]

인간감독형 인공지능은 일반적으로 인공지능이 그 결과에 의존하여 작동하도록 하나 인간이 개입할 수 있는 여지를 배제하지 않는 유형으로 인간의 모니터링을 필요로 한다는 점이 특징이라고 할 수 있다. 의료 인공지능의 경우에 계속적으로 이러한 방향, 즉 인간감독형 인공지능의 방향으로 발전하려고 하고 있고, 이는 다음과 같은 예를 들 수 있다. 즉, 환자의 상태에 직접적으로 영향을 미치는 것이 아닌 의료자료나 영상의 판독에 있어서는 의료 인공지능이 이를 자율적으로 판단하여 의사에게 알려주거나 또는 여러 환자들의 여러 영상 및 의료자료들 중에서 핵심적으로 문제가 될 수 있는 케이스만을 선별하여서 이를 의사에게 알려주는 방법 등을 취하는 것을 말하게 된다.

인간개입형 인공지능의 경우에는 인공지능이 이용자에게 선택 가능한 대안을 하나 또는 그 이상을 제시하면, 이용자가 자신의 지식 등을 이용하여서 그러한 다양한 대안들 중에서 또는 그 밖의 자신의 전문지식을 이용한 대안들 중에서 어느 하나를 선택하는 방식으로 최종 선택을 의사에게 맡기는 것을 의미한다. 즉, 이러한 방식에서는 최종적인 의사결정이 결국은 인간인 의사에 의해서 이루어진다는 특징을 가지게 된다.

의료 인공지능의 경우에는 앞서 언급한 바와 같이 인간의 생명, 신체, 건강에 대해서 영향을 미칠 수 있다는 점에서 인간의 직접적 개입을 요구하는 인간개입형 인공지능을 원칙으로 설계될 수밖에는 없다. 이러한 경우 의료 인공지능을 활용한다고 하더라도 이러한 치료 내지 처치의 직접적 개입 내지 최종적 판단을 하는 인간인 전문가로서의 의사에게 그 책임을 물을 수 있는 기초가 마련되게 된다. 왜냐하면 의료 인공지능의 도움을 받았다고 하더라도 최종적인 처치

---

[44] 이러한 분류에 대해서는 김진아, "약한 인공지능 오류사고와 손해배상책임: 과실 판단을 중심으로", 서울대학교 대학원 박사학위논문, 2022, pp. 29 이하.

에 대해서는 인간의 판단, 즉 전문가인 의사의 자신의 전문적 지식에 따른 판단으로 처치가 된 것이기 때문이다.

따라서 의료 인공지능을 활용하여서 진단 내지 처치를 한다고 하더라도 현재로서는 이러한 의료 인공지능은 인간개입형 인공지능의 형태로 운영되는 것이 대부분일 수밖에는 없을 것이며, 따라서 최종적인 결정을 하고 처치를 하는 의사에게 그 책임을 묻는 전통적인 책임법상의 내용이 그대로 적용될 수 있을 것이다.[45]

III. 의료 인공지능의 활용과 그에 따른 불법행위책임

1. 의료과실과 의사의 주의의무

의료과실 내지 의료과오에 있어서 민사책임의 구조는 2가지 방향으로 결정된다. 즉 계약책임에 기한 것과 불법행위책임에 기한 것이다. 양자 모두 과실책임의 원리에 따라서 의사의 주의의무 위반이 의사의 책임귀속에 있어서 핵심이 될 수밖에는 없다.[46] 그러나 의료행위의 불법행위의 경우에 있어서는 일반적인 불법행위보다 전문가로서 한층 더 높은 주의의무 또는 최선의 주의의무가 요구되는 것이 사실이다. 왜냐하면 의료행위를 하는 의사는 전문가로서 전문적인 지식을 기초로 의료행위를 할 수 있는 허가를 받은 사람이라는 점과 그러한 의료행위의 대상이 인간의 신체이기 때문에 인간의 건강이라는 매우 중요한 법익에 대해서 의료과실이 있는 경우 심각한 침해가 일어날 수 있기 때문이라고 할 수 있다.

이러한 의사의 주의의무위반은 일정한 악결과에 대한 예견 가능성과 이에 대한 회피 가능성이라는 구조로 구성되어 있으며, 이는 일반적인 과실의 판단과 동일한 구조라고 할 수 있다.[47]

---

[45] 이른바 인간의 직접적 개입이 있는 경우(Human-in-the-loop AI)로 설계될 수 밖에는 없을 것이며, 이는 대표적 의료 인공지능인 왓슨의 경우에도 마찬가지이다: 이현경, "인공지능을 활용한 의료행위와 환자의 법적 구제수단 - IBM Watson(왓슨)의 이용을 중심으로", 「LAW & TECHNOLOGY」 제14권 제2호, 2018, p. 5.

[46] 백경희, 장연화, "인공지능을 이용한 의료행위와 민사책임에 관한 고찰", 「법조」 제66권 제4호, 2017, p. 100.

그러나 여기서 의사의 주의의무의 정도가 매우 중요한 의미를 가지게 된다. 의사는 의료행위를 함에 있어서 환자의 구체적 증상이나 상황에 따라서 위험을 방지하기 위해서 요구되는 최선의 조치를 행하여야 할 주의의무가 있다. 이러한 주의의무를 다하였는지 여부의 판단은 의료행위를 할 당시 의료기관 등 임상의학 분야에서 실천되고 있는 의료행위의 수준을 기준으로 한다고 보고 있다.[48] 즉, 그 의료수준은 통상의 의사에게 의료행위 당시에 일반적으로 알려져 있고 또 시인되고 있는 이른바 의학상식을 의미하므로 진료환경 및 조건, 의료행위의 특수성 등을 고려하여서 규범적인 수준으로 판단되어야 하고, 당해 의사나 의료기관의 구체적 상황에 따라 고려되어서는 안 되는 것으로 보고 있다.[49]

그러나 의사의 주의의무와 관련하여서는 의사 재량이 매우 넓게 인정되고 있다는 점을 언제나 함께 고려할 필요가 있다. 즉, 의사는 진료를 행함에 있어서 환자의 상황과 당시의 의료수준 그리고 자기의 지식과 경험에 따라 적절하다고 판단되는 진료방법을 선택할 상당한 범위의 재량을 가진다고 할 것이므로[50] 어떠한 치료방법을 선택하였다고 하였을 때 그것이 합리적인 범위를 벗어난 것이 아닌 한 진료의 결과만을 놓고 그 중 어느 하나만이 정당하고 이와 다른 조치를 취한 것이 과실이 있다고 말할 수는 없다는 한계를 가지게 된다.

2. 의료 인공지능의 활용과 의사의 주의의무

앞서 살펴본 바와 같이 인간의 신체에 대한 침습적 행위를 하는 의료행위에 있어서는 의료 인공지능의 일정한 제안 내지 판단이 있다고 하더라도 이를 의료전문가인 의사가 전적으로 믿거나 받아들여서는 안 된다는 한계가 존재한다. 결국 의료 전문가인 의사로서는 자신의 전문적인 지식을 적극적으로 활용하여서 어떠한 치료방법이 환자에게 최선이 될 수 있는 것인가에 대한 개별적인 판단을 해야 할 필요성이 있다. 즉, 의료 인공지능의 도움을 받는다고 하더라도 이는 어디까지나 인간개입형 인공지능(Human-in-the-loop AI)을 기초로만 인정될 수 있다고 할 것이다.

---

[47] 백경희, 장연화, "인공지능을 이용한 의료행위와 민사책임에 관한 고찰", 「법조」 제66권 제4호, 2017, pp. 101, 102. ; 오병철, "인공지능 로봇에 의한 손해의 불법행위책임", 연세대학교 「법학연구」 제27권 제4호, 2017, p. 184.

[48] 대법원 1999. 3. 26. 선고 98다45379 45386 판결.

[49] 대법원 1997. 2. 11. 선고 96다5933 판결.

[50] 대법원 2020. 11. 26. 선고 2020다244511 판결.

만약 의료 인공지능의 도움을 받는다고 하더라도 의료 인공지능이 하는 제안 등에 대하여 전문가로서의 판단 없이 이를 의사는 그대로 수용하였고 이러한 의료 인공지능의 오류에 의해서 환자에게 일정한 악결과가 발생한 경우 의료 인공지능의 도움을 받았고 의료 인공지능의 제안이 있었다는 것만으로 의사로서 해야 할 주의의무를 다했다고 보기는 어려울 것이다.[51]

즉, 일정한 의료 인공지능의 제안 등이 있는 경우라고 하더라도 이러한 의료 인공지능에 의해서 제안된 치료법이 의학적으로 그리고 의학전문가로서의 지식에 비추어 설득력이 있고, 합리적인지 여부를 스스로 고민해 보아야 하며, 이를 최종적으로 받아들일 것인가 말 것인가를 결정하는 것이 바로 의료전문가로서 의사의 역할이며 의료행위의 결과에 대해서 최종적인 책임을 지는 자의 역할이라고 할 수 있을 것이다.[52]

3. 의료 인공지능인 왓슨을 이용하는 경우에 있어서 의료과오의 판단 예시[53]

(1) 왓슨은 정확한 판단을 하였으나 의사는 잘못된 판단을 한 경우

의사가 왓슨으로부터 정확한 치료법을 추천받았으나, 이를 무시하고 자신의 판단대로 환자를 진단하고 치료하였으나 이후 왓슨의 판단이 정확하였음이 밝혀진 경우를 가정해 볼 수 있다. 이 경우 주의의무의 구체적인 내용은 의사가 왓슨이 추천한 치료법을 충분히 검토했었어야 했는가에 집중되게 된다. 즉, 왓슨이 추천한 치료법에 대해서 이를 면밀히 검토하고 그럼에도 불구하고 자신이 판단한 치료법이 더 나은 치료법이 될 것이라는 점에 대해서 충분한 근거, 즉 충분한 주의의무의 고려가 있었는가 하는 것에 집중이 될 것이다.

이를 책임법상의 일반이론인 예견 가능성과 회피 가능성의 구조에 따라 검토해 볼 수 있는데, 예견 가능성과 관련하여서는 일정한 악결과의 위험을 예견했어야 하는 것인지가 문제가 될 수 있다. 왓슨은 방대한 분량의 암과 관련된 연구 논문, 임상실험 결과 등을 반영하고 있으므로,

---

[51] 결국 의료 인공지능의 도움을 받았다고 하더라도 인간인 의사의 치료조치가 있을 것이기 때문에 이러한 인간인 의사의 치료조치에 대한 주의의무를 다했다고 볼 수 있는지가 문제가 될 수밖에는 없게 된다.

[52] 이러한 의미로 백경희, 장연화, "인공지능을 이용한 의료행위와 민사책임에 관한 고찰", 「법조」 제66권 제4호, 2017, p. 111.

[53] 이러한 분류에 관해서는 김진아, "약한 인공지능 오류사고와 손해배상책임: 과실 판단을 중심으로." 서울대학교 대학원 박사학위논문, 2022, p. 125 이하.

이러한 사정을 고려하면 의사가 왓슨이 추천한 치료법이 적절한 치료법일 수 있다는 사실을 일반적으로 예견할 수 있다고 보아야 할 것이고, 만약 이와 다른 판단을 하게 되었다면 그러한 판단을 하기 위한 충분한 의학적 근거가 필요하다고 할 것이다.

회피 가능성과 관련하여서는 왓슨이 추천한 치료법이 의학계에서 일반적으로 적합한 치료법으로 받아들여지고 있다는 전제하에서 환자의 건강상태가 위급한 상태가 아니라면 왓슨의 치료법을 검토하였다면 의사가 선택한 치료법이 아닌 다른 치료법을 선택하였을 것이고, 그렇다면 환자에게 악결과도 발생하지 않았을 것임을 인정할 수 있을 것이다.

(2) 왓슨은 잘못된 판단을 하였으나 의사는 정확한 판단을 한 경우

왓슨으로부터 자신의 판단과 다른 치료법을 추천받았고, 의사는 자신의 판단이 아닌 왓슨의 판단으로 환자를 치료한 경우를 가정해 볼 수 있다. 이러한 경우에 주의의무 위반이 구체적인 내용은 의사가 왓슨의 판단이 자신의 판단보다 적절하다는 확신이 들지 않는 한, 왓슨의 판단을 따라서는 안 된다는 것이 될 것이다. 이를 판단하기 위해서는 왓슨이 의사에 비해서 명백하게 우월하기 때문에 왓슨의 추천을 따라야 하고 왓슨의 추천을 따르는 한 환자에게 발생할 수 있는 위험을 예견할 수도 없었다는 규범적인 판단이 내려져야 한다.

그러나 왓슨의 판단이 의사보다 명백하고 우월하다고 볼 수는 없고, 앞서 언급한 인도 마니팔 병원의 보고 사례에서도 알 수 있듯이 의사의 판단과 왓슨의 판단이 유의미하게 일치하지 않는 경우도 발생하고 있다. 따라서 왓슨이 잘못된 치료법을 추천하였을 가능성을 배제할 수 없고, 왓슨의 판단이 의사보다 명백하게 우월하다고 볼 수 없는 한, 의사는 자신의 의학적 지식을 사용하여서 스스로의 책임하에서 일정한 처치와 관련된 판단을 해야 할 주의의무가 있다고 보아야 할 것이다.

회피 가능성과 관련하여서 의사는 왓슨의 판단이 적절하지 않다고 생각된다면 이를 따르지 않음으로 인하여 환자에게 발생하는 악결과를 막을 수도 있었을 것이므로 이러한 회피 가능성도 인정될 수 있을 것으로 생각된다.

(3) 왓슨과 의사 모두 잘못된 판단을 한 경우

왓슨이 잘못된 치료법을 제시하고 이와 일치하여서 의사도 잘못된 판단을 한 경우를 생각해 볼 수 있다. 이러한 경우 의사가 왓슨을 이용하지 않았다고 하더라도 동일하게 잘못된 판단을 하였을 것이기 때문에 일반적인 의료과오의 경우와 동일하다고 볼 수 있을 것이다.

다만 의사의 판단이 왓슨의 판단과 동일하고 그렇기 때문에 앞의 예시에서 살펴본 바와 같이 왓슨의 판단을 그대로 따랐다고 하는 것을 통해서 의사가 주의의무를 다하였다는 주장을 할 수 있을지가 문제가 될 뿐이다. 그러나 앞서 살펴본 바와 같이 왓슨의 정확성이 명백하게 검증되지 않은 상태에서 왓슨의 판단과 일치하는 판단을 하였다는 것만으로 의사가 자신의 주의의무를 다했다고 보기는 어려울 것으로 생각된다.

4. 의료 인공지능인 왓슨을 이용하는 경우에 있어서 주의의무 기준에 대한 미국의 논의

왓슨을 이용한 경우에 의사의 주의의무를 판단함에 있어서 그 기준을 일반적인 의료행위의 경우와 달리 보아야 하는지에 대해서 미국에서도 활발한 논의가 이루어지고 있다.[54]

왓슨을 이용하는 경우에도 다른 일반적인 의료과실의 경우와 동일하게 법원은 주의의무를 판단할 수 있지만, 그러한 경우에는 의사들이 왓슨과 같은 인공지능을 이용하고 그 도움을 받아 진단 및 진료행위를 할 유인을 감소시킬 수 있다는 점이 지적되고 있다. 즉, 치료의 질과 효율성을 증대시킬 잠재력이 큰 인공지능 시스템의 이용을 촉진할 수 없다는 한계가 지적된다고 한다. 결국 이러한 지적은 왓슨의 도움을 받아 의료행위를 하고, 왓슨에 대한 지속적인 수요를 창출하기 위해서는 왓슨이 제시하는 추천에 대하여서 이를 그대로 받아들인 경우에 의사의 주의의무의 정도를 낮추어 일종의 면책을 줄 수 있도록 하는 것을 통해서 왓슨의 이용의 유인책을 삼고자 하는 것을 생각해 볼 수 있다.

다음으로 법원은 인공지능이 제시한 진단명 또는 치료법을 주의의무의 기준으로 삼아 그와 다른 의료행위에 대해서는 의사의 과실이 있는 것으로 추정 내지 간주하는 방법을 생각해 볼 수 있다. 그러한 경우에는 해당 상황에서 인공지능인 왓슨이 제시한 의료행위를 시행하지 않은

---

54) 이현경, "인공지능을 활용한 의료행위와 환자의 법적 구제수단 - IBM Watson(왓슨)의 이용을 중심으로", 「LAW & TECHNOLOGY」 제14권 제2호, 2018, p. 15 이하.

것이 의사의 적절한 판단이었다는 것을 의사가 스스로 입증하도록 함으로써 환자의 입증책임을 완화할 수 있는 것으로 보고 있다. 특히 이는 의사의 의료과오에 대해서 이를 전문가가 아닌 일반 환자의 입장에서는 증명하는 것이 극히 곤란하다는 입장에서는 매우 효과적인 견해가 될 수도 있을 것이다.

그러나 이는 전문가인 의사의 자율성을 극도로 제한할 수밖에는 없다는 단점을 가지게 된다. 만약 의사 스스로가 왓슨이 제시한 치료법과 다른 치료법을 선택할 수밖에는 없었다는 점, 적어도 의사가 스스로 선택한 치료법이 왓슨이 제시한 치료법과 동등한 수준에서 합리성이 보장된다는 점을 입증하도록 한다면 이러한 경우에 의사로서는 왓슨의 제안과 다른 치료법을 선택하는 것이 극히 어려운 일이 될 것이다. 이는 왓슨이 추천하는 치료법을 단순히 따르는 것만으로도 의료전문가인 의사로서 자신이 해야 할 주의의무를 다하였다는 일응의 추정을 해주는 것이 되고 왓슨의 치료제안을 따랐음에도 불구하고 환자에게 악결과가 발생한 경우 의사의 책임을 인정하기 위해서는 환자가 왓슨이 제시한 치료법과 다른 치료법을 선택했어야 한다는 점을 역으로 입증해야 하는데, 이는 의사 자신의 의료과오를 입증하는 것만큼이나 입증하기 어려운 일이 될 것이기 때문이다.

앞서 살펴본 바와 같이 왓슨의 치료법에 대한 제안이 언제나 그리고 명백히 의사의 치료법 제안보다 옳다는 확증은 지금까지는 존재하지 않으며 의사는 의료 전문가로서 자신의 지식과 경험을 활용하여서 일정한 치료법을 선택하게 된다. 이는 단순히 의료지식에만 의존하는 것이 아니라 의료적 경험을 활용하는 것도 중요한 결정의 축으로 활용되고 또한 활용되어야 한다. 의사에게 왜 왓슨과 다른 판단을 하게 되었는지를 입증하라고 하는 경우에는 왓슨과 같이 방대한 의학적 자료를 제시하는 것은 불가능하므로 결국 사실상 의사가 왓슨과 다르지만 그럼에도 적절한 치료법을 선택한 경우에도 이를 대부분은 증명할 수 없게 될 것이다.

마지막으로 의료과실이 문제가 되었을 때 왓슨의 제안을 따랐다는 사실을 적극적 방어방법(affirmative defense)으로 고려하자는 견해가 제시된다. 즉, 아무리 인공지능이 자체 알고리즘을 통하여서 그 정확성을 높인다고 하더라도 인간의 신체의 특성상 개별 환자들마다 그 증상과 조건이 다 다르기 때문에 해당 환자에게 일반적인 치료법으로 제시되는 방법이 반드시 효과적이라는 보장은 있을 수 없다. 따라서 의료 인공지능인 왓슨의 제안을 의사의 주의의무의 기준으로 삼을 수는 없고 다만 적극적 방어방법으로는 고려할 수 있다는 것이다. 이 견해에 따르면

의사들에게 왓슨을 보다 활발하게 활용할 동기를 주게 되고, 이는 결국 환자에 대한 보다 효율적이고 수준 높은 진료로 이어질 수 있다고 보는 것이다.

이러한 견해는 매우 의미 있는 견해이기는 하나 왓슨의 제안이 앞서 살펴본 바와 같이 언제나 그 적절성을 담보할 수 있는 것이 아니라 늘 오류의 가능성이 존재하고, 환자의 신체, 건강 등과 같은 비가역적인 중요한 가치를 다루는 의사로서는 자신의 의학적 지식과 경험을 모두 동원하여서 환자에게 가장 적절한 치료방법을 선택해야 하는 것이므로, 왓슨의 제안을 따랐다는 것만으로 앞서 언급한 바와 같이 의사에게 일정한 면책을 주는 것을 바람직하다고 볼 수 없다고 생각된다.

IV. 의료 인공지능의 활용과 제조물책임

1. 과실책임법리의 한계와 제조물책임

인공지능의 경우 기존의 인간의 일반적인 도구와는 달리 자율성을 가지고 있다는 점에서 특수성이 있으며 인간의 개입이 없는 인공지능이 자율적으로 판단하고 동작하는 결과 발생하는 악결과 내지 사고가 있을 수 있다는 점에서 이는 새로운 유형의 사고로 볼 수 있다.

이는 앞서 살펴본 바와 같이 일반적인 과실책임의 원리로 포섭하여서 불법행위책임에 따르는 그 책임을 분배하는 것이 쉽지 않은 일이 되었다. 이는 그 책임을 인정하기 위한 인간의 행위 개입이 최소화되고, 인공지능이 발전될수록 이른바 외부의 개입이 없는 인공지능 스스로의 작동이 예상되며, 이러한 인공지능이 스스로 외부의 정보를 받아들여 일정한 작동을 하게 될 때 오작동 내지 악결과를 내지 않을 수 있도록 제어장치 내지 제어 알고리즘을 장착시키려 해도 머신러닝의 결과 최초의 알고리즘과 악결과를 발생시킬 때의 인공지능의 알고리즘이 동일할 수 없으며, 나아가 사후적으로 이른바 그러한 사고 내지 악결과의 원인을 재구성해내려 하여도 이른바 인공지능의 블랙박스의 문제 때문에 어떠한 원인이 사고 내지 악결과에 영향을 준 것인지 사후적 재구성이 불가능하다는 것 등에 그 원인이 있다.

특히 인간개입형 인공지능(Human-in-the-loop AI)이 아닌 인간감독형 인공지능(Human-on-the-loop AI), 인간배제형 인공지능(Human-out-of-loop AI)의 경우에는 이른바 인간의 행위성이 점점 적어지게 되므로 이를 특정한 사람의 행위로 귀속시키기가 쉽지 않고, 예측이 불가능한 인공지능의 결정 및 작동에 대해서 이를 이미 예견하여서 일정한 악결과를 방지할 수 있는 주의의무를 누군가에게 부과하는 것도 사실상 상정하기 어려운 일이 되어 버렸다. 이러한 상황에서 이른바 제조물책임이 인공지능과 관련된 사고 내지 악결과를 합리적으로 해결할 수 있는 대안으로 거론되고 있다.[55]

2. 제조물책임의 인정 원리

제조물책임이 성립하기 위해서는 대상의 제조물성, 제조물의 결함, 결함과 손해 사이의 인과관계가 인정되어야 하며, 제조자는 이러한 경우에도 자신의 면책사유를 증명하면 책임을 면하는 구조로 구성되어 있다.

기본적으로 제조물책임은 제조물의 안전을 보장하기 위하여 제조물의 결함으로 인하여 인간의 생명, 신체, 재산에 대해서 발생하는 손해에 대해서는 과실책임이 아니라 무과실책임으로서 제조자가 책임을 지도록 하고 있는 것을 그 내용으로 하고 있다.[56] 따라서 기존의 과실책임의 원리가 적용되기 어려운 인공지능으로 인한 악결과에 대해서 이를 합리적으로 대응할 수 있는 법제도가 될 수 있다. 따라서 인공지능의 제조물성, 제조물로 보는 경우 그 결함의 존재 여부, 결함과 손해 사이의 인과관계에 대한 피해자의 증명, 이에 대한 제조업자의 면책항변 등이 쟁점이 될 것이다.

3. 인공지능의 제조물성

제조물책임법 제2조 제1호에 따르면 제조물은 제조되거나 가동된 동산으로 정의가 된다. 이

---

[55] 박수곤, "자율적 지능 로봇과 민사책임법상 법정책적 과제- 프랑스법에서의 논의를 중심으로", 「민사법학」 제100호, 2022, p. 52. ; 양종모, "인공지능의 위험의 특성과 법적 규제방안", 「홍익법학」 제17권 제4호, 2016, p. 552.
[56] 제조물책임법 제3조.

러한 정의에 따르면 제조물이란 물건이며 따라서 인공지능이 물건에 해당하는가가 문제가 될 것이다. 인공지능이 하드웨어와 결합된 형태의 시스템으로 유통되는 인공지능 탑재 제조물의 경우에는 당연히 제조물의 범위 내에 포섭될 수 있을 것이다. 문제는 인공지능이 일종의 서비스의 형태로만 유통되는 경우이다. 즉, 순수한 소프트웨어 형태로만 유통되는 인공지능이 문제가 되고 이는 앞서 언급한 의료 인공지능인 왓슨이 대표적이라고 할 수 있을 것이다.

인공지능 소프트웨어 자체가 제조물에 해당되는 것인가에 대해서는 다양한 견해가 제기되고 있지만 소프트웨어는 유체물이 아닌 일종의 정보이므로 그 자체는 제조물이 될 수 없다는 점이 가장 큰 반대논거로서 제기되고 있다. 즉, 유체화되지 않은 순수한 인공지능 소프트웨어 그 자체는 물건이라고 볼 수 없고 따라서 제조물이라고도 볼 수 없다는 것이다.[57] 앞으로 인공지능 사고에 대하여 대응하기 위해서는 이러한 제조물의 범위는 소프트웨어까지 확대하는 조치가 필요하며, 이는 EU의 제조물책임지침 개정안에서 이미 그러한 내용을 담고 있다.[58]

4. 인공지능의 결함

제조물책임법 제2조 제2호는 결함이란 제품에 통상적으로 기대할 수 있는 안전성이 결여되어 있는 상태를 말하고 있다. 결함과 관련해서는 제조상의 결함, 설계상의 결함, 표시상의 결함으로 3가지 유형으로 구체화 된다.

제조상의 결함은 제조업자가 제조물에 대하여 제조상, 가공상의 주의의무를 이행하였는지에 관계없이 제조물이 원래 의도한 설계와 다르게 제조, 가공됨으로써 안전하지 못하게 된 경우를 의미한다. 설계상의 결함은 제조업자가 합리적인 대체설계를 채용하였더라면 피해나 위험을 줄이거나 피할 수 있었음에도 그러한 대체설계를 채용하지 아니하여 해당 제조물이 안전

---

[57] 소프트웨어의 제조물성에 대한 찬반론에 대해서는 최민수, "인공지능 로봇의 오작동에 의한 사고로 인한 불법행위책임", 「민사법의 이론과 실무」 제23권 제2호, 2020, pp. 24, 25.; 이에 대한 입법론적인 대응이 필요하다는 것으로는 최경진, "인공지능과 불법행위책임", 「정보법학」 제25권 제2호, 2021, p. 59.

[58] EU의 제조물책임지침 개정안의 상세에 대해서는 최은진, "EU의 제조물책임 현대화 동향과 시사점 - 유럽 집행위원회의 「제조물책임지침 개정(안)」의 채택을 중심으로." 「외국입법·정책분석」 제31호, 2023. 참조 ; 우리 제조물책임법에 있어서도 소프트웨어의 결함을 제조물의 결함과 동일시 할 수 있다는 견해로 이도국, "인공지능(AI)의 민사법적 지위와 책임에 관한 소고", 한양대학교 「법학논총」 제34권 제4호, 2017, p 325. ; 입법론적으로 소프트웨어를 제조물책임에 포함시켜야 한다는 견해로 이해원, "인공지능과 제조물책임", 「정보법학」 제25권 제2호, 2021, p. 79.

하지 못하게 된 경우를 말한다. 그러나 기술이나 제품이 절대적인 안정성을 보장하는 것은 불가능하므로 제조업자가 오류 가능성이 전혀 없는 완전무결한 대체설계를 채용해야 할 의무는 없고, 합리적인 대체설계를 채용할 의무만을 부담할 뿐이다.[59]

그러나 인공지능과 관련하여서는 알고리즘 자체가 자체적으로 진화하기 때문에 기존 설계에 대해서 오류가 존재하였는지 여부를 알기가 쉽지 않고, 당해 알고리즘 설계 자체의 오류나 문제점의 존부 등은 앞서 언급한 인공지능의 블랙박스의 문제 때문에 이를 사후적으로 판단하기 쉽지 않다는 문제가 존재한다.[60]

표시상의 결함은 제조업자가 합리적인 설명, 지시, 경고 또는 그 밖의 표시를 하였더라면 해당 제조물에 의하여 발생할 수 있는 피해나 위험을 줄이거나 피할 수 있었음에도 이를 아니한 경우를 의미한다. 인공지능의 사용 방법 및 그 발생 가능한 위험에 관하여 합리적인 설명, 지시, 경고 등을 하지 않은 경우 표시상의 결함을 인정할 수 있을 것이지만, 계속적으로 스스로 발전, 변경되는 인공지능의 특성과 인공지능 자체의 예측 불가능성 때문에 제조업자가 발생 가능한 모든 위험을 예측하고 이에 대하여 표시를 하는 것은 사실상 불가능하다고 할 것이다.[61]

5. 결함과 손해 사이의 인과관계 증명

제조물책임법 제3조의2는 피해자가 해당 제조물이 정상적인 상태에서 피해자의 손해가 발생하였다는 사실, 위 손해가 제조업자의 실질적인 지배 영역에 속한 원인으로부터 초래되었다는 사실, 위 손해가 해당 제조물의 결함 없이는 통상적으로 발생하지 아니한다는 사실의 3가지 간접사실을 증명하면 해당 제조물의 결함 및 결함과 손해 사이의 인과관계는 추정되는 것으로

---

[59] 이해원, "인공지능과 제조물책임." 「정보법학」 제25권 제2호, 2021. p. 82. ; 서종희. "4차 산업혁명 시대 위험책임의 역할과 한계 -인공지능 로봇에 의해 발생한 손해의 책임귀속을 고려하여." 「사법」, 2018, p. 85. 특히 인공지능과 관련하여서는 대체설계의 가능성이 제조물책임 인정의 중요한 관건이 될 것이라고 본다. 그러나 설계상의 결함과 관련하여서 모든 컴퓨터 프로그램에는 오류가 내재되어 있고, 무오류의 컴퓨터 프로그램은 존재할 수 없고 이른바 이상적인 대체설계의 존재가 곧 설계상의 결함으로 인정되는 것은 아니라는 점에 대해서 오병철, "인공지능 로봇에 의한 손해의 불법행위책임", 연세대학교 「법학연구」 제27권 제4호, 2017, p. 192.

[60] 최민수, "인공지능 로봇의 오작동에 의한 사고로 인한 불법행위책임", 「민사법의 이론과 실무」 제23권 제2호, 2020, p. 27.

[61] 정진명, "인공지능에 대한 민사책임 법리", 「재산법연구」 제34권 제4호, 2018, p. 152.

보고 있다. 그러나 이러한 추정 규정은 인공지능의 경우에는 적용되기 쉽지 않다.

예를 들어 손해가 제조업자의 실질적인 지배 영역에 속한 원인으로부터 초래되었다는 사실을 피해자가 증명해야 하는데, 인공지능의 경우에는 계속적인 자가학습을 통하여서 자체 알고리즘이 계속적으로 변화하게 되고 그러한 경우에도 당해 인공지능 사고가 제조업자의 실질적인 지배 영역에 속한 원인으로부터 초래되었다고 보기는 쉽지 않기 때문이다.[62]

6. 제조업자의 항변

제조업자는 해당 제조물을 공급하지 아니하였다는 사실, 해당 제조물을 공급한 당시의 과학, 기술 수준으로는 결함의 존재를 발견할 수 없었다는 사실, 제조물의 결함이 해당 제조물을 공급할 당시의 법령에서 정하는 기준을 준수함으로써 발생하였다는 사실, 원재료나 부품을 사용한 제조물 제조업자의 설계 또는 제작에 관한 지시로 인하여 결함이 발생하였다는 사실 중 하나를 증명하면 제조물책임에서 면책되는 것으로 규정하고 있다. 특히 문제가 되는 것은 개발위험의 항변인데 제조업자가 제조물을 공급할 당시의 과학 및 기술 수준으로는 발견할 수 없었던 결함에 대해서는 제조업자에게 책임을 물을 수 없다는 것을 의미한다.

인공지능과 관련된 과학기술의 경우 계속적으로 변화, 발전되고 있으며 인공지능에 있어서 중요한 의미를 가지는 알고리즘의 경우 이를 완전히 완전무결한 형태로 개발하는 것은 불가능하고, 개발 후에 지속적으로 오류를 수정하는 것이 일반적인 모습이라고 할 것이다. 특히 개발위험의 항변의 시점은 제조물을 공급할 당시를 기준으로 하는데,[63] 인공지능은 시장에 출시된 이후에도 계속적으로 학습을 통하여 변화되는 동적인 대상이어서 제조물을 공급한 당시만을 기준으로 개발위험의 항변을 하는 것은 큰 의미를 가지지 못한다는 단점이 있다.

---

[62] 이해원, "인공지능과 제조물책임", 「정보법학」 제25권 제2호, 2021, p. 87. ; 서종희, "4차 산업혁명 시대 위험책임의 역할과 한계 -인공지능 로봇에 의해 발생한 손해의 책임귀속을 고려하여", 「사법」, 2018, p. 86.; 이에 대하여서 인공지능 로봇의 경우 근본적으로 이용자의 조작행위가 개입되지 않기 때문에, 어떠한 사고가 제조업자의 배타적 지배하에 있는 영역에서 발생한 것임을 입증하는 것은 어렵지 않다는 반대견해로 오병철, "인공지능 로봇에 의한 손해의 불법행위책임", 연세대학교 「법학연구」제27권 제4호, 2017, p. 193.

[63] 오병철, "인공지능 로봇에 의한 손해의 불법행위책임", 연세대학교 「법학연구」제27권 제4호, 2017, p. 195.

이와 관련하여서 우리 제조물책임법은 제조물관찰의무 및 위험방지의무[64]를 명시적으로 규정하고 있고, 이러한 제조물관찰의무 및 위험방지의무를 위반할 경우 개발위험의 항변을 할 수 없도록 하고 있다는 점에서 매우 큰 의미가 있다. 제조물관찰의무를 통해서 제조업자는 제조물의 유통 및 공급 이후에도 제조물의 위험 여부를 지속적으로 모니터링하여야 하고, 제조물의 위험성을 파악한 경우에는 소비자에게 통지하는 등의 적절한 조치를 취하여야 하며, 이러한 조치를 하지 않을 경우에는 제조자는 자신의 면책사유를 주장하지 못하는 불이익을 입게 된다.[65]

인공지능이 제품으로 출시된 이후에 학습을 통하여 진화하고 그로 인하여 인공지능 제조업자가 제품 출시 시점에서는 예기치 못하였던 결함이 발생하였더라도 제조물관찰의무 및 위험방지의무를 지고 이를 다하지 않은 경우에는 제조업자는 개발위험의 항변을 할 수 없고 여전히 제조물책임을 부담하게 된다는 점에서 이러한 의무의 존재는 계속적으로 변화하는 인공지능과 관련하여서도 큰 의미를 가지게 될 것이다.[66]

V. 결론

의료 인공지능과 관련된 민사상 책임을 대표적인 의료 인공지능인 왓슨의 예를 통해서 살펴볼 수 있었다. 인공지능이 가지고 있는 여러 가지 특성들은 인공지능을 통해서 발생하는 여러 가지 손해나 악결과에 대해서 이를 전통적인 민사상 책임체계를 통해서는 충분히 배상할 수 없다는 점을 알 수 있었다. 특히 의료 인공지능을 통해서 발생하는 악결과의 경우에는 이러한 점

---

[64] 제조물책임법 제4조 제2항.

[65] 이경미, "인공지능의 소프트웨어 오류로 인한 민사책임", 「가천법학」 통권 제42호, 2020, p. 191.

[66] 김진우, "지능형 로봇과 민사책임", 「저스티스」 제164호, 2018, p. 57.; 이해원, "인공지능과 제조물책임", 「정보법학」 제25권 제2호, 2021, pp. 94, 95. ; 이러한 제조물관찰의무와 관련하여서 이를 소극적 관찰의무와 적극적 관찰의무로 나누고, 소극적 관찰의무는 소비자에게 피해사례와 결함에 대한 불만접수 등을 받는 것을 말하며, 적극적 관찰의무는 제조업자 자신이 제조물로부터 발생할 수 있는 위험성에 관하여 내부조직을 설치하여 정보를 스스로 수집하고 평가하는 등의 방법으로 주도적으로 관찰하는 것을 의미한다(이경미, "인공지능의 소프트웨어 오류로 인한 민사책임", 「가천법학」 통권 제42호, 2020, p. 199.

이 더욱 문제가 되는데, 왜냐하면 의료 인공지능을 통해서 발생하는 악결과나 손해들은 직접적으로 인간의 신체나 건강이라는 비가역적이며 중요한 법익을 대상으로 하게 되기 때문이다. 또한 의료행위가 가지고 있는 특수성 때문에 의료행위를 담당하는 의사의 경우에는 높은 수준의 주의의무를 부과하고 있으며, 의료전문가인 의사로서는 자신의 의학적 지식뿐만 아니라 자신의 경험을 통해서도 최종적으로 환자를 위해서 어떠한 처치를 해야 할 것인지를 스스로의 책임 하에 결정할 수밖에는 없다. 이른바 의료 인공지능의 발전이 인간개입형 인공지능(Human-in-the-loop AI)에서 인간감독형 인공지능(Human-on-the-loop AI)으로 발전하는 추세이기는 하지만 의료 인공지능인 왓슨의 예에서 알 수 있듯이 당분간 의료 인공지능의 모습은 이른바 인간개입형 인공지능(Human-in-the-loop AI)의 모습을 띨 수밖에는 없을 것이다. 따라서 환자에 대한 치료 및 처치는 의사의 최종적인 판단을 통해서 이루어지게 되므로, 의료 인공지능으로 인한 악결과의 최종적인 책임자 내지 행위자는 의사가 되는 현재의 책임법적인 방식이 당분간은 유지될 것으로 생각된다. 그러나 의료 인공지능에 대한 미국의 논의에서 볼 수 있듯이 의료 인공지능의 계속적인 활용을 위한 유인책은 필요할 것으로 생각된다. 의료인력의 부족은 필연적으로 의료인 개인에게 과중한 부담을 지우게 되고, 이는 곧 의료과오의 발생으로 이어질 수 있기 때문이다. 그러나 이러한 의료 인공지능의 적극적인 도입을 의료과오의 책임경감을 통해서 이루려는 방법에 대해서는 선뜻 동의하기 어렵다. 의료과오에 대해서는 이미 일반인이 이를 입증하는 것이 매우 어렵고, 이에 따라서 의료과오의 입증에 대해서는 많은 추정법리를 통해서 그 입증책임을 완화하고 있는 방향으로 가고 있기 때문이다.[67] 따라서 의료 인공지능을 이용하더라도 의료적 처치의 최종적인 책임자 내지 판단자의 지위에 서 있는 의사의 책임을 감경시키는 방향으로 책임법적인 논리를 발전시켜 나가는 것은 맞지 않는다고 생각된다.

그러나 의료 인공지능과 관련된 기술도 앞으로 계속적으로 발전하게 될 것이고, 결국 최종책임자로서의 의사와의 관계성 내지 행위성도 옅어져 갈 수 있게 될 것인데, 이러한 경우에 의료 인공지능을 원인으로 한 악결과로 인한 책임은 누가 어떠한 방식으로 분담하는 것이 좋을 것인가에 대한 질문이 남게 된다. 이와 관련하여서 현재로서는 제조물책임법이 의료 인공지능

---

[67] 대법원 1995. 2. 10. 선고 93다52402 판결: 당해 판결에서 의료상 과실과 결과 사이의 인과관계를 추정하여 손해배상책임을 지울 수 있도록 입증책임을 완화하는 것이 손해의 공평, 타당한 분담을 그 지도원리로 하는 손해배상제도의 이상에 맞다고 판시하고 있다.

과 관련하여서도 합리적인 대안이 될 수 있을 것으로 생각된다. 인공지능이 탑재된 로봇의 경우에는 현행 제조물책임법에 의해서도 이를 제조물로 볼 수 있으므로 제조물책임법상의 책임을 묻는 것에 어려움이 없지만, 예를 들어 왓슨과 같이 이른바 소프트웨어로서만 존재하는 의료 인공지능의 경우에는 제조물책임법에서 말하는 제조물에 포함하여 해석하기 어렵다는 난점이 존재한다. 그러나 시대의 변화에 따라서 이러한 소프트웨어로서만 존재하는 인공지능의 경우에도 제조물책임법의 대상으로 포함시키려는 입법적 노력이 필요하고 이는 이미 앞서 살펴본 바와 같이 EU의 제조물책임지침의 개정안에서 입법적으로 추진되고 있기도 하다.[68] 소프트웨어 기반의 의료 인공지능을 제조물책임법의 대상으로 삼는다고 하더라도 이른바 제조물의 하자와 관련하여서 인공지능의 특성상 외부환경과 학습에 따라서 그 알고리즘이 계속적으로 변화되게 되는데 이러한 인공지능에 있어서 하자를 쉽게 인정할 수 있겠느냐는 점은 또 다른 어려움으로 남게 된다. 따라서 이에 대해서는 새롭게 변화되는 환경에 따라 인공지능에 있어서의 하자의 존재를 쉽게 인정할 수 있는 새로운 하자 존재 및 인과관계의 추정 규정의 도입이 필요할 것으로 생각된다. 이와 관련하여서 제조물책임법 제4조 제2항에서 규정하고 있는 제조물관찰의무 및 위험방지의무는 인공지능으로 인한 악결과에 대해서 중요한 의미를 가지게 될 것으로 생각된다. 왜냐하면 이를 통하여서 제조자의 제품을 시장에 출시한 이후에도 계속적으로 자신의 제조물에 대한 관찰의무 및 제조물의 하자로 인하여 발생할 수 있는 손해방지의 의무를 부과하고 있기 때문이다. 계속적으로 변화되는 인공지능에 있어서 이러한 관찰 및 위험방지의무를 제조자에게 부과함으로써 인공지능의 안전을 사후적으로도 담보할 수 있기 때문이다. 물론 이러한 의무부과를 통하여 발생하게 될 추가적인 비용이 인공지능의 가격을 상승시키는 요인이 될 수 있다는 항변이 가능하겠지만 이는 인공지능에 대한 제조자의 보험가입 등을 통해서 어느 정도 해결될 수 있으며, 또한 다양한 인공지능 제품들 간의 가격 경쟁을 통하여 해결되어야 할 문제라고 생각된다.

---

[68] 인공지능에 있어서 민사책임에 관련된 EU의 접근방법 및 입법동향에 대해서는 김훈주, "AI의 민사책임에 관한 고찰 - EU의 입법동향을 중심으로", 「동북아법연구」 제16권 제2호, 2022, pp. 76 이하.

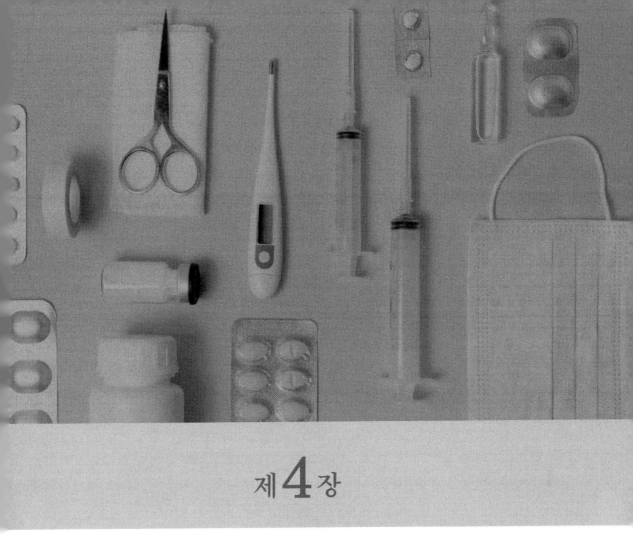

제 **4** 장

인공지능, 경쟁법 그리고
의료·의약품·의료기기 시장

정재훈 (이화여자대학교 법학전문대학원 교수)

생명의료법연구소

4

인공지능, 경쟁법 그리고
의료·의약품·의료기기 시장

정재훈 (이화여자대학교 법학전문대학원 교수)

I. 서론

경쟁법은 일반법으로 개별 분야에 적용되며, 의료·의약품·의료기기 시장도 그중 하나이다.

경쟁법은 특정 산업에 국한되지 않는 전문규제가 아니라 일반규제에 속하며, 일반법의 성격을 가지고 있다. 그 점에서 특정 산업이나 분야를 전제로 집행되는 전문규제와 차이가 있다. 이러한 경쟁법은 전문분야(regulated industries) 중 하나인 의료·의약품·의료기기 시장에 적용 가능하다.

최근 인공지능의 발전과 그로 인한 현상은 경쟁법의 주요 관심의 대상이 되고 있다. 그에 따라 인공지능의 사용과 경쟁법적 규율 문제는 최근 활발하게 논의되고 있다. 다만, 산업별 및 분야별로 인공지능에 대한 경쟁법적 쟁점의 발전 속도는 다르다. 이에 따라 실제 인공지능에 기반한 남용행위가 이미 발생했거나, 초기의 맹아(incipiency) 단계에 있는 유형이 있는 반면, 앞으로 발생이 예상되는 분야도 있는 등 그 현실화에 편차가 있다.

의료·의약품·의료기기 시장에서 인공지능은 비약적인 발전을 이루고 있으나, 아직 인공지능과 관련된 경쟁법적 이슈가 실제 발생하지는 않고 있다. 그러나 의료·의약품·의료기기 시장에서 활용되는 인공지능에 관련된 문제에 대하여도 경쟁법 적용이 당연히 가능하다.

이 글은 인공지능, 경쟁법, 의료·의약품·의료기기 시장이라는 세 카테고리를 다루고 있다. 이 세 부분의 관계를 먼저 개괄적으로 제시하기 위하여, 인공지능이 '경쟁과 경쟁법'에서 가지는 의미가 무엇인지, 인공지능과 경쟁법은 어떤 측면에서 서로 교차하는지(인공지능과 경쟁법의 접점), 의료·의약품·의료기기 시장의 인공지능 문제와 경쟁법이 어떤 연관성을 가지는지를 고찰한다. 그다음으로, 분야별로 카르텔, 시장지배력 남용, 기업결합, 불공정거래행위로 나누어 발생 가능한 이슈를 검토한다. 다만, 의료·의약품·의료기기 시장에는 인공지능과 관련된[1] 경쟁법적 검토는 향후 예측에 기초하여 작성된 것이다.[2]

II. 인공지능, 경쟁법, 의료·의약품·의료기기 시장

1. 인공지능의 경쟁법적 유용성과 위험

인공지능의 유용성과 그에 대한 우려는 다양한 분야에서 논의되고 있다.[3] 의료 분야에서도 의료영상, 생체신호, 전자의무기록 등을 중심으로 인공지능의 활용을 통한 혁신의 기대가 높아지고 있다.[4]

---

1) 의료·의약품·의료기기 시장에서 논의되는 인공지능의 범위는 다른 산업에서 다루는 인공지능의 범위보다 좁을 수 있다. 이는 의료·의약품·의료기기 특성, 위해성에 대한 고려 등에서 비롯된다.

2) 이러한 이유에서 의료·의약품·의료기기 시장에 대한 경쟁법적 규율은 이 글의 작성 시점을 기준으로 보면 보이지 않는 위험(The Phantom Menace)으로 부를 수 있다.

3) 서완석, "인공지능에 의한 소비자권익 침해에 관한 유형과 법적 과제", 「상사법연구」 제37권 제1호, 2018. 김경연·이영조, "AI 또는 가격 산정 알고리즘을 통한 담합 행위에 대한 경쟁법적 규제에 관하여", 「경쟁저널」 제192호, 2017. 이영철, "인공지능 알고리즘에 의한 불공정 거래행위의 법적 규제", 「상사법연구」 제40권 제1호, 2021. 박희수, "지능형 로봇의 형법주체성-준주체로서의 전자인(e-persion)에 관한 소고", 「법학논집」 제27권 제3호, 2023.

4) 김현준, 의료 현장의 인공지능, 「보건의료와 개인정보」, 박영사, 2021, pp. 216~219. 양천수, 빅데이터와 인권, 영남대학교 출판부, 2016, p. 59. "인공지능이 질병 진단 돕는다, 딥러닝 이용한 의료 영사 분석",

(1) 인공지능과 경쟁법적 유용성

경쟁법의 시각에서 인공지능의 유용성은 생산적 효율성의 측면과 배분적 효율성의 측면에서 평가할 수 있다.

1) 인공지능과 생산적 효율성

생산적 효율성은 생산의 측면에서 효율성을 이해한다. 생산적 효율성은 최소비용을 들여 생산할 때 발생한다.[5] 최소비용으로 생산하지 않는 기업은 가격경쟁에서 뒤떨어져 고객을 잃고, 손실을 보며, 결국 시장에서 퇴출된다. 비용 절감 방법에 대한 정보가 시장에서 완벽하게 유통된다면, 생산적 효율성의 달성은 쉬워지고, 시장 가격도 인하된다.[6] 규모의 경제나 범위의 경제가 구현되는 경우에도 생산적 효율성은 달성된다. 생산적 효율성 측정 방법 중 대표적인 기준은 생산에 투입되는 요소의 비용이다. 그 점에서 생산적 효율성은 비용 감소로 나타난다. 효율성을 생산적 효율성으로 보게 되면 비용의 감소에 관심을 가지게 된다. 이와 달리 생산적 효율성을 기술 개선, 혁신의 효과로 이해한다면, 비용이 증가하더라도 효율성은 높아질 수 있다.[7]

기술혁신의 산물인 인공지능이 생산적 효율성 증대에 기여할 것으로 기대된다. 생산적 효율성 측면에서 향후 인공지능이 유발할 비용 감소, 기술혁신의 효과에 대하여는 이견이 있기 어려울 것으로 보인다. 가격 인하, 공급량 증대, 품질 개선, 혁신과 같은 경쟁성과를 유발하고, 효율성, 특히 생산적 효율성을 증가시키고, 소비자후생을 증대할 수 있다는 점에서 경쟁법이 추구하는 목적과 부합할 수 있다.

이대학보, 2023. 5. 8., 3면. 딥러닝(Deep Learning)이라 불리는 인공신경망 모델을 통해 의료영상을 분석하는 알고리즘을 개발하고 있다.

[5] 생산적 효율성은 재화가 가능한 가장 낮은 가격(the lowest possible cost)에 생산될 때 달성된다. Whish & Baily, Competition Law(Oxford, 2018), p. 6.

[6] Jones & Sufrin, EU Competition Law(Oxford, 2016), p. 7.

[7] 정재훈, 경쟁과 경쟁제한성의 이해, 박영사, 2023, pp. 72, 73.

2) 인공지능과 배분적 효율성

인공지능을 통한 기술혁신을 통하여 배분적 효율성이 개선될 수 있다.

① 배분적 효율성

재화와 용역을 효율적으로 배분하는 것이 사회적으로 바람직하다는 점에는 대체로 견해가 일치한다. 완전경쟁시장에서 시장가격(market price)이 한계비용(marginal cost)과 일치하면 배분적 효율성은 달성된다. 배분적 효율성이 달성된다는 것은 사회에서 평가하는 만큼(valued by society) 재화가 생산된다는 것을 의미한다. 공급자는 시장가격과 한계비용이 일치하는 지점까지 생산을 확대한다. 이윤극대화를 추구하는 공급자는 그보다 과다생산을 하거나 과소생산을 하지 않는다. 수요자가 생산비용으로 재화를 구입할 의사와 능력이 있다면 구입이 가능하다. 이러한 과정을 통하여 시장은 균형(equilibrium)에 도달한다. 배분적 효율성은 파레토 최적(Pareto optimal)이 달성된 상태로 볼 수 있다.[8] 생산적 효율이 비교적 간명한 것과 달리 배분적 효율성의 정의와 이해는 다양하지만,[9] 일반적으로 배분적 효율성에 수반되는 특징을 살펴본다.[10]

배분적 효율성은 수요의 측면에서 효율성을 바라본다. 희소한 자원을 가장 많이 지불하려는 의사가 있는, 즉 상품이나 서비스의 가치를 가장 높게 인정하는 수요에 상품이나 서비스를 배분한다면 배분적 효율성이 달성되기 때문이다.[11] 재화나 용역이 가장 효율적인 사용자(most efficient user)에게 도달하는 상태가 될 때 배분적 효율성은 달성되고, 그렇지 않을 때 배분적 효율성은 달성되지 않는다. 경쟁이 제한되지 않을 때 최적의 거래(all beneficial transactions)가 이루어진다. 배분적 효율성은 정적 효율성(static efficiency) 유형이기도 하다.[12]

---

[8] Jones & Sufrin, EU Competition Law(Oxford, 2016), p. 7.

[9] Hovenkamp, Federal Antitrust Policy(West, 2016), p. 101.

[10] 정재훈, 위의 책(각주 7), pp. 73, 74.

[11] 이민호, 기업결합의 경쟁제한성 판단기준, 경인문화사, 2013, pp. 350, 351.

[12] Adi Ayal, Fairness in Antitrust(Hart Publishing, 2014, p. 41. 정재훈, 위의 책(각주 7), p. 74.

② 배분적 효율성과 인공지능

인공지능은 생산적 효율성을 증진하는 데 그치지 않고, 수요의 측면에서 배분적 효율성을 극대화하는 데 기여할 수 있다.

수요의 측면에서, 광범위한 데이터와 이를 분석할 수 있는 알고리즘, 그리고 학습능력을 갖춘 인공지능의 활용을 통하여 수요에 대한 정치한 분석이 가능할 수 있다. 이로 인하여 배분적 효율성의 극대화가 가능할 수 있다. 이는 다른 기술혁신과 구별되는 인공지능을 통한 기술혁신의 장점이 될 수 있다. 물론 이는 (후술하는 바와 같이) 차별적 가격 전략, 차별적 거래조건 전략 등으로 소비자후생에 부정적으로 작용할 수도 있다.

배분적 효율성과 인공지능의 문제는, 인공지능의 장점이 구현되는 대표적인 특성인 동시에, 인공지능의 폐해가 우려되는 대표적인 특성을 보여준다. 인공지능에 대응하는 경쟁법의 본질적인 고민이 시작되는 지점이다.

3) 인공지능과 예측 가능성·투명성 증진

인공지능에 보다 특화된 경쟁법상 효율성으로, 과거에 비하여 상대적으로 정확해진 예측 가능성과 투명성을 들 수 있다.

결과의 유사성으로부터 미래의 결과를 예측하는 것, 빅 데이터와 확률에 따른 계산 등에서 인공지능의 효율성은 발현될 수 있다.[13] 이를 통하여 자원의 최적 투여(optimal input), 최적 배분(optimal distribution)이 가능하게 된다. 다른 한편, 인공지능의 활용은 시장의 투명성을 증가하는데 기여할 수 있다. 인공지능으로 달성될 수 있는 시장의 투명성은 친경쟁적 효과의 대표적 전형으로 평가할 수 있다.[14] 시장의 투명성 증진은 거래비용을 줄이고, 거래의 효율성을 높일 수 있기 때문이다.

---

13) 설민수, "머신러닝 인공지능과 인간전문직의 협업의 의미와 법적 쟁점: 의사의 의료과실 책임을 사례로", 저스티스 제163호, 2017, pp. 259, 260.

14) 최난설헌, "AI 등을 활용한 사업자간 담합과 경쟁법의 대응", 「경쟁법연구」 제38권, 2018, p. 87.

(2) 인공지능과 경쟁법적 위험(competitive harm)

인공지능에 대한 우려는 다양한 시각에서 제기된다. 경쟁법의 관점에서 인공지능에 대한 어떤 우려가 제기될 수 있는가?

첫째, 인공지능은 새로운 문제를 만드는 것이 아니라, 기존의 문제를 심화시킨다. 인공지능은 경쟁법 측면에서 새로운 남용을 만드는 것이 아니라 종래 존재하던 문제를 심화한다.[15] 둘째, 인공지능은 남용행위의 방법론과 밀접한 관련성을 가지고 있다. 인공지능은 기존에 문제되던 남용행위 유형을 그 시행방법에서 더 정밀하게 할 수 있도록 한다. 기존에 투박한 방법으로 가능하던 행위를 정밀하게 할 수 있게 한다.

셋째, 종래 이론상으로만 가능하고 현실적으로 실행하기 어렵던 남용행위를 가능하게 할 수 있다(individually tailored price discrimination, predatory pricing, excessive pricing). 이는 경쟁법 이론과 사례를 새로 개편할 정도의 파급효과를 가질 수 있다.[16] 넷째, 인공지능은 경쟁법 이슈가 발생하는 전체 분야에서 활용될 수 있으나, 특히 일부 분야에서 인공지능의 활용도는 높을 수 있다. 카르텔과 차별 등이 그 대표적 사례이다.

2. 인공지능에 대한 경쟁법적 접근

(1) 인공지능에 대한 윤리적 접근과 경쟁법적 접근

인공지능이 야기하는 위험을 규율하는 방안으로 인공지능 윤리가 논의되고 있다.[17] 그러나 이러한 윤리적 접근은 경쟁법적 접근과 구별된다.

애덤 스미스 시절 경제학과 윤리학은 통합되어 있었으나, 케인즈의 시대에 이는 이미 분리되었다. 경쟁법 측면에서도 윤리와 경쟁법의 상호성에 부정적인 경향이 있다.

첫째, 윤리적 접근과 경쟁법적 접근은 분리되는 경향을 보이고 있다. 경쟁의 가치와 윤리적

---

15) The potential harms resulting form the use of algorithms are not necessarily novel but may be amplified or obscured through the use of algorithms. Algorithms in the Spotlight-01, ABA Antitrust Law Section Spring Meeting, p. 1.

16) 이는 과거 제작할 수 없었던 영화가 기술의 발전으로 제작 가능한 것과 비교할 수 있다.

17) 양천수, "인공지능 윤리와 상징투쟁", 윤진수 외 편집, 법의 미래, 법문사, 2022, p. 803.

전통은 밀접한 관련성을 가지고 있다. 특히 합리성, 효율성, 경쟁의 도덕성, 혁신의 중요성은 기독교적 전통과 밀접한 관련을 가지고 있다. 그러나 근대의 경쟁법은 경쟁의 가치와 윤리를 논하지 않는 경향이다. 대표적으로 Hovenkamp 교수는 독점금지법에 도덕적인 내용은 없다고 보고 있다.[18]

둘째, 위와 같은 분리 경향은 윤리적 접근과 경제학적 접근이 분리된 것과 궤를 같이한다. 경제학이 윤리학으로부터 분리되면서 경쟁의 가치도 윤리의 문제와 거리가 멀어지게 되었다. 경제학은 도덕이나 윤리로부터 분리되어, 기술적인 학문이 되었다. 효율적 시장 가설(efficient markets hypothesis)은 시장의 윤리에 대한 논의를 배제한 채 사용되고 있다.[19]

셋째, 이 점에서 인공지능에 대한 경쟁법적 규제도 윤리적 시각보다는 이와 분리된 경쟁법적 고려에서 이루어질 수 있다.

그러나 윤리적 시각을 경쟁법적 접근에서 완전히 배제할 수 있을지는 의문이다. 카르텔의 판단과 같은 전통적으로 윤리성이 반영된 경쟁법 영역은 물론 시장지배적 지위 남용행위 판단에서 윤리적 접근이 배제된 것인지 의문이다. 예를 들면 네이버 쇼핑 사건,[20] 네이버 동영상 사건[21]이 알고리즘 조정에 대한 윤리적 판단이 배제된 채 순수한 경쟁제한성 판단이 이루어졌는지는 고민이 필요하다. 나아가 불공정거래행위, 특히 알고리즘을 이용한 거래상 지위 남용이나 알고리즘을 이용한 고객 유인에서 윤리적 판단이 개입할 여지는 여전히 남아 있는 것으로 보인다.

(2) 경쟁법, 소비자보호법, 정보보호법의 교차와 상충

알고리즘으로 발생하는 현상에 대하여 경쟁법, 소비자보호법, 정보보호법이 모두 적용되며, 특정 이슈에 대하여 상호 교차하는 현상을 보이고 있다. 이는 어떤 법에 의하면 긍정적인 현상이, 다른 법에 의하여 부정적으로 평가될 수 있음을 의미한다. 경쟁법, 소비자보호법, 정보보호법[22]은 그 입법 목적의 차이로 인하여, 알고리즘 규제에 있어 서로 상충되는(conflicting) 결과

18) Elzinger and Crane, Christianity and Antitrust A Nexus, in Christian and Market Regulation(Crane ed., Cambridge, 2021), p. 88. 정재훈, 위의 책(각주 7), 31, 32면.
19) Godley, Enterperneurship and Market Structure, in Christian and Market Regulation(Crane ed., Cambridge, 2021), p. 120. 정재훈, 위의 책(각주 7), 33면.
20) 서울고등법원 2022. 12. 14. 선고 2021누36129 판결(네이버쇼핑 사건)
21) 서울고등법원 2023. 2. 9. 선고 2021누35218 판결(네이버 동영상 사건)

를 가져올 수 있다.

첫째, 데이터 공유의 문제이다. 시장지배적 사업자가 보유하고 있는 데이터를 경쟁자와 공유할 수 있도록 허용하는 것이 경쟁법에 부합할 수 있다. 반면 이러한 공유는 소비자보호법이나 개인정보보호법에 위반될 수 있다.[23]

즉, 경쟁법에서는 경쟁자의 접속을 허용하는 interoperability를 긍정적으로 평가하며, 플랫폼 문제를 해결하기 위한 대안으로 보기도 한다.[24] 유사한 취지에서 유럽연합의 디지털 시장법은 경쟁자에 대한 FRAND 의무 부과를 예정하고 있다.

디지털 시장법은 그 규제에 있어 필수설비와 FRAND 확약의 법리와 상당 정도 유사성을 보이고 있다는 점에 주목할 필요가 있다. Core Platform Service는 전통적인 필수설비와 상당한 차이가 있고, 표준필수특허의 안전판으로 작용하던 FRAND 확약의 법리도 표준필수특허는 물론 특허권과도 상당한 거리를 두고 있는 플랫폼 분야에 친숙하지 않다는 점에서 이는 상당한 의미를 가지고 있다. 예를 들면, 게이트 키퍼의 랭킹, 검색, 클릭 데이터에 대하여 다른 검색엔진 사업자에게 접근청구권을 부여하는 문제, 자사우대에서 순위를 정함에 있어 FRAND 유사 의무를 부과하는 문제 등이 포함되어 있다.

그런데 필수설비의 문제는 논외로 하더라도, FRAND 확약과 그에 따른 의무는 표준의 생성 과정에서 향후 발생할 남용행위를 방지하기 위하여 생성된 법리로 플랫폼 사업자에 대하여(비록 Core Platform Service를 담당하는 거대 플랫폼 사업자라고 하더라도) 적용하는 것은 상당한 논리적 비약이고 그로 인하여 과도한 법집행의 우려가 높다는 지적을 받을 수도 있다. FRAND 의무는 특허권자 자신이 사전에 확약한 의무를 준수한다는 공적 약속과 그에 따른 신의에 바탕을 두고 있는데, 이러한 의무를 플랫폼 사업자에게 부과할 만한 선행행위를 찾아보기 어렵다는 점에서도 그렇다.

---

[22] "무허가 개인정보 수집… 국내외 '챗GPT 사용' 경계령 확산", 대한변협 법조신문 제873호, 2023. 4. 24., 4면. 유럽연합 등 주요 국가들은 개인정보 무단 수집과 활용금지를 논의하고 있으며, 이러한 분위기가 전 세계로 확대되고 있다.

[23] Algorithms in the Spotlight-02, ABA Antitrust Law Section Spring Meeting(2023), p. 1.

[24] Hovenkamp, Antitrust and Platform Monopoly, Yale Law Journal 130(8)(2021), p. 2050. 경쟁법의 역사상 자산분할은 효과적이지 않았던 경우가 많다. 자산분할보다 영업방식의 재편(restructuring management)이 더 효과적일 수 있다. 예를 들면 상호접속(interoperability)이 가능하도록 하는 조치는 기업 내부의 효율성(internal efficiencies)을 저해하지 않으면서도 네트워크 효과의 유용성을 유지할 수 있게 한다.

둘째, 정보보호법 등 행정규제에서 추구하는 바이어스(bias) 제거, 중립성은 중요한 문제이지만, 경쟁법과는 거리가 있어, 경쟁법의 고유한 목적으로 평가하기는 어렵다. 방송통신 분야의 망 중립성(network neutrality) 논의, 검색 중립성(search neutrality) 논의는 이를 경쟁법의 영역에서 논의되었으나, 부정적인 견해도 강하다.[25]

3. 인공지능과 경쟁법의 접점

인공지능이라는 '현상'과 경쟁법이라는 '규범'은 어떤 지점에서 뚜렷한 접점을 가지고 있는지 살펴볼 필요가 있다. 이는 인공지능에 대한 경쟁법 적용을 이해하는 데 핵심적인 단서가 될 수 있다. 현재 부각되는 인공지능과 경쟁법의 접점은 데이터, 알고리즘, 플랫폼 등을 들 수 있다.

이 세 분야는 기존에 경쟁법에서 자주 논의되던 분야이다. 인공지능을 매개로 이러한 세 요소가 동시에, 그리고 종합적으로 가동된다는 점에 그 특징이 있다. 기존의 논의가 개별적인 논의였다면, 인공지능을 통하여 종합적, 복합적 논의를 가능하게 한다. 여기에 더하여 인공지능과 경쟁법, 그리고 특화된 관련시장으로서 의료, 의약품, 의료기기 시장을 검토할 때 특허 등 지식재산권 논의가 중첩되게 된다. 인공지능은 특허의 진보성 요건과 서로 교차하는 쟁점이 될 수 있다.

(1) 인공지능과 데이터

인공지능 기술의 활용은 광범위한 데이터에 기반을 두고 있다. 그 점에서 이미 활발하게 논의된 '데이터(빅 데이터)와 경쟁법'에 관한 논의는 인공지능 문제에 적용 가능하다.

구체적으로는 데이터에 대한 별도의 시장 획정을 할 필요가 있는지, 데이터에 기반한 시장지배력의 문제, 기업결합을 통하여 데이터가 결합하는 경우 발생하는 문제 등이다. 이는 개인정보보호법제의 접근과 구별되는 경쟁법적 접근의 문제이다. 이러한 데이터의 문제는 후술하는 플랫폼 경제와 결합하여 중요한 이슈가 되고 있다. 참고로 온라인 플랫폼 사업자의 시장지

---

[25] 2000년대 초 미국 통신분야에서 망 중립성(network neutrality) 원칙이 논의되며 사전 및 사후 규제의 수준과 방법에 영향을 미쳤다. 이 중립성 개념은 확대되어 구글 사건을 기점으로 검색 중립성 논의로 확대되었다. 이상윤·이황, "검색 중립성과 경쟁법 집행원리", 「경쟁법연구」 제40권, 2019, pp. 262~265.

배적지위 남용·행위에 대한 심사지침(2023. 1. 12. 공정거래위원회 예규 제418호) II. 2. 다.는 데이터의 유용·성[26]과 더불어 경쟁제한의 우려[27]를 제기하고 있다.

(2) 인공지능과 알고리즘

인공지능은 알고리즘 기술의 활용에 기반을 두고 있다. 그 점에서 부당한 공동행위를 중심으로 논의된 종래의 '알고리즘과 경쟁법'에 관한 논의는 인공지능 문제에 적용 가능하다.

과거 알고리즘은 담합의 촉진, 검색 중립성, 소비자의 신뢰 문제와 관련하여 논의되었다. 여기에 더하여, 알고리즘은 플랫폼과 결합하여 진화하고 있다. 인공지능과 알고리즘을 활용한 플랫폼 서비스의 자동화가 이루어지고 있다.[28] 최근 플랫폼 분야의 시장지배적 사업자가 알고리즘을 사용하여 행한 차별적 행위, 특히 자사우대를 시행한 것이 경쟁법에 위반되는지 문제에서 핵심적인 논제가 되고 있다. 유럽에서 발생한 구글 쇼핑의 문제, 한국에서 발생한 네이버쇼핑 사건,[29] 카카오 모빌리티 사건[30] 등이 이에 속한다.

---

[26] 온라인 플랫폼 분야에서 데이터는 생산, 물류, 판매촉진 활동 등 사업의 전 영역에 활용될 수 있는 중요 생산요소로서, 데이터의 수집·보유·활용 능력이 사업자의 경쟁력에 상당한 영향을 미칠 수 있다. 특히, 데이터 저장·관리·분석 기술이 발달함에 따라 플랫폼 운영 과정에서 이용자의 데이터를 축적한 온라인 플랫폼 사업자는 이를 활용하여 각 이용자에게 특화된 맞춤형 서비스·프로모션을 제공하고 이에 대한 피드백도 거의 실시간으로 파악할 수 있는 등 서비스 품질을 개선하거나 더 많은 이용자를 유인하는 것이 용이하다. 더 많은 이용자를 확보하면 더 많은 데이터를 축적할 수 있어 선순환 구조가 형성될 수 있다.

[27] 이처럼 온라인 플랫폼 사업자가 데이터를 활용하여 서비스 품질을 개선하고 이용자의 편익을 증가시키는 긍정적인 측면이 있는 반면, 특정 온라인 플랫폼을 중심으로 데이터가 집중될 경우 쏠림 현상이 발생하고 관련 시장의 경쟁이 제한될 우려가 존재한다.
특히, 데이터의 이동성(portability), 상호운용성(interoperability)이 부족한 상황에서 관련 데이터가 특정 사업자에게 집중될 경우, 이는 시장의 진입장벽을 강화하고 경쟁을 제한하는 요인으로 작용할 수 있다. 반면, 플랫폼 간 데이터의 이동성, 상호운용성이 충분하여 신규 진입 사업자가 기존 이용자 데이터에 접근하는 것이 용이한 경우에는 이러한 경쟁제한 우려가 완화될 수 있다.

[28] 김도훈, "디지털 경제 신질서와 플랫폼 비즈니스의 미래, 차세대 플랫폼에 대한 산업 및 경쟁정책적 접근의 조화", 한국경쟁법학회, 정보통신정책학회, 한국산업조직학회 공동학술대회 자료집, 2023, p. 12. 지능형 알고리즘을 통한 지원자 평가·선별, 스마트 CRM 도구를 통한 영업 담당자의 업무 보조·대체, 음성·언어 지원 챗봇을 통한 콜센터 업무와 검색의 보완·대체 등이다.

[29] 서울고등법원 2022. 12. 14. 선고 2021누36129 판결(네이버쇼핑 사건)

[30] 카카오모빌리티는 '15. 3월부터 '카카오T앱'을 통해 중형택시를 호출하는 일반호출 서비스를 제공하고 있다. 카카오모빌리티는 동 시장에서 90% 이상의 점유율을 차지하는 압도적 1위 사업자이다. 카카오모빌리티는 '19. 3월부터 자회사 등을 가맹본부로 하여 '카카오T블루'라는 가맹택시를 모집·운영하고 있다. 카카오모빌리티는 자신의 가맹택시 수를 늘리기 위해 카카오T앱 일반호출에서 가맹기사를

종래 문제가 된 알고리즘이 분류형(discriminative), 인지형(cognitive) 알고리즘 등이었다면, 인공지능에서는 머신러닝에 따른 생성형(generative) 알고리즘이 사용된다는 점에서 차이가 있다. 다만, 이러한 현상적 특징에도 불구하고 인공지능을 생성형(generative) 알고리즘에 국한하는 것은 그 논의 범위를 지나치게 좁힌 것으로 바람직하지 않고, 일반적인 용례와도 맞지 않을 수 있다. 후술하는 바와 같이 유럽연합의 인공지능 규제 법률안이 머신러닝(machine learning) 기술이 사용되지 않더라도 어떤 종류든 알고리즘이 사용되고 있다면, 이를 인공지능에 포함하는 것에서 알 수 있듯이 인공지능의 논의 범위를 머신러닝에 국한할 필요는 없을 것이다.

(3) 알고리즘, 기계적 학습 알고리즘과 인공지능

기술적인 측면에서, 일반적으로 사용되는 알고리즘과 인공지능에서 사용되는 알고리즘 기술은 다르지만, 인공지능에서도 알고리즘에 대한 논의가 가능하다.

첫째, 머신러닝(machine learning) 기술도 용어상으로는 알고리즘으로 표현할 수 있다.[31] 물론, 기존에 사용하던 알고리즘과 인공지능에 사용되는 기술이 다르지만, 머신러닝 알고리즘 (machine learning algorithms)이라는 용어는 인공지능을 논하면서 광범위하게 사용되고 있다.

대표적으로 2021년 발간된 OECD, Business and Finance Outlook 2021: AI in Business and Finance, Competition and AI(2021), 미국에서 2022년 발표된 Blueprint for an AI Bill of Rights에서도 5가지 원칙 중 'Algorithmic Discrimination Protection'을 포함하고 있다. 유럽연합 차원에서 2022년 발표한 제조물책임에 대한 directive에도 '인공지능 알고리즘을 개발한 회사와 완제품을 제조한 회사가 다르다면, 인공지능 알고리즘에 결함이 있는 경우 두 회사가 일종의 부진정 연대채무를 진다'는 내용이 포함되어 있다.

특히, 인공지능과 카르텔의 관계에서 논의되는 알고리즘은 'machine learning algorithms' 활용에 기반을 두고 있다.[32] 이러한 머신러닝 알고리즘은 블랙박스(black box)를 구현하게 된다.

우선적으로 배차하거나 유리하게 배차하는 방법으로 가맹기사를 우대하였는지가 문제 되었다.

[31] 인공지능을 인간의 신체활동을 넘어 정신활동을 모방하는 기계, 소프트웨어 장치 또는 체계를 말하며, 좁게는 딥러닝 등 알고리즘을 작동하게 하는 소프트웨어로 정의하며, AI와 알고리즘을 설명한 문헌으로는 이상직, "챗GPT 등 인공지능을 어떻게 대할 것인가", 「법치와 자유」 제1권 제6호, 2023.

둘째, 유럽연합의 인공지능 규제법은 인공지능의 개념을 정의함에 있어 머신러닝(machine learning) 기술이 사용되지 않더라도 어떤 종류든 알고리즘이 사용되고 있다면, 인공지능에 포함하고 있다. 머신러닝이 아닌 기존의 알고리즘이 사용되는 인공지능도 최소한 유럽연합 규제법에 따르면 인공지능에 포함되는 것으로 보인다. 한편, 유럽연합이 2024. 5. 21. 최종 승인한 인공지능법에 따르면 인공지능 시스템을 "a machine-based system that is designed to operate with varying levels of autonomy and that may exhibit adaptiveness after deployment, and that, for explicit or implicit objectives, infers, from the input it receives, how to generate outputs such as predictions, content, recommendations, or decisions that can influence physical or virtual environments." 로 정의하고 있다.

(4) 인공지능과 플랫폼

첫째, 인공지능은 플랫폼에 기반한 산업에서 그 활용도가 높을 수 있다. 그 점에서 전 세계적으로 입법과 집행에서 많은 논의가 진행 중인 '플랫폼 산업과 경쟁법'의 논의는 인공지능 문제와 밀접한 관련성을 가지고 있다. 특히, 의료, 의약품 시장에서 알고리즘은 플랫폼에 기반한 양면 시장을 통하여 활용되는 경향을 보이고 있다.

둘째, 인공지능의 플랫폼 활용이 아니라, 인공지능 자체를 플랫폼으로 보는 견해도 있다. 인공지능을 활용하는 영업모델을 만들고, 개발자들이 이러한 모델을 활용하여 변형하는 방식이다. 인공지능 활용 영업모델이 상류시장 역할을 하고, 하류시장의 개발자들이 이를 이용한다. 이는 'B2B app store'에 유사한 플랫폼 역할을 수행하는 것이다.[33]

(5) 인공지능과 특허 진보성

인공지능의 문제는 이를 사용한 주체가 개발자인지, 경쟁자인지, 특허의 심사자인지에 따라 달라진다. 인공지능을 통한 진보성 구현, 인공지능을 통한 진보성 평가, 인공지능을 통해 구현된 진보성을 인공지능을 통하여 평가하는 문제 등 다양한 국면에서 제기된다. 의약품 시장에

---

[32] OECD, Business and Finance Outlook 2021: AI in Business and Finance, Competition and AI(2021) 4. 2. 1.

[33] Thomas Höppner, an introduction to AI for competition and regulatory lawyers(2023)

서, 이러한 진보성 문제는 브랜드 의약품과 제네릭 의약품 사이에서 제네릭 시장 진입의 문제, 역지불 합의 발생할 가능성, 그리고 약가 인하의 문제로 연결된다.

1) 인공지능과 진보성 평가

알고리즘, 인공지능의 발달은 특허의 진보성 구현에 영향을 미칠 수 있다. 이는 알고리즘이 사용된 발명에 대한 진보성 평가의 문제로 귀결된다. 알고리즘이 사용된 발명에 대한 진보성 평가는 주로 의약품 시장, 의료기기 시장에서 두각을 나타낼 수 있다. 신약 개발 등 과정에서 인공지능이 사용됨으로써 비용, 시간을 줄이고, 진보성이 달성될 수 있다.[34]

2) 인공지능과 신규성, 진보성 심사

알고리즘을 이용한 신규성, 진보성 심사는 알고리즘을 통하여 구현된 진보성에 대하여 이를 선행기술과 대비하는 과정에서 알고리즘의 기여도를 평가하여 신규성, 진보성 평가를 하는 문제와 연결되어 있다.

3) 인공지능과 특허침해

인공지능의 작동 과정에서 외부 데이터의 학습과 내부적인 진화과정이 이루어지면서, 특허침해가 발생할 우려가 제기되고 있다. 이때 특허침해가 존재하는지, 그 범위가 어디까지인지, 어떤 방식으로 증명이 이루어져야 하는지에 대한 문제 등이 제기된다.[35] 이러한 증명의 어려움은 의약품 분야에서 브랜드 제약회사와 제네릭 제약회사 사이에서 소송의 승패의 결과를 예상하지 못하여 역지불 합의가 이루어지는 유인이 될 수 있다.

---

[34] "5년 걸릴 분석, 하루면 끝… AI가 앞당기는 신약", 조선일보 2023. 5. 3. B7, 모더나가 IBM과 손잡고 인공지능과 양자컴퓨터 기술을 활용해 메신저 리보핵산(mRNA) 치료제 개발에 나선다. AI로 단백질 구조나 부작용을 예측해 신약 개발 기간과 비용을 줄이면서 성공률을 높일 수 있다.
"게임 개발·신약 연구·디자인·마케팅…화이트칼라부터 파고든 AI", 조선일보 2023. 5. 4. A4, 중국 AI 연구소 바이두 리서치 연구팀은 첨단 mRNA 백신을 설계하는 AI 알고리즘을 개발했다.

[35] 이상미, "AI에 의한 특허침해의 제문제", 「법학논집」 제27권 제2호, 2022, pp. 94, 117.

4) 인공지능과 제네릭의 시장 진입

진보성 인정 가능성, 제네릭 회사의 브랜드 특허에 대한 도전, 역지불 합의는 서로 깊은 연관성을 가지고 있다. 진보성이 인정될 가능성이 높아진다면 제네릭 회사의 브랜드 제약회사에 대한 도전은 어려워지고, 그 반대라면 도전이 쉬워진다. 이는 역지불 합의의 요인으로 작용한다. 특허의 진보성이 인정될 가능성이 낮은 경우에 역지불 합의 가능성이 커진다.

첫째, 인공지능 기술이 역지불 합의에 미치는 영향이다. 인공지능이 진보성 달성이나 진보성 평가에 관련된 경우 특허침해의 존부, 발명의 유효성 판단이 더 어려워질 가능성도 있다. 그 경우 미래에 대한 불확실성으로 역지불 합의의 가능성이 커진다.

둘째, 인공지능 기술이 복제약에 미치는 영향이다. 인공지능의 활용은 복제약의 시장진입의 시기를 앞당기거나 우수한 복제약 진입에 영향을 미칠 수 있다. 브랜드 의약품의 특허기간의 만료가 임박함에 따라 복제약 진입이 조기에 이루어질 수 있는지는 의약품 시장의 경쟁과 진입 장벽에 큰 영향을 미친다.

셋째, 복제약 진입에 따른 약가 인하 문제이다. 한국 의약품 시장의 맥락에서 본다면 복제약 진입이 빨라짐에 따라 복수의약품의 존재로 약가가 인하되는 상황을 기대할 수 있다.[36] 행정처분에 의한 약가 인하 제도 등이 있기 때문이다.

국민건강보험법 제41조 제3, 4항, 국민건강보험 요양급여의 기준에 관한 규칙(보건복지부령) 제13조 제4항 제1 내지 14호에 따라 약가의 조정이 가능하다. 위 규칙 중 제7호를 제외하고는 약가 인하에 대한 규정이다. 위 법령에 따라 국민건강보험의 요양급여대상으로 등재된 약제의 상한금액을 직권으로 조정하는 처분이 약가 인하 처분이다.[37]

신약과 투여경로, 성분 제형이 동일한 후발의약품이 국민건강보험법상 요양급여대상으로

---

[36] 제네릭 의약품 진입에 따른 약가 인하 문제는 대법원 2020. 11. 26. 선고 2016다260707 판결과 대법원 2020. 11. 26. 선고 2018다221676 판결에서 다루어졌다. 특허법원에서 특허 의약품에 대한 특허발명의 진보성이 부정되자, 제네릭 제약회사는 판매 예정 시기 변경 신청을 통하여 시장에 진입하였고, 이에 보건복지부장관은 특허 의약품의 상한금액을 이전 금액의 80%로 인하하였다. 그 후 대법원에서 특허 발명의 진보성이 인정되자, 특허 의약품을 판매하던 원고가 피고를 상대로 약가 인하로 발생한 손해의 배상을 구한 사건이다. 이 사건은 경쟁법 위반 사건은 아니지만, 의약품 시장에서 특허권자와 제네릭 제약회사의 다툼을 다루고 있고 약가 인하가 문제 된 점에서 경쟁 이슈와 밀접한 관련성이 있다.

[37] 박성민·이태진, "약가 인하 효력 발생 시점 차이에 따른 문제점과 그 해결방안", 「의료법학」 제20권 제1호, 2019, pp. 25, 26.

등재된 경우 신약의 약가가 인하된다. 다만, 약사법 제50조의4, 제50조의5에 따라 후발의약품 제약회사가 신약의 특허권이 무효이거나 자신의 후발의약품이 신약의 특허권을 침해하지 않는다고 주장하며 특허권 존속기간 만료일보다 먼저 후발의약품을 판매하려고 할 때 특허권자는 식약처에 판매금지 신청을 할 수 있고, 그에 따라 후발의약품의 판매가 지연됨과 동시에 신약의 약가 인하도 지연되게 된다.[38]

4. 의료·의약품·의료기기 시장의 인공지능과 경쟁법

(1) 의료시장의 인공지능과 경쟁법

1) 한국 의료시장의 특성

한국은 의료시장에 대한 광범위한 공적 규제로 인하여 일반 시장과 비교할 때 현상적 차별성, 법리적 차별성이 나타나고 있다. 한국의료시장에서 경쟁법 적용의 범위는 일정 부분 한계를 가지고 있다. 이는 의료시장의 인공지능 문제와 경쟁법의 국면에서도 그대로 적용된다.

첫째, 한국은 공적 건강보험 체계가 당연지정 요양기관 제도와 결합한 결과, 의료서비스에 대한 가격 경쟁은 요양급여 부분에서는 제한되며 비급여 부분을 중심으로 존재한다. 따라서 가격에 대한 공동행위 및 시장지배적 지위 남용행위 등 대표적인 공정거래법 위반행위의 유형도 비급여 영역에서 존재하게 된다. 이러한 이유로 점점 증가하고 있는 비급여 부분에 대한 가격 남용행위 및 비가격 부분에 대한 남용행위에 관심을 집중할 필요가 있다.

둘째, 공적 건강보험제도가 존재하기 때문에 건강보험에서의 경쟁도 국민건강보험에 대하여 보충적 또는 보완적으로 존재하는 민간의료보험의 상품을 중심으로 존재하므로 민간보험회사의 상환가격에 관한 공동행위 및 시장지배적 지위 남용행위도 요양급여 중 본인 부담금 부분 및 비급여 부분에 대하여 제한적으로 나타난다.

---

[38] 위 논문, 28-31면. 한편, 보건복지부는 2020. 2. 28. '약제의 결정 및 조정 기준'을 개정하면서 제네릭 의약품에 대하여 기허가 제품과 신규 허가 제품을 모두 포함하여 자체 생물학적 동등성 시험 기준 충족 등 기준 충족 여부에 따라 약가를 차등조정하게 되었다. 그 기준에는 자체 생물학적 동등성 시험 자료 또는 임상시험 입증자료 제출, 등록된 원료의약품 사용요건이 포함되었다. 원료의약품 등록 요건의 충족에 큰 어려움이 없는 것과 달리 자체 생물학적 동등성 시험 요건을 충족하기 위하여 기존에 광범위하게 이루어지던 '위탁·공동 생물학적 동등성 시험'으로 기존의 약가를 인정받을 수 없게 되었다. 박정연, "제네릭 의약품 약가 조정 고시에 대한 비판적 고찰", 「의료법학」 제22권 제1호, 2021, p. 97.

셋째, 의료제도의 차이는 의료시장의 경쟁 구도에도 차이를 가져온다. 민간의료 중심의 미국 의료시장은 공적 건강보험 중심의 한국의 의료시장에 비하여 경쟁이 치열하고 그 의료문화도 차이가 있으므로 경쟁제한성 판단에서 이를 반영할 필요가 있다.

넷째, 이러한 한계는 기업결합에서도 드러난다. 한국에서는 영리병원이 허용되지 않기 때문에 공정거래법에 의한 규율 대상이 되는 기업결합이 제한된다. 또한 미국은 관리의료 제도가 발달한 반면 한국은 이러한 제도가 도입되지 않았고 의료법이 의료기관의 개설자격을 엄격하게 제한하여 보험회사와 병원 사이의 기업결합이 허용되지 아니한다.

공정거래법은 복수의 사업자가 단일의 사업자로 변경되는 과정을 기업결합 심사로 접근하고 있다. 기업결합은 지분 인수, 합병, 영업양도, 임원 겸임, 새로운 주체 설립 등 다양한 방식으로 이루어진다. 기업결합은 어떤 시장에서든 발생하고 있는 자연스러운 현상이며, 당연히 의료시장에서도 발생한다. 다만, 의료시장에서의 기업결합은 상대적으로 활발하지 못하며, 실제 발생하는 기업결합도 음성적으로 이루어지는 경향을 보이고 있다.

기업결합이 활발하지 못한 데에는 제도적인 요인이 작용한 것으로 보인다. 그중 한 요인은 영리의료법인이 허용되지 않는다는 점이다. 의료법인이나 의료기관을 개설한 비영리법인(의료법 제33조 제2항 제4호)은 의료업을 수행함에 있어 영리를 추구할 수 없다(의료법 시행령 제20조). 법인 형태의 의료기관은 의료법인이든, 학교법인이든, 사회복지법인 등 공익법인이든 모두 비영리법인의 형식을 취하게 된다.[39]

비영리법인은 투자 유치, 수익의 배당 등에서 영리법인인 주식회사 등과 본질적 차이가 있다. 투자를 받아 성장하고, 투자자에게 회수할 수 있는 기회를 보장해야 법인의 성장이 가능한데, 의료법인은 이를 보장할 수 없는 등 투자와 회수에서 치명적인 약점이 있어 차입 형태로 자금 조달을 하는 한계를 가지고 있다. 그럼에도 불구하고 비영리법인인 의료법인이 영리법인과 영업 형태나 방식에 얼마나 차별성이 있는지는 의문이다.[40]

---

39) 정재훈, 의료·의약품 산업과 경쟁법, 경인문화사, 2020, pp. 115, 116.
40) 위의 책, 98~109면. 투자의 회수 문제도 내부거래 등을 통하여 우회적으로 해결될 여지가 있다.

의료법인의 인수를 통한 기업결합은 지속적으로 발생하고 있다.[41] 그러나 제도적 개입은 거의 이루어지지 못하고 있는 상태이다. 기업결합의 현상만 존재하고 규범은 이를 방치하는 등 음성화의 전형적인 현상이 나타나고 있다. 음성적인 거래는 기존 제도를 우회해야 하므로 추가적인 비용이 소요될 가능성이 크다.[42]

회생절차에서 의료법인을 인수하고, 인수하는 사업자가 출자를 하는 대신 이사회 구성권을 인수하는 방식은 기존 회생제도를 이용한 방식으로 평가할 수 있으나,[43] 다수의 의료법인 인수는 이러한 과정도 거치지 못하는 것으로 보인다. 지금까지 주로 인수 대상이 된 의료법인이 대형 의료법인이 아니었으나, 초대형 병원의 인수 문제에서도 이러한 '제도적 방치'로 문제가 해결될지 의문이다. 나아가 2019년 8월 27일 개정된 의료법은 제51조의2 신설을 통하여, 임원 선임 관련 금품 수수를 금지하여 의료법인의 기업결합 가능성을 차단하는 방식으로 개정되기까지 하였다.[44] 이러한 규정하에서 종래 회생절차에서 사용되던 방법이 계속 허용될지 논란의 대상이 될 수밖에 없다.[45]

2) 의료시장의 인공지능과 경쟁법

의료시장의 인공지능과 관련된 경쟁법 현안은 의료시장의 제도 개편 여부가 전제된다. 의료시장에서 경쟁을 증가시키는 방향으로 제도가 개편되어야 경쟁법 쟁점이 도출될 수 있다. 그러한 전제에서 인공지능과 경쟁법의 문제가 논의될 수 있다. 예를 들면, 영리병원의 도입, 독점적 건강보험 제도의 완화, 의료시장 개방 등 문제와 원격진료, 기타 규제완화가 관련성 있다.

다만, 현재의 제도하에서도 의료시장에서 인공지능을 통한 카르텔의 문제는 비급여 부분이나 의료분야에 관련된 상품 및 서비스 분야에 국한하여 검토 가능하다. 가격 차별의 문제는 비

---

41) 국내에서 보도된 병원의 인수 사례는 상계 을지병원 인수 사례, 제천 명지병원 인수 사례, 보바스병원 인수 사례 등이 있다.

42) 정재훈, "의료·의약품·의료기기 시장 관련 경쟁법 적용 및 전망", 「경쟁저널」 제207호, 2021, pp.33, 34.

43) "호텔롯데, 보바스기념병원 인수 본계약", 한국경제신문 2016. 11. 4. https://www.hankyung.com/news/article/2016110425051(검색일 2021. 3. 15.)

44) 의료법 제51조의2(임원 선임 관련 금품 등 수수의 금지) 누구든지 의료법인의 임원 선임과 관련하여 금품, 향응 또는 그 밖의 재산상 이익을 주고받거나 주고받을 것을 약속해서는 아니 된다.

45) 정재훈, 위의 논문(각주 42), p. 34.

급여 부분에 국한하여 가능하다. 이와 달리 불공정거래행위, 소비자보호법 문제에 대하여 일반적인 법리의 적용이 가능하다.

(2) 의약품·의료기기 시장의 인공지능과 경쟁법

1) 의약품 시장의 특성

한국 의약품 시장은 의약산업의 발전 단계가 주로 브랜드 제약회사의 수입 의약품, 국내 제약회사의 복제약으로 양분되어 있는 점이 그 특징적이다. 의약품 시장의 현안인 고가의 의약품 문제에 대하여 최소한 급여대상인 의약품에 대하여 사전 규제적인 약가 제도가 적용되는 점도 그 원인으로 고려할 수 있다.

다국적 기업의 브랜드 의약품과 국내 제약회사의 제네릭 구조가 개편될 것인지 문제가 의약품 시장에 큰 영향을 미칠 것으로 예상된다. 의약품 산업이 국내에서 개발되고 상품화된 신약 시장 중심으로 발전하거나, 브랜드 의약품과 제네릭 의약품의 경쟁이 활성화된다면 경쟁법 이슈가 증가할 것이다. 비급여대상인 의약품의 비중도 중요한 고려요소이다. 비급여 부분을 줄이는 방향으로 제도 안정화를 도모한다면 경쟁의 압력도 줄어들겠으나, 그 경우에도 의약품 공급자들이 비급여시장에서 수익창출을 위해 시장진입과 경쟁을 어떻게 할지가 주목된다.

경쟁 당국과 규제 당국이 의약품 시장과 경쟁에 대하여 어떤 이해를 하는지도 중요한 변수이다.[46] 특히 개별산업에 대한 전문성이 있는 규제 당국이 규제 목적과 함께 경쟁의 중요성도 인식하는 것이 중요하다.[47] 시장참여자에게 경쟁에 대한 인식(awareness)이 어느 정도 확산되는지도 영향을 미치게 된다.

물론, 의약품 시장의 문제를 경쟁법의 차원에서만 접근하는 것은 바람직하지 않다. 미래 의

---

[46] Herbert Hovenkamp et al., 「IP and Antitrust: An Analysis of Antitrust Principles Applied to Intellectual Property Law, Third Edition」, (2017 & Supp. 2018), §15:01, p.1; 정부 규제는 경쟁과 효율성을 촉진할 수도 있지만, 그 반대의 경우일 수 있다. 경쟁법을 고려하지 않고 규제법적 접근을 할 경우 소비자의 손실로 연결될 위험성이 있다.

[47] Herbert Hovenkamp et al., 「IP and Antitrust: An Analysis of Antitrust Principles Applied to Intellectual Property Law, Third Edition」, (2017 & Supp. 2018), §15:02, p. 3-4; 규제당국의 전문성(specialist)에 법원이나 경쟁당국은 미치지 못한다(generalist). 규제당국이 의약품의 안전성과 유효성과 함께 판매과정의 경쟁을 고려할 수 있다. 규제당국이 증권거래에 있어 시장 정보(market information)의 개선과 함께 경쟁을 고려할 수 있다.

료는 생명공학(biotechnology) 중심으로 운영될 것으로 전망된다. 그 연장선상에서 생물의약품(biologics)과 바이오시밀러(biosimilar) 등은 경쟁과 특허의 문제를 넘어서 다양한 시각에서 중요한 주제가 될 것이다. 다른 한편, 의약품 시장은 의료보장 정책과 법, 경쟁법, 특허법이라는 우리 사회가 지속되기 위하여 필요한 제도가 수렴되는(convergence) 분야이다.

2) 의약품 및 의료기기 시장, 인공지능과 경쟁법

이러한 의약품 시장 및 의료기기 시장에서는 인공지능과 경쟁법의 논의가 의료시장에 비하여 상대적으로 더 적극적으로 논의될 수 있다. 후술하는 바와 같이 부당한 공동행위로서 가격 및 거래조건 담합에 대한 논의, 시장지배력 남용행위로서 가격 및 거래조건 차별, 지배력 전이, 자사우대 등에 대한 논의는 의약품 및 의료기기 시장에도 적용 가능하다. 제약회사나 의료기기 회사의 기업결합에서 기업결합과 관련한 인공지능의 문제가 부각될 수 있다. 불공정거래행위, 소비자보호법 논의도 원칙적으로 적용 가능하다. 그에 관련된 상세한 논의는 아래 각 해당 항목에서 구체적으로 다루기로 한다.

III. 인공지능과 카르텔

1. 인공지능의 카르텔에 대한 영향

(1) 인공지능과 경쟁압력, 카르텔

알고리즘은 시장을 투명하게 하는 친경쟁적 효과와 더불어, 경쟁제한적인 담합을 달성하게 하는 경쟁제한적 효과를 모두 유발할 수 있다.[48] 인공지능과 알고리즘의 위험이 먼저, 그리고 구체적으로 제기된 분야는 카르텔이다. 이러한 카르텔은 데이터와 통계적 방법, 그리고 이를 활용한 알고리즘 시스템에 기초를 두고 있다.

---

[48] Algorithms and Collusion, Competition policy in the digital age(2017), p. 29.

먼저, 인공지능을 통하여 더 치열한 경쟁이 가능할 수 있어 시장의 경쟁압력이 증가할 수 있다. 인공지능의 활용 여부에 따라 시장의 환경 변화에 대처하는 능력에 차이가 생긴다. 데이터에 기초하여 시장을 예측하는 능력에 차이가 생긴다. 인공지능을 통하여 더 품질이 좋고 저렴한 상품의 생산이 가능할 수 있다. 이윤극대화를 위한 알고리즘의 사용을 통하여 기존의 담합이 무너지고 더 치열한 경쟁이 가능할 수 있다.[49]

반면, 인공지능의 활용으로 인한 담합의 가능성이 문제 된다. 일반적으로 동질적인 상품이 경쟁하는 시장에서는 인공지능이 담합을 조장한다. 반면 차별화된 상품이 경쟁하는 시장에서는 인공지능이 경쟁을 조장하는 경향이 있다.[50]

(2) 인공지능과 '합의와 의식적 병행행위' 구분

의식적 병행행위는 합의에 포함되지 않고, 동조적 행위는 합의에 포함된다는 것이 종래의 카르텔 분야에서 정립된 법 원리이다. 종래 기준은 추종, 모방, 의식적 병행행위는 카르텔에서 제외되고, 동조적 행위, 묵시적 합의, 명시적 합의는 카르텔에서 제외된다는 기준이 범용되었다. 그 경계선상에 있던 의식적 병행행위는 제외하고, 정보교환을 중심으로 한 동조적 행위는 포함하는 방식이었다.[51]

그런데 인공지능의 활용 측면에서 이러한 의식적 병행행위와 동조적 행위 사이의 경계가 흐려지게 된다. 알고리즘의 활용을 통한 동조화는 기존의 동조적 행위에 비하여 카르텔에 포함하기가 더 어려워지고 있다. 나아가, 종래의 명시적 합의와 묵시적 합의의 구분도 알고리즘을 사용한 합의에서 그 구분이 어려워질 수 있다. 알고리즘을 사용한 카르텔은 명시적 합의와 묵시적 합의에 모두 걸쳐있는 경우가 많기 때문이다.[52]

첫째, 카르텔 형성(formation)에 인공지능이 미치는 영향이다. 인공지능을 이용한 병행행위는 의식적 병행행위에 가까운지, 동조적 행위에 가까운지 문제 된다. 그런데 인공지능을 이용

---

[49] OECD, Business and Finance Outlook 2021: AI in Business and Finance, Competition and AI(2021) § 4. 2. 2.

[50] OECD, Business and Finance Outlook 2021: AI in Business and Finance, Competition and AI § 4. 2. 2.

[51] 정재훈, "부당한 공동행위 규제에 있어 묵시적 합의-정보교환과 동조적 행위(concerted practice)에 관한 최근 판례를 중심으로", 「경쟁과 법」 제2호, 2014, pp. 122, 123.

[52] OECD, Business and Finance Outlook 2021: AI in Business and Finance, Competition and AI(2021) § 4. 3. 2.

할 경우 인위적인 개입의 정도가 약해서 종래 기준에 따르면 합의로 보기 어렵고, 병행행위에 가깝게 된다. 이와 같이 병행행위를 위하여 알고리즘을 이용함으로써 적법행위와 위법행위의 한계가 불분명해지고 있다. 종래 명시적 담합으로 발생하는 효과를 묵시적 조율(tacit co-ordination)을 통하여 달성할 수 있게 된다.[53] 인공지능은 명시적 합의를 실행할 때에 비하여 묵시적 합의를 실행할 때 더 실효성이 높은 것으로 알려져 있다.[54] 예를 들면, 전통적인 카르텔이 가격, 공급량, 기타 거래조건에 대한 합의를 대상으로 한다면, 가격, 공급량, 기타 거래조건에 관련된 알고리즘을 일치시키는(a meeting of algorithms) 내용의 합의를 하는 방식이다.[55]

둘째, 카르텔 유지(maintenance)에 인공지능이 미치는 영향이다. 카르텔이 유효하게 지속되기 위하여 카르텔로부터 이탈(deviations)이 적발되고 감시될 수 있어야 한다. 이를 위해서 알고리즘이 사용될 수 있다.[56] 담합 참가자들은 공통의 데이터를 이용할 수 있어, 카르텔 합의를 시행하는데 발생하는 오류를 방지할 수 있다. 알고리즘을 통하여 합의 이탈 여부, 합의 실행 여부를 방지하고 효과적인 제재전략을 마련할 수 있다.[57]

이미 전술한 바와 같이 알고리즘을 이용한 담합에 대한 논의는 상당한 수준으로 축적되어 있다. 부당한 공동행위를 중심으로 논의된 종래의 '알고리즘과 경쟁법'에 관한 논의는 인공지능 문제에 적용 가능하다. 그럼에도 이러한 기존의 알고리즘 담합의 논의에 비하여 기계적 학습 알고리즘을 이용한 동조적 행위 문제는 차별화될 수 있다. 기계적 학습 알고리즘을 이용한 인공지능은 인간의 수월성에 근접한 역할을 하기 때문에 종래 인간의 행위를 기반으로 한 동조적 행위와 합의의 구별 이론이 이를 설명하는 데 한계를 가질 수 있다.

(3) 인공지능을 이용한 카르텔의 발전

가격설정 알고리즘 등 인공지능이 개입되어 디지털 경제에서 발생하는 담합을 디지털 카르

---

53) Algorithms and Collusion, Competition policy in the digital age, 2017, p. 25.
54) OECD, Business and Finance Outlook 2021: AI in Business and Finance, Competition and AI(2021) § 4. 2. 1.
55) OECD, Business and Finance Outlook 2021: AI in Business and Finance, Competition and AI(2021) § 4. 3. 1.
56) Algorithms and Collusion, Competition policy in the digital age, 2017, p. 26.
57) OECD, Business and Finance Outlook 2021: AI in Business and Finance, Competition and AI(2021) § 4. 2. 1.

텔(digital cartel), 알고리즘 담합(algorithmic collusion), 테크노 카르텔(techno cartel)로 부르고 있다.[58]

인공지능을 이용한 카르텔 유형으로 다음과 같은 분류가 사용되고 있다.[59] 1 유형에서 4 유형으로 내려갈수록 사업자의 행위 관여도가 낮아진다. 따라서 경쟁법적 판단이 1 유형에서 4 유형으로 갈수록 더 어려워진다.

1 유형으로, 사업자가 담합을 합의한 후, 실행을 하는 과정에서 인공지능을 이용하는 방법이다. 미국의 톱긴스 사건, 항공운임 담합 사건이 그 사례가 된다. 2 유형으로, 인공지능 개발자가 허브(hub) 역할을 하고, 사용자가 스포크(spoke) 역할을 하여, 소비자에게 가격을 부과하는 방식이다. 미국의 우버 사건이 그 사례가 된다. 3 유형으로, 각 사업자가 이익 극대화 목적하에 인공지능을 활용하여 가격을 책정하고, 그 결과로 경쟁자 사이의 가격이 동조화되는 경우이다. 4 유형으로, 방대한 데이터를 실시간으로 처리하여 시장을 분석할 수 있는 기술이 발전하고 이에 따라 인공지능이 경험을 통한 자동적인 의사결정을 하고, 학습을 통하여 그 의사결정을 더 정교하게 시행하는 방식에 따라 경쟁자 사이의 가격이 동조화되는 경우이다.[60]

인공지능과 표준화, 그로 인한 경쟁제한의 문제도 중요해지고 있다. 인공지능을 이용한 담합과 별도로 인공지능에 대한 표준화를 통한 정보교환, 혁신기술의 봉쇄, 경쟁자의 표준에 대한 접근 방해 등이 논의되고 있다.[61]

2. 인공지능을 활용한 카르텔에 대한 경쟁법 대응

인공지능을 통한 병행행위를 방치할 경우 경쟁제한적인 카르텔이 조장될 위험이 있다. 그

---

[58] 이영철, "인공지능 알고리즘에 의한 불공정 거래행위의 법적 규제", 「상사법연구」 제40권 제1호, 2021, p. 174.

[59] 김경연·이영조, "AI 또는 가격 산정 알고리즘을 통한 담합 행위에 대한 경쟁법적 규제에 관하여", 「경쟁저널」 제192호, 2017, pp. 68~78.

[60] 의료분야에서 이미지 진단에서 인공지능과 인간이 팀을 이루는 HITL(human in the loop)이 있는 반면, 인간이 개입하지 않는 자율 진단 인공지능(autonomous diagnostic)도 있다. 의료인의 개입 없이 영상에 기초하여 당뇨병 망막증 진단을 내리는 인공지능 기반 의료기기는 2018년에 개발되었다.

[61] Shin-Shin Hua & Hayden Belfield, AI & Antitrust: Reconciling Tensions Between Competition Law and Cooperative AI Development, Yale Journal of Law & Technology(2021), p. 516.

점에서 인공지능을 이용한 병행행위를 기존의 카르텔 법리에 비추어 어떤 방식으로 규율한 것인지가 경쟁법의 도전이 된다.

첫째, 인공지능 활용 초기의 인위적인 개입의 적발에 경쟁정책이 보다 집중할 필요가 있다. 둘째, 가격결정 규칙에 대한 개입의 필요성이다. 사람이 담합에 직접 관여하는 것과 달리, 알고리즘을 이용한 담합은 그 코드에 가격결정의 규칙이 들어 있다. 경쟁당국은 이러한 코드 사용을 지양하도록 경쟁정책을 집행할 수 있다. 예를 들면, 서로 다른 회사들이 같은 가격결정 알고리즘 소프트웨어를 사용하지 않도록 경쟁정책을 집행하는 방식 등이다.[62]

3. 의료·의약품·의료기기 시장의 시사점

의료시장에서 인공지능을 통한 카르텔의 문제는 비급여 부분이나 의료분야에 연관된 상품 및 서비스 분야를 중심으로 검토가능하다. 또한 수요자로서 병원의 행위에 대하여 적용이 가능할 것으로 보인다. 병원 소속 인력에 대한 급여 문제 등이 그 사례가 될 수 있다. 노동시장에서 수요자인 병원이 의료인력을 고용하는 과정에서 경쟁자인 다른 병원과 합의하여 급여수준을 정하는 문제이다. 이는 수요자가 부당한 공동행위를 하는 경우이다. 이러한 사례는 과거에 발생한 바 있으나,[63] 인공지능을 통하여 정교하게 부당한 공동행위를 할 수 있다는 점에 유의할 필요가 있다. 한편, 의료시장에 비하여 의약품·의료기기 시장에 대한 인공지능을 통한 카르텔의 문제는 별다른 제약 없이 적용 가능할 것으로 보인다.

---

[62] Robert Clark, Algorithmic collusion: The future of enforcement, ABA Antitrust Law Section Spring Meeting(2023), p. 3.

[63] 미국 등 일부 국가에서 병원이 간호사를 고용하는 과정에서 급여를 합의한 경우, 네덜란드에서 병원이 마취과 의사를 고용하는 과정에서 급여를 합의한 경우, 한국에서 치과의사협회를 통하여 치과병원이 치과위생사와 간호조무사의 급여를 합의한 경우 등이 이에 해당한다. 정재훈, 의료·의약품 산업과 경쟁법, 경인문화사, 2020, pp. 184, 194

IV. 인공지능과 시장지배력 남용

인공지능과 시장지배력

(1) 인공지능과 시장지배력 평가

인공지능은 시장지배력의 형성과 강화에 영향을 미칠 수 있다. 특히, 데이터, 그리고 이를 활용한 알고리즘이 시장지배력을 유지하는 데 사용될 수 있다. 아래에서는 그동안 인공지능과 시장지배력에서 부각된 쟁점을 중심으로 시장지배력 평가 문제를 살펴본다.

1) 경쟁상 우위와 진입장벽

인공지능을 통하여 경쟁상 우위가 가능하고, 진입장벽이 형성될 수 있다.

첫째, 인공지능을 통한 신속한 의사결정과 제품 디자인 개선 효과의 측면이다. 디지털 시장에서 인공지능은 의사결정과 제품 디자인에 영향을 미친다. 그에 따라 시장지배력이 형성되는 데 인공지능이 기여할 수 있다.[64] 둘째, 인공지능 활용에 필요한 규모의 경제와 범위의 경제 측면이다. 인공지능에 대한 투자를 위하여 규모의 경제와 범위의 경제가 필요하다. 이러한 특성을 위하여 데이터 확보와 기술력이 필요하다.[65]

셋째, 인공지능으로 유발되는 네트워크 효과(network effects) 측면이다. 인공지능이 수반되는 상품에서는 사용자가 증가할수록 인공지능의 품질이 개선되는 방식으로 네트워크 효과(network effects)가 발생할 수 있다.[66] 넷째, 인공지능을 통하여 생성되는 진입장벽 측면이다. 인공지능 application, 인공지능 활용의 대상인 데이터, 인공지능 운영에 필요한 지식재산권은 경쟁상 장점이 되는 동시에 진입장벽으로 기능할 수 있다. 이는 시장력, 나아가 시장지배력이 형성되는 원인이 된다. 이러한 인공지능이 기술장벽으로 작용하여 시장의 동태적 경쟁을 저해할 수 있다.[67]

---

[64] OECD, Business and Finance Outlook 2021: AI in Business and Finance, Competition and AI(2021) § 4. 2. 2.

[65] OECD, Business and Finance Outlook 2021: AI in Business and Finance, Competition and AI(2021) § 4. 2. 2.

[66] OECD, Business and Finance Outlook 2021: AI in Business and Finance, Competition and AI(2021) § 4. 2. 2.

[67] OECD, Business and Finance Outlook 2021: AI in Business and Finance, Competition and AI(2021) § 4. 2. 2.

다섯째, 규모의 경제 측면이다. 인공지능 기술을 구현하기 위하여 많은 데이터와 많은 개발 비용이 소요된다. 나아가 개발 이후에도 개발 비용을 능가하는 막대한 비용이 소요될 수 있다.[68] 이는 인공지능 기술 자체가 자연독점의 성격을 가지고 있음을 의미한다. 이 점에서 인공지능 기술이 시장 경쟁환경을 악화시키고, 독점을 강화할 것이라는 우려도 가능하다.

반면, 이에 대하여 인공지능은 애초에 의도한 분야 외에도 다른 분야에 파괴적 혁신을 유발하는 창발적 행태(emergent behavior)로 구현되므로 새로운 경쟁을 촉발한다는 견해도 있다. 기존의 빅테크 사업자도 인공지능 기술의 발전에 따라 그 지위가 흔들릴 수 있어, 인공지능을 통하여 개선된 경쟁환경이 가능할 수도 있다.

2) 게이트 키퍼(gate keeper)

플랫폼 산업에서 대두되는 'gate keeper'[69] 역할을 하는 시장지배적 사업자의 인공지능 활용 문제이다. 소비자와 사업자를 연결하는 플랫폼에서 인공지능이 사용될 경우, 특히 gate keeper 역할을 하는 플랫폼이 인공지능을 사용할 경우 경쟁저해 우려가 크다. 제품을 어떻게 전시하는가는 소비자의 상품 검색에 영향을 미치고, 이러한 제품 전시에 인공지능이 활용된다. 이는 플랫폼과 관련성이 있는 판매자에 대하여 혜택을 주는 방식으로 사용될 수 있다.[70]

이미 전술한 바와 같이 인공지능이라는 '현상'과 경쟁법이라는 '규범' 사이의 뚜렷한 접점으로 데이터, 알고리즘, 플랫폼 등을 들 수 있다. 물론 이 세 분야는 기존에 경쟁법에서 자주 논의되던 분야이지만, 인공지능을 매개로 이러한 세 요소가 동시에, 그리고 종합적으로 가동된다는 점에 그 특징이 있다.

한편, 인공지능은 경쟁법 측면에서 새로운 남용을 만드는 것이 아니라 종래 존재하던 문제

---

[68] 전기요금 등 비용도 그 예가 될 수 있다. 이는 인공지능 기술에서 경량화 모델을 만들기 위한 경쟁이 이루어지는 것과 무관하지 않다.

[69] 유럽연합은 디지털 시장법(DMA, Digital Markets Act)을 도입하면서, 그 대상을 게이트 키퍼(gate keeper)로 하고 있다. 마켓 플레이스 및 앱 스토어, 검색 엔진, 소셜 네트워킹 서비스, 클라우드 서비스, 광고 서비스, 음성 비서, 웹 브라우저 중 하나 이상의 핵심 플랫폼 서비스(core platform services)를 제공하는 사업자이다. 최은진, "온라인플랫폼법(안)의 향방과 주요국의 플랫폼 규제 동향", 「상사법연구」 제41권 제1호, 2022, p. 154.

[70] OECD, Business and Finance Outlook 2021: AI in Business and Finance, Competition and AI(2021) § 4. 2. 2.

를 심화하는 것으로 평가할 수 있다. 인공지능은 기존에 문제 되던 남용행위 유형을 그 시행방법에서 더 정밀하게 할 수 있도록 한다. 더불어 종래 이론상으로만 가능하고 현실적으로 실행하기 어렵던 남용행위를 가능하게 할 수 있다. 이는 가격차별, 약탈적 가격, 가격 남용(individually tailored price discrimination, predatory pricing, excessive pricing) 등에서 보다 강하게 드러날 수 있다. 유럽연합의 디지털 시장법이 타겟으로 하는 'Core Platform Service' 사업자 중 상당수는 인공지능 분야에서도 선도적인 노력을 하고 있다는 공통점을 가지고 있는 것으로 보인다. 그 점에서 인공지능 문제는 게이트 키퍼 규제와 밀접한 관련성을 가지게 된다.

3) 시장점유율

시장점유율의 함의와 알고리즘의 관계이다. 플랫폼 분야에서 과거에 비하여 낮은 점유율로 남용행위가 가능함을 지적하는 견해가 있다.[71] 같은 연장선상에서 인공지능의 활용으로 낮은 점유율로 남용행위가 가능할 수 있다. 이는 기존의 양적 기준(quantitative standard)에 기반을 둔 시장점유율 평가가 시장지배력 판단에서 가지는 중요도가 낮아질 수 있음을 의미하게 된다.

4) 필수설비

인공지능 기술의 실시를 거절하는 것이 위법한지 문제는 인공지능 기술을 필수설비 또는 그에 준하는 성격으로 이해할 수 있는지에 달려 있다. 인공지능 기술이 개방형으로 발전하다가 비용의 충당과 수익의 창출을 위하여 폐쇄형으로 변경되거나, 실시 조건이 부과되는 경우에 이러한 문제가 등장한다. 다만, 인공지능 기술을 필수설비로 이해할 근거는 아직 명확하지 않은 것으로 볼 수 있다.

---

71) Hovenkamp, Antitrust and Platform Monopoly, Yale Law Journal 130(8)(2021), p. 2050. 플랫폼 분야에서 시장지배력 조사는 플랫폼에 특유한 사실에 대한 조사를 필요로 한다. 네트워크 시장에서 경쟁에 대한 위험을 전통적인 산업보다 낮은 시장점유율로 가능할 수 있다.

(2) 데이터, 인공지능, 시장지배력

1) 데이터 우위

데이터 우위와 독점의 문제는 최근 경쟁법의 핵심 주제였다. 데이터에 대한 접근권이 현 시장지배적 사업자에게 우위를 부여하고, 진입장벽을 만들 수 있다.[72] 온라인 플랫폼 사업자의 시장지배력 등 평가 시에는 관련 사업자들의 데이터 수집·보유·활용 능력 및 그 격차를 고려할 수 있다. 특히 데이터의 이동성·상호운용성의 정도, 이로 인해 온라인 플랫폼 이용자에게 발생하는 고착효과, 경쟁사업자가 해당 데이터에 접근할 수 있는 가능성 등을 고려할 수 있다. 일반적으로 데이터의 이동성, 상호운용성이 낮은 경우 시장을 선점한 온라인 플랫폼 사업자에게 데이터가 집중되고 이용자가 해당 온라인 플랫폼으로 고착화되는 효과가 증가할 수 있다. 반면, 데이터의 이동성, 상호운용성이 높아 신규 진입 사업자가 기존 이용자 데이터에 접근하는 것이 용이한 경우에는 데이터 집중으로 인한 고착효과는 크지 않을 수 있다.[73]

온라인 플랫폼 이용자가 플랫폼을 이용하면서 생성 · 축적한 데이터에 접근하거나 데이터를 이동하는 것을 저해하는 방법으로 경쟁 플랫폼 이용을 방해하는 행위[74] 등 남용행위가 가능할 수 있다. 이러한 데이터 우위는 인공지능의 활용으로 더 심화될 수 있다.

2) 검색엔진

인공지능의 시장지배력은 현재까지는 데이터와 검색엔진의 관련성 문제에 집중된 경향을 보이고 있다. 데이터와 알고리즘을 이용한 시장지배력의 심화를 다음과 같이 설명되고 있다. 검색엔진의 핵심요소는 이용자의 검색 의도를 반영하여 최적의 결과를 제시하는 알고리즘이다. 검색 알고리즘은 이용자의 검색 데이터를 학습하고 피드백을 반영하는 과정을 거치면서 더 나은 검색결과를 도출하는 방향으로 개선될 수 있다. 따라서 해당 검색 엔진의 이용자 수와 누적된 데이터가 많을수록 검색 알고리즘의 개선 가능성도 높아진다. 검색 알고리즘이 개선되면

---

[72] Algorithms in the Spotlight-01, ABA Antitrust Law Section Spring Meeting(2023), p. 3.

[73] 온라인 플랫폼 사업자의 시장지배적지위 남용행위에 대한 심사지침(2023. 1. 12. 공정거래위원회 예규 제418호) II. 3. 나.

[74] 온라인 플랫폼 사업자의 시장지배적지위 남용행위에 대한 심사지침(2023. 1. 12. 공정거래위원회 예규 제418호) III. 2. 가.

해당 검색엔진의 경쟁력이 높아져 이용자 수가 더 많아지는 선순환 구조가 형성될 수 있다. 이 과정에서 데이터를 활용한 알고리즘 개선으로 이용자의 편익이 증가하는 긍정적 효과가 나타나는 반면, 이용자가 많은 검색엔진으로 더 많은 이용자가 집중되는 쏠림현상이 발생하여 시장의 독과점적 구조가 심화될 우려도 존재한다.[75] 이러한 '알고리즘과 쏠림 현상'의 문제는 유럽연합의 구글 쇼핑 사건, 한국의 네이버쇼핑 사건에서 드러났다.

3) TDM(Text and Data Mining)

데이터 우위가 경쟁에 미치는 영향은 인공지능을 통하여 가속화될 것으로 예상된다.

첫째, 데이터 가치에 대한 이해의 차이이다. 데이터 자체의 가치에 대하여는 다양한 견해가 있다.[76] 이러한 데이터의 가치 및 그 소유권에 대한 논란은 데이터 문제가 종래 소유권 개념 등 사법제도와도 잘 맞지 않고, 경쟁법상 기존의 유형에 잘 맞지 않은 새로운 현상에서 비롯된 문제로 이해할 수 있다.[77] 어쨌든, 인공지능을 활용한 데이터 선별은 그 가치에 논란이 있던 데이터의 가치를 훨씬 높여주는 역할을 할 수 있다. 인공지능을 활용한 효율적인 데이터 선별이 가능하여 데이터 우위가 발생하고, 그로 인한 시장력이 더 강화될 수 있다.

둘째, 텍스트·데이터 마이닝(Text and Data Mining, TDM)[78] 문제이다. 저작권법상 텍스트·데이터 마이닝(TDM) 면책규정이 도입될 경우에 데이터, 알고리즘, 플랫폼의 효율성이 TDM을 통해 극대화될 수 있다. 데이터는 인공지능이라는 기술적 발전과 면책규정이라는 제도적 뒷받침을 통하여 데이터의 활용가치는 비약적으로 높아질 가능성이 있다.[79]

---

75) 온라인 플랫폼 사업자의 시장지배적지위 남용행위에 대한 심사지침(2023. 1. 12. 공정거래위원회 예규 제418호) II. 2. 다.

76) 가치가 작거나 심지어 폐기물이나 데이터 매연으로 보는 견해로는 임용, "경쟁 정책의 관점에서 바라본 데이터 오너십의 문제", 「데이터오너십- 내 정보는 누구의 것인가?」, 박영사, 2019, pp. 211-215. 이에 대하여 위의 견해는 데이터 수집자의 입장에 치우친 것으로 데이터는 인지잉여로 평가할 수 있다는 반론으로는 남형두, "잉여(剩餘)-빅테크와 양봉업자", 「법철학연구」 제25권 제2호, 2022, pp. 242, 243.

77) 데이터, 특히 빅데이터의 평가 문제는 이를 필수설비로 이해하는 견해부터 일종의 폐기물로 이해하는 견해부터 다양한 시각이 있다. 경쟁의 우위를 결정하는 요소로 이해하는 견해부터 그렇지 않은 견해가 모두 존재한다. 데이터의 문제 자체에 대한 다양한 논란은 접어두더라도, 최소한 게이트키퍼 역할을 하는 사업자가 데이터를 경쟁우위의 목적으로 사용하는 사안은 주의 깊게 볼 필요가 있다.

78) 대량의 데이터를 분석하고 그로부터 일정한 패턴이나 구조를 발견하는 기술

79) 현대적 형태의 TDM 기술이 인공지능 기계학습 기술과 연계되는 문제에 대하여는 류시원, "저작권법

셋째, TDM과 인공지능이 결합할 경우 시장지배력을 심화시킬 것인지는 시장지배력 심화론과 경쟁압력 증가론의 양론이 존재한다. 시장지배력 남용행위 심사뿐 아니라 기업결합 심사에서 이러한 고려가 필요한지도 어려운 문제이다.

기본적으로 TDM에 대한 면책 규정은 기존의 독점사업자이든, 신규 사업자이든 모두 이용 가능한 제도이다. 그럼에도 불구하고 그 영향은 다를 수 있다.

먼저, 시장지배력 심화에 대한 경계론(시장지배력 심화론)이다. TDM 면책으로 유발되는 효율성에도 불구하고, TDM이 기존 시장지배력을 강화하고, 기울어진 시장의 경쟁상 균형을 더 심화시킬 것이라는 우려도 가능하다. 이미 플랫폼 시장에서는 전통적인 시장보다 더 낮은 점유율로 지배가 가능하다. TDM 조항 허용이 시장지배력을 강화하는 데 기여할 수 있다.

반면, TDM이 경쟁압력을 증가시키고 시장의 경쟁을 회복하는 데 도움이 될 것이라는 전망도 가능하다(경쟁압력 증가론).

기존 거대 사업자는 이미 충분한 데이터를 확보하고 있어, TDM이 그 영업에 큰 영향을 미치지 못한다. 그러나 후발 사업자는 TDM을 통하여 데이터를 확보하여 경쟁력을 높일 수 있다. 특정 목적을 위한 AI의 경우에는 특정 목적 하위 데이터를 수집해야 한다. 하위 모델 개발에는 TDM이 영향을 미친다. 미처 데이터를 확보하지 못한 후발주자가 선도적 사업자를 추격하여 경쟁압력을 높이는데 TDM이 기여할 수 있다. 이 점에서 TDM이 오히려 시장지배력을 낮추는 역할을 할 수 있다. 후발주자에게 유리하게 작용하여 경쟁압력을 키울 수 있다.

넷째, 데이터 소유권 부여 문제도 같은 연장선상에서 논의될 수 있다. 데이터 소유권 보유는 그 긍정적인 측면에도 불구하고, 오히려 기존의 고착화된 독점 상황을 유지하는 데 사용될 수 있다는 우려 등이다.

상 텍스트·데이터 마이닝(TDM) 면책규정 도입 방향의 검토", 「선진상사법률연구」 제101호, 2023, pp. 349 이하. 유럽연합, 싱가포르, 일본, 미국 등은 TDM 면책 조항을 두고 있고, 상업적 목적을 위하여 면책조항을 이용할 수 있다(다만, 유럽연합은 지침 제4조는 목적을 제한하지 않고 상업적 이용을 전면 허용하며, 제3조는 학술연구 등을 위하여 허용하는 등 구별을 하고 있다). 문화체육관광부의 개정안과 이를 일부 수정한 저작권법 개정안이 국회에 제출되어 있다. 그 제43조에 TDM 면책 조항이 포함되어 있으며, 이는 상업적 이용을 위하여도 가능하다. 위 논문 pp. 370~372.

(3) 인공지능 표준

인공지능이 시장지배력 형성과 강화에 기여하는 것과 별도로 인공지능에 대한 표준화된 기술이 시장지배력 형성과 강화에 기여할 수 있다. 이는 기술시장의 시장점유율, 경쟁상황의 문제이기도 하다. 기술표준이 형성되기 전의 초기 단계에서 시장점유율이 높은 사업자의 기술이 표준으로 설정될 가능성이 크다.

1) 기존의 FRAND 이론의 적용

인공지능 기술표준 설정 과정에서 논의되는 FRAND 확약 문제[80]는 다른 기술표준 문제와 근본적으로 다르지 않다.[81] 표준필수특허의 남용에 대한 개입 내지 구제 필요성은 인정되지만, 이를 어떤 방법으로 접근할지에 대하여는 국가별 차이가 있다. 구체적인 해결방안으로 계약관계를 인정하여 실시의무를 부과하고 표준필수특허권자의 금지청구를 부정하는 방안(계약법적 해결), 특허권의 남용의 법리로 접근하는 방안(특허법적 해결), 경쟁법 위반으로 접근하는 방안(경쟁법적 해결) 등이 있다. FRAND 확약 위반을 경쟁법 위반으로 접근하는 경우에도, FRAND 확약위반의 경우 경쟁제한성이 사실상 추정된다는 견해가 있는 반면, FRAND 확약 위반으로 바로 경쟁제한성이 인정되지 않고 다른 시장지배력 남용행위와 동일하게 경쟁제한효과 증명이 필요하다는 견해 등이 있다.[82]

2) 준(準) 또는 유사(類似) FRAND 적용

디지털 시장법은 그 규제에 있어 필수설비와 FRAND 확약의 법리와 상당 정도 유사성을 보

---

[80] 기술표준이 배타적·독점적 특성을 갖는 특허권으로 보호받는 경우에는 관련 시장에 심각한 경쟁제한 효과를 초래할 수도 있다. 이러한 문제를 해결하기 위해 많은 표준화 기구들은 기술표준 선정에 앞서 관련된 특허 정보를 미리 공개하도록 하고, 기술표준으로 선정될 기술이 특허권으로 보호받는 경우에는 공정하고, 합리적이며, 비차별적인(Fair Reasonable And Non-Discriminatory, 이하 FRAND) 조건으로 실시 허락할 것을 사전에 협의하도록 하고 있다. 이와 같은 특허 정보 공개와 실시조건 협의 절차는 기술표준으로 선정된 특허권의 남용을 방지한다는 측면에서 필요하다. 해당 절차의 이행 여부는 기술표준과 관련된 특허권 행사의 부당성을 판단할 때 중요한 고려사항이 된다.

[81] Shin-Shin Hua & Hayden Belfield, AI & Antitrust: Reconciling Tensions Between Competition Law and Cooperative AI Development, Yale Journal of Law & Technology, 2021, pp. 523, 524.

[82] 정재훈, 위의 책(각주 7), pp. 315, 316.

이고 있다는 점에 주목할 필요가 있다. Core Platform Service는 전통적인 필수설비와 상당한 차이가 있고, 표준필수특허의 안전판으로 작용하던 FRAND 확약의 법리도 표준필수특허는 물론 특허권과도 상당한 거리를 두고 있는 플랫폼 분야에 친숙하지 않다는 점에서 이는 상당한 의미를 가지고 있다. 예를 들면, 게이트 키퍼의 랭킹, 검색, 클릭 데이터에 대하여 다른 검색엔진 사업자에게 접근청구권을 부여하는 문제, 자사우대에서 순위를 정함에 있어 FRAND 유사 의무를 부과하는 문제 등이 포함되어 있다.

그런데 필수설비의 문제는 논외로 하더라도, FRAND 확약과 그에 따른 의무는 표준의 생성 과정에서 향후 발생할 남용행위를 방지하기 위하여 생성된 법리로 플랫폼 사업자에 대하여(비록 Core Platform Service를 담당하는 거대 플랫폼 사업자라고 하더라도) 적용하는 것은 상당한 논리적 비약이고 그로 인하여 과도한 법집행의 우려가 높다는 지적을 받을 수도 있다. FRAND 의무는 특허권자 자신이 사전에 확약한 의무를 준수한다는 공적 약속과 그에 따른 신의에 바탕을 두고 있는데, 이러한 의무를 플랫폼 사업자에게 부과할 만한 선행행위를 찾아보기 어렵다는 점에서도 그렇다. 이러한 문제는 소위 준(準) 또는 유사(類似) FRAND 적용 문제로 기존에 표준필수특허에서 논의되던 FRAND 논의와 구별된다.

2. 인공지능 관련 남용행위

(1) 차별

1) 인공지능과 차별의 현실화

가격차별은 소비자에 따라 다른 가격을 부과하는 행위이다. 전통적으로 가격차별이 가능하게 된 요인으로 정보를 취득하는 데 드는 비용(information cost)과 운송 비용(transportation cost)을 들 수 있다.[83] 예를 들면, 소비자에 대한 공급비용이 다름에도 같은 가격을 부과하는 것도 가격차별 전략에 포함될 수 있다.

그런데 이러한 차별은 빅데이터와 인공지능을 이용한 기술의 발전으로 과거에 예상하지 못하였던 높은 수준의 가격 차별과 거래조건 차별이 가능할 수 있다.[84] 데이터와 인공지능에 기

---

[83] Hovenkamp, Federal Antitrust Policy, West, 2020, p. 47.
[84] 주진열, "빅데이터/인공지능을 이용한 이윤극대화 가격차별과 독점규제법", 「경쟁법연구」 제45권,

반한 차별행위가 가능해졌다. 과거에 가능하지 않았던 수준까지 정밀한 가격차별이 가능하다.

첫째, 인공지능과 가격 차별의 관계이다. 시장지배적 기업은 인공지능을 통하여 소비자에 대한 광범위한 데이터를 활용할 수 있다. 소비자에 대하여 범주별 가격을 부과하는 것이 아니라 개별 소비자의 지불의사를 분석하여 개별화된 가격(individually tailored price)을 부과할 수 있다. 인공지능을 통하여 더 정교한 가격차별이 가능하게 된다.[85] 가격차별을 하기 위하여 소비자의 지불 의사에 대한 정보가 필요하다. 이러한 정보는 과거 소비자의 구매 행태 등을 통하여 드러난다. 행위기반 가격차별(behavior-based price discrimination)은 과거 구매 기록을 토대로 소비자 또는 소비자 집단별로 다른 가격을 제시한다.[86]

둘째, 인공지능과 거래조건 차별이다. 기본적으로 가격차별 문제와 다르지 않지만, 특히 의료기기 시장에서 인공지능과 관련된 차별 문제가 나올 수 있다. 서울고등법원 2020. 2. 6. 선고 2018누43110 판결(지멘스 사건)[87]은 지식재산권을 배경으로 한 사건이다. 이 사건은 인공지능이 사용된 바는 아니지만, 고도의 기술을 요하는 의료장비의 수리서비스와 관련하여 지식재산권의 대상인 서비스키를 차별적으로 부여한 행위가 공정거래법상 시장지배적 지위 남용이 되는지 등이 문제된 사건이다. 이 사건은 기술분야, 특히 지식재산권이 관련된 장비 분야에서

2022. 여객 항공업, 온라인 쇼핑몰에서 의류, 신발 등 각종 소비재의 가격설정에 인공지능이 활용되고 있다(위 논문, p. 199). 2000년 아마존이 구매자의 인구통계학적 정보를 고려하여 DVD 가격을 설정한 사례, 2016년 우버앱에서 스마트폰 잔량에 따라 인상된 요금이 제시된 사례, 2017년 접속기기, 웹브라우저 상태에 따라 호텔 가격 등이 다르게 설정된 사례 등이 제시되고 있다(위 논문 p. 201).

[85] OECD, Business and Finance Outlook 2021: AI in Business and Finance, Competition and AI(2021) § 4. 2. 2.

[86] 김상현, "디지털 경제 신질서와 플랫폼 비즈니스의 미래, 차세대 플랫폼에 대한 산업 및 경쟁정책적 접근의 조화", 한국경쟁법학회, 정보통신정책학회, 한국산업조직학회 공동학술대회 자료집, 2023, p. 23.

[87] 공정거래위원회 2018. 3. 13. 의결 제2018-094호. 원고 지멘스는 CT, MRI 장비를 공급하는 시장의 1위 사업자이다. 지멘스는 자신의 의료장비를 구입한 병원이 독립 유지보수 사업자(independent service organization)와 거래하는지 여부에 따라 장비안전관리 및 유지보수에 필요한 필수적인 서비스키 발급 조건을 차별적으로 적용하였다. 법원은 원고의 시장지배적 지위를 인정한 이후, 객관적 구성요건에서 원고들이 서비스 소프트웨어 사용에 필요한 서비스키를 무상으로 제공하는 거래관행이 존재한다고 인정하기 부족하므로, 이를 전제로 한 '거래관행에 반하는 타당성 없는 조건 제시'가 인정되기 어렵다고 판단하였다. 이는 저작권자가 실시료를 받고 저작권을 실시하는 행위는 정당한 권리행사이며, 원고가 유상의 라이선스 정책을 가지고 이를 실행하며, 예외적인 경우에만 무상으로 실시를 하였으므로 공정위가 주장하는 무상실시 관행을 증거로 인정할 수 없음을 지적한 것이다. 또한 원고의 서비스키 발급조건 제시행위가 가격 또는 거래조건을 차별하는 행위에 해당된다고 보기 어렵다고 판단하였다. 유상 라이선스 정책이 정당한 이상 서비스키를 유상으로 제공하는 것은 합리적인 영업모델로 차별이라고 보기 어렵다는 취지로 이해할 수 있다.

의료장비의 생산 및 수리를 담당하는 대규모사업자와 독립 유지보수 사업자 사이의 관계를 경쟁법으로 접근할 때 발생하는 어려운 문제를 다루고 있다. 이와 같은 현상은 인공지능에 대한 접근권을 독립사업자에게 부여하는지 등이 쟁점이 될 때도 어려운 문제가 될 수 있다.

2) 인공지능을 통한 차별행위의 평가

① 차별과 부의 이전, 그리고 배분적 효율성

차별을 통하여 소비자의 후생이 생산자에게 이전될 우려와 더불어, 단일 가격하에서는 누리기 어려운 개별 소비자의 구매, 그로 인한 배분적 효율성이 구현될 것이라는 기대가 공존한다.

먼저 부의 이전이라는 부정적 측면이다. 정태적 분석 결과 가격차별이 자원배분의 왜곡과 사중손실을 가져온다는 지적이 있다. 가격차별의 잠재적 위험은 소비자후생을 생산자후생으로 전가하는 점에 있다.[88] 이는 곧 부(wealth) 또는 후생(welfare)의 문제이다. 가격차별(2선 차별)의 결과 부(wealth)가 소비자 등 구매자로부터 판매자에게 이전할 수 있다.[89] 이러한 가격차별은 판매자가 수요자의 가격탄력성 등을 알고 있다는 전제에서 성과를 거둘 수 있다.[90] 특히 판매자가 소비자에 대한 개별적인 정보를 가지고 있을 경우 소비자에 대한 가격차별 전략은 성공할 수 있고, 그 결과 소비자로부터 판매자로 부가 이전되는 현상이 뚜렷하게 나타나게 된다.[91]

알고리즘은 소비자가 필요로 하는 개별적으로 차별화된 재화를 공급하는데 기여할 수 있다. 동시에 거래상대방, 소비자에 대한 집적된 데이터를 이용하여 차별적 전략을 시행할 수 있다. 이러한 고도의 2선 차별은 소비자후생이 생산자후생으로 이전하는 결과에 이를 수 있다.

다음으로 배분적 효율성 증가라는 긍정적 측면이다. 개별화된 가격은 배분적 효율성을 높일 수 있다. 다양한 소비자에 대하여 접근성을 높이는 효과도 있다. 단일 가격에서는 상품을 구매할 경제력이 없는 소비자에게도 상품이 낮은 가격에 공급될 수 있다.[92]

---

88) Gifford, The Atlantic divide in antitrust, The University of Chicago Press, 2015, p. 67.

89) Hovenkamp, Federal Antitrust Policy, West, 2016, p. 772.

90) Jones & Sufrin, EU Competition Law, Oxford, 2016, p. 560.

91) 정재훈, 위의 책(각주 7), pp. 284, 285.

92) OECD, Business and Finance Outlook 2021: AI in Business and Finance, Competition and AI(2021) § 4. 2.

② 차별과 가격경쟁, 가격할인

가격차별 전략이 유도하는 가격할인, 그리고 그로 인한 가격경쟁은 경쟁법의 시각에서 긍정적으로 평가될 수 있다. 동태적 분석의 결과 (가격차별을 포함한) 가격의 결정이 자유로울수록 경쟁자와 가격경쟁을 하게 되고, 가격을 할인할 수 있다고 본다. 가격경쟁의 결과 가격을 인하하고 후생을 증진시키는 것으로 본다.[93] 동태적 측면에서 가격차별 금지는 가격 결정을 경직되게 한다. 동태적 분석에서 강조하는 가격 결정의 자유는 가격경쟁을 유발하는 장점이 있다.[94] 같은 견지에서, 미국 연방거래위원회 맥스위니(McSweeny) 전(前) 위원은 가격 책정 알고리즘이 가지는 장점을 강조하며, 사업자가 알고리즘을 통하여 시장 변화에 잘 대응함으로써, 소비자편익에 대한 기여와 공급량 확대의 장점이 발생할 수 있음을 지적한 바 있다.[95]

③ 차별과 공급량

공급량은 경쟁의 기본적 양적 지표가 된다. 다양한 비판에도 불구하고 Amex 판결[96]이 이를 고수한 것은 이 점에서 이해할 수 있다. 경쟁성과의 증명에서 공급량 감축 여부는 중요한 의미를 가진다. 특히, 시카고 스쿨은 공급량 제한이 아닌 다른 요소에 기하여 법위반을 인정한 1980년 이전의 판례에 대하여 이를 가치 있는 선례로 평가하지 않고 있다. 시카고 스쿨의 시각이 드러난 대표적인 사례가 Amex 판결[97]이다. 이 판결에서 공급량이 제한되었다는 증거나 가격이 경쟁 가격 이상이라는 증거 없이 경쟁저해 효과를 추론할 수 없다고 보고 있다.[98] 이러한 전제에서 공급량이 증가하고 품질이 개선된 상태라면 경쟁에 대한 저해가 증명되지 않았다고 판단하였다.[99]

2.

[93] Gifford, The Atlantic divide in antitrust, The University of Chicago Press, 2015, p. 65.

[94] Gifford, The Atlantic divide in antitrust, The University of Chicago Press, 2015, p. 68.

[95] 김경연·이영조, "AI 또는 가격 산정 알고리즘을 통한 담합 행위에 대한 경쟁법적 규제에 관하여", 「경쟁저널」 제192호, 2017, p. 67.

[96] Ohio v. American Express Co., 138 S.Ct. 2274(2018)

[97] Ohio v. American Express Co., 138 S.Ct. 2274(2018)

[98] This court will not infer competitive injury from price and output data absent some evidence that tends to prove that output was restricted or prices were above a competitive level.

[99] 정재훈, 위의 책(각주 7), p. 71. Hovenkamp, Antitrust and Platform Monopoly, Yale Law Journal

가격차별이 이루어지는 시장은 경쟁시장보다 공급량이 적을 수 있다.[100] 공급량 감소는 시장성과(市場成果) 감소의 전형적인 현상이 된다. 다만, 가격차별이 있더라도 공급량이 항상 줄어든다고 보기는 어려우므로, 공급량 감소의 문제는 개별 시장별로, 가격차별 사안별로 판단이 이루어져야 한다. 참고로, 불완전한 가격차별(imperfect price discrimination)에 따른 공급량은 경쟁시장보다는 적지만, 독점시장보다는 많을 수 있다는 견해가 있다.[101]

④ 차별과 거래상대방 시장의 경쟁

가격차별에 따라 혜택을 보는 구매자(favored purchasers, 저가 구매를 하는 구매자 등)와 그렇지 않은 구매자(disfavored purchasers, 고가 구매를 하는 구매자 등)의 경쟁에 영향을 미칠 수 있다.[102] 예를 들면, 구매자가 원재료나 부품을 구매해서 완제품을 제조·판매한다면, 원재료나 부품의 저가 구매자가 고가 구매자에 비하여 경쟁에서 유리하게 된다. 유럽연합은 명문으로 Article 102(2)(c)에서 'competitive disadvantage' 요건을 요구하고 있다. 이때 한 구매자가 다른 구매자보다 높은 가격을 지불했다는 사실만으로는 경쟁이 훼손되었다고 보기 어렵다. 모든 정황을 종합적으로 평가하여 경쟁상 불이익이 인정되어야 하며, 이는 차별적인 가격으로 거래상대방의 비용, 이윤, 기타 이해관계에 영향을 미쳤다는 점 등이 제시되어야 한다.[103]

차별행위의 성격과 의도도 문제 된다. 판매자가 구매자의 시장에 진출하려는 의도를 가지고 있고, 가격차별이 이를 위하여 이루어지는 경우도 있다.[104] 독점사업자가 '거래상대방을 독점사업자가 아닌 다른 공급자로 전환할 가능성이 높은' 소비자에 대하여 낮은 가격을 부과할 경우 가격차별 전략의 배제적 성격이 높아진다.[105] 가격의 차이가 상당한 수준이고, 그러한 가격

130(8)(2021), p. 2003.에 따르면 목적이 생산량을 경쟁시장 수준으로 회복하는 것이라면 독점금지법이 필요하지만, 그 외의 목적을 추구한다면 규제법이 더 적절할 수 있다.

[100] Hovenkamp, Federal Antitrust Policy, West, 2016, p. 772.

[101] Hovenkamp, Federal Antitrust Policy, West, 2016, p. 772. 정재훈, 위의 책(각주 7), p. 286.

[102] ABA, Antitrust Law Development, 2022, p. 545.

[103] Whish & Baily, Competition Law, Oxford, 2018, pp. 781, 782. 정재훈, 위의 책(각주 7), p. 286.

[104] Jones & Sufrin, EU Competition Law, Oxford, 2016, p. 560.

[105] Robert. D. Anderson, Abuse of Dominant Position, Competition Law Today, Dhall ed., Oxford, 2019, p. 101

차이가 상당한 기간 지속되었다면 이는 경쟁제한성을 추론하는 증거로 평가될 수 있다는 견해도 있다.[106] 2선 차별의 가격차별 등에서는 경쟁제한성은 거래상대방이 속한 시장에서 경쟁을 중심으로 보는 것이 자연스럽다. 약탈적 가격설정으로 이해되는 1선 차별(primary line discrimination)과 달리 2선 차별(secondary line discrimination)은 구매자가 속한 시장의 경쟁 보호(protection of buyer-level competition)를 문제 삼기 때문이다.[107] 이때 가격차별에 의하여 불리한 취급을 받는 '거래상대방'과 '그 거래상대방의 경쟁자' 사이에서 발생하는 경쟁에 대한 영향을 중심으로 가격차별의 적법성을 판단하게 된다.[108]

⑤ 차별과 불공정성, 개인정보보호

가격차별은 지불의사가 높은 소비자에게 높은 가격을 부과한다는 점에서 생산을 극대화하고 효율성을 발생할 수도 있으나, 이는 소비자 입장에서 높은 가격을 지불한다는 점에서 불공정성 문제를 제기할 수 있다.[109] 다만, 이러한 문제는 시장에 충분한 경쟁이 존재할 경우에는 소비자가 구매를 전환할 수 있어서 어느 정도 해소될 수 있다. 한편, 가격차별의 효율성을 설령 인정하더라도, 가격차별에 소비자의 개인적인 데이터가 사용된다는 점에서 프라이버시와 데이터 보호의 문제를 피하기 어렵다. 그 점에서 효율성과 개인정보보호의 문제가 상충되는 영역일 수 있다.[110]

⑥ 평등권 침해 차별과 경쟁제한적 차별

의료 자원(resource)이 부족한 상태에서 백신의 배분, 환자의 배분 등에서 차별은 심각한 문제가 된다. 이러한 문제는 인공지능 활용을 통한 의료 자원의 배분에서 심각한 문제가 된다. 이는 평등권을 침해하는 차별의 문제가 된다. 다만 이러한 차별은 경쟁제한적 차별과는 구별되어야 한다.

---

[106] ABA, Antitrust Law Development, 2022, p. 545. FTC v. Morton Salt Co., 334 U.S. 37(1948) 판결이 이러한 입장이다.

[107] Gellhorn & Kovacic, Antitrust Law and Economics, West, 2004, p. 517.

[108] 예를 들면, 밀가루를 판매업자가 가격차별을 할 경우 밀가루를 고가로 구매하는 A 제과업자와 그 경쟁자인 B 제과업자 사이의 경쟁이 문제된다. 정재훈, 위의 책(각주 7), pp. 286, 287.

[109] Algorithms in the Spotlight-02, ABA Antitrust Law Section Spring Meeting(2023), p. 3.

[110] Algorithms in the Spotlight-02, ABA Antitrust Law Section Spring Meeting(2023), p. 3.

(2) 지배력 전이

알고리즘 문제는 최근 차별의 문제와 함께 지배력 전이의 측면에서 논의되고 있다. 지배력 전이의 유효한 수단으로 알고리즘이 사용될 수 있다는 것이다.

온라인 플랫폼 사업자는 핵심 플랫폼 서비스를 중심으로 연관 상품 또는 서비스를 연계함으로써 상품·서비스 이용의 편의성 제고, 소비자 경험 개선 등 관련 시장의 효율성을 증대시킬 수 있는 측면이 있다. 한편, 온라인 플랫폼 사업자는 상품·서비스 연계를 지배력을 확장하는 전략으로 활용할 수 있다. 이러한 상황에서 경쟁제한 효과가 미치는 범위는 현재 온라인 플랫폼 사업자가 시장지배력 등을 보유한 시장에 한정되지 않으므로, 연관 상품 및 서비스 시장과 연계하여 경쟁제한 효과 등을 분석할 수 있다. 즉 현재 온라인 플랫폼 사업자가 시장지배력을 보유한 시장에서 연관 상품 또는 서비스 시장으로 지배력을 전이할 수 있는지 여부, 연관 상품 또는 서비스 시장의 지배력 강화를 통해 다시 기존 시장의 지배력을 공고히 할 수 있는지 여부 등을 고려할 수 있다.[111]

인공지능이 의사결정 수단으로 활용되는 경우와 인공지능이 상품에 포함되어 있는 경우는 경쟁 양상이 달라진다. 인공지능 application의 활용은 범위의 경제를 통한 장점을 증가시키고, 이로 인하여 연관 시장에서 지배력을 전이하는 데 활용될 수 있다. 이는 끼워팔기와 결합판매 등에서 발현될 수 있다.[112] 이러한 지배력 전이는 관련상품이나 서비스가 다양한 방송통신 분야, 의료 의약품 분야에서 활용될 여지가 있다.

---

[111] 온라인 플랫폼 사업자의 시장지배적지위 남용행위 및 불공정거래행위에 대한 심사지침 III. 다. 예를 들면, 온라인 검색서비스를 제공하는 시장지배적 사업자가 호텔·항공권 가격 비교 및 예약서비스 사업도 동시에 운영하면서, 자신에게 유리하도록 검색 알고리즘을 조정하여 자신이 운영하는 호텔·항공권 가격 비교 및 예약서비스를 온라인 검색 결과 상위에 노출시킨 경우, 온라인 검색서비스 시장에서 호텔·항공권 가격 비교 및 예약서비스 시장으로 지배력을 전이함으로써 호텔·항공권 가격 비교 및 예약서비스 시장에서의 경쟁을 제한하는 효과가 발생하거나 발생할 우려가 있는지 여부, 호텔·항공권 가격 비교 및 예약서비스 선택의 증대가 다시 온라인 검색서비스에서의 지배력을 공고하는 데 영향을 미칠 수 있는지 여부 등을 경쟁제한 효과 평가 시 고려할 수 있다.

[112] OECD, Business and Finance Outlook 2021: AI in Business and Finance, Competition and AI(2021) § 4. 2. 2.

(3) 자사우대

자사(自社)우대(優待)란 온라인 플랫폼 사업자가 자사 온라인 플랫폼에서 자사의 상품 또는 서비스를 경쟁사업자의 상품 또는 서비스 대비 유리하게 취급하는 행위를 말한다. 자사우대는 온라인 플랫폼 사업자가 자사의 상품 또는 서비스를 경쟁사업자의 상품 대비 우선적으로 노출하는 등 직접적으로 우대하는 행위뿐만 아니라, 자사와 거래하는 온라인 플랫폼 이용사업자의 상품 또는 서비스를 그렇지 않은 이용사업자의 상품 또는 서비스 대비 우선적으로 노출하는 등 간접적으로 우대하는 행위도 포함한다.[113]

자사우대의 본질적 속성이 무엇인지가 문제 된다. 자사우대라고 불리는 유형에는 차별, 지배력 전이의 2가지 속성이 나타나야 한다. 이러한 속성이 없다면 자사우대라고 보기 어렵다. 거래거절이나 수직결합 등의 문제는 자사우대 국면에서 나타날 수도 있고 그렇지 않을 수도 있지만, 자사우대라고 불리는 유형은 차별과 지배력 전이의 두 가지 속성은 있는 것이 대부분이다. 그 점에서 차별행위의 연장선상에서 고도의 자사우대가 가능하다. 이러한 자사우대의 문제는 검색 알고리즘의 인위적 조정과 관련하여 이미 문제가 되고 있다.[114]

(4) 약탈적 가격, 이윤압착

시장지배적 사업자가 인공지능을 통하여 가격이나 품질에 대한 결정을 할 수 있다. 기계학습(machine learning) 알고리즘은 장기적으로 약탈적 가격설정이나 이윤압착을 가능하게 할

---

[113] 온라인 플랫폼 사업자의 시장지배적지위 남용행위 및 불공정거래행위에 대한 심사지침 III. 2. 다.

[114] 온라인 플랫폼 사업자의 시장지배적지위 남용행위 및 불공정거래행위에 대한 심사지침 III. 3. 다. 다음과 같은 사례를 들 수 있다. A사는 비교쇼핑서비스 시장에서 지배적 지위에 있는 사업자이며, 동시에 오픈마켓을 운영하는 사업자이다. 경쟁 오픈마켓은 A사의 비교쇼핑서비스를 이용하지 않고 소비자에게 상품판매를 용이하게 할 수 있는 대체적인 거래경로를 확보하기가 곤란한 상태이다. 이러한 상황에서 A사는 자사 오픈마켓의 점유율 확대를 위해 비교쇼핑서비스에 적용되는 검색알고리즘을 인위적으로 조정하여 지속적으로 자사 오픈마켓 입점업체에 대해서는 비교쇼핑 사이트 검색결과 상단에 노출될 수 있도록 하면서 경쟁 오픈마켓 입점업체에 대해서는 비교쇼핑 사이트 검색결과 상단 노출을 감소시켰다. 그 결과 A사의 비교쇼핑서비스를 이용하는 소비자들은 A사의 오픈마켓에 입점한 상품을 더 많이 구매하게 되었으며, A사의 오픈마켓은 교차 네트워크 효과로 선순환을 거치면서 지속적인 이용자 증대효과를 누리게 되었다. 반면, 노출이 감소한 경쟁 오픈마켓은 입점업체가 줄어들고 교차 네트워크 효과로 이용자 감소의 악순환을 지속하면서 A사의 오픈마켓 대비 경쟁상 열위에 처하게 되었다. 이와 같이 비교쇼핑서비스 시장의 지배적 지위를 지렛대로 활용하여 오픈마켓 시장으로 지배력을 전이시켜 경쟁을 제한한 A사의 행위는 법 제5조(시장지배적지위 남용 금지) 제1항 제3호 관련 기타의 다른 사업자 사업활동 방해행위 중 부당한 차별 등에 해당할 수 있다.

수 있다. 이를 통하여 시장에서 경쟁자를 배제할 수 있다.[115] 종래 약탈적 가격설정이나 이윤압착은 통신시장 등 일부 산업을 제외하고는 성공가능성이 낮은 것으로 평가되었다. 인공지능의 활용은 이러한 행위의 성공가능성을 높일 것으로 예상되고 있다. 약탈적 가격설정에서 장기적으로 이윤을 회수하는 회수(recoupment)가 어렵다는 것이 종래의 다수 견해이었으나, 인공지능의 활용으로 그 결론이 달라질 수 있다.

(5) 착취남용

인공지능을 활용한 착취남용에도 적용될 수 있다. 개인에 대하여 맞춤형 가격을 제시하는 행위는 착취남용으로 연결될 수 있다. 인공지능을 활용하여 가격남용, 즉 지나치게 높은 가격을 부과하는 문제가 발생할 수 있다.[116] 종래의 착취남용 논의대상이던 높은 가격이 일반적으로 높은 가격이라면, 인공지능의 국면에서는 개별 거래상대방이나 소비자별로 높은 가격이 착취남용의 대상이 될 수 있다.

이는 의약품 시장에서 활용될 수 있다. 유럽연합에서는 오랫동안 활용되지 않았던 착취남용이 의약품 가격 문제에서 사용된 바 있다. Aspen이 이탈리아 보건당국을 상대로 5개 항암치료제 공급과 관련하여 300~1,500% 가격 인상을 요구한 사건, Pfeizer가 간질약을 판매하면서 가격을 780~1,600% 인상한 사건 등이 문제 되었다.[117]

3. 의료·의약품·의료기기 시장의 시사점

의료시장에서 인공지능을 통한 시장지배력 남용의 문제도 비급여 부분이나 의료분야에 연관된 상품 및 서비스 분야를 중심으로 검토가능하다. 물론, 의료시장에서 경쟁을 증가시키는 방향으로 제도가 개편될 경우 차별행위 등 경쟁법 쟁점이 분명하게 제기될 수 있음은 부정하기 어렵다. 반면, 의료시장에 비하여 의약품·의료기기 시장에 대한 인공지능을 통한 시장지배력 남용의 문제는 의료시장에 비하여 완화된 규제로 인하여 넓은 범위에서 적용 가능할 것으로 보

---

[115] OECD, Business and Finance Outlook 2021: AI in Business and Finance, Competition and AI2021) § 4. 2. 2.

[116] OECD, Business and Finance Outlook 2021: AI in Business and Finance, Competition and AI(2021) § 4. 2. 2.

[117] 박창규, "가격남용에 대한 공정거래법상 고찰", 고려대학교 대학원 박사학위논문, 2020, pp. 105, 112.

인다. 특히, 의료시장에서 경쟁을 증가시키는 방향으로 제도가 개편되어야 차별행위 등 경쟁법 쟁점이 나올 수 있다. 반면, 의약품·의료기기 시장에 대한 인공지능을 통한 차별행위 등의 문제는 별다른 제약 없이 적용 가능하다.

V. 인공지능과 기업결합

1. 인공지능과 경쟁제한성 평가

(1) 단독효과 평가

1) 인공지능과 가격차별 효과 측정

소비자의 특성을 파악하고 알고리즘을 이용한 가격차별 가능성은 기업결합 심사에 영향을 미치고, 시장을 더 좁게 획정하는 이유가 될 수 있다.[118] 기업결합 후 가격인상 가능성을 과거에는 단일한 가격인상으로 보는 경향이 있었다. 그러나 인공지능을 이용한 차별적 가격인상을 종합적으로 고려해야 하는 문제가 대두될 수 있다.

2) 인공지능과 가격인상 효과 측정

단독효과로서 가격인상 가능성을 판단하기 위하여 사용되는 분석방법으로 가격인상압력분석(Upward Pricing Pressure, 이하 UPP)이 사용되고 있다.[119] UPP 분석은 결합 전 가격이 이윤을 극대화하는 가격이라는 전제에서 시행된다. 가격인상압력분석은 차별화된 시장에서 결합 후 당사기업의 가격인상 가능성을 분석하는 방법이다. UPP 지수가 양(+)의 값을 가질 때 결합 이후 가격인상 유인이 존재한다.[120] 이 방법은 기업결합에서 가격인상 가능성을 측

---

[118] Algorithms in the Spotlight-01, ABA Antitrust Law Section Spring Meeting(2023), p. 2.

[119] 시장집중도 심사(HHI 등)는 협조효과 심사를 위하여 도입된 것으로 보인다. 이 점에서 협조효과가 발생할 가능성이 높은 동질적인 상품이 경쟁하는 과점적 시장(주로 생산량으로 경쟁하는 Cournot oligopoly)에서는 HHI 측정이 중요하다.

[120] 공정거래위원회 2021. 2. 2. 의결 제2021-032호(배달의 민족 등 배달앱 기업결합 사건) p. 168.

정하기 위하여 사용된다. 미국의 2010년 수평 기업결합 가이드라인에 포함되었고,[121] 한국에서 2014년 에실로[122] 사건에서 시험적으로 사용되었으며, 2016년 씨제이헬로비전 기업결합사건[123])에서 사용되었다.[124]

인공지능과 가격인상 효과 측정은 다음과 같은 연관성을 가질 수 있다. 첫째, 기업결합 당사기업 중 하나가 독자적인 가격결정 알고리즘을 사용하는 독행기업일 수 있다.[125] 독자적인 알고리즘을 사용하는 독행기업이 기업결합의 피취득회사일 경우 시장의 경쟁압력은 감소하게된다. 독행기업의 개념이 변할 수 있다. 독자적 알고리즘을 통하여 가격결정을 하는 기업이 독행기업의 대표적인 사례가 될 수 있다. 둘째, 가격인상 가능성의 예측에서 인공지능이 더 적극적으로 활용될 수 있다. 특히 쌍방 당사자 사이에 경제분석 결과에서 큰 격차가 있는 현실에서, 변수에 대한 합의가 이루어진다면 인공지능을 통한 예측 결과를 유도할 수 있다.

(2) 협조효과 평가

기업결합의 협조효과(coordinated effects)에서도 인공지능을 통하여 발생하는 협조효과를 고려해야 한다. 기업결합에 따른 경쟁자의 감소 등으로 인하여 사업자 간의 가격·수량·거래조건 등에 관한 협조(공동행위뿐만 아니라 경쟁사업자 간 거래조건 등의 경쟁유인을 구조적으로 약화시켜 가격인상 등이 유도되는 경우를 포함한다)가 이루어지기 쉽거나 그 협조의 이행여부에 대한 감시 및 위반자에 대한 제재가 가능한 경우에는 경쟁을 실질적으로 제한할 가능성이 높아질 수 있다.[126] 협조효과는 카르텔 규제의 범위보다 넓을 수 있다. 카르텔 규제에서 법위반이 아닌 행위도 협조효과에서는 고려될 수 있다. 표준가격(standardized pricing)이나 정보 배포(dissemination of information)는 그 자체로는 경쟁법 위반이 아닐 수 있으나, 협조효과를 높이는 데 기여할 수 있다.[127]

---

[121] 2010년 가이드라인이 UPP를 직접 규정한 것은 아니지만, 단독효과를 판단하는 요소로 차별화된 상품의 가격(pricing of differentiated products)을 다루면서 전환율(diversion ratio)이 가지는 의미를 언급하고 있다.

[122] 공정거래위원회 2014. 5. 29. 의결 제2014-122호(에실로 사건). 관련상품인 렌즈는 전형적으로 차별화된 상품이다.

[123] 공정거래위원회 2016. 7. 18. 의결 제2016-000호(2016기결1393).

[124] 정재훈, 위의 책(각주 7), pp. 321, 322.

[125] OECD, Business and Finance Outlook 2021: AI in Business and Finance, Competition and AI(2021) § 4. 2. 3.

[126] 기업결합심사기준(2021. 12. 30. 공정거래위원회고시 제2021-25호) VI. 2. 나.

(3) 혼합결합의 경쟁제한성 평가

인공지능을 통하여 더 고도화된 결합판매, 끼워팔기가 가능할 수 있다. 이는 혼합형 기업결합 심사에서 과제가 된다. 특히 다양한 상품이 옅은 경계에서 거래되는 방송 분야, 통신 분야, 플랫폼 분야에서 이러한 결합판매, 끼워팔기의 최적 조합이 이루어질 수 있고, 그 과정에 인공지능이 기여할 수 있다.

(4) 지식재산권, 혁신 효과 평가

기업결합 심사 과정에서 발생하는 인공지능 기술의 통합, 독점 등 혁신의 문제를 심사할 수 있다. 디지털 시장에서 발생하는 데이터 접근 문제, 네트워크 효과 문제의 연장선상에 있다. 기업결합 당사기업이 보유하고 있는 데이터와 인공지능 기술이 결합하여 시장지배력에 영향을 미칠 수 있다.[128]

데이터, 정보자산의 문제는 이미 기업결합 심사기준에 반영되어 있다. 정보자산을 수반하는 기업결합의 경쟁제한성 판단 시 고려사항[129]은 현재 기업결합 심사에도 반영되어 있다. 기업결합 후 결합당사회사가 정보자산을 활용하여 시장지배력을 형성, 강화, 유지하는 경우 관련시장에서의 경쟁이 실질적으로 제한될 가능성이 있다. 이 경우 기업결합 유형별 경쟁제한성 판단 요건을 고려하되, 결합을 통하여 얻게 되는 정보자산이 다른 방법으로는 이를 대체하기 곤란한지 여부, 해당 결합으로 인하여 결합당사회사가 경쟁사업자의 정보자산 접근을 제한할 유인 및 능력이 증가하는지 여부, 결합 이후 정보자산 접근 제한 등으로 인하여 경쟁에 부정적 효과가 발생할 것이 예상되는지 여부, 결합당사회사가 정보자산의 수집·관리·분석·활용 등과 관련한 서비스의 품질을 저하시키는 등 비가격 경쟁을 저해할 가능성이 높아지는지 여부 등을 추가로 고려하여 판단할 수 있다.

---

127) 정재훈, 위의 책(각주 7), p. 326.

128) OECD, Business and Finance Outlook 2021: AI in Business and Finance, Competition and AI(2021) § 4. 2. 3.

129) 기업결합심사기준(2021. 12. 30. 공정거래위원회고시 제2021-25호) VI. 5.

2. 인공지능과 기업결합 심사

(1) 인공지능과 기업결합 심사의 실효성

일반적으로 기업결합 심사는 경쟁당국의 주도하에 이루어지고 있다. 이는 기업결합 심사에 있어 경쟁당국의 전문성 등을 고려하면 자연스러운 현상으로 평가할 수 있다. 기업결합 심사가 장래 경쟁제한성 효과를 판단하는 과정이라면, 심리에 오랜 시간이 걸리는 소송의 방법으로 이를 해결하는 것은 현실적이지 않을 것이다.[130] 그러나 기업결합 심사가 사법심사에서 사실상 제외되고 경쟁당국의 행정적인 판단에만 의존하게 되는 것은 권리구제와 사법통제의 측면에서 타당하지 않다는 비판을 면하기 어렵다. 경쟁당국의 전문성에 비추어 대부분 사안에서 경쟁당국의 판단으로 사안이 종료되는 것이 바람직하더라도, 경쟁당국의 판단도 다른 결정이나 판결과 같이 오류가 있을 수 있고, 이 경우 당사자가 불복하여 다툴 수 있는 실질적인 기회가 보장됨으로써 사법심사가 예외적으로라도 기능을 하는 것과 그렇지 않은 것은 본질적인 차이가 있다.[131] 이 점에서 기업결합 심사에 있어 법원의 역할이 어떤 것이어야 하고, 기업결합의 신속성과 사법심사를 조화하기 위한 방안으로 어떤 방안이 필요할지 고민이 필요하다.[132]

유럽연합의 경우에는 사법심사를 통한 실효적인 구제가 이루어지지 못하고 있다는 우려가 있는 반면,[133] 미국의 경우에는 실질적인 사법심사가 이루어지고 있는 사례가 다수 있다. 이는 집행위원회의 처분을 통한 기업결합의 승인을 취하는 유럽연합과 기업결합은 원칙적으로 허용되면서 경쟁당국의 소제기 방식으로 다투어지는 미국의 제도 차이에서 비롯되는 측면도 있다. 기업결합 심사에 대하여 구조적 조치를 통하여 금지결정 등이 내려지는 우리의 제도는 유럽의 제도에 가깝다.[134] 이 경우 현행 제도의 틀을 유지하면서 기업결합 심사의 신속성과 사법

---

[130] 미국의 경우 1975년 이후 기업결합에 관한 연방대법원 판결은 없고, 하급심판결만 있었던 것으로 보인다. 한국의 경우도 기업결합에 관하여 법원 판결이 있었던 사례는 10건에 미치지 못하고 있다.

[131] 경쟁당국의 입장에서도 자신의 판단이 실질적으로 최종적인 판단이 되는 것과 사후적으로 심사를 받을 가능성이 있다는 것은 직무수행에서 상당한 차이를 가지고 올 수 있어, 견제와 균형의 문제가 이 상황에서도 검토될 수 있다.

[132] 정재훈, "기업결합 심사의 절차적 공정성과 사법심사", 「경쟁법연구」 제40권, 2019, p. 226.

[133] 집행위원회의 결정에 대하여 일반법원의 판결이 선고되기까지 너무 긴 시간이 소요된다는 점이 문제가 되고 있다. 이로 인하여 신속심리 절차(expedited procedure)가 도입되었다.

[134] 대표적 기업결합 사건인 대법원 2008. 5. 29. 선고 2006두6659 판결(삼익악기 사건)에서 공정위의 결정이 2004. 9. 24. 있은 후, 2005. 2. 4. 소가 제기되어, 2006. 3. 15. 서울고등법원 판결이 있었고, 2008. 5.

심사의 실효성을 조화하기 위한 방안이 문제된다.[135] 이러한 심사의 한계 문제에 대처함에 있어, 인공지능을 통한 기존 데이터와 활용과 예측 가능성의 증가는 기업결합 심사의 실효성을 높일 것으로 기대될 수 있다.[136]

(2) 인공지능과 경쟁제한적 기업결합에 대한 시정조치

카르텔 심사는 이미 발생한 과거의 문제를 다룬다. 시장지배력 남용행위는 기본적으로 이미 발생한 과거의 행위 문제이지만, 피심인이 그 행위의 지속을 원하므로 다툰다는 점에서 현재 존속하는 행위의 문제이다. 이에 비하여 기업결합 심사는 아직 발생하지 않은 미래의 예측(speculative) 문제이다. 그 점에서 객관적, 중립적 심사가 필요하다.

시정조치(remedy)는 고정적이거나 가변적일 필요가 있다. 시장 상황의 변동에 따라 신속하게 시정조치가 변동될 수 있도록 준비할 필요가 있다. 그 점에서 정교하면서도 가변적인 시정조치가 필요하다. 지속적인 시장 관찰을 통한 가변적이고 정교한 시정조치를 고안하는 과정에서 시장변화를 데이터에 맞추어 추적하는 인공지능이 활용될 수 있다. 인간의 개입 하에서 이루어지는 인공지능을 통한 시장평가는 기업결합에 대하여 일도양단적인 조치 대신에 절충적이고 가변적 조치가 가능하도록 정보를 제공할 수 있다.

인공지능이 경쟁법 위반행위에서 활용될 수 있지만, 위반행위의 방지를 위한 경쟁당국의 집행에서도 적극적으로 활용할 수 있고, 그 방법에 관한 연구는 경쟁당국도 관심을 가질 수 있다. 이러한 인공지능이 카르텔 등 위반행위의 적발(detection)에 유용할 뿐 아니라, 경쟁당국의 시정조치 운영에 있어서도 어떠한 기여를 할지 등이 논의 가능하다.

---

29. 대법원 판결이 있었다. 이 사례에서 알 수 있듯이 사법심사에 상당한 시간이 소요된다는 점에서 유럽연합과 비슷한 양상을 보이고 있다. 공정거래법에서도 공정위의 기업결합에 대한 구조적 조치 등은 행정소송의 대상이 되지만, 그 행정소송이 현행 제도의 운영과 현실에 비추어 효과적인 구제수단이 되지 못한다는 점에 문제의 핵심이 있다. 심리의 지연으로 권리구제가 사실상 실효성이 없어지는 'justice delayed is justice denied'의 문제가 발생하고 있는 것이다.

[135] 정재훈, 위 논문(각주 131), p. 227.

[136] 인공지능 기술의 중재심리절차 및 중재판정에 활용될 가능성을 언급한 문헌으로는 나지원, "생성AI 기술의 중재분야 활용에 관한 단상", 중재 vol.359, 2023, pp. 17, 18.

3. 의료·의약품·의료기기 시장의 시사점

의료시장에서의 기업결합은 상대적으로 활발하지 못하며, 실제 발생하는 기업결합도 음성적으로 이루어지는 경향을 보이고 있다. 이러한 측면에서 기업결합과 인공지능의 문제는 임박한 수준의 문제로 보기는 어렵다. 물론, 의료시장에서 경쟁을 증가시키는 방향으로 제도가 개편될 경우 기업결합과 관련된 경쟁법 쟁점이 더 분명하게 제기될 수 있음은 부정하기 어렵다. 반면, 의료시장에 비하여 의약품·의료기기 시장에 대한 인공지능과 기업결합의 문제는 의료시장에 비하여 완화된 규제로 인하여 더 넓은 범위에서 적용 가능할 것으로 보인다. 다만, 이는 기업결합 당사회사의 인공지능 운용 수준과 기업결합 자체의 경쟁제한성에 영향을 받게 되고, 혁신시장과 경쟁의 문제로 귀결될 수 있다.

VI. 인공지능과 불공정거래행위

1. 인공지능과 거래관행 평가

불공정거래행위 중 경쟁제한형 불공정거래행위는 시장지배력 문제를 논외로 할 경우 시장지배력 남용과 크게 다르지 않다. 반면 불공정성 유형의 불공정거래행위에서는 불공정성 판단의 기준이 '정상적인 거래관행'이 된다. 따라서 인공지능과 불공정성 유형의 불공정거래행위의 평가에서는 인공지능이 정상적인 거래관행 평가에 어떻게 반영될 것인지 문제로 귀결된다. 인공지능이 광범위하게 활용되는 시장과 산업에서 정상적인 거래관행을 어떻게 평가하고, 그에 맞추어 불공정성 심사를 해야 할지의 문제가 현안이 된다.

2. 인공지능과 거래상 지위 남용

(1) 거래상 지위 남용

불공정한 행위를 경쟁법이 규제하는 국가에서는 불공정거래행위 규제에 인공지능을 활용한 행위가 포함될 수 있다.[137] 한국 공정거래법 제45조 제1항 제4호는 "사업자는 자기의 거래상의 지위를 부당하게 이용하여 상대방과 거래하는 행위로서 공정한 거래를 저해할 우려가 있는 행위를 하거나, 계열회사 또는 다른 사업자로 하여금 이를 행하도록 하여서는 아니 된다"라고 규정하여 거래상 지위의 남용 규제 제도를 두고 있다. 그 취지는 사업자가 거래상 우월적 지위가 있음을 이용하여 열등한 지위에 있는 거래상대방에 대하여 일방적으로 불이익을 부과하거나 경영에 간섭하는 것은 경제적 약자를 착취하는 행위로서, 거래상대방의 자생적 발전 기반을 저해하고 공정한 거래 기반을 침해하므로 금지하는 것으로 볼 수 있다.[138] 거래상 지위 남용행위 규제는 부당한 공동행위, 부당한 지원행위와 함께 공정거래위원회가 집행을 한 주요 분야이고, 종합방송의 판매 목표 강제, 경영 간섭, 병원의 선택 진료 등 다양한 시장에서 문제가 되고 있으며, 손해배상 사건 등 사적 집행도 증가하는 등 공정거래법 집행에 있어서 중요한 분야이다.

거래상 지위 남용은 거래내용, 거래관계에 광범위하게 적용된다. 거래상 지위 남용 이슈는 인공지능 문제를 매개로 할 수 있다. 특히 거래상 우월한 지위에 있는 사업자가 거래상대방에 대하여 정보수집과 인공지능을 통한 경영정보 취득이나 경영간섭을 할 경우 등도 예상 가능하다. 이는 하도급법상 원사업자와 수급사업자 관계에서도 동일하다.

(2) 의료·의약품·의료기기 시장의 시사점

공정거래법상 거래상 지위 남용 규제는 시장지배력을 요하지 않는 불공정거래행위이어서, 일반적인 사업자가 우월한 지위에 있으면 적용 가능하다. 알고리즘이나 인공지능을 사용한 행위가 의료·의약품·의료기기 시장에서 거래상 지위 남용이 될 가능성이 존재한다.

의료시장의 대표적인 거래상 지위 남용 사건은 선택진료 사건이다. 선택진료와 관련한 다수의 병원 사건에서 거래상 지위 남용으로서 불이익 제공이 문제 되었다. 대법원 2013. 1. 10. 선고 2011두7854 판결(서울대학교병원 사건), 대법원 2013. 1. 10. 선고 2011두7885 판결(삼성생명공익재단), 대법원 2013. 1. 31. 선고 2011두18113 판결(대우학원), 대법원 2013. 2. 14. 선고 2011두17950 판결(가톨릭학원), 대법원 2013. 6. 13. 선고 2011두18137 판결(고려중앙

---

[137] OECD, Business and Finance Outlook 2021: AI in Business and Finance, Competition and AI(2021) § 4. 2. 2.
[138] 불공정거래행위 심사지침 Ⅴ. 6. (1).

학원), 대법원 2013. 6. 13. 선고 2011두7861 판결(아산사회복지재단), 대법원 2013. 1. 10. 선고 2011두7854 판결대법원 2013. 6. 14. 선고 2011두7878 판결(길의료재단), 대법원 2013. 6. 28. 선고 2011두18151 판결(연세대학교) 등이 그 사례가 된다.

선택진료 자체를 불이익 제공으로 보지는 않았으나, 선택진료신청서의 기재 내용에 따라 위임문구가 있거나 명시적인 위임문구가 없더라도 유사한 취지의 기재가 있는 경우에는 대체적으로 불이익 제공이 부정되었고,[139] 위임문구가 없는 경우에는 불이익 제공이 인정되었다.

선택진료와 관련한 불이익 제공 사건은 대형병원 등이 거래상 우월한 지위를 이용한 거래관행을 벗어난 불공정한 거래행위에 대하여 공정거래법 적용이 가능함을 시사하고 있다. 선택진료 사건은 환자 등 거래상대방에 대한 설명, 그리고 그에 기반한 동의가 누락된 데서 불이익 제공이 문제 된 사건으로 볼 수 있다. 이는 병원의 업무 방식에서 알고리즘 등이 이용될 때 거래상대방에 대한 그 설명이나 동의가 흠결된다면 거래상 지위 남용의 문제가 제기될 수 있음을 시사한다. 이는 알고리즘에 기반한 위계에 의한 고객 유인의 경우도 동일하다. 고객이나 거래상대방에 대한 설명이 수반되면 위계가 성립되기 어렵다.

그렇다면 설명의 범위는 어디까지이고, 그 방식은 어떻게 이루어져야 하는가라는 문제에 부딪힌다. 약관규제법상 설명의무가 디지털 시장에서 어떻게 적용되어야 하는지에 대하여 논란이 있는 것처럼, 종래 논의된 설명의무 등이 인공지능의 활용에서 어떻게 이루어져야 하는지는 어려운 문제가 된다. 인공지능이나 알고리즘의 작동원리를 설명해야 한다면, 그 전제로 알고리즘의 공개, 그리고 알고리즘에 반영된 가중치(value)의 공개가 전제되어야 하고, 이를 통해 설명의무의 충실한 이행에 대한 객관적, 사후적 검증이 가능하게 된다. 이는 사업자의 영업비밀에 속하는 영역과 설명의무가 충돌하는 지점이 될 수 있다.

---

[139] 병원이 의료법 등 관계 법령에 따른 선택진료신청서 양식과 다른 양식을 통하여 환자 등으로 하여금 주진료과 의사에게 진료지원과 의사를 지정할 수 있게 포괄적으로 위임하도록 하는 방식으로 선택진료제도를 운용한 행위에 대하여 병원의 행위는 환자 등의 의사선택권을 의료현실에 맞게 보장함과 아울러 더 좋은 의료서비스를 받을 수 있는 법적 지위를 보장하기 위한 것으로 보는 것이 타당하고, 선택진료 포괄위임의 의도와 목적, 효과와 영향, 의료서비스의 특성 및 거래상황, 병원의 우월적 지위의 정도 및 환자 등이 받게 되는 불이익의 내용과 정도 등까지 더하여 보면, 포괄위임 행위가 정상적인 거래관행을 벗어난 것으로서 공정한 거래를 저해할 우려가 있다고 보기 어렵다는 취지로 불이익 제공을 부정하였다.

3. 인공지능과 고객유인

(1) 고객유인

첫째, 위계에 의한 고객유인이다. 이는 이미 네이버쇼핑 사건[140])에서 현실적인 문제가 된 바 있다. 이때 문제되는 것은 경쟁수단의 문제이다. 그 점에서 소비자보호법제와 구별되며, 이는 경쟁법의 영역에 속한다.

알고리즘, 인공지능과 관련하여 논의될 수 있는 분야는 위계에 의한 고객유인이다. 부당한 표시·광고 외의 방법으로 자기가 공급하는 상품 또는 용역의 내용이나 거래조건 기타 거래에 관한 사항에 관하여 실제보다 또는 경쟁사업자의 것보다 현저히 우량 또는 유리한 것으로 고객을 오인시키거나 경쟁사업자의 것이 실제보다 또는 자기의 것보다 현저히 불량 또는 불리한 것으로 고객을 오인시켜 경쟁사업자의 고객을 자기와 거래하도록 유인하는 행위를 말한다(공정거래법 시행령 제52조 별표2).

자기와 거래하도록 하기 위해 경쟁사업자의 고객을 기만 또는 위계의 방법으로 유인하는 행위가 대상이 된다. 이때, 경쟁사업자의 고객에는 경쟁사업자와 거래를 한 사실이 있거나 현재 거래관계를 유지하고 있는 고객뿐만 아니라 잠재적으로 경쟁사업자와 거래관계를 형성할 가능성이 있는 고객이 포함된다. 기만 또는 위계는 표시나 광고(표시·광고의 공정화에 관한 법률이 적용된다) 이외의 방법으로 고객을 오인시키거나 오인시킬 우려가 있는 행위를 말한다. 상품 또는 용역의 내용이나 거래조건 기타 거래에 관한 사항에 대해 기만 또는 위계의 방법을 사용한 행위가 대상이 된다. 상품 또는 용역의 내용에는 품질, 규격, 제조일자, 원산지, 제조방법, 유효기간 등이 포함된다. 거래조건에는 가격, 수량, 지급조건 등이 포함된다. 기타 거래에 관한 사항에는 국산품 혹은 수입품인지 여부, 신용조건, 업계에서의 지위, 거래은행, 명칭 등이 포함된다. 기만 또는 위계의 상대방은 소비자뿐만 아니라 사업자도 포함된다.[141]) 위계에 의한 고객유인행위가 성립하기 위해서는 위계 또는 기만적인 유인행위로 인하여 고객이 오인될 우

---

140) 서울고등법원 2022. 12. 14. 선고 2021누36129 판결(네이버쇼핑 사건). 네이버가 2012. 2.부터 2020. 8. 까지 자사가 운영하는 비교쇼핑서비스인 '네이버쇼핑'의 상품 검색결과 노출순위 결정 알고리즘을 자사가 운영하는 쇼핑몰 플랫폼 서비스인 '스마트 스토어' 입점업체에 유리하게 조정하고 유지한 행위가 문제 되었다. 서울고등법원은 이러한 행위가 시장지배적 지위 남용행위로서 차별행위 및 불공정거래행위로서 차별행위 및 위계에 의한 고객유인행위에 해당한다고 판단하였다.

141) 불공정거래행위 심사지침 V. 4. 나. (1).

려가 있음으로 충분하고, 반드시 고객에게 오인의 결과가 발생하여야 하는 것은 아니다. 여기에서 오인이라 함은 고객의 상품 또는 용역에 대한 선택 및 결정에 영향을 미치는 것을 말하고, 오인의 우려라 함은 고객의 상품 또는 용역의 선택에 영향을 미칠 가능성 또는 위험성을 말한다.[142]

둘째, 인공지능을 통하여 경쟁자의 고객을 식별한 후, 그들에게 맞춤형 가격을 제시하여 고객을 유인할 수 있다.[143] 이 문제는 이미 다크 패턴(dark pattern)[144]의 문제로 현실화되었다. 인공지능을 통하여 더 깊은 다크 패턴이 가능하다. 종래 소비자보호법제에서 관심을 가졌으나, 고객 유인 등 불공정거래행위 영역과 겹친다.

(2) 의료·의약품·의료기기 시장의 시사점

공정거래법상 위계에 의한 고객유인 규제는 시장지배력을 요하지 않는 불공정거래행위이어서, 일반적인 사업자가 우월한 지위에 있으면 적용 가능하다. 알고리즘이나 인공지능을 사용한 행위가 의료·의약품·의료기기 시장에서 위계에 의한 고객 유인이 될 가능성이 존재한다.

병원의 업무 방식에서 알고리즘 등이 이용될 때, 거래상대방에 대한 그 설명이나 동의가 흠결될 때 위계에 의한 고객유인의 문제가 제기될 수 있음을 시사한다. 고객이나 거래상대방에 대한 설명이 수반되면 위계가 성립되기 어렵다. 이는 알고리즘에 기반한 거래상 지위 남용의 경우도 동일하게 설명의 범위, 설명의 방식이 문제 된다. 약관규제법상 설명의무가 디지털 시장에서 어떻게 적용되어야 하는지에 대하여 논란이 있는 것처럼, 종래 논의된 설명의무 등이 인공지능의 활용에서 어떻게 이루어져야 하는지는 어려운 문제가 된다. 특히, 알고리즘의 공개, 그리고 알고리즘에 반영된 가중치(value)의 공개 등은 사업자의 영업비밀에 속하는 영역과 설명의무가 충돌하는 지점이 될 수 있음은 물론이다.

---

142) 대법원 2002. 12. 26. 선고 2001두4306 판결.

143) OECD, Business and Finance Outlook 2021: AI in Business and Finance, Competition and AI(2021) § 4. 2. 2.

144) 정재훈, 다크 패턴의 규제 방안에 대한 고찰-전자상거래법 등을 중심으로, 「법학논집」 제27권 제2호, 2022, p. 33. 다크 패턴은 사용자가 서비스 제공자 측에 이익이 되는 행위를 선택하도록 유도하기 위하여 의도적으로 설계한 사용자 인터페이스를 말하는 것으로 알려져 있다.

3. 인공지능과 표시광고법

표시 · 광고의 공정화에 관한 법률("표시광고법") 제3조 제1항은 '거짓·과장성, 기만성, 부당비교, 비방성' 등과 같은 유형의 표시·광고를 금지하고 있다. 인공지능은 표시광고법 적용에서 영향을 미칠 수 있다. 표시광고법은 현재 의료·의약품·의료기기 시장에 별다른 제한 없이 적용되고 있다. 인공지능과 관련된 표시광고법 사안에도 이러한 법적용은 다르지 않을 것으로 예상된다.

Ⅶ. 인공지능과 소비자보호법

1. 인공지능과 소비자보호

알고리즘은 소비자 행태에 영향을 미치고 있다. 알고리즘을 통한 인공지능은 소비자의 의사결정 패턴을 분석해서, 소비자의 의사결정을 왜곡할 수 있다.[145] 이러한 과정을 통하여 정보비대칭에서 비롯되는 소비자 보호 문제가 발생한다(informational disadvantage).[146] 한편, 소비자는 알고리즘에 거부감을 느끼면서도 인공지능 등을 활용한 자동화된 의사결정을 쉽게 수용하는 이중성을 보이고 있다.[147] 그 점에서 스마트 소비자(smart consumers)의 대항력(counterveiling power)도 인공지능과 관련된 사업자의 사업 행태에는 무력할 수 있다.

이는 경쟁법보다는 소비자보호법의 영역이다. 이러한 이유에서 인공지능에 대하여 경쟁법적 규율보다는 소비자보호법상 규율이 활발하게 논의되고 있다. 미국 연방거래위원회가 2020. 4. 8. 제정한 '인공지능과 알고리즘의 이용에 대한 가이드라인'은 자동화된 도구의 사용을 통한 소비자 기만행위 금지, 민감한 데이터 수집 시의 투명성, 타사 공급업체의 정보 기반으로 자동화된 결정을 내리는 경우 소비자에게 불리한 조치에 대한 통지의무 등을 규정하고 있다.

---

[145] OECD, Business and Finance Outlook 2021: AI in Business and Finance, Competition and AI, § 4. 2. 2.

[146] OECD, Business and Finance Outlook 2021: AI in Business and Finance, Competition and AI, § 4. 2. 2.

[147] 김도훈, 디지털 경제 신질서와 플랫폼 비즈니스의 미래, 차세대 플랫폼에 대한 산업 및 경쟁정책적 접근의 조화, 한국경쟁법학회, 정보통신정책학회, 한국산업조직학회 공동학술대회 자료집, 2023, p. 18.

2021년 미국 의회는 연방거래위원회에 인공지능 사용에 따른 위해 요소 제거를 위한 조치를 요구했고, 연방거래위원회는 2022년 'Combatting online harms through innovation' 보고서를 제출했다. 그 내용은 다음과 같다. 첫째, 인공지능 사용에서 사람이 관여하고 개입해야 한다. 둘째, 인공지능 사용은 투명성을 확보해야 한다. 셋째, 플랫폼과 관련 회사들은 인공지능을 사용할 경우 데이터 보호에 대하여 책임을 부담해야 한다. 이와 함께 인공지능을 개발한 과학자 등에 대한 의무를 강조하고 있다.[148]

아래에서는 한국 소비자보호법의 중요한 법제도인 약관규제법, 전자상거래법을 살펴본다. 약관규제법, 전자상거래법 등 소비자보호법제는 의료·의약품·의료기기 시장에서 별다른 제약 없이 적용 가능하다.

2. 인공지능과 약관규제법

다수의 당사자와 체결되는 계약에 대하여 그 불공정성을 심사할 수 있는 제도를 두고 있는데, 대표적인 예가 약관규제법이다. 약관규제법 집행과 관련하여 설명의무, 불공정성 심사, 표준약관 심사 등에서 인공지능과 관련된 문제를 어떻게 접근할 것인가의 과제가 중요하다.

(1) 설명의무

거래 전반에 적용되는 설명의무 조항은 비교법적으로 이례적인 조항임에도 불구하고, 과거 보험계약 등 사안에서 구술 설명의무를 요하는 등 소비자보호를 위하여 중요한 역할을 수행하였다. 이러한 설명의무가 고객, 특히 소비자보호를 위하여 유용한 기능을 수행하고 있는지는 고민할 필요가 있다.

설명의무에 대한 대표적인 판례는 대법원 1999. 3. 9. 선고 98다43342 판결, 대법원 2006. 5. 11. 선고 2003다51057 판결, 대법원 2013. 2. 15. 선고 2011다69053 판결 등이다. 이러한 판례를 통하여 현재 존재하는 설명의무의 법리는 비대면거래 등 실제 거래 현실에 적극적이고 유연하다고 보기 어렵다.

---

[148] Algorithms in the Spotlight, ABA Antitrust Law Section Spring Meeting, p. 2, 3.

작성, 명시, 설명의무 중 명시의무와 설명의무는 그 경계가 불분명해지고 있다. 설명의 범위를 확대하거나 명시의 범위를 확장하면 설명과 명시의 경계가 불분명해진다.[149] 독일 민법 제307조 제1항 제2문에 규정되어 있는 투명성 원칙은 그 내용을 적극적으로 규정하고 있지는 않지만, 약관을 명확하고 이해할 수 있도록 작성하여 고객에게 약관내용에 대한 충분한 정보를 제공할 수 있도록 해야 한다는 점에 기초하고 있다.[150] 투명성 의무와 설명의무의 경계도 불분명해지고 있다.

플랫폼 산업에서 이루어지고 있는 거래에 있어 설명의무의 대상과 설명의무의 이행방식(구두설명 등)은 플랫폼 거래의 장점인 효율성과 상충할 소지가 있다. 신속하고 빈번하게 이루어지는 비대면거래에서 전통적인 산업에서 적용되던 설명의무를 대면방식(face to face)으로 시행하도록 강제한다면 거래 자체가 성립되기 어려울 수 있다. 이러한 점에서 설명의무 등 종래 약관규제법상 기제가 무력할 수 있다.

이러한 플랫폼 거래 등 비대면거래에서 난점은 인공지능을 수반한 거래에서 더 어려운 문제가 된다. 알고리즘이 수반되는 서비스, 인공지능이 수반되는 서비스에서 알고리즘이나 machine learning에 대한 설명의무가 어떤 방식으로 이행되어야 하는지 등의 문제 등이 등장하고 있다.

알고리즘의 경우 설명의무의 이행은 영업비밀의 공개 문제와 첨예하게 부딪힌다. 설명의무 이행을 누가 어떤 방식으로 검증할 것인가 등 어려운 문제가 된다. 더 나아가 기계적 학습 알고리즘은 종래 선형 알고리듬과 또 다른 기술적 변화를 담고 있어서, 인공지능에 대한 설명의무 이행은 더욱 어려운 문제가 될 수밖에 없다.

이런 상태에서 종래 편입통제에서 사업자와 고객 사이에서 이루어지는 설명의무는 그 기능이 약화될 가능성이 크다. 더불어 해석통제, 불공정성 통제도 약화될 가능성이 크다. 여기에서 설명의무를 보완하는 제도의 필요성이 등장하게 된다. 설명의 대상이자 고객의 이해관계에 중요하고, 소비자의 계약 체결 등 선택에 영향을 미치는 요소에 대한 설명의무는 유지하면서 거래의 특성에 맞추어 유연화하되, 이러한 의무를 보완하는 방안에 대하여는 유연한 규제의 틀에서

---

149) 권영준, 약관 설명의무의 재조명, 「사법」 제1권 제53호, 2020, p. 216.
150) 김화, 약관에 있어 투명성 원칙에 대한 고찰, 「비교사법」 제26권 제3호, 2020, p. 108.

접근할 필요가 있다. 설명의무가 소비자보호의 유일한 방안은 아니며, 소비자의 의사결정의 선택권이 보완된다면 다른 방안도 가능하다. 설명의무를 부과하지 않은 다수의 국가들에서도 소비자보호가 이루어지고 있음에 유의할 필요가 있다. 우리의 현행법에서도 기존의 설명의무를 유지하면서도, 설명의무의 기능약화를 다른 법제를 통하여 보완하는 방안도 고려할 수 있다.

예를 들면, 설명의무의 한계를 보완하기 위한 제도적 장치는 다른 법을 통하여 마련되어 있는 경우도 있는데, 이를 통한 보완 방안이다. 전자상거래법상 계약의 체결과 대금 지급 과정에서 소비자를 보호하는 전자상거래법 제7조(조작실수 등의 방지), 전자상거래법 제8조(전자적 대금지급의 신뢰확보), 전자상거래법 제14조(청약의사 확인) 등이 이에 해당한다. 현행 전자상거래법이 담고 있는 소비자보호를 위한 적극적인 조치는 설명의무로 부족한 부분을 실질적으로 보완하여 소비자를 적극적으로 보호할 수 있다.

그 밖에 소비자에 대한 거래질서 차원에서 적용되는 거래상 지위 남용 부분도 참조할 수 있다. 이미 거래상 지위 남용 부분에서 전술한 바와 같이, 선택진료 사건 등에서 설명의무와 공정거래법상 거래상 지위 남용으로서 불이익 제공의 관계가 문제 된 바 있다.

(2) 불공정성 심사와 시정조치

인공지능과 관련된 약관의 불공정성을 심사할 것인가라는 실체적 판단의 문제와 함께 어떤 방식으로 시정명령을 내릴 것인지 문제가 관련되어 있다. 이 문제는 전통적인 산업을 전제로 창설된 약관규제법 법제가 인공지능을 활용한 산업에서 유효하게 작동할 것인지 문제와 직결되어 있다.

예를 들면, 약관규제법은 개별 약관의 불공정성을 심사할 수 있는 개별 조항(약관규제법 제7조 내지 14조), 일반 조항(약관규제법 제6조)과 함께 표준약관제도(약관규제법 제19조의3) 등을 규정하고 있다. 인공지능에 직접 관계된 개별적 불공정 조항이 없어서, 약관규제법 제6조의 일반조항이 문제 될 소지가 크다.

불공정한 약관에 대하여는 심사청구가 가능하며(법 제19조), 심사 결과 불공정한 약관으로 판단하면 공정위는 시정권고(법 제17조의2 제1항), 시정조치(법 제17조의2 제2항)가 가능하다. 플랫폼 관련 기업에서 이러한 불공정한 약관의 시정조치가 문제 된 바 있다. 관련된 사건으

로 ETS 사건,151) 구글 애드센스 사건,152) 구글 코리아 사건,153) 소셜 네트워크 사건,154) 아고다 사건,155) 부킹닷컴 사건156) 등이 있었다.

(3) 표준약관

약관규제법 제19조의3은 표준약관의 제정, 사용, 금지 관련 규정을 두고 있다. 그동안 표준약관이 시장과 거래질서에 미친 기여를 인정하면서도, 산업의 발전을 반영하지 못하고, 소비자 보호의 실효성도 떨어진다는 비판도 고려할 필요가 있다.

이러한 표준약관은 그 공과(功過)에도 불구하고 법령보다는 유연하고 신속하게 제정될 수 있어, 일종의 자율규제로 기능할 수 있다. 그 점에서 자율규제로서 표준약관의 활용 방안이 중요해지고 있다. 그 점에서 인공지능과 관계된 산업에서 표준약관 제도가 산업의 변화와 소비자 보호의 과제에 어떤 역할을 할 수 있을지가 중요한 과제가 될 것이다.

3. 인공지능과 전자상거래법

인공지능이 소비자에 대한 기만, 특히 다크 패턴에 사용될 것이라는 우려가 제기되고 있다.

"다크 패턴" 개념은 사용자가 서비스 제공자 측에 이익이 되는 행위를 선택하도록 유도하기 위해 의도적으로 설계된 사용자 인터페이스를 의미하는 것으로 알려져 있다.157) 이를 '소비유도상술' 또는 '눈속임 설계'라고 부르기도 한다.158) 다크 패턴 방지를 위한 사업자의 의무 신

---

151) 공정위 2003. 2. 18. 의결 제2003-015호(2002약제1634)

152) 공정위 2007. 2. 26. 시정권고 제2007-109호(2007약관0421)

153) 공정위 2011. 9. 30. 시정권고 제2011-044호(2011약관2897)

154) 이선희, 외국사업자의 약관에 대한 심사 및 집행, 「경쟁법연구」 제41권, 2020, p. 224.

155) 공정위 2019. 2. 11. 의결 제2019-031호(2018약관0591)

156) 공정위 2019. 2. 11. 의결 제2019-032호(2018약관0592)

157) 임우식·허정윤, "다크 패턴이 주는 간섭효과에 대한 사용자 인식 연구- 앱 내 간편 결제 서비스 사례를 중심으로", 「한국디자인학회 자료집」,한국디자인학회 학술발표대회 논문집, 2021, 2021-제5권, p. 1. Harry Bringnull(2011)이 최초로 제시한 개념으로 알려져 있다. Bringnull, Dark Patterns: Deception vs. Honesty in UI Design (2011)
https://alistapart.com/article/dark-patterns-deception-vs-honesty-in-ui-design/

158) 유영국, "온라인 거래상 다크 패턴의 규제 방향에 관한 검토", 「법학연구」, 경상국립대학교 법학연구

설을 주요 내용으로 하는 전자상거래법 일부 개정법률안에 대한 정무위원회 검토보고에 따르면, 다크 패턴이란 '사람을 속이기 위해 설계된 사용자 인터페이스(user interface)'로서 소비자의 부주의를 이용해 의도적으로 소비자를 조종하거나 속여 행동을 이끌어내는 것으로 기재하고 있다.[159] 다크 패턴(dark pattern)을 위하여 인공지능이 사용될 수 있다. 종래 문제 된 다크 패턴은 디자인 중심의 문제였으나, 인공지능이 이를 심화할 수 있다.

현행 소비자보호법제 등 다크 패턴과 관련성이 높은 법은 전자상거래법이다. 다크 패턴 개념과 유형을 별도로 입법할 필요가 있는지는 위 전자상거래법 규정의 해석·적용과 밀접한 관련이 있다.

전자상거래법에서 집행 사례가 많은 금지행위인 법 제21조 제1항 제1호(거짓, 과장, 기만적 방법)를 비교적 넓게 해석하고 있다. 또한, 전자상거래법상 통신판매 등에 있어 중요한 의사결정에 대하여 확인절차를 두고 있다. 전자상거래법 제7조(조작실수 방지), 제8조(전자적 대금지급 의사확인), 제13조(정보제공의무), 제14조(청약확인) 등이 그 예이다.

VIII. 결론

이 글을 통하여 인공지능이 '경쟁과 경쟁법'에서 가지는 의미를 경쟁법적 유용성과 위험의 양측면에서 소개하고, 경쟁법적 접근방법의 특징과 한계, 그리고 인공지능과 경쟁법이 어떤 측면에서 서로 교차하는지(인공지능과 경쟁법의 접점)를 소개하였다. 인공지능과 관련된 경쟁법의 문제가 한국의 의료·의약품·의료기기 시장에서 가지는 함의도 살펴보았다. 분야별로 카르텔, 시장지배력 남용, 기업결합, 불공정거래행위로 나누어 발생 가능한 쟁점도 전망해보고, 경쟁법과 밀접한 관련이 있는 소비자보호법 문제도 살펴보았다. 마지막으로 인공지능 현상에 대한 경쟁법적 대응의 방향을 제시하는 것으로 이 글을 마치기로 한다.

인공지능에 대한 경쟁법적 대응에 앞서 인공지능과 관련된 시장과 산업에 대한 이해와 분석

소 :제30권 제3호, 2022, p. 80.

[159] 국회정무위원회, "전자상거래법 일부 개정법률안 검토보고", 대한민국 국회 (2022. 9.), 5.

이 필요하다는 점에는 이견이 없을 것이다. 한국의 인공지능 활용과 다른 국가와 차별성을 입법이나 법집행에 있어 어느 정도 고려할 것인지 문제이다. 이러한 시장의 차이를 고려하지 않고, 다른 국가에서 논의된 접근 방법을 한국에 그대로 적용하는 것은 신중할 필요가 있다.

분야마다 인공지능의 활용에 상당한 차별성이 존재하는 점에 주목할 필요가 있다. 이는 특정 산업의 인공지능을 전제로 한 규율이 다른 산업에는 적합하지 않을 수 있음을 의미한다. 이는 비단 경쟁법에 국한된 것이 아니라, 소비자보호법을 정비할 때도 역시 유의해야 할 문제이다.

데이터, 플랫폼, 알고리즘, 그리고 이를 통합적으로 운영하는 인공지능에서 발생하는 문제가 기존에 경험하지 못했던 새로운 문제라는 점에는 이견이 드물 것이다. 그러나 고도의 기술 산업, 차별화된 시장의 문제도 경쟁법의 접근 방법을 배제해야 할 만큼 특수하다고 보기 어려우며, 대부분의 문제는 기존의 경쟁법의 범위에서 대처할 수 있다는 의견도 경청할 필요가 있다.[160]

인공지능과 관련된 행태의 전형적인 모습을 상정한 다음 이를 일종의 카테고리(category)로 접근하는 유형화 방식은 규제법에 가까운 모습을 띠게 된다. 이러한 유형화는 지나치게 일반화된 접근 방법(overly generalized conclusions)으로 귀결될 수 있다.[161] 그러나 기업들이 서로 다른 것처럼 인공지능이 활용되는 분야도 서로 다른 특성을 보이고 있는데, 이러한 유형화된 접근 방법은 그러한 차이를 반영하기 어렵고, 자칫하면 경직된 규제로 귀결될 우려가 있다.

그 점에서 인공지능 관련 분야에서 제기되는 다양한 시대적 요청에 부응하기 위한 제도를 설계하는 과정에서 어떠한 현상이 문제 되고 있고, 규제 필요성이 무엇인지, 법의 집행 목적이 무엇인지 등 근본적인 문제에 대한 성찰이 필요하다. 또한, 집행실패에 따르는 오류비용도 진지하게 고려할 필요가 있다. 시장실패의 비용과 함께 집행실패의 비용도 균형적으로 평가해야 올바른 제도 설계가 가능하기 때문이다.[162]

---

160) Hovenkamp, Antitrust and Platform Monopoly, Yale Law Journal 130(8), 2021, p. 2050.

161) Hovenkamp, Antitrust and Platform Monopoly, Yale Law Journal 130(8), 2021, p. 2049.

162) 정재훈, "ICT 분야의 시장지배력 남용행위 규제 및 기업결합 심사 방향", 「경쟁저널」 제213호, 2022, p. 19.

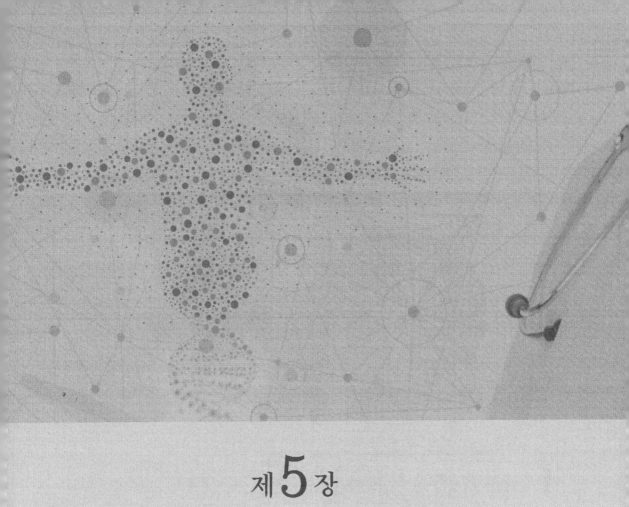

제 5 장

의료 인공지능과 설명가능성

박혜진 (한양대학교 법학전문대학원 교수)

생명의료법연구소

5

의료 인공지능과 설명가능성*

박혜진 (한양대학교 법학전문대학원 교수)

I. 들어가며

1990년대 중반, 미국의 의료기관들은 폐렴 환자를 입원시킬지 아니면 통원치료를 받도록 할지를 예측하는 인공신경망 모델[1]을 개발하였는데, 이 인공신경망 모델은 기존에 사용하던 로지스틱 회귀분석 모델보다 훨씬 뛰어난 정확도를 보였다.[2] 그런데 시험 도중 심각한 문제가 발견되었다. 이 모델은 천식이 있는 폐렴 환자의 사망확률을 천식이 없는 폐렴 환자에 비하여 낮게 예측하여 통원치료를 받아야 한다고 분류하였던 것이다. 이러한 예측은 분명 의학적 상식

---

* 이 글은 정보법학 제27권 제3호, 2023, pp. 29-66에 게재된 논문임을 밝힙니다.

[1] 최초의 인공신경망 모델은 1940년대에 제안되었고, 1980년대에 다층 퍼셉트론(multi-layer perceptron)의 지도학습을 위한 역전파 알고리즘(back-propagation algorithm)이 재발견되었다가 2010년대에 컴퓨터 하드웨어 및 학습 알고리즘의 발달로 본격적으로 심층 신경망(deep neural-network, DNN)이 활용되기 시작하였다. 한국정보통신기술협회, 정보통신용어사전, <http://terms.tta.or.kr/dictionary/dictionaryView.do?subject=인공+신경망>.

[2] Rich Caruana et al., Intelligible models for healthcare: Predicting pneumonia risk and hospital 30-day readmission, Proceedings of the 21th ACM SIGKDD international conference on knowledge discovery and data mining 1721, 1721-22 (2015).

에 반하는 판단이었지만, 알고 보면 학습데이터의 패턴을 충실히 반영한 것이었다. 천식 병력을 가진 환자가 폐렴에 걸린 경우에는 입원 후 바로 중환자실로 보내져 집중 치료를 받았기에 학습데이터에 나타난 이들의 사망확률은 오히려 평균보다 낮았던 것이다. 결국, 이 모델은 임상에 도입되지 못하고 폐기되었다. "블랙박스(blackbox)"인 인공신경망 모델은 비록 그 성능은 투명한 기존 모델에 비하여 뛰어나지만, 그 모델을 이해할 수 없기 때문에 또 다른 심각한 문제가 있더라도 이를 발견하기 어려울 것이라는 우려 때문이었다. 대신 병원들은 기존에 사용해 오던 성능은 더 낮지만 이해할 수 있는 로지스틱 회귀분석 모델을 계속하여 사용하였다.

이십여 년이 흐른 지금 인공지능 기술은 눈부시게 발전하여 의료 분야에서도 진단,[3] 위험예측,[4] 사망률 예측[5] 및 치료 계획[6] 등의 다양한 방면에서 뛰어난 성능을 보이고 있다. 그러나 아직도 인공지능 알고리즘의 불투명성(opacity)은 인공지능이 임상에서 널리 활용되는 데에 걸림돌로 작용하고 있다.[7] 의료 인공지능을 활용한 의사결정과정에서 환자의 안전(safety)과 더불어 투명성(transparency)은 기술 수용 및 신뢰를 결정하는 가장 중요한 요소이기 때문이다.[8] 소위 "블랙박스"라고 불리는 인공지능 모델의 불투명성(opacity)은 세 가지 측면에서 야기될 수 있다. 첫째, 기업이 경쟁우위를 점하기 위하여 영업비밀이라는 이유로 의도적으로 알고리즘에 관한 정보를 공개하지 않아 알고리즘을 이해하지 못하는 경우, 둘째, 코드를 이해할 전문적인 지식이나 기술을 갖추지 못하여 알고리즘을 이해하지 못하는 경우, 셋째, 알고리즘이 너무 크고 복잡하여 (심지어 그 알고리즘을 개발한 개발자조차) 이해할 수 없는 경우이다.[9] 앞

---

3) Andrea Esteva et al., Dermatologist-level classification of skin cancer with deep neural networks, 542 Nature 115 (2017).

4) Yu Cheng et al., Risk prediction with electronic health records: A deep learning approach, Proceedings of the 2016 SIAM International Conference on Data Mining 432 (2016).

5) Anand Avati et al., Improving palliative care with deep learning, 18 BMC Medical Informatics and Decision Making 55 (2018).

6) Gilmer Valdes et al., Clinical decision support of radiotherapy treatment planning: A data-driven machine learning strategy for patient-specific dosimetric decision making, 125 Radiotherapy and Oncology 392 (2017).

7) Jianxing He et al., The practical implementation of artificial intelligence technologies in medicine, 25 Nat. Med. 30, 33-34 (2019); Eric J. Topol, High-performance medicine: The convergence of human and artificial intelligence, 25 Nat. Med. 44, 51 (2019).

8) Anto Čartolovni et al., Ethical, legal, and social considerations of AI-based medical decision-support tools: A scoping review, 161 Int' J. Med. Inform. 1, 5-6 (2022).

서 살펴본 예는 세 번째의 이유로 개발자 스스로도 인공지능 모델을 이해할 수 없었던 경우에 해당한다. 위 세 번째 유형의 불투명성을 극복하기 위한 시도가 바로 설명가능한 인공지능 기술의 개발이다.

설명가능성은 의료 인공지능을 둘러싼 어떤 이해관계자의 관점에서 바라보는지에 따라 그 의미가 조금씩 달라질 수 있다. 우선, 개발자 내지 제조사의 입장에서는 앞서 든 예에서 보았듯이 모델의 오류를 발견하고 디버깅(debugging)하는 데에 모델의 설명가능성이 유용할 수 있다. 다음으로, 의료 인공지능의 이용자, 즉 의사의 관점에서 바라보면, 투명성이 결여되면 의료 인공지능 모델에 대한 신뢰성(trustworthiness)이 약화되고 인공지능 모델의 임상에서의 권고를 검증하고 오류 또는 편향을 발견해내기 어려워진다는 문제가 있다.[10] 의사의 입장에서는 인공지능과 의사 사이에 의견불일치가 있을 때 인공지능의 오류를 발견하거나 인공지능의 의견을 따를지 여부를 결정하기 위하여 인공지능이 왜 그런 결정을 내렸는지를 이해하는 것이 필요하다.[11] 또한 의료 인공지능을 활용한 의사결정의 대상이 되는 환자의 관점에서 보면, 환자에게 적절한 설명을 통해 환자의 자기결정권을 보호하기 위해서도 설명가능한 인공지능이 필요할 수 있다.[12] 이는 환자의 개인정보에 대한 자기결정권을 보장하는 측면(개인정보 보호)에서 바라볼 수도 있고, 환자의 생명과 신체에 대한 자기결정권을 보장하기 위한 측면(의사의 설명의무)에서도 바라볼 수 있을 것이다. 마지막으로, 규제기관의 입장에서도 인공지능 의료기기를 적절히 규제하기 위하여 설명가능성이 필요할 수 있다.

환자의 생명 및 건강과 직결되는 의료 인공지능 분야에서 설명가능성에 대한 관심은 최근 몇 년 사이 폭발적으로 증가하고 있는 추세이다.[13] 그러나 우리나라에서 의료 인공지능의 설

---

9) Jenna Burrell, How the machine 'thinks': Understanding opacity in machine learning algorithms, 3 Big Data and Society 1, 3-5 (2016).

10) Sandeep Reddy et al., A governance model for the application of AI in health care, 27 J. Am. Med. Inform. Ass'n 491, 493-94 (2020).

11) Julia Amann et al., Explainability for artificial intelligence in healthcare: a multidisciplinary perspective, 20 BMC Med. Inform. Decis. Mak. 310, 313-14 (2020).

12) 위의 글, pp. 14-15.

13) Hui Wen Loh et al., Application of explainable artificial intelligence for healthcare: A systematic review of the last decade (2011-2022), 226 Computer Methods and Programs in Biomedicine 107161, 107163 (2022).

명가능성을 법적인 관점에서 분석한 연구는 아직 없었다. 인공지능의 설명가능성 일반에 관한 연구[14]와 법률 분야에 인공지능이 활용되는 경우 설명가능성이 필요한지를 다룬 연구[15], 의료 인공지능 전반에 관한 법적 이슈를 다룬 연구[16]가 있을 뿐이다. 이 글에서는, 우리나라에서 인공지능의 설명가능성이 의료 분야에서 갖는 법적인 의미를 집중적으로 다루는 첫 연구로서, 관련한 다양한 법적 쟁점을 제시하고 이에 관한 논의를 시작하는 데에 의의를 두고자 한다. 각각의 쟁점에 대한 현실적 논의는 앞으로 의료 인공지능 기술의 발전과 보급과 아울러 설명가능한 기술의 발전에 따라 더 구체적으로 깊이 있게 이루어질 것으로 기대한다. 이하에서는 우선, 설명가능성의 의미와 의료 인공지능에서 빈번하게 쓰이는 설명가능한 인공지능 기술을 개략적으로 살핀다(II.). 이어서 현재 법적으로 설명가능성이 의료 인공지능에 요구되고 있는지에 관하여, 의료기기 규제, 개인정보보호 규제, 의사의 설명의무, 의사의 의료과오책임, 마지막으로 인공지능 의료기기 제조업자의 제조물책임의 관점에서 차례대로 검토한다(III.). 마지막으로 앞으로 의료 인공지능에 설명가능성을 요구할 것인지에 대하여 언급하고 이 글을 마친다(IV.).

---

[14] 고학수/김용대/윤성로/김정훈/이선구/박도현/김시원, 인공지능 원론: 설명가능성을 중심으로, 박영사, 2021.

[15] 양종모, "재범의 위험성 예측 알고리즘과 설명가능성 및 공정성의 문제", 「형사법의 신동향」, 통권 제70호, 2021.

[16] 김재선, "인공지능 의료기기 위험관리를 위한 규범론적 접근-인공지능 소프트웨어 규범화 논의를 중심으로-", 「공법연구」 제46집 제2호, 2017.; 배현아, "보건의료법제 하에서 인공지능기술의 의료영역 도입의 의의와 법적 문제", 「법조」 제724집, 2017.; 백경희/장경화, "인공지능을 이용한 의료행위와 민사책임에 관한 고찰", 「법조」 제724집, 2017.; 설민수, "머신러닝 인공지능과 인간전문직의 협업의 의미와 법적 쟁점: 의사의 의료과실 책임을 사례로", 「저스티스」 제163호, 2017.; 김광수, "인공지능 기반 과학기술과 국민의 권익구제-자율주행차, 드론 및 의료기기를 중심으로-", 「토지공법연구」 제85집, 2019.; 엄주희/김소윤, "인공지능 의료와 법제", 「한국의료법학회지」 제28권 제2호, 2020.; 이중기/이재현, "의료 AI에 대한 규제체제와 책임의 귀속-진단AI와 수술로봇을 중심으로-", 「홍익법학」 제21권 제4호, 2020.; 정채연, "의료 인공지능의 법적 수용을 위한 시론적 연구", 「법학논총」 제45권 제3호, 2021.; 박혜진, "의료 인공지능의 활용을 둘러싼 법적 과제: 규제의 진화 및 책임의 배분을 중심으로", 「비교사법」 제29권 제4호, 2022.

II. 의료 인공지능의 설명가능성

1. 설명가능성이란 무엇인가

인공지능이 의료, 법률, 금융 등 여러 산업의 중요한 의사결정과정에 영향을 미치게 되면서 인공지능이 내린 결정, 권고나 예측의 근거가 무엇인지를 알 수 없다는 점이 문제로 지적됨에 따라 설명가능하고 이해가능한 인공지능 기술 개발에 대한 사회적, 윤리적 요구도 거세졌다.[17] 2017년 미국의 방위 고등 연구 계획국(the Defense Advanced Research Projects Agency, DARPA)이 발간한 설명가능한 인공지능(explainable AI, XAI)에 관한 연구보고서에 따르면, 설명가능한 인공지능은 높은 성능, 즉 높은 예측 정확도를 유지하면서도 설명가능한 모델을 만드는 것과 인간 사용자가 인공지능 파트너를 이해하고 적절하게 신뢰하며 효과적으로 관리할 수 있도록 하는 것을 목표로 한다.[18] 2019년 유럽 집행위원회의 인공지능 고위전문가그룹(High-Level Expert Group on Artificial Intelligence, HLEG)은 신뢰할 수 있는 인공지능(trustworthy AI)을 달성하기 위한 요건 중 하나로 투명성(transparency)을 제시하면서, 그 하위개념 중 하나로 설명가능성(explainability)을 강조하였다.[19] 또한 미국 국립표준기술연구소(National Institute of Standards and Technology, NIST)는 2020년 설명가능한 인공지능의 4대 원칙을 발표하였는데, (1) 인공지능 시스템은 의사결정의 근거나 논리를 제공하여야 하고(explainability), (2) 인공지능 시스템이 제공하는 설명은 사용자에게 이해할 수 있고 의미 있는 것이어야 하며(meaningful), (3) 인공지능 시스템이 제공하는 설명은 그 시스템의 의사결정 과정을 정확하게 반영하여야 하고(accuracy), (4) 인공지능 시스템의 의도된 적용영

---

[17] Amina Adadi & Mohammed Berrada, Peeking Inside the Black-Box: A Survey on Explainable Artificial Intelligence (XAI), 6 IEEE Access 52138, 52138-39 (2018).

[18] David Gunning, Explainable artificial intelligence (XAI), Defense Advanced Research Projects Agency (DARPA) (2017).

[19] High-Level Expert Group on Artificial Intelligence, Ethics guidelines for trustworthy AI, European Commission 1, 18 (2019). 투명성(transparency)의 하위 개념으로 추적가능성(traceability), 설명가능성(explainability) 및 정보제공(communication)이 제시되었다. 설명가능성은 인공지능 시스템의 기술적 처리과정과 그와 관련된 인간의 결정을 모두 설명할 수 있어야 한다는 것이고, 정보제공은 인공지능이 사용된다는 점 그리고 인공지능 시스템의 성능과 한계에 관하여 정보가 전달되어야 한다는 것을 강조하는 개념이다.

역이 아니어서 답변이 신뢰할 수 없는 경우에는 이를 밝혀야 한다(knowledge limits)는 것이다.[20]

이처럼 인공지능의 설명가능성이 최근 몇 년간 많은 주목을 받고 있음에도 불구하고, 설명가능성에 관하여 아직까지 표준화되거나 일반적으로 받아들여지는 정의는 없고, 이는 큰 문제로 지적되고 있다.[21] 그동안 제안된 정의들 중 몇 가지를 소개하면 다음과 같다. Burrell 교수는, 불투명성이란, 모델의 입력값으로부터 어떻게 또는 왜 그런 결론이 도출되었는지 구체적으로 이해할 수 없다는 것을 의미한다고 한다.[22] 한편 Wadden 교수는, 의료 인공지능의 "블랙박스" 문제를 환자 또는 의료진이 인공지능 시스템을 이해할 수 없기 때문에 인공지능 시스템이 왜 그런 결정을 내렸는지를 현재(currently) 이해할 수 없는 경우라고 정의한다.[23] 이 글에서는 설명가능성을 Burrell 교수의 불투명성의 개념에 대응하는 것, 즉 모델의 입력값으로부터 어떻게 또는 왜 특정한 출력값이 도출되었는지를 설명하는 것을 의미한다고 이해하기로 한다.

설명가능한 인공지능을 기술적으로 구현하기 위해서는 크게 두 가지 방식을 취할 수 있다. (1) 첫 번째 방식은 내재적으로(inherently) 본질적으로(intrinsically) 해석가능한(interpretable) 모델, 즉 내부의 작동방식을 사용자가 들여다볼 수 있는(white-box) 인공지능 모델을 개발(explainable modelling)하는 것이다.[24] 선형 회귀분석(linear regression), 의사결정나무(decision trees), 또는 규칙 기반(rule-based)의 모델이 그에 해당할 것이다. 그러나 크고 복잡한 모델을 개발하게 된 이유가 모델의 예측 정확도를 높이기 위한 것이었다는 점을 고려하면, 첫 번째 방식으로 설명가능성을 구현하기 위하여 덜 복잡하고 단순한 모델을 선택하다 보면 예측 정확도를 양보하여야(trade-off) 하는 경우가 있을 수 있다는 점이 문제로 지적되고 있다. 이를 극복하기 위하여 (2) 사후적 설명(post-hoc explanation) 방식이 제시되었는데,[25] 정확

---

20) P. Jonathan Philips et al., Four principles of explainable artificial intelligence, NIST 1, 18-20 (2020).

21) Adadi & Berrada, 위의 글, p. 52140.

22) Burrell, 위의 글, p. 1.

23) Jordan Joseph Wadden, Defining the undefinable: The blackbox problem in healthcare artificial intelligence, 48 J. Med.l Ethics 764 (2021).

24) Adadi & Berrada, 위의 글, p. 52147.

25) Anick F. Markus, Jan A. Kors & Peter R. Rijnbeek, The role of explainability in creating trustworthy artificial intelligence for health care: A comprehensive survey of the terminology, design choices, and evaluation strategies, 113 J. Biomed. Inform. 1, 4 (2021).

도가 높은 기존의 블랙박스 모델은 그대로 두고, 기존 모델에 부수하여 설명을 제공하는 모델 (explanator)을 부착하거나, 본 모델의 통계적 함수와 평균적인 성능을 해석가능한 방법으로 복제(replicate)하는 방식을 말한다.[26]

이와 같은 사후적 설명 방식은 다시 모델의 의사결정 메커니즘이나 모형의 주요 요소에 대해 전반적인 설명을 제공하는 것(global explanations)과 개별적 의사결정에 대한 사후적 설명을 제공하는 것(local explanations)으로 나누어 볼 수 있다.[27] 모델 전반의 작동방식에 대한 사후적 설명은 모델의 적합성을 판단하는 데에 도움이 될 수 있고, 개별적 의사결정에 대한 사후적 설명은 개별 결정의 정당성을 평가하는 데 유용하다. 앞서 이 글에서 정의하는 설명가능성의 의미를 모델의 입력값으로부터 어떻게 또는 왜 특정한 출력값이 도출되었는지를 설명하는 것이라고 하였는데, 이에 따르면 개별적 의사결정에 대한 사후적 설명 제공(local explanation)이 설명가능성과 관련이 깊다고 볼 수 있다.

2. 의료 인공지능 분야의 설명가능한 인공지능 기술 현황

설명가능한 인공지능(explainable artificial intelligence, XAI) 기술, 특히 사후적 설명 (post-hoc explanation) 기술 중 의료 분야에서 가장 빈번하게 쓰이는 세 가지 기술은 다음과 같다.[28]

첫 번째는 SHapley Additive exPlanations(SHAP)라고 불리는, 경제학의 협력 게임 이론 (cooperative game theory)의 Shapley 값을 인공지능에 적용한 기술이다. 즉, 각 특성값 (features)을 협력적 게임의 플레이어로 간주하여 각 특성값(플레이어)의 결정에 대한 한계기여도에 따라 공정하게 보상을 분배한다는 접근방식이다. 이를 위하여 Shapley 값, 즉 모든 가능한 특성값들의 조합을 고려한 어떤 특성값의 가중 평균 기여도(weighted average

---

[26] 예를 들어, Marco Tulio Ribeiro, Sameer Singh & Carlos Guestrin, "Why should i trust you?" Explaining the predictions of any classifier, Proceedings of the 22nd ACM SIGKDD international conference on knowledge discovery and data mining, 1135 (2016).; Sandra Wachter, Brent Mittelstadt & Chris Russell, Counterfactual explanations without opening the black box: Automated decisions and the GDPR, 31 Harv. JL & Tech. 841 (2017).

[27] 고학수 등, 「인공지능 원론: 설명가능성을 중심으로」(주 14), p. 219.

[28] Loh et al., 위의 글, pp. 107164-66.

contribution)를 구한다.[29] 이 기술은 질병의 경과에 어떤 바이오마커 또는 임상적 특성이 얼마나 기여를 하였는지 분석하는 데에 활용될 수 있고, 주로 의료기록에 나타난 환자의 다양한 특성값들을 통해 질병의 경과를 예측하는 기계학습 알고리즘인 임상의사결정보조도구 (Clinical Decision Support Systems, CDSS) 개발에 적용되고 있다.[30]

두 번째는 Gradient-weighted Class Activation Mapping (GradCAM) 기술로서, 원래 합성곱 신경망(Convolutional Neural Network, CNN) 모델에서만 활용할 수 있던 Class Activation Mapping (CAM) 기술[31]의 변형, 발전된 버전이다. 이 기술은 딥러닝 CNN 모델의 마지막 레이어에 가장 결정적인 특성이 드러난다는 데에 착안하여 이미지의 어떤 부분이 해당 결정을 내리는 데 더 중요하게 작용하였는지를 히트맵(heatmap)의 형태로, 즉 색으로 표시하여 보여준다.[32] 주로 의료영상분석에 활용되는 CNN 모델에서 사용되고 있다.[33]

세 번째는 Local Interpretable Model-agnostic Explanations (LIME) 기술로서, 모델의 입력 데이터값을 변화시킬 때 예측값이 어떻게 반응하여 변화하는지를 관측하여 모델의 예측값에 각각의 특성값이 얼마나 영향을 미치는지를 분석하는 방식이다.[34] 예컨대, 이 분석을 통하여 다양한 증상을 입력값으로 하여 독감을 진단하는 경우, 두통이나 기침 증상은 독감 진단에 긍정적으로 기여하였고, 피로감이 없다는 점은 독감 진단에 부정적으로 기여하였음을 알 수 있다. 이 기술은 모델의 종류와 관련 없이 사용될 수 있고(model-agnostic), 일단 학습이 완료된 후에 처음 보는 데이터에 대한 예측을 제공하는 경우 이를 설명하는 데에도 사용될 수 있다.[35]

---

[29] Eyal Winter, The shapley value, in Handbook of Game Theory with Economic Applications, Volume 3, 2025 (Robert Aumann & Sergiu Hart eds., 2002).

[30] Loh et al., 위의 글, p. 107165.

[31] Bolei Zhou et al., Learning Deep Features for Discriminative Localization, 2016 IEEE Conference on Computer Vision and Pattern Recognition (CVPR) 2921 (2016).

[32] Ramprasaath R. Selvaraju et al., GradCAM: visual explanations from deep networks via gradient-based localization, 128 Int. J. Comput. Vis. 336, (2020).; Jahmunah Vicnesh et al., Explainable detection of myocardial infarction using deep learning models with Grad-CAM technique on ECG signals, 146 Comput. Biol. Med. 105550 (2022).

[33] Loh et al., 위의 글, p. 107165.

[34] Ribeiro et al., 위의 글; Devam Dave et al., Explainable AI meets healthcare: a study on heart disease dataset, arXiv preprint 03195 (2020). https://arxiv.org/abs/2011.03195.

[35] Loh et al., 위의 글, p. 107166.

그 외에도 의료 인공지능에서는 다양한 설명가능 기술이 개발되고 있다.[36] 한 가지 예로, 환자가 보낸 문자메시지를 보고 우울증을 예측하는 자연어처리(natural language processing, NLP) 알고리즘에서 어떤 단어가 우울증을 예측하는 데 많은 기여를 했는지를 파악하기 위하여 어텐션 메커니즘(attention mechanism)을 활용하여 더 많은 기여를 한 단어에 더 진한 음영표시를 함으로써 그 기여도를 표시하려는 등의 시도가 이루어지고 있다.[37]

3. 설명가능한 인공지능 기술의 한계

설명가능한 인공지능 기술을 이용하면 인공지능 모델의 불투명성의 문제를 해결할 수 있을 것이라는 기대와는 달리, 현재까지 개발된 설명가능한 인공지능 기술의 한계가 지적되고 있다. 우선, 설명가능한 인공지능 기술 자체의 성능을 검증하는 것이 어렵다는 문제이다.[38] 사후적 설명은 블랙박스인 본 모델을 비슷하게 모방하는 것일 뿐이어서 그 설명이 본 모델의 의사결정 방식을 정확하게 반영하는지가 불명확하다는 문제가 있다. 즉, 본 모델이 오류를 일으켰을 가능성뿐 아니라 설명이 틀렸을 가능성도 있기 때문에 오히려 이중의 오류 가능성이 있다는 것이다.[39] 이처럼 사후적 설명은 본 모델이 실제로 어떻게 작동하는지에 대한 정확한 이해를 돕지 못하기 때문에, 설명가능한 인공지능 기술을 통하여 해결하고자 했던 신뢰(trust)나 책무성(accountability) 제고에도 도움이 되지 못한다는 지적이다.[40] 더구나 그럴듯한 설명 때문에

---

[36] 의료 인공지능 분야에서는 앞서 언급한 기술들 외에도 Layer-wise relevance propagation (LRP), Fuzzy classifier, Explainable boosting machine (EBM), Case-based reasoning (CBR), rule-based system 등이 빈번하게 쓰이고 있다. Loh et al., 위의 글, pp. 107166-107168.

[37] Usman Ahmed et al., EANDC: an explainable attention network based deep adaptive clustering model for mental health treatment, 130 Future Generation Computing Systems 106 (2022). 그 외에도 의학 코드(medical coding)에 대응되는 임상 텍스트 부분을 보여주는 기술의 예로는, Hang Dong et al., Explainable automated coding of clinical notes using hierarchical label-wise attention networks and label embedding initialisation, 116 J. Biomed. Inform. 103728 (2021).

[38] Marzyeh Ghassemi, Luke Oakden-Rayner & Andrew L Beam, The false hope of current approaches to explainable artificial intelligence in health care, 3 Lancet Digit Health e745, e747 (2021).

[39] Cynthia Rudin, Stop explaining black box machine learning models for high stakes decisions and use interpretable models instead, 1 Nature machine intelligence 206, 207-08, 2019; Ghassemi et al., 위의 글, e745-48면; Boris Babic, Sara Gerke, Theodoros Evgeniou & I. Glenn Cohen, Beware explanations from AI in health care, 373 Science 284, 285 (2021).

[40] Babic et al., 위의 글, p. 285.

사용자에게 본 모델을 잘 이해한다는 잘못된 자신감을 심어줄 우려가 있고, 모델을 제대로 이해하는 데에 오히려 방해가 될 수도 있다.

다음으로, 설명가능 인공지능 기술이 제공하는 설명은 불완전(incomplete)하다는 문제이다.[41] 예컨대 설명 모델이 폐렴 진단을 위한 흉부 엑스선 사진을 분석하여 히트맵(heat map) 형태로 폐렴 진단에 가장 중요하게 작용한 부분을 표시하여 주었다고 하더라도, 그 영역을 표시하는 것만으로 그 영역 안의 어떤 부분을 모델이 주목했는지, 그 부분이 폐렴 진단에 어떤 영향을 미쳤는지 알기는 어렵다. 즉 제공된 설명의 의미를 해석하는 것은 의사의 몫이다. 인간의 알고리즘 혐오(algorithm aversion)는 사용자가 그 분야의 전문가인 경우,[42] 사용자가 그 시스템이 오류를 일으키는 것을 목격한 경우[43] 특히 잘 관찰되고, 반대로 컴퓨터 시스템을 과도하게 신뢰하는 경향(automation bias)을 보이는 경우[44]도 있을 수 있다는 점을 고려하면, 이러한 해석의 과정에 의사의 편향이 작용할 가능성을 배제할 수 없다.[45] 더 나아가 사후적 설명은 왜 어떤 결론이 내려졌는지를 기술적(descriptive)으로 설명할 뿐, 왜 그 판단이 옳은지를 정당화시켜 줄 만한 규범적(normative) 근거를 제시하여 주지는 못한다.[46] 예컨대, 설명모델이 유방 CT에서 환자를 고위험으로 분류하는 데 가장 영향을 미친 부분을 표시하여 줄 수는 있다고 하더라도 이러한 설명은 해당 환자가 고위험이라는 예측에 동의하지 않는 의사에게 이를 받아들여야 하는 이유를 제시하지는 못한다.[47]

---

[41] Rudin, 위의 글, p. 208.

[42] Jason W. Burton, Mari-Klara Stein & Tina Blegind Jensen, A systematic review of algorithm aversion in augmented decision making, 33 Journal of Behavioral Decision Making 220 (2020).

[43] Berkeley J. Dietvorst, Joseph P. Simmons & Cade Massey, Algorithm aversion: People erroneously avoid algorithms after seeing them err, 144 Journal of Experimental Psychology: General 114 (2015).

[44] Linda J. Skitka, Kathleen L. Mosier & Mark Burdick, Does automation bias decisionmaking?, 51 Int'l J. Hum. Computer Stud. 991 (1999).; David Lyell & Enrico Coiera, Automation bias and verification complexity: a systematic review, 24 J. Am. Med. Inform. Ass'n 423 (2017).; Ayanna Howard, Are we trusting AI too much?, Proceedings of the 2020 ACM/IEEE International Conference on Human-Robot Interaction (2020).

[45] Ghassemi et al., 위의 글, p. e748.

[46] Thomas Grote & Philipp Berens, How competitors become collaborators—Bridging the gap(s) between machine learning algorithms and clinicians, 36 Bioethics 134, 2022; Andrew D. Selbst & Solon Barocas, The intuitive appeal of explainable machines, 87 Fordham L. Rev. 1085 (2018).

[47] Joshua Hatherly, Robert Sparrow & Mark Howard, The Virtues of Interpretable Medical Artificial Intelligence, Cambridge Quarterly of Healthcare Ethics 1, 4 (2022).

이와 같은 설명가능한 인공지능 기술의 한계는, 이러한 기술을 통하여 달성하고자 하는 목적을 달성하는 데 도움이 되지 않거나 오히려 해가 될 수 있다는 의미일 수 있다. (1) 우선, 제공되는 설명이 인공지능 모델의 의사결정과정을 정확히 반영하는 것이 아니라면, 이를 참고하여 진단이나 치료에 관한 의사결정을 내리려는 의사는 물론, 환자가 자기결정권을 행사하는 데 도움이 되지 않거나 오히려 방해가 될 수도 있을 것이다. 이러한 문제에 대응하기 위해서는, 제공되는 설명이 정확한지에 관한 검증이 필요할 것이다. (2) 설령 제공되는 설명이 인공지능 모델의 의사결정과정을 정확히 반영하는 것이라고 하더라도, 여전히 설명가능성을 통해 달성하고자 한 목적 달성에 도움이 되지 않을 가능성도 있다

의료 인공지능을 활용하는 의사는 설명가능한 인공지능을 활용하면 오류를 더 쉽게 발견하여 수정할 수 있을 것이라고 기대할 것이나, 설명을 제공하는 경우 인공지능의 권고가 옳은지와 관계없이 인간은 인공지능의 권고를 더 잘 따르게 된다는 연구결과나[48] 설명을 제공한다고 하여 모델의 오류를 더 잘 발견하고 이를 수정하게 되는 것은 아니라는 연구결과,[49] 더 나아가 투명한 모델을 사용하는 경우 (아마도 정보과다 때문에) 모델의 오류를 발견하고 수정하는 것이 더 어려워진다는 연구결과[50] 등을 고려하면, 설명가능한 인공지능 기술을 적용한다고 하여 이를 활용하는 의사가 인공지능의 오류를 더 쉽게 발견하고 수정하여 최종적인 의사결정을 더 정확하게 내릴 수 있게 될 것이라는 보장은 없다는 것을 알 수 있다. 아울러 의사가 제공된 설명을 해석하여 최종적 의사결정에 반영하는 과정에서 알고리즘에 대한 비합리적인 혐오나 과도한 신뢰 등도 작용할 수 있다.[51] 결국, 지금의 설명가능한 인공지능 기술을 전제로 할 때에는, 그 유용성, 즉 설명가능한 인공지능 기술이 도입 목적 달성에 기여하는지 여부는 <u>이용자 연구 또는 임상시험 등을 통하여 검증</u>이 이루어져야 하는 영역이라고 할 것이다.[52]

---

[48] Gagan Bansal et al., Does the whole exceed its parts? the effect of ai explanations on complementary team performance, Proceedings of the 2021 CHI Conference on Human Factors in Computing Systems 1 (2021).

[49] Maia Jacobs et al., How machine-learning recommendations influence clinician treatment selections: the example of antidepressant selection, 11 Translational psychiatry 108 (2021).

[50] Forough Poursabzi-Sangdeh et al., Manipulating and measuring model interpretability, Proceedings of the 2021 CHI conference on human factors in computing systems 1 (2021).

[51] Hatherley, et al., 위의 글, p. 5.

[52] Markus et al., 위의 글. 설명가능한 인공지능에서 설명의 효과는 인간 사용자를 어떻게 돕는지에 따라 평가되어야 하고, 인간의 최종 의사결정을 고려한 심리학적 실험을 통하여 사용자의 만족감, 인지적 판단과정, 정확도와 신뢰(trust)가 측정되어야 한다는 주장은, David Gunning & Davic Aha, DARPA's

III. 현재 의료 인공지능에
설명가능성이 법적으로 요구되는지 여부

1. 의료기기 규제

우선, 의료기기의 규제 측면에서 설명가능한 인공지능이 요구되는지에 대하여 보면, 미국, 유럽, 우리나라 모두 의료기기에 적용하는 인공지능이 설명가능할 것을 요구하는 데에는 조심스러운 입장으로 보인다. 미국 식품의약청(Food and Drug Administration, FDA)은 제품 전주기 접근법(total product lifecycle approach, TPLC)을 통하여 인공지능 기반 의료기기의 지속적인 개발과 개선을 촉진하는 규제 방식을 고려 중이다.[53] 관련 문건에서 미국 식품의약청은 '설명가능성'을 직접 언급하지는 않으면서 결괏값과 알고리즘에 대한 적절한 수준의 투명성이 사용자에게 보장되어야 한다는 정도의 언급을 하고 있을 뿐이다.[54] 유럽의 의료기기관리규정(Medical Device Regulation, MDR)도 인공지능이나 기계학습에 기반한 의료기기에 관하여 특별히 설명가능성을 요구하고 있지는 않다.[55] 우리나라의 경우, 식품의약품안전처가 발간한 '인공지능 의료기기의 허가·심사 가이드라인'에 따르면, 기계학습 기술을 활용하는 소프트웨어의 의료기기 해당여부는 의료기기법 제2조 제1항에 따른 사용목적과 위해도를 고려하여 종합적으로 판단하여야 한다.[56] 이때 위해도의 판단에는, (ㄱ) 소프트웨어가 의도한 대로 작동하지 않아 환자에게 위해를 끼칠 가능성이 있는지 여부 및 (ㄴ) 소프트웨어가 의료인의 임

---

explainable artificial intelligence program, 40 AI Mag 44 (2019).

53) FDA, Proposed regulatory framework for modifications to aritifical intelligence/machine learning (AI/ML)-based Software as a Medical Device(SaMD) (2020), https://www.fda.gov/files/medical%20devices/published/US-FDA-Artificial-Intelligence-and-Machine-Learning-Discussion-Paper.pdf.

54) 위의 글 (requiring "(a)ppropriate level of transparency (clarity) of the output and the algorithm aimed at users").

55) Amann, et al.,위의 글 p. 4.

56) 우리나라는 2018년 의료기기법 제2조의 의료기기의 정의에 소프트웨어를 명시적으로 추가하였고, 그에 앞서 2017년 식품의약품안전처가 세계 최초로 '의료용 빅데이터와 인공지능(AI) 기술이 적용된 의료기기의 허가·심사 가이드라인'을 마련하였으며, 위 가이드라인은 2022년 국제의료기기규제당국자포럼(IMDRF) 기계학습 기반 의료기기 가이드라인과 조화를 이루도록 개정되었다. 식품의약품안전처, "인공지능 의료기기의 허가·심사 가이드라인(민원인 안내서)", 2022. 5. 12자.

상적 판단을 보장하는지 여부를 고려한다. 위 두 번째 위해도 판단 요소인 '소프트웨어가 의료 인의 임상적 판단을 보장하는지 여부'와 관련하여, 가이드라인은 "의료인이 정보 또는 치료방 법 권고의 근거를 검토할 수 있는 합리적인 기회가 부여되었는지에 대한 검토가 필요하다"고 하면서 "의료인이 제공된 정보에 대한 임상적 근거를 파악할 수 있도록 훈련 데이터셋의 출처, 훈련 데이터셋과 제공되는 결과물 간 상관관계 등에 대한 충분한 설명을 제공하여야 한다"고 한다.[57] 그러나 여기서 말하는 훈련 데이터셋과 제공되는 결과물 간 상관관계가 개별 결정에 대한 설명을 의미하는 것으로까지는 보이지 않는다.

2. 개인정보 보호 규제

다음으로, 개인정보 자기결정권을 보장하기 위한 개인정보 보호법제에서 설명가능한 인공 지능을 요구하고 있는지에 대하여 살핀다. 이에 관하여는 설명가능성에 관한 관심이 시작된 초 기부터 유럽연합의 일반 개인정보 보호법(General Data Protection Regulation, GDPR)으로 부터 설명을 요구할 권리가 도출될 수 있으므로 '알고리즘의 블랙박스를 열어야(algorithmic black box must be opened)' 한다는 주장이 제기되었다.[58]

설명을 요구할 권리가 도출되는지 여부가 문제된 규정은 GDPR 제22조 제3항 및 제15조 제1항 (h)호 두 개 규정이다. 우선 GDPR 제22조 제3항은 완전히 자동화된 의사결정이 예외적 으로 허용되는 경우에도 정보처리자는 정보주체의 권리와 자유 및 법적 이익을 보호하기 위하 여 적절한 조치를 취해야 한다고 하여, 설명을 요구할 권리에 대한 직접적인 언급은 없으나,[59] 법적 구속력이 없는 전문(Recital)에서는 사후적으로 설명을 요구할 권리에 대한 언급이 있 다.[60] 여기에서 사후적으로 개별 결정에 대한 설명을 요구할 법적인 권리가 도출될 수 있는지

---

57) 위 가이드라인, pp. 9-10.

58) Bryth Goodman & Seth Flaxman, EU Regulations on Algorithmic Decision-Making and a "right to explanation," ICML workshop on human interpretability in machine learning (2016).

59) GDPR 제22조 제3항에는 설명을 요구할 권리에 대한 직접적인 언급이 없다("the data controller shall implement suitable measures to safeguard the data subject's rights and freedoms and legitimate interests, at least the right to obtain human intervention on the part of the controller, to express his or her point of view and to contest the decision").

60) GDPR 전문 제71조에만 사후적으로 설명을 요구할 권리에 대한 언급이 있다("the right [...] to obtain an explanation of the decision reached after such assessment").

에 관하여 논란이 있다.[61] 다음으로, GDPR 제15조 제1항 (h)호에서는 GDPR 제22조 제1항에서 규정한 의미의 자동화된 결정이 있는 경우에 정보처리자는 "적용된 논리에 대한 의미있는 정보(meaningful information about the logic involved)"를 제공해야 한다고 규정하는데, 위 규정에서 설명을 제공할 의무가 도출될 수 있는지가 문제 되고 있다. 이에 대하여는 모델의 일반적인 구조나 설계만을 의미할 뿐, 개별적인 결정에 대한 설명이나 모델의 구체적인 가중치나 특성값에 대한 설명은 불필요하다는 의견[62]과 정보주체가 GDPR 제22조 제1항 및 제3항에 의한 결정에 대하여 다툴 권리를 행사하는 데 도움이 되려면 특정한 결정에 대한 설명 및 그 결정이 나오는 데 쓰인 가중치와 특성값들에 대한 설명이 필요하다는 견해[63]가 대립하고 있다.

그런데 위 논의는 모두 GDPR 제22조 제1항이 규정한 의미에서의 자동화된 의사결정이 있는 경우를 전제로 하는데, 이는 '완전히 자동화된 의사결정에 의한 경우("based solely on automated processing")'를 의미하므로 최종 결정을 인간이 내리는 등 인간이 관여하게 되면 위 규정은 적용이 없다.[64] 물론, 이때 인간의 관여는 형식적인 것이 아니라 의미 있고, 실제 결과에 영향을 미칠 수 있는 것이어야 할 것이다.[65] 결국, 인공지능이 의사의 임상의사결정보조 도구로 사용될 뿐이어서 의사가 여전히 최종적인 의사결정권한을 갖는 대부분의 의료 인공지능의 경우라면, GDPR 제22조 제1항, 제3항은 물론 제13 내지 제15조도 모두 적용이 없고,[66]

---

61) 법적 구속력이 없는 전문에만 이런 규정이 있을 뿐이어서 법적 권리를 도출하기에 부족하다는 견해로는, Sandra Wachter, Brent Mittelstadt & Luciano Floridi, Why a right to explanation of automated decision-making does not exist in the general data protection regulation, 7 Int'l Data Privacy L. Rev. 76 (2017); Goodman & Flaxman, 위의 글; Selbst & Powles, 위의 글.

62) Wachter et al., 위의 글. 이러한 견해는 'meaningful information about the logic involved'는 'a complex explanation of the algorithms used or disclosure of the full algorithm'을 의미하는 것은 아니라고 하면서, 활용된 데이터의 종류와 의사결정에의 관련성, 프로파일이나 통계그룹 작성 및 정보주체에 관한 결정에 프로파일이 활용되는 방식에 대한 설명을 정보제공의 예시로 드는 WP29의 가이드라인과 궤를 같이함. Art 29 Data Protection Working Party, Guidelines on Automated individual decision-making and profiling for the purposes of Regulation 2016/679 (2017), 25, p. 141.

63) Selbst & Powles, 위의 글.

64) Selbst & Powles, 위의 글; Wachter et al., 위의 글; Phillip Hacker, Ralf Krestel, Stefan Grundmann & Felix Naumann, Explainable AI under contract and tort law: legal incentives and technical challenges, 28 Artificial Intelligence and Law 415, 2020. [Hacker et al., Explainable AI]; Daniel Schönberger, Artificial intelligence in healthcare: a critical analysis of the legal and ethical implications, 27 Int'l J. L. Inform. Tech. 171, 2019.

65) WP29, 위 가이드라인, p. 22.

66) Schönberger et al., 위의 글, p. 191.

따라서 GDPR로부터 환자에게 설명을 요구할 권리가 도출되지는 않는다고 보아야 한다.

최근 개정된 개인정보 보호법에서는 완전히 자동화된 시스템으로 개인정보를 처리하여 이루어지는 결정에 관하여 정보주체가 설명을 요구할 수 있는 권리를 규정하고 있다.[67] 그러나 위 규정도 GDPR에서와 마찬가지로 '완전히 자동화된 시스템'을 전제로 하고 있으므로, 의사가 임상의사결정보조도구로 인공지능을 사용하는 경우에는 그 적용이 없다고 보아야 할 것이다. 결국, 현재 개인정보 보호 규제의 관점에서는 의료인공지능이 설명가능할 것을 요구하고 있지는 않다.

3. 의사의 설명의무

의사는 환자의 자기결정권을 충분히 보장하기 위하여 설명의무를 진다.[68] 우리 판례는 일반적으로 "의사는 환자에게 수술 등 침습을 가하는 과정 및 그 후에 나쁜 결과 발생의 개연성이 있는 의료행위를 하는 경우 또는 사망 등의 중대한 결과 발생이 예측되는 의료행위를 하는 경우에 있어서 응급환자의 경우나 그밖에 특단의 사정이 없는 한 진료계약상의 의무 내지 침습 등에 대한 승낙을 얻기 위한 전제로서 당해 환자나 그 법정대리인에게 질병의 증상, 치료방법의 내용 및 필요성, 발생이 예상되는 위험 등에 관하여 당시의 의료수준에 비추어 상당하다고 생각되는 사항을 설명하여 당해 환자가 그 필요성이나 위험성을 충분히 비교해 보고 그 의료행위를 받을 것인가의 여부를 선택할 수 있도록 할 의무가 있다"고 한다.[69] 이와 같은 설명의무

---

[67] 개인정보 보호법 제37조의2(자동화된 결정에 대한 정보주체의 권리 등) ① 정보주체는 완전히 자동화된 시스템(인공지능 기술을 적용한 시스템을 포함한다)으로 개인정보를 처리하여 이루어지는 결정(「행정기본법」 제20조에 따른 행정청의 자동적 처분은 제외하며, 이하 이 조에서 "자동화된 결정"이라 한다)이 자신의 권리 또는 의무에 중대한 영향을 미치는 경우에는 해당 개인정보처리자에 대하여 해당 결정을 거부할 수 있는 권리를 가진다. 다만, 자동화된 결정이 제15조 제1항제1호·제2호 및 제4호에 따라 이루어지는 경우에는 그러하지 아니하다.② 정보주체는 개인정보처리자가 자동화된 결정을 한 경우에는 그 결정에 대하여 설명 등을 요구할 수 있다. ③ 개인정보처리자는 제1항 또는 제2항에 따라 정보주체가 자동화된 결정을 거부하거나 이에 대한 설명 등을 요구한 경우에는 정당한 사유가 없는 한 자동화된 결정을 적용하지 아니하거나 인적 개입에 의한 재처리·설명 등 필요한 조치를 하여야 한다. ④ 개인정보처리자는 자동화된 결정의 기준과 절차, 개인정보가 처리되는 방식 등을 정보주체가 쉽게 확인할 수 있도록 공개하여야 한다. ⑤ 제1항부터 제4항까지에서 규정한 사항 외에 자동화된 결정의 거부·설명 등을 요구하는 절차 및 방법, 거부·설명 등의 요구에 따른 필요한 조치, 자동화된 결정의 기준·절차 및 개인정보가 처리되는 방식의 공개 등에 필요한 사항은 대통령령으로 정한다.

[68] Beauchamp/Childress, Principles of Biomedical Ethics, 2001, p. 57.

에 관한 법리는 판례를 통하여 발전하여 왔으나 2016년 의료법 개정을 통하여 명문의 규정을 두었다. 의료법 제24조의2에서는 의료인이 사람의 생명 또는 신체에 중대한 위해를 발생하게 할 우려가 있는 수술, 수혈, 전신마취를 하는 경우 환자에게 설명하고 서면 동의를 받아야 하는 사항을 정하고,[70] 이를 위반하는 경우 300만 원 이하의 과태료에 처하도록 하고 있다.[71]

의사가 설명의무를 제대로 이행하기 위해서는 설명가능한 인공지능의 사용이 요구된다는 주장이 있다. 정보에 근거한 동의(informed consent)가 적절히 이루어지려면 의사 스스로 환자에게 인공지능 의료기기가 어떻게 작동하는지를 설명할 수 있어야 하는데 인공지능의 불투명성(opacity) 때문에 이에 어려움이 있다는 것이다.[72] 의사가 사용한 인공지능의 설명가능성이 의사의 설명의무를 제대로 이행하기 위하여 필수적인지는, 인공지능을 활용한 의사가 환자에게 인공지능의 권고가 왜 어떻게 내려진 것인지를 설명하여야 하는지의 문제, 즉 인공지능 활용 시의 설명의무의 범위의 문제이다.

설명의무의 범위에 관하여, 우리 대법원은 "그 침습에 대한 승낙을 얻기 위한 전제로서 환자에 대하여 질환의 증상, 치료방법 및 내용, 그 필요성, 예후 및 예상되는 생명, 신체에 대한 위험성과 부작용 등, 환자의 의사결정을 위하여 중요한 사항에 관하여 사전에 설명함으로써 환자로

---

[69] 대법원 1995. 1. 20. 선고 94다3421판결

[70] 의료법 제24조의2(의료행위에 관한 설명) ② 제1항에 따라 환자에게 설명하고 동의를 받아야 하는 사항은 다음 각 호와 같다.
1. 환자에게 발생하거나 발생 가능한 증상의 진단명
2. 수술등의 필요성, 방법 및 내용
3. 환자에게 설명을 하는 의사, 치과의사 또는 한의사 및 수술등에 참여하는 주된 의사, 치과의사 또는 한의사의 성명
4. 수술등에 따라 전형적으로 발생이 예상되는 후유증 또는 부작용
5. 수술등 전후 환자가 준수하여야 할 사항

[71] 의료법 제24조의2, 제92조 제1항 제1의3호 및 제1의4호.

[72] Daniel Schiff & Jason Borenstein, How Should Clinicians Communicate with Patients about the Roles of Artificial Intelligent Team Members? 21 AMA J. Ethics 138, 140, 2019. 인공지능이 왜 어떤 결정을 내렸는지 이해하지 못하고, 환자가 속한 집단이 적절히 대표된 데이터셋으로 훈련되었는지 여부도 확인할 수 없으며, 환자가 속한 하위그룹(subgroup)에 따라 인공지능의 성능이 어떻게 달라지는지 알 수 없다면, 동의 절차가 적절히 작동할 수 없다는 주장이다. 또한 유럽에서는 유럽 연합 기본권 헌장(the European Charter of Fundamental Rights, CFR) Art. 3 para. 2a)가 환자의 자유롭고 정보에 근거한 동의("free and informed consent")를 요구하므로 사전에 환자에게 인공지능의 필수 기능에 관하여 이해할 수 있는 방식으로 설명을 하기 위해서는 의료 분야에서 설명가능한 인공지능이 요구된다는 견해는, Karl Stöger, David Schneeberger & Andreas Holzinger, Medical Artificial Intelligence: The European Legal Perspective, 64 Communications of the ACM 34, 35 (2021).

하여금 수술이나 투약에 응할 것인가의 여부를 스스로 결정할 기회를 가지도록 할 의무"가 있다고 한다.[73]

의사가 인공지능을 활용하여 의료행위를 하는 경우 환자에게 어떤 범위에서 설명을 하여야하는지에 관하여는 다양한 스펙트럼의 견해가 존재하고,[74] 환자의 구체적 상황이나 해당 인공지능 시스템이 의사결정에서 어떤 역할을 하고 어떤 위험을 유발하는지 등에 따라 설명의무의 범위는 달라질 수 있을 것이다.[75] 그러나 일반적으로는 현재 의료 분야에서 활용되는 인공지능 기술이 의사의 의사결정을 보조하는 역할에 그친다는 점을 전제로 할 때, 다음과 같은 이유로 설명의무를 제대로 이행하기 위하여 의사가 설명가능한 인공지능을 사용하여야 할 필요까지는 없을 것으로 보인다.

첫째, 의사가 환자에게 우리 판례에서 예시적으로 열거하고 있는 "질병의 증상, 치료 방법의 내용 및 필요성, 예후 및 예상되는 생명, 신체에 대한 위험과 부작용 등"을 설명하기 위하여 의사의 판단에 보조적인 역할을 하였을 뿐인 인공지능의 권고가 왜, 어떻게 그렇게 내려졌는지에 대한 상세한 이해는 필요하지 않기 때문이다.[76] 즉, 인공지능의 활용이 추가적인 위험을 유발하지 않는 한, 인공지능의 조력을 받았든, 받지 않았든 의사가 환자에게 설명해야 할 내용이 달

---

[73] 대법원 1994. 4. 15. 선고 92다25885 판결 참조.

[74] Schiff & Borenstein, 위의 글, pp. 140-41 (핵심 기술(core technology) 및 인간의사 및 인공지능의 역할, 그리고 인간의사나 기계가 오류를 일으킬 경우 발생할 수 있는 위험, 나아가 환자의 두려움이나 과도한 신뢰에 대응하기 위해 인간 의사와 기계를 비교하여 잠재적인 위험과 이득을 측정한 연구결과를 설명할 필요가 있음); Maximilian Kiener, Artificial Intelligence in Medicine and the Disclosure of Risks, 36 AI & Soc. 705 (2021) (사이버 공격의 위험, 편향의 위험, 불합치(mismatch)의 위험의 성격(nature)과 가능성(likelihood)가 일정 정도를 넘어서는 경우에는 의사가 이를 환자에게 공개해야 함); Suzanne Kawamleh, Against explainability requirements for ethical artificial intelligence in health care, AI and Ethics (2022) (환자에게는 인공지능의 성능을 설명해 주면 충분함); Anastasiya Kiseleva, Dimitris Kotzinos & Paul de Hert, Transparency of AI in Healthcare as a Multilayered System of Accountabilities: Between Legal Requirements and Technical Limitations, 5 Frontiers in Artificial Intelligence 1, 12 (2022) (인공지능을 활용하였다는 사실과 인공지능을 사용하지 않고 진단/치료를 받을 수 있다는 사실, 인공지능의 역할, 인공지능이 사전에 안전성과 품질에 관한 인증을 받은 사실, 시판허가 단계에서의 인공지능의 목적과 성능. 그리고 더 나아가 개별 결정에 대한 설명을 제공하여야 한다고 하면서도, 모든 것을 설명해야 하는 것은 아니라고 함).

[75] Schönberger et al., 위의 글, p. 219.

[76] Kawamleh, 위의 글, p. 12 (인공지능의 불투명성(epistemic opacity)과는 무관하다. 왜, 어떻게 그런 결정이 내려졌는지에 대한 인과적인 상세한 설명은 모델의 오류 수정이나 개발을 위해 필요할 수는 있으나 환자에게는 필요하지 않음).

라질 이유는 없다.[77]

둘째, 의료 인공지능의 투명성은 설명가능성 외에도 다른 정보 전달(communication)을 통해서도 달성될 수 있다. 인공지능 모델의 정확도나 오류가능성에 대한 정보, 특히 환자가 속한 집단이 적절히 대표된 데이터셋으로 학습되었는지 여부나 환자가 속한 하위그룹(subgroup)에 대하여 인공지능의 성능이 어떻게 달라지는지에 관한 정보는 '예상되는 생명, 신체에 대한 위험' 등을 설명하기 위하여 필요할 수는 있으나 이는 학습데이터에 대한 정보 제공 및 학습된 인공지능 모델에 대한 검증을 통하여 확보할 수 있는 정보이고, 인공지능 모델 자체가 설명 가능해야만(즉, 인공지능 모델의 결괏값이 왜 어떻게 입력값으로부터 도출되었는지를 개별적으로 설명할 수 있는 모델을 사용해야만) 얻을 수 있는 정보는 아니다.

셋째, 환자에게 너무 많은 정보를 제공하는 것은 오히려 환자의 의사결정을 방해할 우려가 있다. 의사는 약을 처방할 때에도 그 약의 화학식을 설명하는 것이 아니라 약을 복용할 때의 효용과 부작용 등 위험을 설명할 뿐이다.[78] 이처럼 의사가 인공지능의 조력을 받아 의사결정을 하기 전부터 이미 의사는 환자에게 복잡한 정보를 적절히 단순화하여 설명을 해 왔다는 점[79]을 고려하면, 인공지능 시스템이 어떻게 작동하고 어떤 종류의 오류가 발생할 가능성이 있는지에 대한 대략적인 설명을 하는 것으로 충분하고, 인공지능의 권고가 왜 어떻게 내려졌는지 그 세부적인 내용까지 환자에게 설명할 필요는 없다.

4. 의사의 의료과오책임

의료인이 진단 및 치료상의 주의의무를 위반하여 환자의 생명, 신체, 건강을 침해한 경우에는 의료과오책임을 진다.[80] 의료과오책임은 불법행위책임 또는 의료계약의 불완전이행으로

---

77) Schönberger et al., 위의 글, p. 188 (인공지능 의료기기가 활용된다고 하더라도 환자가 더 많은 위험에 노출된다고는 볼 수 없고, 개별 알고리즘의 작동원리에 대한 설명은 환자가 치료를 받을지 여부를 결정하는 데 도움이 되지 않음); Jordan Joseph Wadden, Defining the undefinable: the black box problem in healthcare artificial intelligence, 48 J. Med Ethics 764, 767 (2022). (환자가 치료를 받는 것의 이익과 위험, 대체 치료방법 등에 대한 설명을 하여야 하는 것은 인공지능을 활용하지 않은 경우나 마찬가지임).

78) Kiseleva et al., 위의 글.

79) Schönberger et al., 위의 글, p. 219.

80) 실무에서는 주로 불법행위책임으로 구성된다. 이상돈/김나경, 「의료법강의(제4판)」, 법문사, 2020, pp. 129-130.

인한 채무불이행책임으로 구성할 수 있고, 두 경우 모두 의사가 환자를 치료할 때 최선의 주의 의무를 다하지 않았다는 점을 환자 측에서 증명하여야 하는 것은 마찬가지이다.[81] 판례에 따르면 책임의 전제가 되는 주의의무란, 진찰, 치료 등의 의료행위와 관련하여 "환자의 구체적 증상이나 상황에 따라 위험을 방지하기 위하여 요구되는 최선의 조치를 행하여야 할 주의의무"이고, 이는 "의료행위를 할 당시 의료기관 등 임상의학 분야에서 실천되고 있는 의료행위의 수준을 기준"으로 하며,[82] 이처럼 요구되는 의료 수준은, "통상의 의사에게 의료행위 당시 일반적으로 알려져 있고 또 시인되고 있는 이른바 의학상식을 뜻하므로 진료 환경 및 조건, 의료행위의 특수성 등을 고려하여 규범적인 수준으로 파악"되어야 한다고 한다.[83]

인공지능 임상의사결정보조도구의 도움을 받아 의료행위를 한 의사는 어떤 경우에 의료과오책임을 지게 될까? 인공지능 의료기기의 권고를 그대로 따른 의사도 그 의료행위가 현재 의사에게 요구되는 주의의무의 기준, 즉 의료수준에 미치지 못한 것으로 판단되면 환자에게 발생한 악결과에 대하여 책임을 질 수 있다. 의사의 의료행위가 인공지능 의료기기의 도움을 받아 이루어진 경우라도 현재 요구되는 의료수준에 부합하는지가 책임의 기준이 되기 때문에, 의사로서는 의료수준에 맞추어 의료행위를 하되 인공지능 의료기기를 단지 확인용도(confirmatory tool)로만 사용하게 될 것이다.[84] 그런데 인공지능 의료기기의 권고가 환자에게 도움이 되는 경우에도 현재 의료수준에 어긋난다면 의사는 책임을 회피하기 위하여 이를 무

---

[81] 백경희/장연화, "의료판례의 동향과 문제: 민사법적 쟁점과 전망을 중심으로", 「한국의료법학회지」 제26권 제1호, 2018, pp. 226-227. (계약책임으로 구성하더라도 의사의 치료채무의 성질을 수단채무로 파악하는 우리 판례에 따르면 환자 측에서 의사가 최선의 주의의무를 다하지 않았다는 불완전이행을 증명할 수밖에 없음). 청구원인을 채무불이행으로 구성하더라도 진료의무의 성격은 일반적으로 수단채무여서 나쁜 결과가 발생하였다는 사정만으로 곧바로 진료채무의 불완전이행이 있다고 볼 수 없다는 취지의 판례는, 대법원 1988. 12. 13. 선고 85다카1491 판결 등 참조.

[82] 대법원 1999. 3. 26. 선고 98다45379, 45386 판결.

[83] 대법원 2011. 11. 10. 선고 2009다45146 판결. 이러한 의료과실의 개념은 계약책임이든 불법행위책임이든 동일하다. 이상돈/김나경, 위의 책, 130면. 이러한 판단 기준은 미국에서도 크게 다르지 않다. 미국에서 의료과오책임은 의사가 의료 수준(standard of care)에서 벗어남으로 인하여 손해가 발생했을 것을 요건으로 하고, 이때 의료 수준은 동일하거나 유사한 상황에서 같은 분야의 평균적인 능력을 가진 의사가 따르는 일반적으로 승인되고 수용되는 관습과 절차에 따라 결정된다. A. Michael Froomkin, Ian Kerr & Joelle Pineau, When AIs Outperform Doctors: Confronting the Challenges of a Tort-Induced Over-Reliance on Machine Learning, 61 Ariz. L. Rev. 33, 52-54 (2019).

[84] W. Nicholson Price II, Potential Liability for Physicians Using Artificial Intelligence, 322 JAMA 1765, 1765-66 (2019). 이와 관련한 상세한 소개는, 박혜진, 위의 글, pp. 230-231. 참조.

시하고 의료수준에 부합하는 의사결정을 내리게 될 것이므로, 이는 인공지능 의료기기의 잠재적 가치를 최소화하는 결과로 이어질 수 있다.[85]

그러나 장차 의사보다 일관되게 뛰어난 성능을 보이는 인공지능 의료기기가 널리 쓰이게 되면, 주의의무의 기준이 되는 의료수준(standard of care)도 결국 그에 맞추어 상향될 것이다.[86] 인공지능 의료기기가 의사보다 더 정확한 예측이 가능할 뿐만 아니라 업무흐름에 방해가 되지 않고, 병원 측의 비용부담도 합리적인 선이라면 그것을 사용하지 않을 이유가 없을 것이고, 자연스럽게 의료수준도 이러한 인공지능 의료기기를 사용하는 것을 전제로 바뀔 것이다. 이때는 의사들이 오히려 인공지능 의료기기를 사용할 의무, 그리고 이러한 인공지능 의료기기가 내놓는 진단이나 치료방법을 특별한 사정이 없는 한 따라야 할 주의의무를 지게 될 수 있다. 그것이 평균적으로 환자의 건강에 이익이 될 것이기 때문이다. 이처럼 인공지능 의료기기의 성능개선 및 일반화가 이루어지고 인공지능 의료기기를 사용할 의무가 발생한 단계에서는 어떤 인공지능 모델을 채택할 것인가가 중요한 문제가 될 것이다.[87]

그렇다면, 이처럼 인공지능 의료기기를 사용할 의무가 발생한 단계에서는 의사에게 '설명가능한' 모델을 사용하여야 할 의무가 있다고 볼 수 있는가? 설명가능한 모델과 설명불가능한 모델의 성능이 동일하다면 설명가능한 모델을 채택해야 한다는 견해가 있으나[88] 이렇게 일률적으로 답할 수 있는 문제는 아니다. 일반적으로 주의의무 위반의 판단은 결과발생의 가능성, 피침해이익의 중대성, 주의의무를 부과함에 의하여 희생되는 이익을 비교형량하여 판단한다.[89]

---

[85] 위의 글.

[86] Froomkin et al., 위의 글.

[87] 이러한 경우에는 과실을 피하기 위하여 의사가 '최신의' 인공지능 의료기기를 도입하여야 할 의무가 있다고 보아야 한다는 주장은, Hacker et al., Explainable AI, 421-23면. 이와 유사한 문제로, 의료기관이 시판되는 최신 및 최고의 상품을 구매하고 사용할 의무가 있는지에 관하여, 기존의 의료기기가 최신 기술(state of the art) 범주에 들어가는 경우에는 계속하여 그것을 사용할 수 있지만, 더 나은 기술의 의료기기가 시장에 계속 쏟아져 나오게 되면 허용 가능한 의료기기 성능의 최소 기준이 상향될 것이라는 견해는, Froomkin et al., 위의 글.

[88] Rudin, 위의 글 ("black box AI systems ought not to be used in high-stakes decision-making contexts or safety-critical domains unless it is demonstrated that no interpretable model can reach the same level of accuracy").

[89] 주의의무 판단 기준으로 법경제학적 관점에서 이른바 핸드 공식(Hand formula)이 자주 거론되고, 최근 대법원 판결(대법원 2019. 11. 18. 선고 2017다14895 판결)에서는 공작물의 하자 판단에서 핸드 공식을 적용한 바 있다. 이와 같은 법경제학적 관점을 적용하면, 설명불가능한 모델에 비하여 설명가능한 모델을 채택하는 한계 이익이 한계 비용보다 높은 경우에는 설명가능한 모델을 채택할 의무가 있다고 볼 수

결과발생의 가능성을 판단하기 위하여 필요한 중요한 정보 중 하나는 설명가능한 인공지능 모델을 사용하지 않는 경우 의사의 최종 의사결정이 얼마나 더 부정확해지는지에 대한 임상시험 데이터가 될 것이다. 임상시험 데이터가 존재하지 않는다면, 인공지능 모델을 사용하고자 하는 상황이 오류를 발견해내기 위해 설명가능한 모델이 꼭 필요한 경우인지를 고려할 수 있을 것이다.[90] 예컨대 적용되는 상황이나 의사결정에서 차지하는 역할에 따라 인공지능 모델이 꼭 설명가능하지 않더라도 의사가 의학적 지식에 비추어 오류를 쉽게 발견하여 모델의 오류를 정정하는 것이 용이한 경우도 있을 수 있을 것이기 때문이다. 주의의무를 부과함에 있어 희생되는 이익의 측면에서는 설명가능한 인공지능 모델이 임상의 업무 흐름에 매끄럽게 편입될 수 있는지, 의료기관의 총 매출규모 등을 고려할 때 해당 모델을 사용하는 데 드는 비용이 적정한지 등도 고려되어야 한다.[91] 이러한 이익형량의 결과 의사가 설명가능한 인공지능 모델을 사용할 주의의무가 인정될 수도 있을 것이다.

5. 제조물책임

인공지능 의료기기가 설명가능하지 않아 안전성을 결여하였다는 이유로 제조업자에게 제조물책임을 물을 수 있을 것인가? 이에 관하여는 우선 인공지능 의료기기를 제조물, 즉 '제조되거나 가공된 동산'[92]으로 볼 수 있을 것인지, 나아가 동산은 부동산 이외의 물건을 의미하므로, 민법상 물건, 즉 '유체물 전기 기타 관리할 수 있는 자연력'[93]에 해당한다고 볼 수 있을 것인지가 문제 된다. 인공지능 의료기기는 상당수가 소프트웨어 형태로 이루어져 있거나 소프트웨어와 하드웨어가 결합된 형태로 이루어져 있다. 소프트웨어와 하드웨어가 일체화된 시스템으로서 존재하는 경우에는 이를 물건 또는 '제조되거나 가공된 동산'으로 보는 데에는 문제가

있을 것이다. 새로운 의학적 방법을 사용하는 경우의 한계 이익이 불이익보다 클 경우에는 새로운 방법이 의료수준에 부합한다는 견해로는, Michael D. Greenberg, Medical malpractice and new devices: defining an elusive standard of care, 19 Health Matrix 423 (2009).

[90] Ribeiro et al., 위의 글; Lipton, 위의 글.

[91] Hacker et al., Explainable AI.

[92] 제조물 책임법 제2조 제1호에 따르면, 제조물은 '제조되거나 가공된 동산(다른 동산이나 부동산의 일부를 구성하는 경우를 포함)'으로 정의된다.

[93] 민법 제98조.

없다.[94] 그러나 순수한 소프트웨어로서의 인공지능 의료기기의 경우에는 소프트웨어를 물건, 즉 '유체물 전기 기타 관리할 수 있는 자연력'에 포함된다고 해석할 수 있어야 그것이 비로소 제조물에 해당할 수 있게 되는데, 이에 대하여는 유체물이라기보다는 정보(information)로 볼 수 있는 소프트웨어를 물건에 해당한다고 해석하기는 어렵다는 것으로 보는 것이 다수의 견해로서,[95] 이는 궁극적으로 입법적으로 해결되어야 할 문제로 이해되고 있다. 유럽에서도 애플리케이션이나 순수한 소프트웨어에 제조물책임법이 적용될 수 있는지에 대한 논의가 있었고,[96] '제조물'에 '전기'가 포함된 것은 유체물로 다루어져야 하는 무체물의 예시로서, 소프트웨어도 마찬가지로 다루어져야 한다는 견해도 있었다.[97] 2021년 유럽사법재판소(CJEU)는 Krone 판결에서 인쇄된 신문에 포함된 정보를 제조물의 개념에서 제외하는 결정을 하였는데, 이는 소프트웨어가 저장된 매체가 유체물이므로 소프트웨어에도 제조물책임법이 적용되어야 한다는 주장을 하는 측에 다소 불리하게 작용할 것으로 보인다.[98]

그런데 최근 유럽에서는 소프트웨어를 제조물에 명시적으로 포함시키려는 입법적인 노력이 이루어지고 있다. 2022년 9월 유럽연합 집행위원회(EC)는 인공지능에 관한 민사책임에 관련한 AI 책임 지침안(AI Liability Directive, AILD)과 제조물책임지침 개정안(Product Liability Directive, PLD)을 채택하였다.[99] 이들 지침안은 인공지능 기술의 특수성으로 인하여 발생할 수 있는 책임의 공백을 방지하고 효과적인 손해배상을 보장하기 위한 목적을 가지고 있고,[100]

94) 이해원, "인공지능과 제조물책임", 「정보법학」 제25권 제2호, 2021, pp. 74-75; 김진우, "인공지능: 제조물책임법의 업데이트 여부에 관하여", 「재산법연구」 제37권 제2호, 2020, pp. 32, 36; 오병철, "인공지능 로봇에 의한 손해의 불법행위책임", 「법학연구」 제27권 제4호, 2017, pp. 189-190.

95) 박동진, 「제조물책임법 개정 방안 연구」, 법무부·공정거래위원회, 2012, 12, p. 72.

96) European Commission, Evaluation of Council Directive 85/374/EEC on the approximation of laws, regulations and administrative provisions of the Member States concerning liability for defective products, final report, 2018.

97) Gerhard Wagner, Robot Liability, in Liability for Artificial Intelligence and the Internet of Things 25 (Sebastian Lohsse et al. eds.), 2019.

98) Gerhard Wagner, Liability Rules for the Digital Age-Aiming for the Brussels Effect-, 13 Journal of European 191, 204, 2023.

99) European Commission, Proposal for a Directive of the European Parliament and of the Council on adapting non-contractual civil liability rules to artificial intelligence, 2022. [AILD Proposal]; European Commission, Proposal for a Directive of the European Parliament and of the Council on Liability for Defective Products, 2022. [PLD Proposal]

100) Rec. 3-4 AILD Proposal; Rec. 3 PLD Proposal.

빠르면 올해 말 입법될 것으로 보이는 유럽연합의 인공지능 법(AI Act)과 더불어 외국에서 개발한 인공지능이 유럽연합에서 사용되는 경우에도 널리 적용될 예정이다.[101] 다만 규정 (regulation)의 지위를 갖는 인공지능 법(AI Act)과는 달리 PLD와 AILD는 지침(directive)으로서 각국의 국내법으로 전환(transpose)되어야 적용이 가능하다.[102] 위 PLD안에서는 소프트웨어도 제조물임을 명시적으로 밝히고 있고(제2조) 여기에는 인공지능 시스템도 포함된다.[103] 아직 우리나라에서는 이러한 입법적 움직임은 없으나 유럽연합의 제조물책임법의 발전과정은 우리나라의 법리 발전에 영향을 미칠 가능성이 크므로 주시할 필요가 있다.[104]

6. 소결

결국, 의료기기 규제, 개인정보보호 규제, 의사의 설명의무, 의사의 의료과오책임, 제조업자의 제조물책임 그 어떤 측면에서도 현재의 설명가능한 인공지능의 기술 수준과 의료 인공지능

---

[101] Art 2(1) AI Act.

[102] PLD와 AILD가 국내법으로 전환되고 나면, 이 지침은 EU 회원국의 기존의 국내법(엄격책임 또는 과실책임)과 결합하여 인공지능으로 인한 손해배상책임을 규율하게 된다. Art. 288, Consolidated version of the Treaty on the Functioning of the European Union (TFEU) (2012).

[103] European Commission, Questions and answers on the revision of the Product Liability Directive (2022). ("The revised PLD ... makes clear that software, including AI systems, is a product").

[104] 소프트웨어를 제조물로 포섭할 수 있을 것인지에 대한 걸림돌이 해결되었다는 전제하에, 설명불가능하다는 것이 결함으로 평가될 수 있을까? 우리 제조물책임법은 제3차 미국 불법행위법 리스테이트먼트의 영향을 받아 결함을 제조상 결함, 설계상 결함, 표시상 결함 세 유형으로 구분하고 있다(제조물책임법 제2조 제2호). 이들 중 의료인공지능의 설명가능성과 관련하여 가장 문제 될 만한 결함의 유형은 제조업자가 합리적인 대체설계를 채용하지 않아 안전성을 결여하게 된 경우에 해당하는 설계상 결함이 될 것이다(제조물책임법 제2조 제1호 나목). 대법원은 설계상 결함의 판단기준으로 "제품의 특성 및 용도, 제조물에 대한 사용자의 기대의 내용, 예상되는 위험의 내용, 위험에 대한 사용자의 인식, 사용자에 의한 위험회피의 가능성, 대체설계의 가능성 및 경제적 비용, 채택된 설계와 대체설계의 상대적 장단점 등 여러 사정을 종합적으로 고려하여 사회통념에 비추어 판단하여야 한다"고 판시하고 있다(대법원 2014. 4. 10. 선고 2011다22092 판결). 결국, 위험과 효용을 비교하기 위하여(risk-utility test) 대체설계로서의 설명가능한 모델을 사용하였다면 향상되었을 안전성과 설명가능하도록 만들기 위하여 소요되었을 비용을 비교하는 것이 필요하고, 이때의 안전성은 물론 설명가능한 모델을 사용한 의사의 최종 결정의 안전성을 측정한 임상 데이터를 통하여 평가하여야 할 것이다. 그 결과, 설명가능한 모델이 최종 결정의 안전성을 의미있게 향상시킬 수 있다면, 설명가능한 모델을 채택하지 않은 것이 설계상 결함으로 판단될 수도 있을 것이다. Philipp Hacker & Jan-Hendrik Passoth, Varieties of AI Explanations under the Law-From the GDPR to the AIA, and Beyond, International Workshop on Extending Explainable AI Beyond Deep Models and Classifiers 343, 2020. [Hacker et al., Varieties of AI Explanations]; Hacker et al., Explainable AI; Froomkin et al., 위의 글, p. 97.

의 임상에서의 활용 현황에 비추어 의료 인공지능의 설명가능성이 법적으로 요구된다고 단언하기는 어렵다. 물론 앞서 상세히 살펴본 바와 같이 책임 판단에서 고려하는 여러 가지 요소들이 향후 변화할 가능성은 충분히 있다. 즉 인공지능의 성능이 높아지고, 의사결정 과정에서 인공지능이 더 주도적인 역할을 수행하며, 설명가능한 인공지능을 활용하면 의사의 의사결정의 정확도가 블랙박스 인공지능을 활용하는 경우보다 더 개선될 수 있다는 점이 밝혀지고, 설명가능한 인공지능 기술이 지금보다 발전하여 정확해지고 비용도 합리화되는 날이 올 것이다. 그렇게 되면 설명가능한 인공지능 기술을 의료 인공지능에 적용하도록 요구하는 규제의 필요성이나 책임 부과의 가능성도 아울러 높아질 것이다.

IV. 의료 인공지능에 설명가능성을 요구할 것인가?

의료 인공지능이 설명가능해야 한다는 주장은[105] 불투명성 때문에 의료 인공지능의 오류나 편향을 의사가 발견하지 못하는 바람에 환자의 건강과 안전을 해할 가능성이 있다거나,[106] 의사가 인공지능의 추천을 그대로 받아들여 따른 경우 법적 윤리적 책임을 누구에게 물을 것인지 결정하는 데에 어려움이 있을 수 있다는 등의 우려[107]를 그 근거로 들고 있다. 그러나 앞서 살펴본 바와 같이(II. 3.) 설명가능한 인공지능 기술, 특히 사후적 설명 기술의 한계가 드러나면서, 설명가능한 인공지능 기술을 통해 과연 위에서 언급된 불투명성으로 인한 문제들이 해결될 수 있을 것인지 의문시됨에 따라, 설명가능성보다 차라리 성능을 우선시해야 하는 것이 아니냐

---

105) Andreas Holzinger, Chris Biemann, Constantinos S. Pattichis & Douglas B. Kell, What do we need to build explainable AI systems for the medical domain?, arXiv preprint arXiv:1712.09923, 2017; Amann et al., 위의 글; Umang Bhatt et al., Explainable machine learning in deployment, Proceedings of the 2020 conference on fairness, accountability, and transparency 648 (2020).

106) Edward H. Shortliffe & Martin J. Sepúlveda, Clinical decision support in the era of artificial intelligence, 320 JAMA 2199 (2018).; Caruana et al., 위의 글; Robert Challen et al., Artificial intelligence, bias and clinical safety, 28 BMJ Quality & Safety 231, 233 (2019).; Chang Ho Yoon, Robert Torrance & Naomi Scheinerman, Machine learning in medicine: should the pursuit of enhanced interpretability be abandoned?, 48 J. Med. Ethics 581 (2022).

107) W. Nicholson Price II, Medical malpractice and black-box medicine, in Big Data, Health Law, and Bioethics (I. Glenn Cohen et al., eds.) (2018).

는 견해들이 설득력 있게 제시되고 있다.

첫째, 의료 분야에서는 인공지능 모델의 불투명성이 특별히 문제 되지 않는다는 지적이다. 임상에 적용되는 다양한 치료방법의 메커니즘을 이해할 수 없는 경우에도 의사나 환자는 이를 문제 없이 받아들이고 있고, 인공지능 모델의 불투명성도 이와 다르지 않다는 것이다.[108] Topol 교수는 의료 분야에는 이미 블랙박스들이 많이 존재한다면서 아무도 어떻게 작동하는지 설명하지는 못하지만 효능이 뛰어난 약들이 많이 있다는 점을 강조한다.[109] 뿐만 아니라 자신의 진정한 내적 동기나 적용한 논리를 스스로 잘못 파악하거나 사후에 합리화하기도 한다는 점에서는 인간도 인공지능만큼이나 불투명하지 않느냐는 것이다.[110]

둘째, 인공지능의 해석가능성 또는 설명가능성이 개선되면 성능이나 정확도는 감소하게 됨을 전제로,[111] 의료 인공지능에서 설명가능성을 정확도보다 우선시하면 정확도의 감소로 인해 환자의 건강에 대한 이익도 줄어드는 치명적인 결과를 초래하게 되므로, 정확도를 우선시해야 한다는 것이다.[112] 환자 입장에서는 어떤 치료법이 효과가 있는지가 중요하지, 의사가 그 치료법이 왜, 어떻게 작동하는지 알고 있는지는 그다지 중요하지 않다는 지적이다.[113] 실제로, 최근 이루어진 실증 연구에 따르면, 일반인들은 비(非)의료분야에서와 달리 의료분야에서는 정확도를 설명가능성보다 더 선호하는 것으로 나타났다.[114]

셋째, 설명가능성의 한계를 지적하면서 불완전한 설명가능성을 요구하기보다는 차라리 인공지능 기술의 성능 검증을 철저히 하는 것이 낫다는 것이다.[115] 소수집단이 불균등한 영향을

---

[108] Eric J. Topol, High-performance medicine: the convergence of human and artificial intelligence, 25 Nature medicine 44, 51, 2019; Alex John London, Artificial intelligence and black-box medical decisions: accuracy versus explainability, 49 Hastings Center Report 15, 17-18 (2019).

[109] Topol, 위의 글, p. 51.

[110] John Zerilli et al., Transparency in algorithmic and human decision-making: is there a double standard?, 32 Philosophy & Technology 661 (2019).

[111] 실제로 인공지능을 더 잘 이해하기 위해 해석가능한 모델을 채택한 경우(예컨대 모델의 사이즈를 줄이거나 딥러닝 네트워크 대신 rule-based 모델을 사용한 경우) 모델의 정확도가 떨어졌다는 보고로는, Caruana et al., 위의 글, pp. 1721-22.

[112] Fei Wang, Rainu Kaushal & Dhruv Khullar, Should health care demand interpretable artificial intelligence or accept "black box" medicine?, 172 Annals of internal medicine 59 (2020).

[113] Hatherly et al., 위의 글, p. 3.

[114] Sabin N. van der Veer et al., Trading off accuracy and explainability in AI decision-making: Findings from 2 citizens' juries, 28 J. Am. Inform. Ass'n 2128 (2021).

받지 않도록 최대한 다양하고 이질적인 인구집단에 대하여 철저하고 엄격한 검증을 하거나[116] 적어도 고위험 의료기기의 경우는 실제 사용자들이 활용할 때의 성능이 어떠한지 임상시험을 통해 검증하여야 한다는 것이다.[117]

그 외에 설명가능성의 필요성 자체를 문제 삼지는 않으면서, 설명가능성을 통해 달성하고자 했던 목적을 이루기 위해서는 사후적 설명을 제공할 것이 아니라 처음부터 해석가능한 모델을 사용해야 한다는 견해도 있다.[118]

최근에는 의료 분야라고 하여 언제나 설명가능성이 중요하다거나, 언제나 성능이 우선시되어야 한다고 볼 수는 없고, 상황에 따라 설명가능성이 필요한지를 달리 평가하여야 한다는 견해들도 제기되고 있다. 의사가 인공지능을 임상에서 활용하는 목적을 어떻게 이해하고 있는지에 따라 인공지능 시스템의 정확도가 갖는 중요성은 달라진다고 하면서, 의사는 경우에 따라 덜 정확하더라도 설명가능한 모델을 선호할 수도 있다는 것이다.[119] 최소한으로 요구되는 설명과 추가적으로 신뢰 구축을 위해 요구되는 설명을 구별하면서, 환자 및 의사의 필요 그리고 알고리즘이 적용되는 상황에 따라 최소한으로 요구되는 설명가능성을 달리 파악하여야 한다는 주장도 위 견해와 궤를 같이한다.[120] 한편, 위험성이 얼마나 큰지와 임상에서 성능이 이미 증명되었

---

[115] London et al., 위의 글; Ghassemi et al., 위의 글; Babic et al., 위의 글.

[116] Ghassemi et al., 위의 글, p. e748.

[117] Babic et al., 위의 글, p. 286. (특히 의료분야처럼 (ㄱ) 예측 모델이 방대한 양의 특성값을 고려하는 고차원의 알고리즘에서 해석 가능한 단순한 알고리즘을 사용하게 되면 성능의 감소가 불가피하고, (ㄴ) 오류가 발생했을 때 환자에 대한 잠재적 위험이 상대적으로 크며, (ㄷ) 전통적으로 설명이 어려운 경우에도 의료기기나 치료방법 등의 신뢰성을 증명할 수 있는 여러 가지 대체적 방법들이 존재하는 분야라면 더욱 그렇다고 함). 다만 Babic 교수와 공저자들은 의료 안에서도 자원의 공정한 배분이 문제되는 분야, 즉 어떻게 결정이 내려지는지가 사전에 투명하게 공개되는 것이 중요하다거나 규제기관이 이를 요구하는 분야에서는 처음부터 해석가능한 알고리즘을 사용하는 것이 낫다고 한다.

[118] Markus et al., 위의 글; Phillips et al., 위의 글; Zachary C. Lipton, The mythos of model interpretability, 61 Comm. ACM. 36 (2018).; Rudin, 위의 글 (해석가능성을 얻기 위해 정확도를 희생해야 한다는 것은 잘못된 믿음(myth)이라고 주장하면서, 형사절차나 의료처럼 위험성이 큰 분야에서는 블랙박스 모델을 사용해서는 안 되고 해석가능한 모델을 사용해야 한다고 주장함).

[119] Hatherly et al,, 위의 글, p. 5. 비슷한 주장으로, 임상의사결정보조도구로 쓰이는 인공지능의 경우 상황별로 적용되는 기술, 표시되는 정보, 사용자 집단, 의사결정에서의 역할 등을 고려하여 얼마나 설명가능성을 요구할 것인지를 판단하여야 한다는 견해도 있다. Julia Amann et al., To explain or not to explain?--Artificial intelligence explainability in clinical decision support systems, 1 PLOS Digital Health 1 (2022).

[120] Laura Arbelaez Ossa et al., Re-focusing explainability in medicine, 8 Digital Health 1, 2022.

는지를 기준으로 설명가능성이 요구되는지 여부를 판단하여야 한다는 견해도 있다.[121]

지금까지 살펴본 의료 인공지능에 설명가능성을 요구할 것인지에 관한 신중론은 결국, 지금의 설명가능한 인공지능 기술이 아직 기대만큼 발전하지 않았음을 전제로 한 주장들이다. 현재 단계에서 설명가능한 기술을 적용할 것을 요구한다면, 과도한 비용이 드는 데 비하여 얻는 이익은 별로 크지 않거나 오히려 환자에게 불이익이 될 수 있다는 판단이다. 의료 인공지능 분야에서는 성능 검증 등을 통한 규제기관의 시장진입규제가 엄격하게 이루어진다는 점과 인공지능이 주로 의사의 의사결정을 보조하는 역할에 머무른다는 점도 고려된 입장으로 볼 수 있다. 그런데 향후 설명가능한 기술이 발전하여 큰 비용을 들이지 않고도 정확한 설명을 얻을 수 있게 된다면, 이러한 셈법은 충분히 달라질 수 있다. 의료 인공지능의 성능이 인간보다 월등한 경우에도 설명이 필요 없어지는 것이 아니라 오히려 정확한 설명을 통하여 새로운 의학 지식을 발견하는 것이 용이해질 수도 있다. 결국, 지금의 설명가능한 인공지능 기술의 발전 수준에서는 의료 인공지능에 설명가능성을 일률적으로 요구하는 것은 득보다 실이 많을 수도 있는 조심스러운 문제이나, 이러한 판단은 향후 설명가능한 인공지능 기술의 발전에 따라 충분히 달라질 수 있을 것이다.

V. 마치며

의료 인공지능에서 설명가능성은 그 자체로 반드시 달성해야 하는 목적이라기보다는 다른 목적을 달성하기 위한 수단에 해당한다. 인공지능 알고리즘을 개발하는 개발자가 더욱 성능 좋고 공정한 알고리즘을 개발할 수 있도록 하기 위하여, 알고리즘을 활용한 의사결정의 대상이 된 환자(또는 정보주체)의 자기결정권 등 권리 행사를 돕기 위하여, 그리고 알고리즘의 사용자인 의사가 그 오류를 발견하고 수정하기 용이하도록 함으로써 알고리즘을 활용한 의사결정의

---

[121] Markus et al., 위의 글, p. 4 (설명가능한 모델을 개발하는 데 드는 비용을 고려하면, 설명은 (ㄱ) 안전이 매우 중요한 분야나 경제적 손실 위험이 매우 큰 분야처럼 오류로 인하여 발생할 비용이 큰 경우이거나 (ㄴ) 인공지능 시스템이 임상에서 잘 작동한다는 점이 아직 증명되기 전이어서 이용자의 신뢰, 만족, 수용을 위하여 필요한 경우에 한하여 요구되어야 함).

정확도를 향상시키기 위하여 설명가능한 인공지능을 필요로 하는 것이다. 설명가능한 인공지능 기술을 적용할 것을 요구함으로써 설명가능한 인공지능 기술을 적용하는 데 드는 비용을 정당화할 만한 이익을 얻을 수 있다면, 설명가능한 인공지능 기술을 요구하는 것이 합리적인 선택이 될 것이다. 그러나 지금까지 개발된 설명가능한 인공지능 기술의 한계를 고려하면, 설명가능성을 언제, 얼마나, 어떻게 요구하면 설명가능성을 통해 달성하고자 하는 목적에 부합하는 결과를 얻을 수 있을 것인지를 일률적으로, 사전적으로 단언하기 어려운 만큼, 현재 단계에서 의료 인공지능의 설명가능성을 일률적으로 요구하기는 어려운 측면이 있다. 다만, 앞으로 설명가능한 기술의 발전에 따라 이러한 전제는 충분히 달라질 수 있으므로, 설명가능한 기술 및 의료 인공지능 기술의 발전에 지속적인 관심을 기울일 필요가 있다.

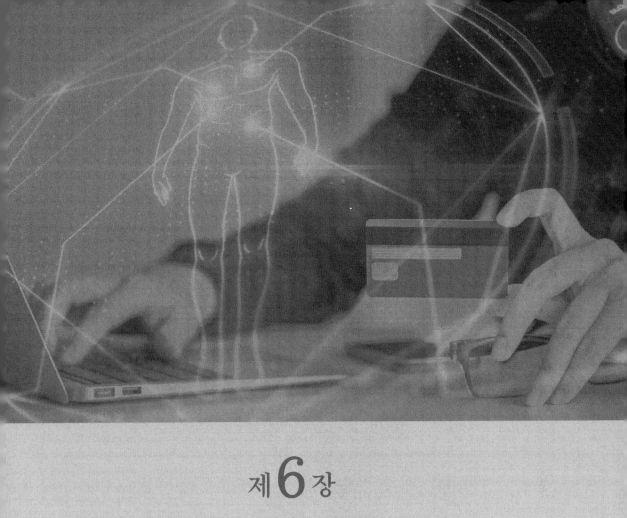

제6장

해명책임은 누구에게 왜 요구되는가?

최경석 (이화여자대학교 법학전문대학원 교수)

생명의료법연구소

6

해명책임은 누구에게 왜 요구되는가?*

최경석 (이화여자대학교 법학전문대학원 교수)

I. 머리말

이 글은 인공지능(Artificial Intelligence: AI)이 제기하는 철학적·윤리적 문제들 중 인공지능에 의해 제공되는 서비스에 대한 책임(responsibility)의 주체는 누구인지 그리고 해명책임(accountability)의 주체는 누구인지 그리고 왜 해명책임이 중요한 개념으로 등장하는 것인지 다루고자 한다. 필자가 이런 문제에 주목하는 이유는 인공지능의 존재론적 지위에 대한 이해에 혼란이 존재하여, 인공지능과 관련하여 사용되는 용어들, "자율주행차량", "책임 있는 인공지능"(responsible AI)과 같은 용어들이 무비판적으로 사용되고 있기 때문이다. 그리고 이런 용어들의 사용은 인공지능 서비스의 책임 주체, 나아가 해명책임의 주제에 대해서도 혼란을 발생시키고 있다고 판단하기 때문이다. 이러한 혼란을 해결하는 것은 인공지능 기술 도입과 관련하여 소비자의 권익을 보호하는 데 매우 중요하기 때문이다. 뿐만 아니라, 이러한 혼란은 인공지능 기술과 관련하여 우리들이 다루어야 하는 ELSI (Ethical, Legal, Social Implication(or

---

* 이 글은 「생명윤리정책연구」 제17권 제2호, 2024, pp. 137-161에 게재된 논문임을 밝힙니다.

Issues)) 연구의 아젠더를 설정하는 데에도 영향을 미쳐, 정작 우리 사회가 시급히 다루어야 할 쟁점들에 대한 우선순위를 교란시키는 문제점이 있기 때문이다.

인공지능의 존재론적 지위에 대한 논의에서의 혼란은 예를 들어, 인공지능에 대한 올바른 이해에 영향을 미칠 뿐만 아니라, 인간과 인공지능의 올바른 관계 설정을 방해하고 있다. 나아가, 이런 혼란은 인공지능과 관련하여 지금 당장 현실적으로 해야 하는 문제인 인공지능 서비스와 관련된 책임 문제에 대한 이해와 그 해결책 모색에도 영향을 미친다. 아울러 이런 혼란은 인공지능 기술의 도입 및 이용과 관련된 법과 정책의 도입이나 개선, 사회문화적 대비와 관련된 실천적 문제들에 대한 논의의 방향에도 영향을 미친다.

이 글에서 필자는 우선 인공지능과 관련하여 우리들이 사용하는 용어들이 인공지능의 존재론적 지위에 대해 잘못된 이해를 형성하거나 최소한 논쟁 중인 문제에 대해 어느 한 입장을 담고 있는 용어들이 사용되고 있음을 지적할 것이다. 이런 용어들은 인공지능이 마치 책임의 주체인 것처럼 생각하게 하는 태도를 지니고 있음을 지적할 것이다. 그래서 최근 중요한 개념으로 등장한 '해명책임'(accountability)에 대한 논의도 해명책임의 주체를 인간이 아닌 인공지능인 것처럼 잘못 논의하고 있다고 필자는 주장할 것이다. 필자는 인공지능은 행위의 주체가 될 수 없으며, 따라서 해명책임의 주체 역시 될 수 없다고 주장한다. 해명책임의 주체 역시 인공지능이 아니라, 인공지능 서비스에 대해 책임을 져야 하는 사람들, 즉 서비스를 제공하는 사람들이다. 필자의 이러한 생각은 당연히 의료용 인공지능의 경우에도 동일하게 적용된다. 따라서 의료 영역에 도입되는 인공지능 서비스는 결국 의사의 책임하에 제공되어야 하고, 인공지능 기술이 활용된 서비스에 대해서도 결국 의사가 책임을 져야 하며, 인공지능 서비스에 대해 요구되는 해명책임 역시 인공지능이 아니라, 의사에게 주어지는 책임이라는 점을 주장하고자 한다. 끝으로 필자는 이러한 논의를 바탕으로 우리가 정작 주목해야 하는 쟁점들은 인공지능의 존재론적 지위에 대한 논의보다 이 기술이 무엇을 위해 왜 개발되어야 하는 것인지에 대한 공적 담론이 보다 활성화되어야 하고, 그래서 이 기술이 우리 사회를 보다 낫게 만드는 방향으로 사용되기 위해서는 어떤 구체적인 문제들에 대해 시급히 논의해야 하는지 언급하고자 한다.

II. 용어 사용의 혼란과 인공지능에 대한
혼란스러운 존재론적 태도

인공지능의 발달로 AI 의사나 판사가 등장할 것이라는 기사[1]가 있고, 일부 시민들은 미래에는 이런 사회가 등장할 것이라고 생각하는 것도 같다. 인공지능이 미래 사회의 일부 직업군을 대체할 것이라는 이야기들은 바로 이런 의견을 반영하고 있다. 최근에는 인공지능이 의사를 대신할 수 없고 보조적인 역할을 한다는 의견이 신문 기사로도 나오고 있어 필자는 다행이라 생각한다.[2] 'AI 의사'나 'AI 판사'와 같은 용어나 유사한 인상을 형성하는 기사들은 시민들에게 인공지능에 대한 매우 잘못된 이해를 불러일으킬 수 있다. 그것은 바로 인공지능을 의사나 판사와 같은 행위자로 보게 한다는 것이다. 인공지능이 인간이 수행하는 업무를 대신해 줄 것이라는 점은 분명하다. 그러나 과연 이것이 인공지능이 인간과 같은 행위자라는 것을 의미하는 것은 아니다.

새로운 과학기술의 등장은 새로운 문제나 쟁점들을 야기하며, 그 기술의 수용 과정에서 관련된 이해당사자들, 즉 연구자, 개발자, 관련 생명의료윤리학자들, 정부 부처의 공무원, 시민단체나 시민들 사이에서 이 쟁점들에 대한 활발한 논의를 필요로 한다. 그래서 ELSI 연구는 사회적 논의가 필요한 쟁점들에 대한 공중의 공적 참여(public engagement)[3]가 강조된다. 이러한 참여는 항상 의사소통, 즉 정보의 양방향적인 전달, 충분한 정보에 근거한 의견수렴, 사회적 합의의 도출과 정책 수립 등이 강조된다. 따라서 이러한 공적 담론의 장에서 의사소통은 대단히

---

[1] 헬스조선, "가천대길병원, 인공지능 의사 '왓슨' 현지화 나선다", 2019.8.21., http://health.chosun.com/site/data/html_dir/2019/08/21/2019082100747.html

[2] 매일경제, "인공지능은 대체재 아닌 보완재…AI와 공존, 인간에게 달려", 2023.5.8., https://www.mk.co.kr/news/it/10731001.

[3] 필자는 "public engagement"를 "공중의 공적 참여"라고 번역한다. "시민 참여"라는 번역어를 사용하지 않은 이유는 다음과 같다. '시민 참여'라고 하면, '참여'의 의미가 정부와 시민 사이의 관계에서 시민이 정부의 정책 업무에 참여한다는 의미로 이해될 여지가 있다. 그러나 공중의 공적 참여에서는 참여의 주체로 정부도 포함되어 있다. 따라서 "시민 참여"라는 번역어는 오해를 불러일으킬 수 있다. 이런 의미에서 필자는 '공중의 공적 참여'라는 번역어를 사용하고 있다. 미래바이오위원회(편), 바이오 최선진국을 지향하는 대한민국에 대한 통찰과 전망 (대한민국학술원·한국연구재단, 2023) 중 제9장 "바이오 신기술과 생명윤리"(최경석 집필), p. 556 참조. 필자가 감수를 맡았던 유네스코, 생명윤리위원회와 공중의 공적 참여(유네스코한국위원회·국가생명윤리정책원, 2022)에서도 위 번역어를 사용하였다.

중요한 문제이다.

그런데 의사소통에서 사용되는 용어는 우리들의 개념과 이해를 드러내고, 때론 우리들의 개념과 이해를 형성시킨다.[4] 새로운 기술이 등장할 때 사용되는 용어는 그렇기 때문에 가능하면 정확하고 적절해야 한다. 그렇지 않다면 새로운 기술에 대한 왜곡된 인상을 심어주고 잘못된 이해를 확산하며, 오도된 논의를 촉발하거나 촉진시키고, 그래서 정작 우리가 해결해야 할 문제는 놓치게 할 수 있기 때문이다.

새로운 기술과 관련된 용어는 누가 그 용어를 생산했든 정확하게 이해될 필요가 있다. 하지만 새로운 기술을 지칭하거나 설명할 적절한 용어가 없어 비유적인 표현을 사용하고, 이것이 언론을 통해 상세한 설명 없이 확산되는 경향이 있다. 게다가 현실에서는 해당 분야에 대한 관심을 끌기 위해 오도할 위험이 다소 있더라도 자극적인 용어들이 종종 사용되고 있다고 본다. "윤리적 뇌", "이기적 유전자", "확장된 정신"(extended mind) 등이 그 예라 생각된다.[5]

인공지능이 활용되는 영역에서는 앞서 언급한 "인공지능 판사", "인공지능 의사" 뿐만 아니라 "자율주행차량"(autonomous vehicle)이란 용어가 대표적이다. 필자는 "자율주행차량"이란 용어에서 "자율"(autonomous)이라는 매우 철학적인 용어가 신중하지 않은 방식으로 가볍게 편의적으로 사용되었다고 본다. 철학의 영역에서 "자율"이란 아무 존재자에게 붙일 수 있는 수식어가 아니기 때문이다. "자율"이란 어떤 행위자가 스스로에게 규범이나 규칙을 부여함을 의미하는 윤리적 개념이다. 원래는 정치공동체에 부여되었던 개념이 한 인간 개인에게 부여하게 된 것은 칸트의 공로라 하겠다. 바로 이런 의미에서 생명의료윤리에서 사용되는 자율성이란 개념은 칸트의 의미를 벗어난 것으로 사실은 "자기결정"이란 의미에 불과하다.[6]

인공지능이 어떤 규범이나 규칙을 윤리적 측면에서 스스로에게 부여한다고 보기는 어렵다. 어떤 규범이나 규칙을 윤리적 측면에서 스스로에게 부여한다는 것은 칸트에게는 보편화 가능성을 전제로 한다. 나의 규범이나 규칙이 윤리적 규범이나 규칙이 되기 위해서는 내 행동이 누구에게나 적용 가능해야 하며, 여기서 나와 타인은 목적적 존재자들을 의미한다. 자율주행차량

---

[4] "bioethics"라는 용어가 한자문화권에서 "생명윤리"라고 번역됨으로써, 이 용어가 등장했던 미국과는 달리 다소 새로운 기대와 역할이 부과된 개념과 이해를 한자문화권에 형성시켰다고 필자는 생각한다.

[5] 최경석, "인공지능이 인간 같은 행위자가 될 수 있나?", 「생명윤리」 제21권 제1호, 2020, p. 75.

[6] 최경석, "자율성 존중의 원칙 : 정치적 이념과 철학적 이념", 「윤리학」 제3권 제2호, 2014, pp. 43-64 참조.

에 이런 심오한 의미를 지닌 성질이 부여된다고 말할 사람은 아마도 없을 것이다.

그렇다면 생명의료윤리에서처럼 "자율주행차량"에서 "자율"의 의미는 칸트와는 다르게 "자기결정"이란 의미를 지닌다고 볼 수는 없을까? 얼핏 생각해 보면 매우 설득력 있는 어법이다. 자동차가 스스로 결정하는 것이니 자기결정이라고 볼 수 있지 않겠는가? 생명의료윤리에서도 자율성의 개념을 칸트와 다르게 사용하는데 새로운 기술이 적용되는 영역에서도 달리 사용하는 것이 무슨 문제가 되겠는가?

하지만 생명의료윤리에서 자기결정은 비록 보편화 가능한 것은 아닐지라도 합리적인 이유를 제시할 수 있는 진정성을 지닌 자유로운 결정이어야 한다. 이런 결정의 결과에 대해서는 자신의 기대와 다른 결과가 발생하더라도 그 결정에 대해 책임을 져야 한다. 그렇다면 자율주행차량은 자신이 내린 결정에 대해 책임을 지는가? 과연 차량이 책임을 질 수 있기는 한 것인가? 책임을 진다는 것은 무엇이며 어떤 존재자가 책임을 질 수 있는 것인가?

사정이 이렇다면 인공지능에 사용된 "자율"이라는 용어는 칸트의 용어와 거리가 있다는 것은 너무나도 명확하고, 생명의료윤리에서 사용되는 "자기결정"으로서의 자율성과도 거리가 있음을 알 수 있다. 그래서 필자는 "자율주행차량"에서의 "자율"이란 용어를 비유적인 표현이라고 이해한다. 하지만 이런 비유적인 표현은 우리가 해당 대상을 이해하는 데 적지 않은 왜곡을 발생시킨다. "자율"이라는 용어를 통해 그것이 본래 담고 있었던 함의들도 함께 전달되는 현상이 발생하기 때문이다. 따라서 자율주행차량이 '인공지능기술에 의해 나름 결정을 내린다'라는 의미만을 전달하는 데 그치지 않고, 인공지능이 탑재되거나 이런 기술의 지원을 받아 운행되는 차량 자체가 마치 행위의 주체로, 즉 행위의 주체성을 부여할 수 있는 것처럼 이해하게 만든다. 그러나 과연 인공지능기술이 탑재된 어떤 장치가 행위의 주체이거나 그 행위에 대한 책임의 주체가 될 수 있는가? 이런 의미에서 "자율주행차량"(autonomous vehicle)이란 표현은 과도하다. 이런 의미에서 "자율주행차량"보다는 "자동주행차량"이란 표현이 더 적절해 보인다. 사실 이와 같이 비유적인 표현이지만 마치 기술적인(descriptive) 표현인 것처럼 오해할 만한 여지가 있는 용어들은 당연히 인공지능 분야에만 국한되지는 않는다.

비유적 표현은 때론 홍보에 일정 정도 도움이 될 수 있다. 그리고 적절한 용어가 없을 때 이해를 도울 수도 있다. 하지만 이런 비유적인 표현은 해당 기술에 대한 정확한 이해를 방해할 수 있으며, 기술의 정확성이나 신뢰성이 부풀려져 해당 기술에 대한 과대과장 광고가 될 위험도 있음에 유의해야 한다.

인공지능 기술과 관련하여 우리의 이해를 혼란스럽게 만드는 용어는 단지 "자율주행차량"에 그치지 않는다. "책임 있는 인공지능"(responsible AI)이란 용어 역시 매우 문제가 많다. 왜냐하면 마치 인공지능이 책임을 지는 주체인 것처럼 이해하게 만들기 때문이다.[7] 필자가 이런 용어에 매우 민감하게 반응하는 이유는 이 용어가 인공지능의 존재론적 지위에 대한 이해를 왜곡시키는 잘못이 있기 때문이다.

이미 유네스코는 2021년 채택한 「인공지능 윤리에 대한 권고」(*Recommendation on the Ethics of Artificial Intelligence*)에서 "responsible"이란 수식어가 적용되는 대상으로 인공지능을 사용하고 있지 않으며, 대신 "trustworthiness"라는 용어를 인공지능이 지녀야 할 속성으로 표현하고 있다.[8] 필자 역시 올바른 용어는 "신뢰할 만한 인공지능"(trustworthy AI)이라 생각한다. 그 이유는 다음 절에서 주장하듯이, 인공지능은 책임의 주체가 될 수 없기 때문이며 나아가 해명책임의 주체가 될 수도 없기 때문이다.

III. 인공지능의 존재론적 지위

인공지능의 존재론적 문제를 언급할 수밖에 없는 이유는 인공지능의 윤리적 문제들에 접근함에 있어 불필요한 전제나 왜곡된 이해를 바탕으로 우리와 인공지능의 존재론적 관계 설정을 왜곡시키기 때문이다. 존재론적 관계 설정의 왜곡은 인공지능에 대한 이해를 왜곡하는 데에만 그치지 않고, 인공지능과 관련하여 다루어야 하는 의제들의 우선순위 결정에 혼란을 야기하는 문제점을 지니고 있다. 그래서 우리들이 정작 집중해야 하는 ELSI 아젠더에 집중하지 못하게 하는 문제점이 있다.

---

[7] Google AI 사이트 제공, "Responsible AI practice", https://ai.google/responsibility/responsible-ai-practices/ 참조. 또한 Microsoft Learn 사이트 제공, "What is Responsible AI?", 2024.1.31., https://learn.microsoft.com/en-us/azure/machine-learning/concept-responsible-ai?view=azureml-api-2 참조.

[8] UNESCO, *Recommendation on the Ethics of Artificial Intelligence*(UNESDOC, 2021), pp.1-44 참조. https://unesdoc.unesco.org/ark:/48223/pf0000381137

철학계에서는 당연히 인공지능의 존재론적 지위에 대해 열띤 논쟁이 있었다. 신상규는 인공지능이 "기능적인 자율적 도덕 행위자로서의 행위주체성을 갖는 단계에 도달했다"고 주장한다.[9] 반면 고인석은 인공지능은 자율성을 가진 존재가 아니라는 반대되는 입장을 취하고 있다.[10] 심지어 혹자는 인간 중심의 세계에 대한 비판과 함께 인간과 기계의 평등적 사고마저 주장하기도 한다. 필자는 인공지능은 행위자가 될 수 없고, 책임의 주체가 될 수 없으며, 따라서 해명책임의 주체 역시 될 수 없다는 입장을 취하고 있다.

인공지능이 아무리 발전하더라도 인간의 지능을 대체한다고 볼 수는 없다. 물론 이 문제는 인간의 지능을 어떻게 이해하느냐에 달려 있고, 나아가 인간을 어떻게 이해하느냐에도 달려 있다. 필자는 인공지능이 만들어 내는 지능이란 '기계적' 지능 즉 기계의 연산이라 생각한다. 반면, 이대열이 지적하고 있듯이, "지능은 생명체가 자신의 생존과 번식을 위해 다양한 환경에서 의사결정의 문제를 해결하는 능력"이다.[11] 따라서 이대열은 "인공지능을 진정한 지능이라고 여기지 않는 이유는 그것이 해결해야 하는 문제가 그 자신의 문제가 아니라 인간이 제시한 문제이기 때문"이라고 지적한다.[12] 이런 점에서 필자는 인공지능은 생존이란 과제를 수행하며 자의식이란 매우 특별한 속성을 지닌 인간의 지능과는 큰 차이가 있다고 본다.[13]

나아가, 인공지능이 책임의 주체가 되는 행위자가 될 수 없는 이유는 다음과 같다.[14] 첫째, 행위자는 자신의 행위에 대해 책임을 질 수 있어야 한다. 책임이란 단순히 법적으로 부과되는 의무에 국한되지 않는다. 윤리적 시각에서 '책임'이 부여되는 행위자는 자의식과 자유의지를 지닌 행위자로서 타인과의 관계를 의식하며, 진정성을 지니고서 행위하는 자이다. 우리가 동물을 도덕적 고려의 대상으로 여길 수는 있지만 동물이 이런 능력과 인식을 지니고 있다고 여기지 않기 때문에 책임의 주체라고 생각할 수 없다. 하물며 쾌와 고통을 느끼는 주체인 동물조차도 책임의 주체가 된다고 할 수는 없는 것이다.

---

9) 신상규, "인공지능은 자율적 도덕행위자일 수 있는가?", 「철학」 제132집, 2017, p. 275.

10) 고인석, "인공지능이 자율성을 가진 존재일 수 있는가?", 「철학」 제133집, 2017, p. 182.

11) 이대열, 지능의 탄생, 바다출판사, 2017, p. 109.

12) 이대열, 위의 글(주11), p. 82.

13) 최경석, 위의 글(주5), pp. 78-81 참조.

14) 여기서의 인공지능의 존재론적 지위에 대한 논의는 최경석, 위의 글(주5), pp. 81-84에서 논의된 내용의 골자를 추려가며 진행하였다.

인공지능이 쾌와 고통을 느끼는 주체가 될 수 있을까? 그리고 자신의 판단이나 행위를 되돌아보는 능력을 지닐 수 있을까? 필자는 매우 회의적이라 본다. 설사 감정 로봇과 같이 쾌와 고통을 느끼는 듯이 보이는 로봇이 있다 하더라도, 이 로봇이 수행하는 표현이나 반응은 쾌와 고통을 느끼는 존재자의 실제 감정이 아니라 쾌와 고통을 느끼는 것처럼 연기하기, 감정을 느끼는 것처럼 연기하기, 즉 흉내 내기에 불과하다. 쾌와 고통은 삶과 죽음, 생존의 문제와 관련되어 있다. 따라서 삶과 죽음이 없는 인공지능이 표출하는 쾌와 고통, 또는 감정에는 진정성이 결여되어 있다.[15] 자신의 행동을 되돌아보는 반성하는 능력 역시 인공지능이 그런 능력을 지닌 것처럼 보이게 할 수는 있을지 모른다. 하지만 여전히 진정성이 결여되어 있다. 반성하는 능력은 단지 더 나은 성과를 내기 위한 회귀분석이 아니라, 목적적 존재자들 상호 간에 준수해야 하는 보편 규범을 성찰하고 이런 도덕적 존재로서 삶의 주체인 자신이 나답게 살아가기 위해 성찰하는 능력을 의미한다.

둘째, 행위에 책임을 진다는 것은 고통과 손실을 감수하는 것이다. 행위에 책임을 진다는 것은 자신의 행위의 결과로 피해가 발생했다면, 그 피해의 당사자와 함께 그 당사자의 고통을 공감할 수 있고, 그 피해에 상응하는 사과나 배상을 하고, 필요시 벌을 받는다는 것을 의미한다. 사과는 공감을 전제로 하고, 배상이나 벌은 손실의 감수를 전제로 한다. 과연 쾌와 고통을 느낄 수 없는 인공지능이 손실을 느낄 수 있을지 필자는 강한 의문이 든다. 이런 점에서 쾌와 고통의 감수능력의 유무와 자의식은 매우 중요한 의미를 지니며, 책임의 주체가 되기 위한 최소한의 요건이다. 따라서 인공지능이 책임의 주체가 될 수 있다고 이해하기는 어려워 보인다.

필자는 인공지능의 존재론적 지위에 대한 위와 같은 입장 때문에, 인공지능이 의사나 판사를 대체할 수 있다는 발상을 이해하기 어렵다. 인공지능이 의사의 판단이나 의료행위에 도움을 주는 매우 다양한 역할을 수행할 것이라는 점은 인정한다. 인공지능은 매우 정교하고 정확한 보조적 역할을 제공할 것이라고 본다. 하지만 의사의 역할을 대체하기는 어렵다. 그 이유는 다음과 같다.

첫째, 의사의 판단은 매우 정교하고 복잡하며, 이 영역은 알고리듬적(algorithmic) 연산으로

---

[15] 진정성 유무는 소위 '감정 로봇'에 대해 시사하는 바가 매우 크다. 감정 로봇이란 인간이 자기 자신을 기만하거나 진정성이 없음을 알면서도 속아 주지 않는다면, 아무런 효과가 있을 수 없다. '감정'이란 쾌와 고통을 느낄 수 있는 존재자의 특질을 전제로 하기 때문이다. 최경석, 위의 글(주5), pp. 75-77 참조.

대체할 수 없다. ChatGPT(Generative Pre-trained Transformer)와 같은 방식으로 운영되는 인공지능이라 할지라도 우리는 의사의 판단에 대해 그 정당화를 요구하기 때문에 의사를 대체하기 어렵다. 이 문제는 나중에 "해명책임"(accountability), "설명가능성"(explainability), "해석가능성"(interpretability)를 논의하면서 다시 살펴볼 것이다.

둘째, 행위자들 사이에서 의사는 전문 영역에서의 고도의 전문지식을 발휘하는 역할만 수행하는 것이 아니라, 애초부터 해당 행위에 대해 책임을 지기 위해서도 존재해야 하는 사람이다. 이것은 판사의 경우에도 마찬가지이다. 의사는 자신의 전문적 지식을 기반으로 내린 판단과 이 판단에 따른 행위에 대해 책임을 져야 하는 위치에 있다. 따라서 이런 역할을 인공지능에게 부과할 수 있을 것이라는 발상은 대단히 비현실적이다.

법학계에서도 인공지능에 대한 법인격 부여 여부를 신중하게 논의하고 있다. 장호준은 법인격 부여가 매우 제한적으로 인정될 수 있는 조건을 제시하고는 있다.[16] 하지만 그것은 인공지능이 인격을 지니고 있기 때문인 것은 아니다. 이상용은 "법적 편의성 유무와 관계없이 법인격 부여는 불가능할 것이다"라는 의견을 밝히고 있다.[17] 우리는 이러한 논의에서 설사 인공지능에 법인격이 부여되더라도 그것이 인공지능이 인격과 같거나 그것에 준하는 지위를 지니고 있기 때문에 그렇게 하는 것은 아니라는 점에 주목할 필요가 있다. 사실 현행법에서의 법인격 부여는 제도상의 편의를 위한 것이다. 법인을 권리나 의무의 주체로 인정한다고 해서 그 대상자를 자연인과 유사한 성질을 지닌 진정한 의미의 인격적 대상으로 여기는 것은 아니기 때문이다. 우리가 어떤 대상을 법인으로 인정한다고 해서 그 대상에 시민권을 부여하지는 않는다는 점에 유의할 필요가 있다. 따라서 인공지능에 법인격이 부여되더라도 그것은 사회적 필요나 법적 필요에 의한 법률적인 조작적 조치에 불과한 것이지, 존재론적으로 책임의 주체가 될 수 있기 때문에 부여하는 것은 아니다.

위와 같은 필자의 입장은 최근 유네스코가 「인공지능 윤리에 대한 권고」를 통해 밝히고 있는 입장과 궤를 같이한다. 심지어 유네스코는 이 문헌의 68번 권고에서 다음과 같이 인공지능에 대한 법인격 부여를 금지하고 있다.

---

16) 장호준, "인공지능에 대한 법인격 부여에 관한 소고(小考) : 민사법적·인간 중심적 관점에 국한하여", 사법 통권 64호, 2023, pp. 272-279.

17) 이상용, "인공지능과 법인격", 민사법학 89권, 2019, p. 47.

특히 회원국은 궁극적인 책임과 해명책임은 언제나 자연인이나 법인에 주어져야 하며, 인공지능 체계에 법인격이 부여되어서는 안 된다.18)

위 인용문은 단순한 결의라기보다 이미 국제적 차원에서 이 분야의 전문가들은 인공지능의 존재론적 지위에 대한 논쟁에 대해 특정 입장을 지지하고 있는 것이라고 해석할 수 있다.

IV. 인공지능 관련 책임의 문제

인공지능에 대한 담론에 사용되는 용어들의 혼란이 보여주듯이, 인공지능의 존재론적 지위의 문제가 명확하게 해결되지 않은 채, 인공지능과 관련된 기술은 이미 우리 사회에서 이용되고 있다. 여러 가지 ELSI 연구 주제들 중에서 위 존재론적 지위의 문제, 즉 책임의 주체가 될 수 있는가 여부와 관련된 보다 중요하고 구체적인 쟁점 중 하나는 당연히 책임의 문제, 즉 인공지능을 이용하다 손해가 발생하면 누가 책임을 져야 하느냐는 문제이다.

필자는 인공지능은 책임의 주체가 될 수 없으므로 결론부터 말하자면, 책임은 인공지능의 개발자, 제작자, 판매자, 이용자 등과 같은 인간이 져야 한다고 주장한다.

유네스코 역시 필자와 동일한 입장을 천명하고 있다. 유네스코의 위 권고에서 "AI actors"라는 용어를 사용하면서 "AI actors"를 다음과 같이 정의한다.

AI actors는 인공지능 체계의 수명 주기의 최소 한 단계에라도 관여하고 있는 행위자라고 정의될 수 있으며, 이들은 무엇보다도 연구자, 프로그래머, 엔지니어, 데이터 과학자, 소비자, 기업, 대학, 공적 또는 사적 기관과 같은, 자연인과 법인 모두를 가리킬 수 있다.19)

---

18) UNESCO, 위의 글(주8), p. 28.
19) UNESCO, 위의 글(주8), p. 10.

필자는 "AI actors"를 "인공지능 관련 행위자"라고 번역하고자 한다. 그런데 유네스코는 책임과 관련하여 다음과 같이 중요한 사항을 유네스코 회원국에 요청하고 있다.

> 35. 회원 국가는 인공지능 체계와 관련된 처치의 경우뿐만 아니라 인공지능 체계의 수명 주기의 어느 단계든 이 단계에 대한 윤리적이고 법적인 책임을 물리적인 사람이나 법인에게 귀속시키는 것이 항상 가능하도록 보장해야 한다.[20)]

이어서 책임뿐만 아니라 해명책임에 대해서도 다음과 같이 밝히고 있다.

> 36. 인간은 간혹 효율성을 이유로 인공지능 체계에 의존하는 것을 선택하는 경우가 있을 수 있지만, 인간이 결정과 행위에서 인공지능 체계에 의존할 수 있을 때, 제한된 맥락에서 제어권을 양도하는 결정은 여전히 인간의 결정이며, 인공지능 체계는 결코 궁극적인 인간의 책임(responsibility)과 해명책임(accountability)을 대체할 수 없다.[21)]

따라서 책임의 문제와 관련하여 유네스코는 다음과 같은 명확한 입장을 천명하고 있다.

> 어떤 방식으로든 인공지능 체계에 기반한 결정과 행동에 대한 윤리적 책임(ethical responsibility)과 법적 책임(liability)은 항상 궁극적으로는 인공지능 체계의 수명 주기에서 역할을 수행한 인공지능 관련 행위자(AI actors)에게 귀속되어야 한다.[22)]

결국, 인공지능의 이용과 관련하여 책임과 해명책임은 인공지능이 아니라, 자연인이나 법인에게 있으며, 인공지능이 이런 책임을 대체할 수도 없다는 것이 핵심이다. 인공지능에 책임이나 해명책임을 부여하지 않는 것은 책임 소재를 불분명하게 하거나 증발해 버리게 하는 위험을 제거하기 위해서이다.

이 문제를 앞서 언급했던 소위 "자율주행차량"과 관련하여 논의해 보자. 자율주행차량 이용

[20)] UNESCO, 위의 글(주8), p. 22.

[21)] UNESCO, 위의 글(주8), p. 22.

[22)] UNESCO, 위의 글(주8), pp. 22-23.

시 자율주행차량에 의해 발생한 교통사고에 대해 누가 책임을 져야 하는가? 이 문세는 한동안 사회적으로도 관심을 끌었던 문제이다. 필자는 당연히 이 문제에 대해서는 자율주행차량을 생산한 생산자 즉 제조사나 이용자가 책임을 져야 한다고 본다. 책임의 주요 원인이 차량의 결함이라면 생산자나 제조사가 책임을 져야 하고, 만약 자율주행과 관련된 프로그램에 문제가 있는 것이라면 일차적인 책임을 진 생산자나 제조사는 프로그램 제작자에게 구상권을 청구할 수도 있을 것이다.

핵심은 "자율주행차량" 자체가 책임을 지는 일은 결코 없다는 것이다. 비록 홍보를 위해 "자율주행차량"이라고 명명은 했지만, 아마도 제조사는 반드시 위급상황 시 이용자는 운전자로서의 책임을 다하는 행위를 해야 한다고 이용자에게 제공하는 일종의 운용 매뉴얼에 밝혀 놓을 것이라 필자는 생각한다.

위 사례를 살펴본 이유는 이것이 의료의 영역에서 개발되어 사용될 진단 프로그램이나 치료 방향이나 방법을 결정하는 프로그램이 개발된다면, 이것들에 대해서도 역시 동일한 견해가 적용될 것이기 때문이다. 진단용 인공지능은 그것이 아무리 정교하고 정확한 진단 정보를 제공한다 하더라도 그 책임은 의사에게 있다. 진단 프로그램은 소위 자율주행차량에 해당하고, 의사는 그 기기를 운영하는 운전자에 해당한다. 진단에 오류가 발생했다면 일차적으로는 의사가 책임을 지고, 의사는 프로그램 제공자 또는 제조사, 개발자에게 다시 책임을 물을 수 있을 것이다. 책임과 관련된 문제의 핵심은 인공지능 기술의 복잡성으로 인해 책임 공백의 문제가 발생하지 않도록 해야 한다는 것이다.

하지만 책임 공백의 문제가 발생하지 않아야 한다는 생각에는 동의하면서도 학자들 사이에서는 다소 상이한 입장을 발견할 수 있다. 이중원은 철학자 마티아스(Matthias)를 언급하며 책임 대신, "책무"로 번역하고 있는 "accountability"에 주목하면서 다음과 같은 견해를 밝히고 있기 때문이다.

철학자 마티아스(Matthias)는 인공지능 기술이 점점 더 복잡해지고 인간이 이런 기술의 행동을 직접 통제하거나 개입할 여지가 적어질수록 인간이 이 기술에 대해 전적으로 책임을 져야 한다고 주장할 여지도 적어져, 만약 책임의 문제를 인간에 한정해 언급한다면 오히려 '책임 공백(responsibility gap)'의 문제가 발생할 수 있음을 지적하고 있다.[23]

필자는 위 인용문에서 왜 '책임의 문제를 인간에 한정해 언급한다면' 즉 인간이 책임을 져야 한다면, 책임 공백의 문제가 발생한다고 주장하는지 이해할 수 없다. 이중원의 입장은 아마도 인공지능 개발자나 제조자의 책임을 제한적으로 또는 소극적으로 이해하는 전제를 지녔기 때문인 것으로 보인다. 이와 같은 이해는 아마도 인공지능의 결정을 이해할 수는 없으나, 그 결정을 신뢰하게 된다는 전제 때문인 것으로 보인다. 그러나 왜 우리는 인공지능의 결정을 신뢰해야만 하는가? 신뢰할 만한 결과를 산출한다는 경향성만으로 매번 그 결과를 신뢰하여 그대로 따른다면 결국 신뢰한 결과가 산출되지 않았을 경우 누가 책임을 져야 한다는 것인가? 필자는 신뢰할 만한 경향성을 따르고자 하는 결정을 한 인간이 책임을 져야 한다고 생각한다. 유네스코의 앞선 권고가 밝히고 있듯이, 인공지능 관련 행위자들이 인공지능 체계의 수명 주기의 각 단계별로 책임을 져야 하며, 인공지능이 책임을 대체할 수는 없다.

그러나 이중원은 다음과 같은 이유에서 책무 개념에 주목하고 있다.

… 인공지능 시스템의 활용 과정에서 사고가 발생했을 때 이에 대한 합당한 설명을 요구하는 경우, 우리는 인공지능 시스템에 논란이 많은 책임(responsibility) 개념 대신에 설명에의 의무에 바탕 한 책무(accountability) 개념을 (현 단계에서) 적용해 볼 수 있을 것이다. (중략) 우선 책무 개념은 책임의 중요한 요건 가운데 하나인 자의식 혹은 자유의 문제로부터 일단 자유로울 수 있다. 책임에 대한 내면적인 자각이나 의식이 없더라도, 행위 주체에게 의무들의 묶음으로서의 책무를 충분히 부과할 수 있기 때문이다.[24]

---

[23] 이중원, "인공지능에게 책임을 부과할 수 있는가?: 책무성 중심의 인공지능 윤리 모색", 「과학철학」 제22권 제2호, 2019, p. 82.

[24] 이중원, 위의 글(주23), p. 91.

필자는 비록 인공지능이 마치 스스로 판단하는 것 같은 결정을 내린다 하더라도 책임의 주체가 될 수 없는 인공지능에게 책임을 묻거나 이중원이 주장하는 바와 같이 인공지능에게 책무를 부여한다고 하여 책임 공백의 문제가 해결되는 것은 아니라고 본다. 위에서 이중원은 필자가 "해명책임"으로 번역하고 있는 "accountability"를 '설명에의 의무에 바탕 한 책무'라 부르며, 인공지능에게 '책무'를 부여하고 있다. 하지만 이 책무 역시 궁극적으로는 인공지능이 아니라 인공지능의 기술을 이용하여 판단하거나 행동한 자연인이나 법인이 져야 한다. 오히려 이중원 책무 부과는 "사고가 발생했을 때"를 언급함으로써 사고 발생에 대해 책임을 져야 하는 사람들에게 변명거리를 제공하는 데 기여하는 우려도 있다. 우리가 해결해야 하는 것은 사고 발생에 대한 이해만이 아니다. 우리가 해결해야 하는 것은 그 사고에 대해 누가 책임을 져야 하는가이다. 따라서 이중원의 책무 개념은 사고가 발생했을 때가 아니라, 인공지능의 결정을 따르기 전에 작동되어야 할 것이다. 따라서 이 설명을 참고하여 인공지능의 결정을 따랐다 하더라도 결과에 대한 책임은 이 설명을 참고하여 따른 사람들이 지는 것이지 인공지능이 책임을 지는 것은 아니어야 하고, 이 설명으로 인해 책임에 공백이 발생해서는 안 된다고 본다. 결국 이중원의 해결책에도 한계가 있다면 최근 인공지능과 관련하여 언급되는 해명책임은 어떻게 이해해야 하는 것일까?

V. 해명책임과 인공지능의 신뢰성에 대한 합리적 판단

인공지능 기술을 이용한 제품이나 프로그램, 서비스 등의 제공은 인간이 제작하여 제공하는 것들이다. 이러한 생산물이 안전성(safety), 안정성(stability), 정확성을 확보해야 하는 것은 당연하다. 따라서 인공지능이 이런 특성을 지니고 있는지 평가하는 메타 프로그램이 존재해야 하는 것은 당연하다. 이런 요구는 인공지능 기술이 제공하는 제품이나 서비스의 완성도가 높아야 하기 때문이다. 이것은 이런 제품이나 서비스의 신뢰도와 관련이 있다. 기술이 복잡하다고 해서 불완전한 제품이나 서비스가 판매되는 것이 허용될 수는 없다.

소프트웨어와 관련하여 "기계학습" 등이 언급되고 있지만 소위 이런 "학습"이 적절한지와 정확한지 여부는 개발자가 점검하여 신뢰성 있는 제품이나 서비스를 제공해야 한다. 따라서 경우에 따라서는 기계학습 관련 소프트웨어 운용과 관련하여 인공지능의 알고리듬(algorithm)에 대한 검토가 요구될 것이다. 하지만 혹자는 영업비밀 보호, 기술 유출 우려 등을 근거로 이런 검토에 난색을 표하기도 한다.

하지만 우리가 알고리듬의 검토를 요구하는 것은 어떤 이유에서인지 생각해 볼 필요가 있다. 알고리듬의 검토를 요구하는 이유는 사실상 알고리듬의 공개 그 자체가 아니다. 여기서 핵심은 해명책임(accountability)이라 필자는 주장한다. 여기서 해명책임이란 무엇인가?

이한슬과 천현득은 자신들의 공동 논문에서 "해명가능성은 인공지능의 판단을 우리가 합리적으로 고려하고, 이에 따라 자율적인 결정을 할 수 있도록 하는 데 있어 필수적이다."라고 말한다.[25] 이들은 플로리디(Luciano Floridi)와 코올스(Josh Cowls)의 의견에 따르면서, 해명가능성(explicability)을 하나의 개념이 아니라 여러 개념들로 구성된 하나의 원리라고 다음과 같이 설명한다.

> 플로리디와 코울스는 생명의료윤리의 네 핵심 원리로 포착되지 않는 다섯 번째 핵심원리가 인공지능 윤리에 있음을 주장한다. 그것이 바로 해명가능성 explicability의 원리이다. 해명가능성이란 흔히 투명성 transparency, 설명가능성 explainability, 해석가능성 interpretability, 석명 책임 accountability 등으로 언급되는 원리들을 포괄하는 원리로서 플로리디와 코울스가 도입한 개념으로, 그들은 이 원리가 두 가지 부분, 즉 "그것이 어떻게 작동하는가"에 답하는 인식론적 의미의 이해가능성과 "그것이 작동하는 방식에 대해 누가 책임을 지는가"에 답하는 윤리적 의미의 석명 책임으로 이루어진다고 본다.[26]

우선 위 인용문에서 확인할 수 있듯이, 이한슬과 천현득은 필자가 '해명책임'으로 번역하고 있는 'accountability'를 윤리적 의미의 '석명 책임'으로 번역한다. 이한슬과 천현득이 언급하는 해명가능성은 과연 누구에게 부과되는 핵심원리인지 그리고 과연 해명가능성 원리를 구성

25) 이한슬·천현득, "인공지능 윤리에서 해명가능성 원리", 「인문학연구」 제35집, 인천대학교 인문학연구소, 2021, p. 46.
26) 이한슬·천현득, 위의 글(주25), p. 41.

하고 있는 '석명책임'은 누구에게 부과되는 원칙이며, 이것이 어떤 성격의 규범인지에 대해서 세밀하게 따져 볼 필요가 있다. 그리고 해명가능성을 구성하는 여러 하위 개념들을 두 가지, 인식론적 의미와 윤리적 의미로 분류하지만 이 두 부류의 개념들이 어떤 관련성을 갖고 있는지도 따져 볼 필요가 있다.

우선 인식론적 의미의 이해가능성에 해당하는 속성들은 당연히 인공지능이 지녀야 하는 속성이라고 본다. 문제는 위 저자들은 윤리적 의미의 '석명책임'. 즉 필자가 '해명책임'이라 부르는 책임이 누구에게 부과되는 규범으로 이해하고 있느냐는 것이다. 필자는 인공지능 자체에 해명책임이 부과될 필요가 없다고 본다. 아니, 정확히 표현하자면 인공지능 자체는 해명책임의 주체가 아니며 이것 역시 유네스코의 문헌에서도 확인되고 있듯이 자연인이나 법인이 지닌 의무이다. 자연인이나 법인이 담당해야 할 해명책임을 위해 인공지능은 어떤 정보를 제시할 수도 있고 그렇지 않을 수도 있을 것이다. 투명성, 설명가능성, 그리고 해석 가능성은 인공지능이 지닌 특성이다. 이런 특성은 인공지능의 제작자가 해명책임을 다하기 위해 어떤 기능을 인공지능에 설계에 놓았는지에 따라 그리고 기술적으로 가능한지 여부에 따라 그 정도를 달리 할 것이다.

하지만 위에서 언급된 '석명책임' 즉 해명책임은 당위적 성격을 지닌 것으로 의무의 성격을 지니고 있다. 따라서 이점에만 주목한다면 윤리적 규범에 해당한다고 볼 가능성이 있다. 그리고 이런 점에서 인공지능의 윤리를 구성하는 규범으로 이해할 수 있다. 하지만 해명책임은 비록 위 인용문의 필자는 '윤리적'이란 표현을 사용하지만 사실은 인식론적 가치에 기여하는 규범이라는 것이다. 즉 해명책임은 기본적으로는 또는 직접적으로는 우리가 흔히 생각하는 윤리적 가치에 기여하는 규범이 아니다.

우리는 어떤 판단을 할 때 관련된 자료를 성실히 살펴볼 것이 요구된다거나 자신의 추론에 오류가 있지는 않은지 살펴볼 것이 요구되는 등의 인식론적 의무를 지니고 있다. 연구윤리에서 위조나 변조를 연구부정행위 중 하나로 규정하고 이런 부정행위를 저지르지 않는 것을 연구자들이 지켜야 하는 윤리 규범으로 여기는 것은 이런 규범들이 바로 '참'이라는 인식론적 가치를 지닌 지식 생산에 기여하기 때문이다. 해명책임을 윤리규범이라 부른다면 이것 역시 같은 차원에서 요구되는 규범이다.

따라서 위 인용문의 서두에서 드러나는 것과 같이, 해명가능성이 의료윤리에는 없는 인공지능의 새로운 핵심원리이자 규범이라고까지 평가하는 이한슬과 천현득의 견해에 필자는 반대한다. 해명가능성에서 핵심적인 역할을 하는 것은 위 저자들이 "석명책임"으로 번역하고 있는 해명책임이다. 우리가 어떤 판단을 내리는 경우, 해명책임은 그 판단자에게 부과되는 인식론적인 의무이다. 따라서 의료윤리의 경우에는 의사에게, 법조윤리의 경우에는 판사에게 당연히 해명책임이 부과된다. 즉 해명책임은 우리들의 판단과 관련하여 요구되는 이미 존재하는 인식론적 규범이라는 것이다. 의료윤리와 법조윤리에서는 비인식적 윤리적 규범이나 가치, 또는 덕목이 존재하고 그것들이 우선적으로 다루어져야 하기 때문에 이 규범이나 가치 또는 덕목에 주목하여 논의해 온 것이다. 따라서 해명책임이란 인식론적 측면에서의 당위적 규범이 생명의료윤리에 존재하지 않기 때문에 언급하지 않았던 것은 아니다. 따라서 해명책임이 인공지능 윤리에서 등장하게 된 '새로운' 윤리 규범인 것처럼 여기는 것은 잘못이다.

해명책임이 이미 존재하는 규범인 것은 우리들이 어떤 판단에 대해 그 정당화 근거를 요구하는 데서 발견할 수 있다. 우리가 어떤 판단을 내렸다면 사람들은 왜 그런 판단을 내렸는지 그 이유를 묻는다. 의사나 판사가 어떤 판단을 내렸을 때에도 마찬가지이다. 왜냐하면 우리는 의사나 판사는 합리적인 추론을 해야 하고, 그 추론의 결과는 합리적이고 정당한 이유에 근거해야 하기 때문이다. 물론 해명책임은 단지 판단의 문제만이 아니라 사후에 책임을 다하지 못했을 때 그 이유를 제시해야 하는 것에도 적용될 수 있다.

해명책임의 부여는 판단과 관련된 우리의 합리적 의사소통이 어떤 대전제하에서 움직이고 있는지 보여준다. 판단은 때론 추론이 아니라 직관적으로 내려진 것이더라도 그 판단에 대한 논거를 제시할 것을 요구한다. 따라서 합리적인 의사소통에서 자신의 견해나 판단을 뒷받침하는 이유를 제시할 것이 요구되는 것은 해명책임의 규범에 따른 것이다. "증거 중심 의학"(evidence-based medicine)이란 용어나 "증거 재판주의"라는 용어는 이 영역의 전문적인 판단이 어떤 성격의 이유에 근거해야 하는지를 보여준다.

최근 해석가능성(interpretability)이나 설명가능성(explanability)[27]이 강조되고 있고, 신

---

[27] 기계학습의 분야에서는 "해석가능성"(interpretability)을 Doshi_Velez와 Kim에 따라 "인간에게 이해가 능한 용어로 설명하거나 제시할 수 있는 능력"으로 정의하거나, Miller에 따라 "인간이 결정의 원인을 이해할 수 있는 정도"라고 정의한다고 하며, 반면, "설명가능성(explainability)은 기계학습 시스템 안에 있는 내부 논리와 작동기법(mechanics)과 관련 있다"고 하며, "설명가능한 모델일수록, 그 모델이 훈련하거나 결정하는 동안 발생하는 내부 절차와 관련하여 인간이 성취하게 되는 이해가 더 깊어진다"고 설명한다. Pantelis Linardatos, Vasilis Papastefanopoulos, and Sotiris Kotsiantis, "Explainable AI: A Review of Machine Learning Interpretability Methods," *Entropy* vol.23. no.1, 2021, pp. 2-3.

뢰할 만한 인공지능을 위해 핵심적인 요구사항이라고까지 주장되고 있다.[28] 하지만 필자는 해석가능성이나 설명가능성이 강조되는 것은 이 특성들 그 자체가 절대적으로 중요해서가 아니라 이 특성이 해명책임에 기여하기 때문이라고 본다. 우리가 궁극적으로 관심을 두는 것은 우리가 이해할 수도 없는 기계의 설명이 아니며, 기계의 설명이 해석될 수 있는지 여부 그 자체도 아니다. 보다 중요한 것은 인공지능이 산출한 결과에 대해 왜 이것을 신뢰해야 하는지에 대한 합리적인 설명이다. 우리가 관심을 갖고 있는 것은 인공지능의 결과를 참고하거나 수용하는 의사나 판사가 왜 이 결과를 신뢰하고 수용했는지에 대한 합리적인 정당화 이유가 존재하는지 여부이다. 간단히 말해, 인공지능의 신뢰성 여부에 대해 의사가 판단하기 위해, 나아가 의사가 궁극적으로 해명책임을 다하기 위해, 인공지능의 설명가능성이나 그 설명에 대한 해석가능성이 도구적으로 필요했을 뿐이다. 따라서 "해명책임"이란 개념이 등장하는 이유는 인공지능이 산출하는 성과에 대해 결과론적 측면에서의 만족만이 중요했던 것이 아니라, 왜 그런 결과 산출이 신뢰할 만한 것인지 인공지능 기술을 제공하는 사람이 설명해 주어야 하기 때문일 것이다.

필자의 이런 이해는 'accountability'를 '책무'로 번역하면서, 인공지능의 설계자나 개발자 또는 의사나 판사와 같은 이용자가 아니라, 인공지능 그 자체에 '책무'라는 규범을 부여하고자 했던 이중원의 해결책이 왜 여전히 한계를 지니고 있는지도 보여주고 있다. 앞서 이미 언급했듯이, 해명책임은 기계가 아니라 이 기계를 신뢰하기에 인공지능을 이용하여 판단을 내리는 판단자, 즉 의사나 판사에게 부여되는 속성이기 때문이다. 예를 들어, 진단 관련 인공지능 프로그램을 이용하는 의사라 할지라도 자신이 최종적으로 내린 진단에 대해 왜 그런 진단을 내렸는지에 대한 근거 제시는 궁극적으로는 의사가 수행해야 할 의무이기 때문이다.

설명가능성이나 해석가능성 등은 해당 기술을 제공하는 책임자, 의료의 경우에는 의사가 자신의 결정이나 판단 등에 대한 근거를 제시하는 데 도움을 줄 수 있는 것들 중 하나이다. 그런데 최근에는 "블랙박스"라고 부르며 인공지능의 판단에 대해 신비로운 과정이 있지만 매우 정확하다고 평가하면서, 설명가능성이나 해석가능성의 요구는 인공지능에 적용될 수 없다는 견해

---

28) Line Farah, Juliette M. Murris, Isabelle Borget, et al., "Assessment of Performance, Interpretability, and Explainability in Artificial Intelligence-Based Health Technologies: What Healthcare Stakeholders Need to Know," *Mayo Clin Proc Digital Health* vol.1 no.2(2023), p.134. https://www.sciencedirect.com/science/article/pii/S294976122300010X.

도 있다.

하지만 이런 견해 역시 왜 설명가능성이나 해석가능성이 요구되었고, 궁극적으로는 왜 해명책임이 요구되며, 이 해명책임의 주체가 누구인지에 대해 필자와는 다른 방식으로 이해하기 때문에 발생하는 항변이라 생각한다. 인공지능기술의 이용자가 이행해야 하는 해명책임을 위해 인공지능이 어떤 특성을 지녀야 하는지는 열려 있는 문제일 것이다. 필자는 해명책임을 위해 설명가능성이나 해석가능성이 인공지능의 필수적인 요소라고까지 볼 필요는 없다고 주장한다. 왜냐하면 인공지능이 신뢰할 만한 결과를 산출한다는 객관적인 증거 제시 역시 최소한의 해명책임을 이행할 수 있게 해 줄 것이기 때문이다.

예를 들어, 만약 어떤 의사가 자신의 판단에 대한 근거가 인공지능이 바로 그 진단을 제공했기 때문이라고 한다면, 이 해명은 수용될 수 없을 것이다. 왜냐하면 우리는 이것을 합리적인 이유라고 받아들이기 어렵기 때문이다. 환자들은 인공지능이 판단을 내렸다는 것이 중요한 것이 아니라 그 판단이 신뢰할 만한 이유가 무엇인지에 대한 해명을 듣고 싶어 할 것이기 때문이다. 바로 이 이유 때문에 인공지능의 알고리듬이 블랙박스와 같다며 그 처리과정을 신비화하는 태도가 문제라고 여겨진다. 전통적인 방식의 진단 방식이었든지, 새로운 기술로서 인공지능을 활용한 진단이었든지 그 자체는 환자에게 중요하지 않다. 환자에게 중요한 것은 그 진단의 신뢰성이다. 그렇기 때문에 우리는 의사에게 왜 해당 인공지능 프로그램이 신뢰할 만한 진단을 제공하는지 또는 제공해 왔는지에 대한 설명이나 데이터를 요구할 것이다. 그리고 그렇기 때문에 이 개별 환자에 대한 인공지능의 진단이 신뢰할 만한 것이라고 의사가 추론한다면 왜 이런 추론을 하는지에 대한 합리적인 근거를 요구할 것이다. 그래서 우리는 설사 블랙박스와 같은 인공지능을 이용한다 하더라도 메타 프로그램을 이용한 인공지능의 정확성 점검이나 신뢰성 분석을 지속적으로 또는 정기적으로 수행하는지 확인하고자 할 것이다. 해명책임이 의사에게 부과되는 것은 앞서 언급했듯이, 의사는 자신의 전문직 수행과 관련하여 자신의 의학적 판단에 대해 합리적인 설명을 제공할 직업상의 의무가 존재하기 때문이다. 그리고 앞서 언급했듯이, 의사는 자신의 판단에 대해 책임을 져야 하는 사회적 위치에 있기 때문이다.

통상 우리는 의사가 자신의 판단에 대한 정당화 근거를 제시할 때, 인공지능의 진단이 신뢰할 만하다는 단순한 통계적 설명 이외에도 인공지능의 진단을 신뢰할 만한 인공지능의 작동 원리에 대한 설명이 제시되길 기대할 것이다. 그리고 무엇보다도 인공지능의 진단 그 자체가 아

니라, 이 진단의 의학적 근거, 관련 이론이나 연구 결과 등을 거론하며 의사 자신의 판단에 대한 합리적인 이유가 제시되길 기대할 것이다.

사실 필자는 블랙박스와 같은 인공지능조차도 왜 신뢰할 만하다고 하는지 이해하기 어렵다. 인공지능의 신뢰성에 대한 근거로서 결과론적인 객관적인 데이터만 제공된다면, 이런 인공지능에 대해 신뢰한다는 것은 '점을 잘 치는 무당'에 대해 신뢰한다는 것과 무엇이 다른지 의문이다. 우리는 해명책임과 관련하여 단순한 결괏값만이 아니라, 보다 실질적인 내용과 관련된 합리적인 근거가 제시되길 바랄 것이다.

따라서 해명책임이 요구하는 것은 소프트웨어의 작동 원리를 공개하라는 것이 결코 아니다. 우리가 필요로 하는 것은 인공지능이 산출한 결괏값의 신뢰성에 대한 데이터나 논거, 그리고 인공지능의 결괏값을 수용하는 의사의 정당화 논거이다. 따라서 설사 블랙박스와 같은 인공지능이 이용된다 하더라도, 이런 인공지능을 이용하는 의사는 왜 이런 인공지능의 결괏값을 신뢰하는지에 대해 합리적인 이유를 제시할 수 있어야 할 것이다.

VI. 맺음말

필자는 인공지능의 존재론적 지위에 대한 혼란이 인공지능과 관련된 용어에서 발견되고 있으며, 인공지능은 책임의 주체가 될 수 없고, 나아가 해명책임의 주체도 될 수 없음을 주장하였다. 또한 설명가능성이나 해석가능성과 같은 인공지능의 특성에 대한 논의도 해명책임이 보다 중심적인 개념이라 주장하였다. 설명가능성이나 해석가능성은 해명책임의 이행에 도움을 줄 수 있는 특성이기에 중요한 특성이기는 하지만, 모든 인공지능이 반드시 지녀야 할 필수적인 특성은 아닐 수 있음도 언급하였다.

필자는 인간과 인공지능의 관계에 대한 올바른 이해를 바탕으로 공적 담론의 장에서 다루어야 할 주요한 ELSI 쟁점은 인공지능의 지위에 대한 논란이 아니라고 했다. 보다 더 중요하고 시급히 다루어야 할 인공지능 관련 ELSI 쟁점들은 다음과 같다. 인공지능 개발의 목적이 무엇인지, 인공지능이 우리 사회를 더 낫게 만드는 방향은 무엇인지, 인공지능으로 인해 우리 사회의 불평등이 더 심화되지 않도록 하는 것은 무엇인지 등등이다.

대니얼 칼라한의 관점에 따르면, 인공지능 개발의 목적과 관련하여 새로운 기술의 도입은 이 기술이 공동선(common good)에 기여하는지 여부에 대한 고찰이 반드시 병행되어야 한다.[29] 그동안 인력에 의존하여 처리되었던 많은 업무가 인공지능에 기반한 장치들로 대체되는 경우, 흔히 거론되는 우려처럼 실업 문제가 대두될 수 있다. 이 문제와 관련해서 우리는 도대체 인공지능 기술을 개발하려는 목적이 무엇인지 그리고 우리는 이런 변화를 수용할 준비가 되어 있는지 논의하지 않을 수 없다. 아울러 최근 개발되는 과학기술은 많은 경우, 세금과 같은 공적 자금의 투여로 개발되는 경우가 많다. 따라서 연구 성과의 이용과 관련하여 사회 구성원이 해당 성과에 접근하는 데 있어서의 분배적 정의의 문제가 공적 담론의 장에서 논의될 필요가 있다.

뿐만 아니라, 빅 데이터와 결합된 인공지능의 경우에는, 이 데이터 활용으로부터 얻는 수익의 분배적 정의와 관련된 문제들에 대해서도 논의할 필요가 있다. 빅 데이터 기술의 활용은 다수의 사회구성원이 제공하는 정보에 의존할 수밖에 없다. 그렇다면 사회구성원들로부터 수집된 정보로부터 발생하는 이익을 어떻게 공유할 것인지가 공적 담론의 주제로서 시급히 논의될 필요가 있다. 또한 최근 정보 이용과 관련해서 최근 독일 민법의 개정이 시사하는 바와 같이 정보주체의 정보 이용에 대한 대가를 지불할 수 있도록 하는 법 개정[30]도 일어나고 있다. 하지만 여전히 공적 사용의 경우에는 무상 기증의 방식을 여전히 강조하고 있다. 하지만 과연 무엇이 공적 사용인지에 대해서는 아직도 개념이 불분명한 것이 사실이다. 필자는 이와 같이 산적한 쟁점들을 시민과 함께 논의하는 공론의 장이 활성화되어 인공지능 기술이 우리 사회를 보다 나은 방향으로 개선하는 데 일조하는 기술로 우리 사회에 수용될 수 있기를 기대한다.

---

29) Daniel Callahan, "Individual Good and Common Good: A Communitarian Approach to Bioethics," *Perspectives in Biology and Medicine* vol.46 no.4, 2003, p.504.

30) 박신욱, "급부대상으로서의 개인 데이터 : 유럽연합의 디지털지침 및 독일민법의 변화에 따른 우리 입법에의 시사점", 민사법학 제100호, 한국민사법학회, 2022, pp. 95-123.

제 7 장

의료 인공지능과 편향

박상철 (서울대학교 법학전문대학원 교수)

생명의료법연구소

7

의료 인공지능과 편향*

박상철 (서울대학교 법학전문대학원 교수)

I. 들어가며

의료 AI의 편향(bias) 문제는 이제 의료계 내부의 논의를 넘어 법과 규제의 영역으로 편입되는 과정에 있다. EU의 AI법(AI Act) 상 AI 기반의 의료기기(medical devices), 체외진단(in vitro diagnostic; IVD) 의료기기, 응급의료서비스(emergency first response services by medical aids)는 고위험 AI 시스템(high-risk AI system)으로 분류된다. 이들 모델의 학습을 위해 투입되는 훈련·검증·시험 데이터는 가능한 편향(bias)의 검토·모니터링을 포함한 합당한 데이터 거버넌스와 관리에 따라야 한다. 이들은 또한 잠재적 차별적 효과(potentially discriminatory impacts)를 측정하기 위한 지표(metrics)를 포함한 검증 및 시험 절차를 기술 문서에 포함하여야 한다. 그러나 EU AI법은 모든 AI를 고위험으로 분류만 되면 용례(use

---

* 본 장은 박상철, "인공지능의 법적 규율 II: 판별모델", 서울대학교 법학, 제65권 제2호 (2024), pp. 357~362., Sangchul Park, "Bridging the Global Divide in AI Regulation: A Proposal for Contextual, Coherent, and Commensurable Framework," arXiv:2303.1196v4 (2024) [forthcoming in Washington International LawJournal, Vol. 32, No. 2 (2024)], pp. 89, 42~64을 일부 편집한 것임을 밝힙니다.

cases)와 관계없이 동질적 실체로 보고 동일한 과잉규제를 적용하는 한계가 있다. 보건의료 분야의 AI의 활용에 관련하여서도 특유의 편향 문제를 파악하고 맞춤형으로 대응하는 수준에 이르고 있지 못하다.

미국 바이든 대통령의 2023. 10. 30.자 "인공지능의 안전하고, 안보를 보장하며, 신뢰성 있는 개발과 활용에 관한 행정명령(Executive Order on the Safe, Secure, and Trustworthy Development and Use of Artificial Intelligence)"은 보건의료에 대한 다양한 지침을 담고 있다. 특히 편향과 관련해서는 보건복지부(HHS) 장관이 (국방부 및 보훈부 장관과 협의하여 90일 이내로 HHS AI 태스크포스를 만들어 이후 365일 내에) 준비할 전략적 계획(strategic plan)에 (1) 신규 모델 개발 시 영향을 받는 집단과 대표집단에 대해 분리된 데이터(disaggregated data)를 사용하고, (2) 기존 모델의 차별과 편향에 대응하기 위한 알고리듬의 성능을 모니터링하며, (3) 현 시스템의 차별과 편향을 경감함으로써 보건의료와 복지에 사용되는 AI 기술에 형평원리(equity principles)를 체화시키는 방안을 포함하도록 하고 있다(Sec. 8 (b)(i)(C)). [1] 여기서 "분리된 데이터"에 대한 언급은 미국이 (EU가 보건의료 등 AI 활용의 구체적인 맥락을 고려하기 보다는 AI 전체에 대해 두리뭉실한 과잉규제를 시도하는 것과 달리) 보건의료 특유의 AI 활용과 관련한 문제(특히 후술하는 서비스품질 편차 문제)를 상당히 구체적으로 이해하고 있음을 보여준다.

2024년 시작된 제22대 국회에도 이미 다수의 인공지능법안이 발의되어 있으나, "인공지능 발전과 신뢰 기반 조성 등에 관한 법률안"(정점식 의원 대표발의)을 기준으로 살펴 보면 "「보

---

[1] 미국 상하원의 알고리듬 책임성 법안(Algorithmic Accountability Act of 2022; AAA)(S.3572, H.R.6580)은 "정신의료, 치과, 검안을 포함한 의료"(healthcare, including mental healthcare, dental, or vision)를 핵심 규제 대상인 "증강된 중대결정절차"(augmented critical decision process; ACDP)의 주된 개념요소인 "중대결정"(critical decision)에 해당하는 항목으로 열거하였으나, 특히 의료에 대한 접근(access) 또는 의료의 비용(cost), 조건(terms), 가용성(availability)에 관하여 소비자의 삶에 법적, 실질적, 또는 유사하게 중요한 영향이 있는 결정과 판단만 이에 해당하는 것으로 구체화하였다. ACDP를 운용하며 법안이 정하는 일정한 규모를 넘는 대상기관(covered entity)은 자동결정시스템이나 ACDP에 대해 영향평가(impact assessment)를 받아야 하는데, 이는 "편향과 비차별을 포함한 공정성"(fairness, including bias and nondiscrimination) 영역에서 자동결정시스템, ACDP 및 그 영향평가의 개선을 위해 필요하거나 이에 도움이 될 수 있는 역량, 도구, 표준, 데이터셋, 보안 프로토콜, 이해관계자 관여의 개선 또는 기타 자원의 식별을 포함하여야 한다. AAA는 다만 EU AI Act와 마찬가지의 수평적 접근(horizontal framework)이라는 근본적인 입법품질상의 한계가 있었고, 본문에서 소개하는 바이든 행정명령이 훨씬 진일보된 맥락중심적 접근(context-specific framework)을 보여주고 있다.

건의료기본법」 제3조 제1호에 따른 보건의료의 제공 및 이용체계 등에 사용되는 인공지능"과 "「의료기기법」 제2조 제1항에 따른 의료기기에 사용되는 인공지능"으로서 "사람의 생명, 신체의 안전 및 기본권의 보호에 중대한 영향을 미칠 우려가 있는 영역에서 활용되는 인공지능"은 "고위험영역 인공지능"에 해당하므로, 이를 개발하는 자 또는 이를 사용하여 제품 또는 서비스를 제공하는 자는 인공지능의 신뢰성과 안전성을 확보하기 위한 조치를 하여야 하며, 과기정통부 장관은 그 구체적인 내용을 정하여 고시하게 되어 있다.

다만 편향은 여전히 명징하게 정의되지 않은(ill-defined) 개념이다. 의료AI의 편향도 의료현장과 의료서비스, 그 과정에서 일어나는 환자·의료인과 AI 간의 상호작용(human-AI interaction; HAI)을 중심으로 한 사례별로 논의되기보다는 다른 AI에 대한 논의와 마찬가지로 차별금지에 대한 일반론에 입각한 사고실험(thought experiment) 내지 어림짐작(conjecture)에 머물러온 감이 없지 않고, 이로부터 과학적 증거에 입각한 합리적인 규제의 도출을 기대하기 어렵다. 따라서 이 글에서는 편향이 문제가 될 수 있는 대표적 사례들을 지목하며 논의를 상향식(bottom-up)으로 이어가기로 한다. 이를 위해 편향 개념을 구체화하면 "특정 대상, 사람 또는 집단을 취급(지각, 관측, 표상, 예측, 또는 결정을 포함한 여하한 종류의 행동을 포함)함에 있어 타방 대비 체계적 차이(systematic difference in treatment of certain objects, people, or groups in comparison to others)"라 정의할 수 있다.[2] 모든 편향이 유해한 것은 아니고 AI의 이용목적상 의도된 바람직한 편향(desired bias)이 아닌 원치 않는 편향(unwanted bias)이 규율 대상이다.[3] 원치 않는 편향은 인간의 인지적 편향(cognitive bias), 데이터 편향(data bias) 또는 엔지니어링적 결정에 의한 편향(bias introduced by engineering decisions) 등에서 연원한다.[4] 이러한 틀에 맞춰 세 가지 사례를 예시적으로 지목하면 다음과 같다.

---

[2] ISO/IEC TR 24027:2021(E), Information technology - artificial intelligence (AI) - Bias in AI systems and AI aided decision making, 3.2.2.

[3] *Id.*, 6.

[4] *Id.*, 6.

의료AI의 영역	예시	인간의 인지적 편향	데이터 편향	엔지니어링적 결정에 의한 편향	사회적 위해
진단과 치료 보조 AI	영상 판독, 상피종양 진단 등	집단 내 편향, 집단 외 동질성 편향	커버리지 편향(과잉·과소대표)	특성값, 가중치 등의 선택	서비스 품질 편차
의료에 대한 접근 판별 AI	병상, 백신 배분 등	집단 귀속 편향	비대표적 샘플링	보상함수의 설정상 편향	배분적 위해
생성 AI를 활용한 의료 자문	챗봇 등	사회적 편향	비대표적 샘플링(역사적 데이터 등)	편향제거조치의 유무 등	고정관념 형성

　식약처의 "인공지능 의료기기의 허가·심사 가이드라인"도 편향을 "대조군과 비교하여 특정 객체, 사람, 혹은 그룹을 취급(treatment)하는 것에 대한 시스템적(systematic) 차이"로 정의하면서, 인지 편향, 데이터 편향, 공학적 결정에 따른 편향에 기인할 수 있다고 보고 있다.[5]

　이러한 편향들은 맥락별로 다른 의미가 있어 AI에 대한 동질적·일률적 규제의 적용 대상이 되기에 부적절하다. 법상 차별금지의 우선적 규율 대상은 희소한 의료자원의 배분에 있어서의 차별 등 배분적 위해(allocative harm)[6]의 통제이다. 고정관념형성(stereotyping) 등 표상적 위해가 "장기적이고, 형식화하기 어렵고, 산발적"(long-term, difficult to formalize, and diffuse)[7]일뿐 아니라 감정적 문제에 해당하는 경우가 많은 것과 달리, 배분적 위해는 "직접적이고, 정량화에 용이하고, 판별적"(immediate, easily quantifiable, and discrete)[8]이며 신체적, 경제적 문제에 해당하는 경우가 많다. 규제편익과 규제비용을 고려할 때 규제 법령이 우선적으로 관심을 가져야 할 영역은 배분적 위해임이 분명하다. 따라서 의료용 챗봇이 특정 성별에 차별적인 발언을 하는 등의 생성AI의 고정관념형성 문제는 대표적인 표상적 위해의 문제로

5) 식품의약품안전처 식품의료품안전평가원 의료기기심사부, 인공지능 의료기기의 허가심사 가이드라인(민원인 안내서), 2022. 5. 12.

6) Crawford, K. (2017) The trouble with bias - NIPS 2017 Keynote, https://www.youtube.com/watch?v=fMym_BKWQzk.

7) Id.

8) Id.

서 당장의 규제 도입보다는 장기적인 평가가 중요하며, 보건의료 분야 고유의 쟁점도 아니어서, 이 글의 검토 범위에서는 제외한다.

다만, 의료자원의 배분은 여전히 AI보다는 전통적인 의료전달체계를 통해 이뤄지고 있어 배분적 위해가 문제 될 만한 용례가 아직 많지 않다. 보건의료 분야에서의 AI의 핵심 용례는 역시 진단 보조, 특히 영상진단 보조이다. 한 메타연구가 2019년까지 PubMed에 게재된 의료AI 논문들의 저자의 전공영역을 전수조사해 보니 방사선학과(radiology)가 전체의 40.5%로서 2, 3위인 병리학(9.1%), 신경학(7.4%)을 압도적으로 따돌리고 있다.[9] 진단 AI에 있어 과소대표로 인한 서비스품질 편차(quality-of-service (QoS) disparity)는 배분적 위해와 표상적 위해의 경계선상에 있는데, 오처방, 오처치 등으로 이어져 실질적 위해를 초래할 수 있어 보건의료 분야에서는 중요하게 다룰 필요가 있다. 따라서 이하에서는 과소대표로 인한 QoS 편차 문제를 먼저 집중적으로 살펴보고, 이어 의료자원의 배분 문제도 간략히 살펴보기로 한다.

II. 과소대표(underrepresentation)로 인한 서비스 품질 편차(QoS disparity)[10]

1. 쟁점

진단 보조 AI와 관련하여 백인과 남성이 과잉대표되고 유색인종과 여성이 과소대표되어 특정 집단에 대해 QoS 편차가 초래된다는 문제제기가 꾸준히 이루어졌으나, 아직 실증적 근거가 충분히 축적되어 있는 단계까지는 아니다. 예컨대 (1) 흑색종(melanoma) 등 피부암 진단 AI의 경우 흑인 등 유색인종의 데이터가 충분히 투입되고 있지 않다는 문제가 꾸준히 지적되

---

[9] Celi, L.A. et al. (2022) *Sources of bias in artificial intelligence that perpetuate healthcare disparities—A global review*, PLOS Digit. Health 1(3):e0000022.

[10] II장의 논의는 박상철, "인공지능의 법적 규율 II: 판별모델", 서울대학교 법학, 제65권 제2호 (2024), pp. 357~362.의 내용을 일부 편집한 것이며, Park, S. (forthcoming 2024) *Bridging the Global Divide in AI Regulation: A Proposal for Contextual, Coherent, and Commensurable Framework*. Wash. Int'l L.J. 33의 내용에 입각한 것임을 밝힙니다.

고,[11] (3) 피부과 진단 보조 AI에 있어 여성이 과소대표되어 서비스 품질상 편차가 초래되는지 여부에 대한 명확한 결론이 아직 내려지지 않고 있으나,[12] X선 영상에 근거한 14개 흉부질환 진단 AI 모델의 경우 여성이 훈련 과정에서 과소대표될 경우 여성에 대해 높은 오류율을 보인다는 점에 대한 실증연구가 제시되고 있다.[13]

AI에 한정하지 않고 의료 일반으로 시야를 넓히면 주로 치료제와 관련한 QoS 편차가 법적으로 논란이 된 바 있다. 클로피도그렐(clopidogrel; 시판명 플라빅스정)은 혈중 혈소판이 뭉치는 것을 막아 혈전의 생성을 억제하는 항혈소판제인데, CYP2C19 유전자가 있는 사람들은 그 효과가 크게 감소하는 것으로 알려져 있다. 이 유전자가 유럽인종은 10~20%밖에 안되나 태평양 도서 지역인은 40~77%, 동아시아인은 23~45%나 있는데도 불구하고, 플라빅스정의 출시 당시 95%의 임상 참가자가 유럽인이었다. 이에 하와이주가 2014년에 플라빅스정을 만든 BMS와 Sanofi-Aventis를 허위, 불공정, 기만 마케팅으로 인한 하와이 불공정·기만행위(Unfair or Deceptive Acts or Practice; UDAP) 방지법(Haw. Rev. Stat. § 480-2) 위반으로 제소하였고, 하와이주 항소법원은 834백만 달러의 벌금을 부과하였다. 하와이주 최고법원은 2023. 3. 15. 항소법원의 UDAP 위반에 대한 판단은 인용했으나 요약판결(summary judgment)로써 피고들의 완전한 방어권을 제약한 것은 잘못이라는 취지로 일부 인용, 일부 파기하였다.[14] 한편, 미국 식약청(FDA)은 2013년 향정신성 수면제인 졸피뎀(zolpidem; 시판명 앰비언 등)의 경우 여성이 대사 속도가 남성보다 느리다는 연구결과에 근거하여 여성 복용량을 남성의 절반으로 줄이도록 하였다.[15]

---

11) Guo, L.N. et al. (2022) *Bias in, bias out: Underreporting and underrepresentation of diverse skin types in machine learning research for skin cancer detection—A scoping review*, J. Am. Acad. Dermatol. 87(1):157-159. Adamson, A.S. & Smith, A. (2018) *Machine learning and health care disparities in dermatology.* JAMA Dematol. 154(11):1247-1248.

12) Lee M.S., Guo L.N., Nambudiri V.E. (2022) *Towards gender equity in artificial intelligence and machine learning applications in dermatology.* J. Am. Med. Infor. Assoc. 29(2):400-403.

13) Larrazabal, A.J. et al. (2020) *Gender imbalance in medical imaging datasets produces biased classifiers for computer-aided diagnosis*, Proc. Nat'l. Acad. Sci. (PNAS) 117(23):12592-12594.

14) State v. Bristol-Myers Squibb Co., March 15, 2023, No. CCAP-21-000363

15) U.S. Food & Drug Administration (2013) *Risk of next-morning impairment after use of insomnia drugs; FDA requires lower recommended doses for certain drugs containing zolpidem (Ambien, Ambien CR, Edluar, and Zolpimist)*, Jan. 10, 2013.

2. 검토

QoS 편차는 데이터셋이 특정 하위집단(subgroup)에 대해 분리(disaggregate)되지 못하고 (과소세분화(underspecification)[16]) 해당 집단의 데이터가 충분히 투입되지 못한 채 모델이 훈련됨으로써 해당 집단이 과소대표(underrepresent)됨으로써 해당 집단에 대해 높은 정확도를 보이지 못하는 현상으로서, 일반적인 차별의 문제와는 다소 다르다. 차별, 특히 배분적 위해가 문제 되는 상황의 경우 상대평가(relative evaluation) 상황으로서 여러 집단 간 정확도(또는 오류율)의 동등을 추구하는 것이 원칙이나, QoS 편차의 경우 절대평가(absolute evaluation) 상황으로 모든 하위집단의 정확도를 끌어올리는 것이 관건이다. 이를 일반적인 정확도(accuracy) 문제와 구별하여 견고성(robustness) 문제로 칭하는 경우가 많다. 견고성은 이미 존재하는 집단 간 차이를 반영하여 정확성을 확보할 뿐 아니라 향후 초래될 수 있는 인구통계학적 변동에 대해서도 회복탄력성(resilience)을 확보한다는 차원에서 그 중요성이 점점 부각되고 있다.

미국도 이러한 과소세분화 내지 과소대표 문제를 보건의료 분야 AI의 활용에 있어 핵심적인 문제로 지목하고 있다. 앞서 살펴보았듯이 바이든의 2023. 10. 30.자 행정명령상 신규 모델 개발 시 영향을 받는 집단과 대표집단에 대해 분리된 데이터(disaggregated data)를 사용하도록 하는바, 이는 결국 영향을 받는 집단에 대한 세분화(specification)를 통해 해당 집단에 대한 별도의 모델 개발을 촉진하고자 하는 것이다. 미국 식약청(FDA)은 2021. 1.자 "인공지능/머신러닝 기반 소프트웨어 의료기기(AL/ML-Based SaMD) 액션플랜"을 통해 유수의 의과대학들과 협업하여 식약청 내 규제과학·혁신 수월성 센터(Centers for Excellence in Regulatory Science and Innovation; CERSIs)를 중심으로 편향의 식별과 제거 툴을 개발하는 방식으로 접근하고 있고,[17] 2023. 4. 3.자 "인공지능/기계학습 기반 기기 소프트웨어 기능을 위한 사전 결정 변경 통제 계획에 대한 마케팅 제출 권고(Marketing Submission Recommendations for a Predetermined Change Control Plan for Artificial Intelligence/Machine Learning

---

[16] D'Amour, A. (2022) *Underspecification presents challenges for credibility in modern machine learning*, J. Mac. Learn. Res. 23:1-61.

[17] U.S. Food and Drug Administration (2021), "Artificial Intelligence/Machine Learning (AI/ML)-Based Software as a Medical Device (SaMD) Action Plan", Jan. 2021, https://www.fda.gov/medical-devices/software-medical-device-samd/artificial-intelligence-and-machine-learning-software-medical-device.

(AI/ML)-Enabled Device Software Functions)" 안에서는 편향의 핵심 문제를 "기계학습 모델의 편향을 최소화하기 위해 식별가능한 하위집단이, 교차 집단을 포함하여, 적절히 대표되었고 훈련 및 시험 데이터셋으로 분리되었는지 여부(whether identifiable subpopulations will be adequately represented, including intersectional groups, and separated into training and testing sets to minimize ML model bias)"로 지목하고 있다.[18]

이러한 QoS 편차의 문제에 대한 정책적 대응 방식과 관련해서는 다음 몇 가지 쟁점이 제기된다.

(1) 하위집단의 데이터 불충분을 어떻게 다뤄야 할 것인가

임상시험 등에 있어 특정 하위집단의 데이터가 부족한 경우가 있다. 여성가족부는 2016년 성별영향분석평가법 제10조에 따라 특정성별영향분석평가를 수행하여, "2014년 식품의약품안전처에서 허가된 국내 개발 신약의 초기 임상시험(1상) 여성 참여율을 분석한 결과, 총 28건 문헌의 630명 대상자 가운데 여성 대상자가 참가한 문헌은 3건, 43명에 불과하였다. 또한 국내 의약품 승인과 관련하여 허가사항에 반영되어 있는 성별 차이 관련 내용이 부족하다. 해외 사례와 비교할 때, 미국의 PDR에 나타난 성별차이 관련 성분은 총 63개이나 국내 의약품 허가 정보(ez Drug)에는 Citalopram 등 17개 성분에 대해서만 성별 차이 관련 내용이 허가사항에 반영되어 있다"고 지적하였다.[19]

다만 특히 가임기, 수유기 여성은 임상 참여가 어렵기 때문에, 여성 임상시험 데이터의 부족은 구조적 문제라 할 수 있다. 식약처의 "의약품 임상시험 시 성별 고려사항 가이드라인"(2015)도 여성의 임상시험 참여의 중요성과 성별에 따른 임상시험 계획의 수립과 이행을 중시하지만, 가임기·수유기 여성의 임상 참여에 수반되는 위험성에 대해서는 특별한 주의를 당부하고 있다.[20]

---

[18] U.S. Food and Drug Administration (2023), "Marketing Submission Recommendations for a Predetermined Change Control Plan for Artificial Intelligence/Machine Learning (AI/ML)-Enabled Device Software Functions", Apr. 2023, https://www.fda.gov/regulatory-information/search-fda-guidance-documents/marketing -submission-recommendations-predetermined-change-control-plan-artificial.

[19] 여성가족부, 2016년 성별영향분석평가 종합분석 결과보고서, 2017. 8., p. 204, https://www.mogef.go.kr/mp/pcd/mp_pcd_s001d.do?mid=plc500&bbtSn=704722.

일반화하면, 특정 범주의 샘플이 과다하고 다른 범주의 샘플이 과소한 범주불균형(class imbalance)의 경우 최선의 대책은 과소범주(minority class)의 샘플(위 예의 경우 여성 임상시험 참가자 데이터)을 추가 확보하는 것이다. 이를 통해 특정 하위집단에 대한 모델을 별도로 훈련하여 정확도를 비교하거나, 또는 이미 훈련된 모델에 특정 하위집단의 데이터를 추가 투입하여 도메인 적응적 학습(domain adaptative learning)을 하거나 (사전학습언어모델을 사용하는 경우) 미세조정(fine-tuning) 또는 맥락내 학습(in-context learning)을 하는 등 각종 기법을 동원하여, 해당 하위집단에 대한 정확성을 끌어올릴 수 있다.

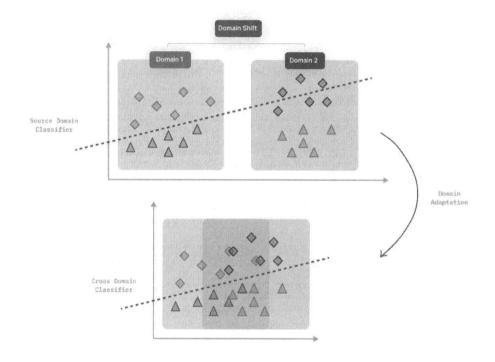

[그림 1] 도메인 적응적 학습의 개념도[21]

---

20) 식품의약품안전처 식품의약품안전평가원, 의약품 임상시험 시 성별 고려사항 가이드라인, 2015. 12., https://www.nifds.go.kr/brd/m_15/view.do?seq=9114.

21) Kundu, R. (2022), *Domain Adaptation in Computer Vision: Everything You Need to Know*, https://www.v7labs.com/blog/domain-adaptation-guide.

그러나 이와 같이 특정 하위집단에 대한 샘플을 확보하는 것이 구조적으로 어려울 경우, 해당 집단의 샘플을 범주의 비율에 반비례하여 늘리거나 SMOTE[22]나 Adasyn[23] 등 알고리듬으로 합성데이터(synthetic data)를 생성하여 오버샘플링(oversampling)한 후 훈련해야 한다. 예를 들면, 임상시험 참가자 비율이 여성 1: 남성 9이라면, 여성의 샘플당 9배의 가중치(weight)를 두어 훈련을 할 수 있다. 다만 이 경우 특정 샘플이 지나치게 다량 증폭되는 문제가 발생하므로, 원본 데이터에 내재한 확률분포를 비지도학습 방식으로 추출하여 이 확률분포에 따른 합성데이터를 생성하는 방식으로 오버샘플링하기도 한다. 그러나 이들은 현실 데이터(real-world data; RWD)의 투입에 비해서는 어디까지나 불완전한 수단이며, 충분한 정확도가 확보되기 어려운 한계가 있다.

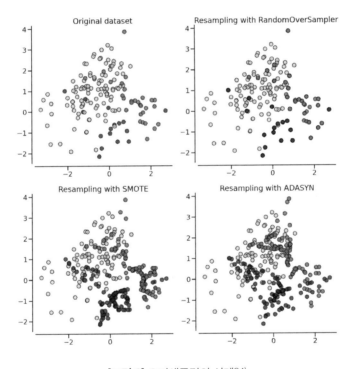

[그림 2] 오버샘플링의 실례[24]

22) Chawla, N.V. et al (2002), *SMOTE: synthetic minority over-sampling technique*. J. Artif. Intell. Res. 16:321-357.

23) He, H. et al. (2008), *Adasyn: adaptive synthetic sampling approach for imbalanced learning*. IEEE Int. Jt. Conf. Neural Netw. 1322-1328.

(2) 모든 하위집단의 QoS가 높아질 때까지 출시를 막아야 하는가

결국 소수집단에 대한 현실데이터를 확보하기 전에는 오버샘플링 등 기법을 동원하더라도 QoS 편차를 극복하기 어려울 수 있다. AI 모델의 편익을 고려할 때 이러한 절대적 QoS 편차를 근거로 전체 인구집단에 대한 출시까지 규제로써 저지 또는 지연하기 위해서는 상대적 차별 문제에 비해 상대적으로 강한 근거가 필요하다. 다만 근거의 합리성 여부는 일률적으로 판단할 사항이 아니며 구체적인 맥락에 따른 규범적 판단을 내려야 한다.

예컨대 자율주행차량의 센서가 장애인에 대한 현저한 QoS 편차를 보여 장애인에 대한 사고 빈발 우려가 있다면, 장애인만의 데이터가 충분히 투입될 때까지 출시를 지연시키는 것이 타당할 수 있다. 그러나 흑색종의 경우 특히 백인에 빈발하며 높은 위험도를 보이므로, 흑색종 진단 보조 AI가 유색인종에 대한 진단율이 낮다는 이유로 백인에 대한 출시까지 지연시킬 일은 아니다. 이에 대해 전체적인 출시를 지연시키겠다는 것은 제약회사가 극단적인 특이체질 (idiosyncrasy)까지 전부 임상을 거치지 않으면 약을 출시하지 못하게 하겠다는 것만큼이나 과 잉규제일 수 있고, 이 경우 이하에서 살펴보는 고지의무 등 소수집단에 대한 특별한 법적 배려로 보충해야 한다.

(3) 고지의무

특정 하위집단의 QoS 편차에도 불구하고 다른 하위집단의 편익을 위해 일단 출시할 경우, QoS가 낮은 영향 받는 집단이 효능이 없거나 부작용이 있는 AI 모델을 사용하지 않도록 의료인과 환자에 대한 적절한 고지의무의 이행이 필요하다. 앞서 살펴본 하와이 플라빅스정 사건 판결도 사실상 이러한 고지의무를 인정한 것으로 평가할 수 있다. 여성가족부는 위 2016년 특정성별영향분석평가 결과보고서에서 (1) "해외 의약품 성차 정보를 위중도에 따라 구분하고, 국내 의약품에 대해서도 여성 대상 부작용 발생 등에 관하여 수집·평가하여 전문가에게 정보 제공 강화", (2) "유럽의 경우처럼 특정 성별에 주의해서 사용하여야 할 의약품에 대해 기존 의약품 안전사용서비스(DUR) 시스템을 활용한 정보 제공", (3) "의사, 약사, 간호사 등의 보

---

24) Imbalanced-Learn developers, "User Guide > 2. Over-sampling", https://imbalanced-learn.org/stable/over_sampling.html ((Random Over Sampler는 표본수를 늘리는 기법이고, Smote와 Adasyn은 합성데이터).

수교육 및 연수교육에 여성과 남성의 특성을 고려하는 성차 의학 관련 내용 포함", (4) "보건의료 전공 과정에 성차 의학 관련 교육 포함 및 교육내용 개발 유도" 등의 정보 제공과 고지를 권고했는데,[25] 대단히 합목적이고 적절한 정책 조치이다.

(4) 민사책임의 문제

이와 같은 규제의 필요성을 검토할 뿐 아니라, AI에 있어 과잉·과소대표로 인한 서비스 품질상 불공정으로 인해 오진이나 오처치가 초래되고 의료과오(malpractice)로 이어질 수도 있어 책임 문제에 대한 검토도 필요하다. 그러나 일률적 사전규제보다는 사안의 총체를 고려한 민사구제가 적절하다. 결국 표준치료(standard of care) 해당성의 문제로 귀결되나, 본격적인 다인종·다민족국가로 이행하기 전에는 이 자체를 법적 책임소재의 근거로 인정하기가 반드시 쉽진 않을 것이다.

Ⅲ. 의료에 대한 접근(access) 배분AI: 배분적 위해(allocative harm)

1. 쟁점

AI를 활용하여 한정된 자원을 배분함에 있어 법상 정의된 민감속성(sensitive attribute)(헌법 제11조 제1항상 성별, 종교, 사회적 신분(단, 국가인권위원회법 제2조 제3호는 훨씬 많은 항목을 열거))에 대한 편향으로 인해 차별적 취급(disparate treatment)을 하거나 차별적 효과(disparate impact)를 야기할 경우 배분적 위해가 발생할 수 있다. 의료AI와 관련하여 배분적 위해가 특히 문제 되는 영역은 결국 의료서비스 접근권과 의약품의 배분 문제라 할 수 있다.

25) 위 보고서, p. 205.

2. 검토

(1) 진료·수술예약, 병상, 응급처치 등 의료서비스 접근권의 배분

우리나라의 기존 의료서비스 접근권 배분 관행을 살펴보면, 선착순(first come, first served)에 입각하되, 응급실(ER)이 그 결점을 보완하는 식이다. 마치 테트리스(Tetris) 게임을 하듯 블록을 오는 순서로 쌓아가되 몇몇 중요한 블록에만 특별히 신경을 써서 게임을 진행해 나가는 것에 비유할 수 있다. 선착순과 응급실이라는 양극단이 그 중간의 스펙트럼 어딘가 있는 수요 모두를 효율적으로 만족시킬 리 없으므로, 응급실과 119 구급 이송 서비스의 남용 문제가 발생하고,[26] 다빈치 로봇수술 환자 등 비급여 환자에게 사실상 수술대기시간을 줄여주는 방식으로 지불의사(willingness to pay; WTP) 내지 유보가격(reservation price)에 따른 배분이 부분적으로 이루어지도록 한다.

따라서 규제를 논하기에 앞서 먼저 제기해야 할 정당한 의문은 AI를 이용하여 이러한 관행의 개선을 촉진할 수 있는가이다. 의료전달체계를 급격히 바꾸기는 거의 불가능하며 의료서비스의 공급 총량에 한계가 있는 상황에서 파레토 개선은 어려우므로, 결국 공리주의적 관점에서 기존 관행과 달리 좀 더 다수의 후생이 증대되는 방향의 개선이 가능할지 여부가 쟁점이다.

기존 문헌을 보면 의료서비스 접근권의 배분 문제는 주로 운용과학(operational research; OR) 영역에서 장소배분문제(location allocation problem)의 차원에서 논의되었다.[27] 이는 수용용량의 계획(capacity planning),[28] 병상(hospital beds) 등 시설장소배분(facility location allocation),[29] 응급의료서비스의 배분[30]을 포괄한다.[31] 근래에는 강화학습(RL) 등 기계학습

26) 강경희, "응급실 다빈도 방문과 119 구급 이송 서비스 이용 분석", 한국화재소방학회 논문지 34:5, 2020, pp. 104~111.

27) Oliveira B.R.P.e (2020) *A simulation-optimisation approach for hospital beds allocation.* Int. J. Med. Informatics 141:104174.

28) Zhou L. et al. (2018) *Multi-objective capacity allocation of hospital wards combining revenue and equity.* Omega 81:220-233. Bidhandi H.M. et al. (2019) *Capacity planning for a network of community health services.* Eur. J. Oper. Res. 275 (1):266-279.

29) Zhang W. et al. (2016) *A multi-objective optimization approach for health-care facility location-allocation problems in highly developed cities such as Hong Kong.* Comput. Environ. Urban Syst. 59:220-230. Zarrinpoor N. et al. (2017) *Design of a reliable hierarchical location-allocation model under disruptions for health service networks: a two-stage robust approach.* Comput. Ind. Eng. 109:130-150.

30) Nogueira L.C. et al. (2016) *Reducing emergency medical service response time via the reallocation of*

기법의 적용이 시도되고 있다. 대표적 사례는 영국 국립보건서비스(NHS) 산하 스컹크웍스 AI 연구소(AI Lab Skunkworks)가 케터링 종합병원(Kettering General Hospital)과 협업하여 강화학습 기반 병상관리 툴을 개발한 것이다.[32] 그러나 OR이든, RL이든 방법론을 불문하고 장소배분문제는 환자의 이동거리·시간, 최대커버리지, 최소비용 등을 목적함수(objective function)(RL의 경우 통상 보상함수(reward function)로 칭함)로 삼아 자원배분을 최적화하는 방식으로 설계되는 한계가 있다. 그러나 국토가 크지 않으며 특히 중증환자들의 서울 소재 상급종합병원 쏠림 현상이 강한 우리나라의 경우 이러한 공급체인(supply chain)의 효율화를 지향하는 목적함수의 설정이 적절한지 의문이 있다.

우리나라의 경우 악성종양 등 치명률이 높은 질환이나 응급처치를 요하는 사고에서의 생존율 등 보다 합리적인 목적함수의 설정에 관심을 기울일 필요가 있다. 예컨대 국내외 종양학 연구들은 생존율에 큰 영향을 미치는 특성값으로 확진 이후 수술 지연기간과 의사의 러닝커브(learning curve)를 들고 있다. 박종혁 교수 팀(2013)은 2006년에 국내에서 암을 진단받은 환자 7,529명을 평균 4.7년 추적 관찰한 결과 유방암이나 대장암을 진단받고 12주 이상 지나 수술을 받은 환자의 사망률이 각각 2.6배, 1.9배 증가하나, 폐암이나 갑상샘암에서는 수술지연이 유의한 영향을 미치지 않는다고 보고하였다.[33] 미국의 경우 Smith et al. (2013)은 1997~2006년 기간 캘리포니아 암 등록 사업에서 수집된 자료를 바탕으로 유방암 환자들을 관찰한 결과 진단 후 6주 이상 수술이 지연될 시 5년 생존율이 유의미하게 감소하는 것으로 보고하였다.[34] 여기까지만 보면 빠르게 진행되는 종양의 경우 특정 상급종합병원의 "명의" 쏠림 현상이 생존율에 악영향을 미칠 것으로 판단되나, 러닝커브의 종합적 검토가 필요하다. 예

ambulance bases. Health Care Manag. Sci. 19(1):31-42. Aringhieri R. et al. (2017) *Emergency medical services and beyond: addressing new challenges through a wide literature review.* Comput. Oper. Res. 78:349-368.

31) Oliveira, *supra* note 19, 104174.

32) National Health Service (2021) *Improving hospital bed allocation using AI.* https://transform.england. nhs.uk/ai-lab/explore-all-resources/develop-ai/improving-hospital-bed-allocation-using-ai/

33) Shin, D.W. et al. (2013) *Delay to curative surgery greater than 12 weeks is associated with increased mortality in patients with colorectal and breast cancer but not lung or thyroid cancer.* Ann. Surg. Oncol. 20(8):2468-2476.

34) Smith E.C., Ziogas A. & Anton-Culver H. (2013) *Delay in surgical treatment and survival after breast cancer diagnosis in young women by race/ethnicity,* JAMA Surg. 148(6):516-523.

컨대 허대석 교수 팀(2012)은 2001~2005년간 6대 암수술을 받은 147,682명 환자의 5년 생존율을 분석한 결과 1개월 이상 수술 지연 환자의 사망률이 유의미하게 증가하나, 하위와 중위 병원에서 수술받은 환자는 상위병원에서 수술받은 환자에 비해 5년 생존율이 1.36배에서 1.86 배까지 낮았음을 보고하였다. [35] 이 경우 좀 더 많은 데이터를 체계적으로 확보함으로써, AI 모델이 각 종양의 특성, 환자의 개별 상태, 예상 수술 대기기간, 담당 병원에 따른 생존율 등에 입각한 효율적인 병원을 환자에게 추천해 주고, 환우카페 등에서의 풍설(word-of-mouth) 등 오정보 등에 의한 비효율적인 배분이나 특정 병원, 의사에 대한 과도한 쏠림 현상을 완화하면서, 전체적인 효율성을 도모할 수 있다. 또다른 사례로 응급실이나 119 출동 서비스에서 AI 기반 우선대응순위 예측 모델을 활용함으로써, 응급환자들의 전체적인 생존율 향상을 도모하고, 응급실 의사나 국가의 책임제한의 근거를 확충할 수도 있다.

외국의 경우 소수인종과 저소득층의 의료서비스 접근권의 문제가 심각하게 제기되고 있으며 보건의료 분야 AI 규제 정책에 있어서도 주요 고려 요소이다. 그러나 우리나라의 경우 국민건강보험 제도 등으로 인해 의료서비스 접근권의 배분에 있어 편향이 현저하진 않다. 여성·저소득층·저학력층·장애인이 남성·고소득층·고학력층·비장애인에 비해 각각 의료서비스를 더 많이 이용하는 것으로 집계[36](건강보험 급여액 기준 2021년간 총진료비는 남성 44조 원, 여성은 51조원[37])되는 등 성별·소득·학력·장애 편향에 대한 뚜렷한 증거는 없다. 다만, 앞서 살펴본 AI에 기반한 환자에 대한 정보제공을 통해, 환자들의 잘못된 인지적 편향에 따른 남성 의사에 대한 쏠림 현상이나 사회경제적 조건에 따른 정실주의가 개선될 수 있으므로, 현재의 의료전달체계의 한계 내에서 AI의 활용을 적극 촉진하여 배분적 위해를 줄이기 위한 제도적인 방안을 모색할 필요가 있다.

---

[35] Yun, Y.H. et al. (2012). *The influence of hospital volume and surgical treatment delay on long-term survival after cancer surgery.* Annals Oncol. 23(10): 2731-2737.

[36] 김동진 외, "인구집단별 의료이용의 형평성 현황 및 형평성에 영향을 미치는 요인분해", 한국보건사회연구원 연구보고서, 2011-09 (2011), pp. 77~84.

[37] 건강보험심사평가원, 건강보험통계/연령별 성별 급여실적(총계), 20 https://kosis.kr/statHtml/statHtml.do?orgId=350&tblId=TX_35001_A043.

(2) 백신·치료제 등 의약품의 배분

백신이나 치료제의 배분 방식에 대해서는 SIR, SEIR, SIQRD 등 수리적인 구획 모델 (compartmental model)에 입각한 연구들이 이루어져 왔고,[38] 강화학습(RL) 기법을 통한 예측 정확도의 개선이 이루어지고 있다. 연령이 핵심 코호트(cohort)로 지목되어, 연령구조화 (age-structured) 모델들이 예측에 활용되었다.[39] 인플루엔자에 대해 각국이 치명률보다는 확산율에 주안점을 두고 주요 확산원인 학령기 아동들을 집중 접종하는 정책을 취하는 성과로 이어지기도 하였다.[40]

COVID-19의 경우 연령 등 치명률에 주안점을 두고 정책이 시행되었으나, 향후 계속적인 팬데믹의 도래에 대비하여 보다 다양한 특성값과 정교한 예측모델에 기한 체계적인 배분 기준을 마련할 필요가 있다. 이를 위해서 팬데믹 기간 중 역학조사지원시스템(EISS)에 축적된 방대한 COVID-19 확진자 및 접촉자 관련 정보를 학계에 개방해 AI 기반 예측모델의 훈련에 활용하도록 하는 방안을 고려할 수 있다. 이 과정에서 예측모델에 내재한 편향을 파악하고 나아가 편향을 적극적으로 제거하는 방향으로 활용할 수 있는 방안 또한 모색할 수 있을 것으로 기대된다.

IV. 결론

이상 의료AI에 있어 편향 문제의 핵심을 (1) 용례에 초점을 둘 경우 진단보조AI에 있어서의 특정 하위집단의 과소대표로 인한 QoS 편차, (2) 위해에 초점을 둘 경우 의료자원배분AI에 있

38) Kermack W.O. & McKendrick A.G. (1927) *A contribution to the mathematical theory of epidemics*. Proc. Royal Soc. London. Series A, Containing Papers of a Mathematical and Physical Character 115(772): 700-721.

39) Tudor D. (1985) *An age-dependent epidemic model with application to measles*. Math. Biosci. 73(1):131-147.

40) King J.C. Jr. et al. (2005) *A pilot study of the effectiveness of a school-based influenza vaccination program*. Pediatrics 116(6):e868-873. King J.C. Jr. et al. (2006) *Effectiveness of school-based influenza vaccination*. N. Engl. J. Med. 355(24):2523-2532.

어서의 배분적 위해 문제로 지목하면서, (1) 전자의 경우 하위집단의 데이터 불충분에 대한 대응, 불충분 시 출시 여부의 규제, 보완되지 않은 상태에서 출시할 경우 고지의무에 대해 논의하였고, (2) 후자의 경우 우리나라의 현실에서는 배분적 위해의 문제가 현저하지는 않을 것임을 전망하면서 AI를 오히려 배분적 위해를 타개하는 수단으로 적극 활용하는 방안을 검토하였다.

결국 보건의료 분야에서의 편향 문제는 추상적인 AI 공정성의 문제로 다루기보다는 AI 기반 의료기기, 의약품, 배분모델의 안전성과 유효성 문제의 관점에서 접근하면서 맞춤형 대응으로 해결해야 함을 확인할 수 있었다. 다시 말해 EU식 포괄적·수평적 규제모델보다는 보건의료 분야의 특수성을 고려한 영미식 맥락특유적 규제모델이 타당한 접근방법이다. 따라서 편향에 대응하기 위해 적용되던 기존의 규제들을 조율하고 조정하는 작업을 지속하면서 보건의료 분야에서의 AI의 범용화에 대비해야 할 것이다.

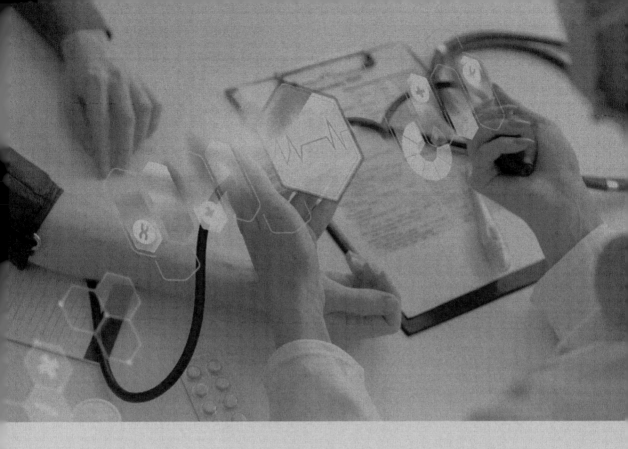

제 8 장

해외의 보건의료영역
인공지능 윤리원칙과 고려사항

이일학 (연세대학교 의과대학 의료법윤리학과 교수)

생명의료법연구소

8

해외의 보건의료영역 인공지능 윤리원칙과 고려사항*

이일학 (연세대학교 의과대학 의료법윤리학과 교수)

I. 서론

인공지능(Artificial Intelligence, AI)[1]의 활용에 대한 사회적 관심은 인공지능 기술의 혁신에 따라 나날이 늘어나고 있다. 특히 딥러닝[2]을 기반으로 하는 인공지능은 기존에 다룰 수 없던 대량의 데이터를 활용하여 주어진 문제를 해결할 수 있으며, 더 나아가서는 기존에 해결할 수 없었던 여러 문제를 해결할 수 있는 수단으로 주목받고 있다. 보건의료 영역에서도 인공지능을 활용하기 위한 시도는 활발하게 이루어지고 있다. 예를 들어 근래 가장 큰 주목을 받았던 보건의료 분야 인공지능 중 하나인 IBM Watson for Oncology는 2016년 출시되었다. 자연어

---

* 이 글은 한국의료윤리학회지 제26권 제2호(통권 제75호): 103-131 (한국의료윤리학회, 2023년 6월)에 게재된 논문임을 밝힙니다.

[1] 인공지능은 주어진 특정한 목표에 대해 예측, 권고, 결정을 할 수 있는 기계 기반 시스템이다. 인공지능은 설계 목적에 따라 자동화 수준이 다양하게 설정될 수 있다. OECD. "Recommendation of the Council on Artificial Intelligence", 2019. https://legalinstruments.oecd.org/en/instruments/oecd-legal-0449.

[2] 딥러닝은 머신러닝의 일종으로 인공신경망 등 다층적 모델(multi-layered model)을 활용하여 데이터의 특성을 추출하고 학습하여 주어진 문제를 해결하는 기법이다. 여기서 머신러닝이란 주어진 알고리즘 없이 데이터셋을 기반으로 학습하여 기능을 수행하고 개선을 해 나가는 인공지능의 학습법을 의미한다.

처리(natural language processing)3) 기법을 활용한 IBM Watson은 기대에 미치지 못하는 정확성 문제로 인해 널리 활용되지 못하였다. 하지만 인공신경망(artificial neural network)을 활용한 딥러닝 기법의 지속적 발달은 인공지능이 진료현장에서 본격적으로 활용될 수 있는 가능성을 보여주고 있다.

보건의료 분야가 마주하고 있는 여러 문제는 인공지능을 활용하려는 시도가 활발하게 전개되고 있는 이유 중 하나이다. 고령화로 인한 의료 수요 및 의료비 증가로 인해 선진국을 중심으로 인적·물적 자원의 소모가 상당히 부담으로 작용하고 있다. 따라서 보건의료 인공지능은 보건의료인력 부족을 완화하고 의료비 지출을 줄이며, 그와 더불어 더욱 정확한 진단을 가능케 함으로써 21세기 고령화 사회의 지속가능성을 증진시키는 역할을 할 것으로 기대되고 있다.4)

인공지능 의료기기의 활용 현황을 살펴보면 미국 식품의약국(U.S. Food and Drug Administration, FDA)에서는 2022년 10월 기준 인공지능 의료기기 521개가 승인되었고,5) 한국 식품의약품안전처에서는 2022년 11월 기준 139개의 인공지능 의료기기가 허가되었다.6) 현재는 영상데이터를 활용하여 의사의 진료를 보조하는 단계의 인공지능 의료기기가 다수이나 인공지능의 활용은 진단의 영역으로 점차 확대될 것으로 예상된다.

하지만 보건의료 분야 인공지능의 활용에 대한 윤리적 우려 역시 존재한다. 딥러닝 인공지능의 메커니즘은 개발자를 포함한 인간이 설명하기 어려운 방식으로 이루어져 있으며, 기존 의료기기와 달리 개발에 방대한 데이터가 활용됨에 따라 데이터 수집 및 활용에 대한 윤리적 문제 역시 제기되고 있다. 이와 같은 윤리적 우려에 대하여 세계 각국의 정부, 국제기구, 싱크탱크, 전문가 집단은 다양한 보건의료영역 인공지능 윤리 가이드라인을 제시해 왔으며, 한국에서도 2021년 KAIST 산하 연구소 한국4차산업혁명정책센터에서 싱가포르, 영국의 기관과 협력하여 발간한 「사회를 위한 보건의료 분야 인공지능 활용 가이드」,7) 국가인권위원회에서 2022

---

3) 일상생활에서 사용하는 언어를 인공지능이 분석 및 처리할 수 있도록 하는 기술을 의미한다.

4) OECD. "Trustworthy AI in Health", 2020. https://www.oecd.org/health/trustworthy-artificial-intelligence-in-health.pdf

5) FDA. "Artificial Intelligence and Machine Learning (AI/ML)-Enabled Medical Devices", 2022. https://www.fda.gov/medical-devices/software-medical-device-samd/artificial-intelligence-and-machine-learning-aiml-enabled-medical-devices.

6) 식품의약품안전처. "2022년 인공지능 의료기기 관련 성과 및 향후 계획", 2022. https://www.mfds.go.kr/brd/m_220/down.do?brd_id=data0014&seq=32871&data_tp=A&file_seq=3.

년 발간한 「인공지능 개발과 활용에 관한 인권 가이드라인」[8]을 비롯한 인공지능 관련 윤리 지침들이 등장하기 시작하였다.

여러 보건의료영역 인공지능 윤리 가이드라인은 보건의료영역 인공지능의 개발부터 활용 단계에 이르기까지 전 과정에 대해 윤리적 인공지능을 만들기 위해 필요한 개념과 방안을 제시하고 있으며, 보건의료영역 인공지능에 대한 법적 규제 및 거버넌스 구축 과정에 중요한 역할을 하고 있다. 따라서 이들 가이드라인에 등장하는 여러 윤리적 이슈를 살펴보고 제시된 개념을 명료화하여 윤리원칙이 어떻게 적용될 수 있는지를 분석하는 것은 매우 중요한 과제라고 할 수 있다. 이번 연구에서는 국외에서 발간된 중요 보건의료영역 인공지능 윤리 가이드라인에서 제시된 윤리적 개념 및 활용 방안 중 중요한 내용을 선별한 후 이슈, 원칙, 적용에 중점을 두어 윤리 개념들을 분석하고자 한다. 이를 통해 국내 보건의료 인공지능영역 윤리 가이드라인 마련 및 거버넌스 구축에 기여하기 바란다.

II. 본론

1. 보건의료영역 인공지능 윤리 원칙 도출 과정

(1) 문헌 검색 및 수집 방법

먼저 Web of Science, PubMed 등지에서 최근 5개년(2018 - 2022) 간행물을 대상으로 자연어 검색 방법을 사용하였다. 1차로 "medical(healthcare, medicine, health)", "artificial intelligence (machine learning, AI, deep learning, algorithm)", "ethics or guideline"를 검색 필드 topic으로 하여 검색을 시행하였다. 이 결과 Web of Science에서는 616건, PubMed에서는

---

[7] Korea Policy Center for the Fourth Industrial Revolution, Lloyd's Register Foundation Institute for Public Understanding of Risk, Sense about Science. "Using Artificial Intelligence to Support Healthcare Decisions- A Guide for Society", KAIST, 2021. https://kpc4ir.kaist.ac.kr/index.php?document_srl=3402&mid= KPC4IR_Reports.

[8] 국가인권위원회. "인공지능 개발과 활용에 관한 인권 가이드라인", 2022. https://www.humanrights.go.kr/site/program/board/basicboard/view?boardtypeid=24&boardid=7607961&me nuid=001004002001

686건의 간행물이 검색되었고, 이들을 보건의료영역 인공지능 윤리와 "아주 많이 관련 있음", "어느 정도 관련 있음", "관련 없음", "잘 모르겠음"으로 나누어 구분하였다. 관련이 있다고 판단된 간행물 중 인공지능에 대한 윤리 원칙, 선언을 중심으로 추려 총 129건의 문헌을 수집하였다.

(2) 문헌 분류 기준 및 주요 주제 매핑

수집한 129건의 윤리 원칙, 보고서 문헌들을 국제/국가별, 작성처별 –정부(국제기구 포함), 비영리재단, 비정부기구, 학계, 국제 전문가 집단–으로 분류하였다. 출처가 불명확한 다섯 가지 간행물을 제외하고 국가별로 살펴보면 다음 <표 1>과 같다.

<표 1> Number of Publications by Country

Country	Count	Country	Count	Country	Count
United States	36	France	3	Iceland	1
International	27	Germany	3	India	1
United Kingdom	20	Netherlands	2	Italy	1
European Union	10	Norway	2	Korea (Republic of)	1
Japan	4	Singapore	2	Russia	1
Canada	3	Australia	1	Spain	1
Finland	3	China (People's Republic of)	1	United Arab Emirates	1
Total			124		

전체적으로 미국에서 발표된 문헌이 36건으로 가장 많았으며 국제기구 및 국제 전문가 집단, 글로벌 민간재단에서 발표된 문헌 또한 27건에 달하였다. 또한 영국에서 20건으로 다수의 문헌이 발표되었고 EU에서는 총 10건이 발표되었다. 그 외 일본, 캐나다, 핀란드, 프랑스, 네덜란드, 노르웨이, 싱가포르 등이 각각 2건 이상의 문헌을 발표하고 있음이 눈에 띄었다.

<표 2> Number of Publications by Type of Issuer

Type of Issuer	Count	Type of Issuer	Count
Government (Incl. legislative body)	38	Non-profit Organization	16
Academia	32	Non-governmental Organization	6
Industry	27	Forum	5
Total		124	

발행 주체별로 살펴보면 <표 2>와 같다. 정부기관(의회, 정부주도 수립 기구, 의회 싱크탱크 등 포함)에서 발표한 문헌이 가장 많았으나 그 외 학계에서도 32건을 발표하였으며 그다음 산업계, 비영리재단, 비정부기관 순이었다. 인공지능개발을 주도하는 민간기업 및 기업 연합체 등 산업계에서 인공지능 윤리 원칙에 관하여 발표하는 양상이 두드러졌다.

이들 문헌의 개별 내용을 검토한 후 보건의료 관련 이슈들을 주요한 주제로 삼고 있는 문헌들을 추려내었고, 총 23개 문헌이 보건의료 분야와 관련 있는 것으로 확인되었다. 이들 23개의 문헌을 보건의료영역 인공지능 윤리 가이드라인에 활용하기 위해 추가적으로 검토하였다.

최종적으로 보건의료와 관련성이 크고 구체적인 권고 기준을 담고 있는 총 9건의 문헌, 그리고 인공지능 윤리와 관련하여 가장 빈번하게 인용되는 OECD의 "Recommendation of the Council on Artificial Intelligence" 및 UNESCO의 "Recommendation on the Ethics of Artificial Intelligence"를 포함하여 총 11개의 문헌을 선정하였다. 그 목록은 <표 3>과 같다.

<표 3> Characteristics of the 11 Selected Publications

Year	Issuer	Title	Source
2018	Future Advocacy	Ethical, social, and political challenges of artificial intelligence in health	[7]
2018	Nuffield Council	Artificial intelligence (AI) in healthcare and research	[8]
2019	Academy of Medical Royal Colleges	Artificial Intelligence (AI) in Health	[9]

Year	Issuer	Title	Source
2019	American College of Radiology; European Society of Radiology; Radiology Society of North America; Society for Imaging Informatics in Medicine; European Society of Medical Imaging Informatics; Canadian Association of Radiologists; American Association of Physicists in Medicine	Ethics of AI in Radiology: European and North American Multisociety Statement	[10]
2019	OECD	Recommendation of the Council on Artificial Intelligence*	[1]
2020	OECD	Trustworthy AI in Health	[2]
2020	Ministry of Health, Health Sciences Authority, Integrated Health Information Systems, (Singapore)	Artificial Intelligence in Healthcare Guidelines	[11]
2021	WHO	Ethics and governance of artificial intelligence for health: WHO guidance	[12]
2021	UNESCO	Recommendation on the Ethics of Artificial Intelligence*	[13]
2021	Council of Europe	The impact of artificial intelligence on the doctor-patient relationship	[14]
2022	European Parliament Research Service	Artificial intelligence in healthcare: Applications, risks, and ethical and societal impacts	[15]

* Although these publications are not specific to healthcare settings, they are highly cited when discussing the ethics of artificial intelligence.

2. 보건의료 인공지능 윤리 원칙: 매핑(mapping)과 도출

주 연구자 2명이 함께 선정된 보건의료 인공 윤리 관련 문헌을 숙지, 검토하고 주요하게 다루어진 윤리적 영역, 키워드, 가치, 원칙(ethical domain, keyword, value, principle) 등을 추출하여 망라하였다. 문헌 중에 언급된 윤리적 영역, 윤리 키워드, 윤리적 가치, 윤리 원칙 등의 용어에 주목하였다. 먼저 연구자 A가 해당 문헌들에서 주요하게 언급하고 있는 윤리적 영역, 키워드, 가치, 원칙 등을 목록화한 후 연구자 B가 이를 교차 검토하였다.

매핑, 그리고 글의 구성 전반과 관련해 2020년 하버드 대학교 산하 버크만 클라인 센터(Berkman Klein Center)에서 발간한 "Principled Artificial Intelligence: Mapping Consensus in Ethical and Rights-based Approaches to Principles for AI"를 참조하였다.[9] 이 문헌에서는 35개 윤리 원칙, 가이드라인을 분석하여 8가지 중요 테마(themes)[10]를 도출하였고, 각 테마에 대한 상세한 개념 설명을 더해 구체적 원칙(principle)들에 대한 설명을 하였다. 이번 연구에서는 "Principled Artificial Intelligence"의 방법론을 참조하되 보건의료영역과 관련된 문헌들을 중심으로 윤리적 테마, 원칙 등을 분석하였다. 검토한 결과는 다음의 <표 4>와 같다.

<표 4> Ethical Domains, Issues, Themes, Principles Covered in the 11 Selected Publications

Publisher	Ethical Domains, Issues, Themes, Principles				
	Autonomy (Consent)	Privacy (Confidentiality)	Safety (Security, Robustness)	Transparency (Explainability)	Accountability (Responsibility, Human Oversight & Determination)
Future Advocacy	○				
Nuffield Council			○	○	○
Academy of Medical Royal Colleges		○	○		○
EU-NA Radiology Associations	○				

---

9) Fjeld, J, Achten N, Hillgoss H, et al. "Artificial Intelligence: Mapping Consensus in Ethical and Rights-based Approaches to Principles for AI", Cambridge, MA: Berkman Klein Center; 2020. https://dash.harvard.edu/bitstream/handle/1/42160420/HLS%20White%20Paper%20Final_v3.pdf?sequence =1&isAllowed=y.

10) 제시한 8가지 중요 테마는 다음과 같다. 사생활(privacy), 책무성(accountability), 안전과 보안(safety and security), 투명성과 설명가능성(transparency and explainability), 평등과 반차별(fairness and non-discrimination), 기술에 대한 인간의 통제(human control of technology), 전문직업 책임(professional responsibility), 인간 가치 증진(promotion of human values)

Publisher	Ethical Domains, Issues, Themes, Principles				
	Autonomy (Consent)	Privacy (Confidentiality)	Safety (Security, Robustness)	Transparency (Explainability)	Accountability (Responsibility, Human Oversight & Determination)
OECD (2019)			○	○	○
OECD (2020)					
MOH, Singapore	○	○	○	○	○
WHO	○		○	○	○
UNESCO	○	○	○	○	○
Council of Europe		○	○	○	
European Parliament Research Service		○	○	○	○

Publisher	Equality (Equity, Non-discrimination)	Sustainability and Inclusive Growth	Public Trust, Multi-Stakeholder Engagement & Collaboration	Trust in Doctor-Patient Relationship	
Future Advocacy	○				
Nuffield Council	○				
Academy of Medical Royal Colleges	○	○		○	
EU-NA Radiology Associations					
OECD (2019)	○	○			
OECD (2020)		○			
MOH, Singapore	○				
WHO	○	○			
UNESCO	○	○	○		

Publisher	Ethical Domains, Issues, Themes, Principles				
	Autonomy (Consent)	Privacy (Confidentiality)	Safety (Security, Robustness)	Transparency (Explainability)	Accountability (Responsibility, Human Oversight & Determination)
Council of Europe	○				
European Parliament Research Service	○	○			

11개 문헌을 살펴본 결과 다양한 윤리적 영역, 이슈, 가치, 원칙 중 "평등(형평, 반차별)(equality, equity, non-discrimination) (9건)"이 가장 빈번하게 제시되었다. 그다음으로 "안전성(보안성, 견고성)(safety, security, robustness) (8건)"이 뒤를 이었으며 "투명성(설명가능성)(transparency, explainability) (7건)", "책무성(책임성, 인간의 감독 및 결정)(accountability, responsibility, human oversight & determination) (7건)", 지속가능성, 동반 성장(sustainability, inclusive growth) (6건)" 등도 중요하게 언급되었다. "사생활 보호 및 기밀유지(privacy and confidentiality) (6건)", "자율성 존중(사전 동의)(autonomy, consent) (5건)" 또한 주요한 내용에 포함되었다.

모든 저자들(A, B, C, D)의 토의를 거쳐 이들 보건의료 인공지능이 다루어야 할 이슈, 지향해야 할 가치 및 원칙에 대한 키워드를 보건의료영역에서 실천적으로 활용하기 용이하도록 데이터 수집(data acquisition), 임상 환경(clinical setting), 사회적 환경(social environment) 세 가지 영역으로 나누어 다음 <그림 1>과 같이 구조화하였다. 데이터 수집 영역에서는 "인간에 대한 존중(respect for person)", 임상 환경 영역에서는 "책무성(accountability)", 사회적 환경 영역에서는 "지속가능성(sustainability)"의 가치를 큰 테마로 하나씩 도출해 내었고, 테마에 대응하여 구체적 세부 원칙들을 제시할 수 있었다.

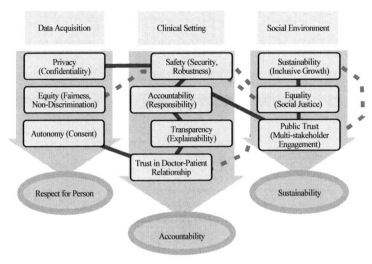

[그림 1] Schematization of Ethical Themes and
Principles of Artificial Intelligence in Health Care Settings

우선 데이터 수집의 영역에서 가장 중요하게 다룰 수 있는 테마로 '인간에 대한 존중'을 제시하였고, 그와 관련된 원칙으로 '사생활 보호(기밀유지)', '형평(equity; 공정, 반차별)', 그리고 '자율성(동의)' 세 가지를 선정하였다. 한편 임상 환경에서의 테마로 연구진은 책무성을 선정하였는데, 책무성의 영역에는 '안전성(보안성, 견고성)', '책무성(책임성)', '투명성(설명가능성)', '의사-환자 관계의 신뢰' 네 가지 원칙을 선정하였다. 그리고 마지막으로 사회 환경 영역의 주요 테마로 지속가능성을 선정하고 그에 따른 중요 원칙으로 '지속가능성(포괄적 성장)', '평등(equality; 사회 정의)', '대중신뢰 및 다자참여' 세 가지를 선정하였다. 물론 이들 '인간에 대한 존중', '책무성', '지속가능성'의 각 영역의 테마가 다른 영역에 적용되지 않는다고 보기는 어렵다. 다만 각 영역에서 좀 더 중점을 두게 되는 가치를 포괄한 것으로 이해하는 것이 바람직할 것이다.

윤리원칙들을 임상 환경 영역과 데이터 수집 영역, 사회 환경 영역으로 분류하였으나 각 영역에 해당하는 원칙들은 서로 밀접한 관련이 있다. 우선 임상 환경 영역의 네 원칙은 데이터 수집 영역의 세 원칙과 결코 무관하지 않은데, 예를 들어 사생활 보호(기밀유지)의 문제는 안전성(보안, 견고성)과 밀접한 관련이 있다. 그리고 자율성(동의)의 문제는 의사-환자 간의 신뢰와 맞닿아있는 개념이다. 이러한 연결 개념을 <그림 1>에서는 실선으로 표현하였다. 또한 같은 영역 내부의 원칙들에서도 연관관계를 찾을 수 있는데, 가령 투명성(설명가능성)은 결론이 도출된 요인과 과정에 관한 정보의 제공과 관련이 있다는 점에서 책무성(책임성)을 강화하는 요소가 될 수 있으며, 마찬가지로 투명성(설명가능성)을 갖추었을 때 안전(보안, 견고성) 그리고 의사-환자 관계의 신뢰 역시 확보할 수 있다. 이러한 연관관계 역시 실선으로 표기해 두었다.

3. 보건의료 인공지능 윤리 원칙: 핵심 내용

앞서 선정한 11가지 문헌에 등장한 보건의료영역 인공지능이 다루어야 할 이슈, 지향해야 할 가치 및 원칙에 대한 키워드를 분석하여 세 가지 영역에 대응하는 중요 테마를 하나씩 도출해 내고 중요 테마별로 주요 원칙들을 제시할 수 있었다. 원칙들은 데이터 수집 영역-인간 존중 테마에서 3가지, 임상 환경 영역-책무성 테마에서 4가지, 사회 환경 영역-지속가능성 테마에서 3가지를 도출하여 총 10가지 원칙을 제시할 수 있었다. 지금부터는 10가지 원칙에 대한 구체적인 논의를 진행하고자 한다.

효과적인 논의를 위해 10가지 원칙을 통합적으로 9가지 개념으로 설명하고자 한다. 즉, 개념 중심의 논의를 위해 다른 영역-테마에 속해 있지만 관련성이 깊다고 판단되는 원칙들을 하나의 개념으로 묶어 설명하였다. 결과적으로 연구진들은 세부 원칙들을 아홉 가지로 나누어 핵심 내용을 파악하고 추가적으로 관련 내용을 다룬 문헌을 분석하여 구체적 논의를 진행하고자 하였다. 아홉 가지 영역은 (1) 사생활 보호, 기밀유지, (2) 형평, 공정, 차별금지, 그리고 평등, 사회정의, (3) 자율성, 동의, (4) 안전성, 보안성, 견고성, (5) 투명성, 설명가능성, (6) 책무성, 책임성, (7) 의사-환자 관계의 신뢰, (8) 지속가능성, 포괄적 성장, (9) 대중 신뢰, 다자 참여와 협력이다. 형평(공정, 차별금지)의 원칙은 평등(사회정의)의 원칙과 통합하여 다룰 수 있다고 보았다. 이는 데이터 형평성과 결과적 평등, 사회정의의 구현이 긴밀하게 연결되어 있다고 보았기 때문이다.

이러한 아홉 가지 키워드가 앞서 선정한 11개 문헌에서 어떻게 다루어졌는지를 나열하고, 11가지 문헌과 더불어 각 개념에 대한 구체적인 논의가 진행된 여러 연구자료를 종합하여 각각의 개념에 대한 심화된 분석을 시도하였다.

(1) 사생활 보호, 기밀유지

대부분의 문헌에서 사생활 보호는 기본적 가치로 다루어지고 있다. 사생활 보호는 인간의 자율성과 존엄성을 보호하는 규범 및 실천이며 침해로부터의 자유, 감시받지 않을 자유, 자기 정체성에 대한 통제 등의 개념을 포함한다. 또한 사생활 보호는 개인의 신체, 정신 및 평판에 대한 보호를 모두 포괄한다고 할 수 있다.[11]

보건의료 인공지능은 민감정보인 의료데이터를 이용하기 때문에 사생활 보호 문제가 필연적으로 대두된다. 기본적으로 다량의 데이터를 이용한 임상연구에서 데이터 주체의 사생활 보호 및 동의 문제가 인공지능 개발에도 문제가 된다. 우선 임상연구에서 데이터 수집에 대한 동의를 구하는 경우 연구 내용에 대한 충분한 정보를 제공한 다음 동의를 구하는 것이 요구되는데, 보건의료 인공지능 연구의 경우 연구 내용에 대한 "충분한" 정보를 제공하는 것 자체가 어려울 수 있다. 뿐만 아니라 이 이슈가 중요한 이유는 딥러닝 인공지능의 학습 방식과 관련이 있다. 딥러닝 인공지능이 구현되기 위해서는 기존 연구에서는 볼 수 없는 대량의 데이터를 활용하여 인공지능을 훈련시켜야 하며, 다량의 민감정보가 추출, 수집, 연계되는 과정에서 개인의 사생활이 침해될 가능성이 커질 수 있기 때문이다.[12] 또한 딥러닝 인공지능은 한 개인에 대해 더 많은 정보가 갖추어질수록 더 정확한 결과를 산출해 낼 수 있다. 특히 사회경제적 상태, 유전적 특성 등 민감하게 여겨질 수 있는 개인의 특성은 역학적으로 입증된 질병의 상관요인이기에, 보건의료 인공지능의 성능 극대화를 추구할 경우 이러한 사생활 데이터를 활용하여 정확성을 높이는 방향으로 알고리즘이 구현될 가능성이 있다.

또한, 빅데이터를 활용하는 보건의료영역 인공지능의 개발 및 활용 과정에서 설명동의 없이 개인정보 데이터가 공유되거나 수집된 데이터를 사전동의 받지 않은 다른 목적으로 사용(re-purpose)하는 경우가 발생할 수 있다. 이러한 우려는 데이터 노출로 인한 신원 도용 및 범죄의 위험 발생 등, 사생활 보호 미비로 인한 여러 문제가 발생할 수 있다는 위험성으로 인해 더욱 강화되고 있다.[13]

---

11) UN Human Rights Council. "The Right to Privacy in the Digital Age : Resolution / adopted by the Human Rights Council on 26 September", 2019. https://digitallibrary.un.org/record/3837297.

12) 사생활 보호 문제는 정보제공 동의의 문제와 직결된다. 정보제공에 대한 동의의 문제는 '2) 형평(공정, 반차별) & 평등(사회정의)' 파트에서 다루어질 예정이다.

13) European Parliament Research Service. "Artificial Intelligence in Healthcare: Applications, Risks, and

여러 윤리 문헌은 사생활 보호와 기밀유지에 대한 우려를 해소하기 위해 인공지능 전 생애 주기에 걸쳐 사생활 보호 원칙이 지켜지도록 주의를 기울일 필요가 있음을 강조한다. 즉, 데이터 수집이 개인의 자율성에 기반한 동의를 존중하는 방향으로 이루어져야 할 것과 더불어 개인정보 데이터의 보관 과정에서의 발생할 수 있는 개인정보 노출 가능성이 없는지, 인공지능의 활용단계에서 환자의 정보 수집 시 사생활 침해의 여지가 없는지를 전 과정에서 면밀히 살펴보도록 하고 있다.[14] 이것은 인공지능 생애주기 전반의 거버넌스에서 사생활 보호 원칙이 지켜질 수 있도록 규제 거버넌스 체계를 수립할 것을 요구한다.[15]

최근 유럽을 비롯한 각 국가에서는 개인정보의 보호 및 활용의 균형을 도모하기 위한 제도적 변화가 이루어지고 있다. 2018년부터 시행되고 있는 유럽연합의 GDPR(일반 개인정보 보호법, General Data Protection Regulation)은 가명정보[16] 개념을 명시하고, 과학적 연구에 대한 동의 방식으로 포괄적 동의를 허용하였으며, 자동화된 의사결정에 대한 설명을 들을 권리 등 변화하는 데이터 처리 환경을 반영한 규정을 도입하였다. 한국에서도 이른바 데이터 3법(개인정보 보호법, 정보통신망법, 신용정보법)의 개정을 통해 인공지능 등의 개발 및 활용 과정에서 합법적 데이터 수집의 가능성을 열고, 거버넌스 정비를 통해 인공지능 개발 등 빅데이터 활용 산업의 효율화를 도모하고자 하였다. 예를 들어 개인정보 보호법(이하 '개인정보법'이라 한

Ethical and Societal Impacts", 2022. https://www.europarl.europa.eu/thinktank/en/document/EPRS_STU (2022)729512.

[14] UNESCO. "Recommendation on the Ethics of Artificial Intelligence", 2021. https://unesdoc.unesco.org/ark:/48223/pf0000380455 / Forti, M, The deployment of artificial intelligence tools in the health sector : privacy concerns and regulatory answers within the regulation (EU) 2016/679. Eur J Leg Stud 2021;13(1):29-44.

[15] 이를테면 UNESCO에서는 여러 이해당사자의 관점에서 데이터 보호 거버넌스 체계를 마련할 필요가 있음을 지적하며 그 방안으로 사회적, 윤리적 영역을 모두 고려한 인공지능 사생활 영향 평가 체계를 마련하여 인공지능 사용 전(前) 단계에서 사생활 침해 여지를 최소화하여야 한다고 권고한다. WHO. "Ethics and Governance of Artificial Intelligence for Health", 2021. https://www.who.int/publications/i/item/9789240029200.

[16] 가명정보란, 가명처리를 거쳐 생성된 정보로서 그 자체로는 특정 개인을 알아볼 수 없도록 처리한 정보를 의미한다. '시간·비용·기술 등을 합리적으로 고려할 때 다른 정보를 사용하여도 더 이상 개인을 알아볼 수 없는 정보'인 익명정보와는 달리 추가정보를 활용할 경우 재식별이 가능할 수 있다는 점에서 구분된다. 추가정보란, 개인정보의 전부 또는 일부를 대체하는 가명처리 과정에서 생성 또는 사용된 정보로서 특정 개인을 알아보기 위하여 사용·결합될 수 있는 정보(알고리즘, 매핑테이블 정보, 가명처리에 사용된 개인정보 등)를 의미한다. 정부 국민소통실 정책 DB. 데이터 3법, 문화체육관광부, 2021. https://www.korea.kr/special/policyCurationView.do?newsId=148867915.

다.) 개정은 가명정보 처리 특례 규정을 신설하여 개인정보의 활용에 대한 제약을 완화함으로써 데이터 기반 연구 및 개발을 촉진하는 방향으로 변화가 이루어졌다.[17]

그러나 개인정보법 개정 이후에도 가명처리 기준이나 방법이 모호하여 특례규정을 활용하는 데 제약이 있다는 의견이 있었고, 이를 반영하여 보건복지부와 개인정보보호위원회가 합동으로 「보건의료데이터 활용 가이드라인」을 발표해 보건의료분야의 빅데이터 활용에 대한 구체적 기준을 제시하고자 하였다.[18] 그럼에도 데이터 수집 과정에 대한 윤리적 우려는 완전히 해결되지 않았다. 가령, 국가인권위원회는 데이터 3법이 데이터 제공자의 인권보호에는 미흡함을 지적하였는데, 가명정보를 결합, 활용하는 과정에서 개인을 재식별화할 가능성이 있음에 우려를 제기하였다.[19]

보건의료영역에서 인공지능을 사용하는 것은 민감정보 사용 연구 일반의 고려사항 외에 추가적인 고려사항이 필요하다. 이를테면 데이터 수집 과정에서 사생활 보호를 위해 단순히 개인식별 정보를 제거하는 것 이상의 과정이 필요할 수 있는데, 영상 이미지를 의료 인공지능 학습에 사용하고자 할 때 이미지가 개인을 특정할 가능성이 없는지 추가적으로 확인하는 과정을 거쳐야 할 수 있다.[20] 더 나아가 다른 윤리가치와 사생활 보호 간에 상충되는 상황이 발생할 수 있다. 영국 의학 왕립 아카데미(Academy of Medical Royal Colleges)와 유럽평의회(Council of Europe) 등은 사생활 보호와 정확성의 균형을 잡는 것이 중요함을 지적하고 있는데, 인공지능 알고리즘의 정확성과 진화는 양질의 대량의 데이터 가용성에 달려있기 때문이다.[21] 즉, 빅

---

17) 정부 국민소통실 정책 DB. 데이터 3법, 문화체육관광부, 2021.
https://www.korea.kr/special/policyCurationView.do?newsId=148867915.

18) 보건복지부. 보건의료데이터 활용 가이드라인, 2022.
https://www.mohw.go.kr/react/al/sal0101vw.jsp?PAR_MENU_ID=04&MENU_ID=040101&page=1&CONT_SEQ=374313.

19) 국가인권위원회. "개인정보 보호법 등 '데이터 3법' 국회 통과에 대한 국가인권위원장 성명", 2020.
https://www.humanrights.go.kr/site/program/board/basicboard/view?menuid=001004002001&pagesize=10&boardtypeid=24&boardid=7604976.

20) European and North American Multisociety. "Ethics of AI in Radiology- European and North American Multisociety Statement", 2019. https://www.acr.org/-/media/ACR/Files/Informatics/Ethics-of-AI-in-Radiology-European-and-North-American-Multisociety-Statement--6-13-2019.pdf. / Ministry of Health of Singapore, "Health Sciences Authority, IHIS. Artificial Intelligence in Healthcare Guidelines (AIHGIe)", 2021. https://www.moh.gov.sg/docs/librariesprovider5/eguides/1-0-artificial-in-healthcare-guidelines-(aihgle)_publishedoct21.pdf.

21) Academy of Medical Royal Colleges. "Artificial Intelligence in Healthcare", 2019. https://www.aomrc.

데이터를 활용하는 보건의료영역 인공지능 기술의 발전과 정확성 향상을 위해서 기존의 개인 정보 보호 원칙을 어느 정도 완화할 수 있는지에 대한 일정한 사회적 합의점이 필요하다.

　종합하자면, 보건의료 인공지능을 활용하는 데 있어 기술적, 법적, 거버넌스 차원에서 인공 지능의 특성을 인지할 필요가 있고, 개발에서부터 임상현장에서의 적용에 이르기까지 이해관 계자들 모두가 사생활 보호의 윤리적 중요성을 인식할 필요가 있다. 또한 다량의 의료데이터를 이용, 연계하여 인공지능을 개발할 때 의도치 않은 재식별 위험 등을 지속적으로 관리하고 예 방하여야 하며, 이를 위해서 법적인 규제 방안을 마련하는 것을 넘어선 데이터 보호 거버넌스 체계가 마련되어야 한다. 뿐만 아니라 인공지능의 알고리즘 정확성 및 의학적 유용성과 사생활 보호 사이에 상호 갈등이 있음을 인식하고 균형점을 수립하기 위해 사회적 합의가 이루어질 필 요가 있다.[22]

(2) 형평, 공정, 반차별, 그리고 평등, 사회정의

　앞서 윤리원칙을 매핑 및 도출하는 과정에서 데이터 수집 영역에서 형평, 공정, 반차별의 원 칙, 그리고 사회적 환경 영역에서 결과의 적용의 불평등함에 대한 평등, 사회정의 원칙이 포함 되었다. 유럽의회 연구기구(European Parliamentary Research Service)가 발간한 "Artificial Intelligence in Healthcare"는 보건의료분야 인공지능이 공통적으로 (1) 성별과 젠더, (2) 연 령, (3) 민족, (4) 지리적 위치, (5) 사회경제적 상태에 따른 편향을 가질 수 있음을 지적한다.[23] 이러한 편향성의 원인으로는 기존 데이터셋의 불균형, 사회 내 구조화된 차별과 편향의 결과로 인한 데이터 수집단계의 문제, 그리고 개발팀의 다양성 부재로 인한 인공지능 개발 과정의 편 향 감수성 미비 등을 들 수 있다. 또한 테크놀로지 장비 보급 불균형으로 인한 데이터 수집 및

---

org.uk/wp-content/uploads/2019/01/Artificial_intelligence_in_healthcare_0119.pdf. / Mittelstadt B. "The Impact of Artificial Intelligence on the Doctor-Patient Relationship", 2021. https://rm.coe.int/inf-2022-5-report-impact-of-ai-on-doctor-patient-relations-e/1680a68859.

[22] 예를 들어, 더 다양하고 많은 양의 학습데이터를 확보하는 것이 알고리즘의 정확성과 의학적 유용성을 높이는 데 도움이 될 수 있지만, 알고리즘 학습을 위해 수집할 데이터의 양과 수준을 결정할 때는 해당 데이터의 민감도 등 사생활 침해 위험도 반드시 검토해야 하는 제약이 있다.

[23] European Parliament Research Service. "Artificial Intelligence in Healthcare: Applications, Risks, and Ethical and Societal Impacts", 2022. https://www.europarl.europa.eu/thinktank/en/document/EPRS_STU (2022)729512.

보건의료 인공지능 공급과 활용인력의 불균형도 편향 및 불평등의 주된 원인이 될 수 있다. 24) 이를 데이터 수집영역(a. 데이터의 편향)과 결과 적용(b. 인공지능 적용의 불평등)영역 두 가지로 나누어 분석하면 다음과 같다.

1) 학습 데이터의 편향

빅데이터를 활용하여 훈련하는 딥러닝 인공지능의 특성상 투입 데이터가 편향될 경우 결괏값도 그 편향을 그대로 반영하게 된다. 투입 데이터의 편향은 학습 데이터셋이 다양한 인구집단의 특성을 반영하지 못하는 결과일 수 있으며(표집 편향: sampling bias), 무의식적으로 사회에 내재하는 편견이 데이터 수집, 분류 과정에서 작용한 결과일 수 있다(암묵적 편향: implicit bias). 딥러닝 인공지능의 블랙박스 속성으로 인해 일단 편향이 내재하게 되면 그 존재를 파악하기 쉽지 않기에, 이를 사전에 예방하는 절차가 요구된다. 25)

일반적으로 빅데이터를 활용하는 인공지능의 개발 과정에서 더 많은 데이터를 확보할수록 더 높은 정확성을 갖춘 결괏값을 산출해내는 인공지능을 제작할 수 있을 것이라는 기대가 존재한다. 따라서 데이터 불균형으로 인한 편향 가능성에 특별한 주의를 기울이지 않을 경우 연령, 성별, 성적지향, 체중, 신장, 인종, 사회경제적 상태, 교육수준 등 다양한 속성에서의 데이터 편향이 고려되지 않은 채로 무분별하게 데이터가 수집되고, 그 결과 편향을 내재한 인공지능이 개발될 가능성이 있다.26) Ghassemi가 지적하듯이 각종 편향은 일상적 임상 환경의 일부로 자

---

24) European Parliament Research Service. "Artificial Intelligence in Healthcare: Applications, Risks, and Ethical and Societal Impacts", 2022. https://www.europarl.europa.eu/thinktank/en/document/EPRS_STU (2022)729512. / Select Committee on Artificial Intelligence. "AI In the UK: ready, willing and able?", House of Lords, 2018. https://publications.parliament.uk/pa/ld201719/ldselect/ldai/100/100.pdf.

25) 블랙박스 속성이란, 딥러닝 알고리즘이 인공신경망 등의 모델을 활용함에 따라 인공지능 제작자가 산출된 결과에 이르는 과정을 설명하기 어려움을 의미한다.

26) 보건역학적으로 연령, 성별, 인종, 사회경제적 상태, 교육수준에 따라 호발하는 질환의 차이는 존재한다. 따라서 표집 편향 및 암묵적 편향의 방지에 대한 요구가 이러한 차이를 인공지능에 반영하는 것을 막고자 하는 것은 아니다. 문제는 편향에 대한 사전의 주의 없이는 기존 사회의 편향이 인공지능 개발 과정에서 확대 재생산될 수 있다는 점이다. 많은 이들이 사전 데이터 학습 과정에서 사회 내에 존재하는 각 집단들의 데이터를 잘 분류하고 충분히 반영함에 따라 특정 소수자 집단이 다수 집단을 과대 대표하는 데이터셋을 통해 학습한 인공지능이 활용되는 것을 예방할 수 있고, 결과적으로 연령, 성별, 인종, 사회경제적 상태에 따른 차이를 잘 반영하는 인공지능이 개발될 수 있다고 주장한다. European and North American Multisociety. "Ethics of AI in Radiology-European and North American Multisociety Statement", 2019.

리하고 있으며 보건의료 인공지능이 가지는 편향은 결코 우리 외부에 존재하는 것이 아니다.[27]즉, 인간이 생산하고 라벨링하고 주석을 단 데이터를 이용하여 인공지능을 트레이닝할 경우 인간이 원래 가지고 있던 편향이 인공지능의 메커니즘이 될 수 있다. 특히 기존의 무의식적 편견이 인공지능의 일부가 될 경우 쉽게 인식되지 않는 편견이 인공지능을 매개로 사회에 지속될 위험이 있다. 즉 인공지능이 불평등의 영속(perpetuation of inequality)에 기여하게 된다.[28] 의료 인공지능이 불평등한 결과를 초래한 예는 이미 보고되고 있다. 인종과 관련된 사례를 들자면, 흑색종(melanoma)을 이미지를 통해 진단하는 의료 인공지능은 흑인의 병변을 제대로 판별해 내지 못한 것으로 드러났다.[29] 또한 진통제 처방률에도 인종별로 유의미한 차이가 발견된 만큼 이러한 무의식적 관행이 인공지능에도 이식될 것이라는 우려가 존재한다.[30] 편견을 보정하지 않은 데이터 수집 및 알고리즘 개발은 결과의 정확성에도 치명적인 결과를 가져온다. 이는 의료기기에서 가장 기본적으로 요구되는 안전성과 효과성에 영향을 미치는 문제라는 점에서 더욱 세심한 관리가 필요하다.

공정은 현대사회의 핵심가치로서 인공지능 분야에서도 공정에 대한 요구가 강하다. 인공지능의 성능이 정확하고 우수하더라도 그것이 공정의 가치를 희생하여 얻는 결과가 되는 것은 바람직하지 않다. 이러한 요구에 부응하여 인공지능 개발과 활용에 관여하는 이해관계자는 과정

---

https://www.acr.org/-/media/ACR/Files/Informatics/Ethics-of-AI-in-Radiology-European-and-North-American-Multisociety-Statement--6-13-2019.pdf

[27] Ghassemi M. "Exploring Healthy Models in Machine Learning for Health", Univ. of Toronto, 2021. https://youtu.be/5uZROGFYfcA.

[28] Nuffield Council on Bioethics. "Artificial Intelligence (AI) in healthcare and research", 2018. https://www.nuffieldbioethics.org/publications/ai-in-healthcare-and-research. / Ghassemi M. "Exploring Healthy Models in Machine Learning for Health", Univ. of Toronto, 2021. https://youtu.be/5uZROGFYfcA. / Ahmed MA, Chatterjee M, Dadure P, et al. "The role of biased data in computerized gender discrimination. 2022 IEEE/ACM 3rd International Workshop on Gender Equality, Diversity and Inclusion in Software Engineering (GEICSE)", Pittsburgh, PA;6-11.

[29] 흑색종을 진단하는 한 인공지능 개발 과정에서 이미지 데이터셋 중 흑인 환자의 데이터는 5%에 불과하였고, 그 결과 흑인 환자에 대한 인공지능의 정확성은 백인환자 대비 절반에 불과하였다. Adamson AS, Smith A. "Machine Learning and Health Care Disparities in Dermatology. JAMA Dermatol. 2018;154:1247-8. / Kamulegeya LH, Okello M, Bwanika JM, et al., "Using artificial intelligence on dermatology conditions in Uganda: A case for diversity in training data sets for machine learning." Bioinformatics; 2019.

[30] Thomasian NM, Eickhoff C, Adashi EY. "Advancing health equity with artificial intelligence." J Public Health Policy. 2021;42:602-11.

전반에서 공정의 가치를 보장할 수 있어야 한다.[31] 이는 보건의료 인공지능의 블랙박스 특성으로 인해 산출된 결과가 편향되었는지 예측하기 쉽지 않기에 인공지능 개발 단계부터 편향이 내재될 가능성을 염두에 둘 필요가 있기 때문이다. 또한 암묵적 편향이 인공지능에 반영되는 것을 최소화하기 위해서 편향에 대한 사회 전체의 감수성을 높일 필요가 있으며, 인공지능 개발 및 활용 인력의 다양성을 갖추어 암묵적 편향에 대비할 필요가 있다.[32]

실질적으로 공정한 인공지능을 구현하기 위한 대책은 다양한 문헌에서 언급되고 있다. 예를 들어 유럽의회 연구 기구는 편향의 완화 수단으로 대표성 있고 균형 잡힌 데이터셋을 통해 훈련할 것, 사회과학자를 포함하여 다학제적 접근을 시도할 것, 의료 인공지능 개발 영역의 다양성을 증진할 것을 제안한다. 그와 더불어 인공지능 생애주기 전반에 걸쳐 잠재적인 편향을 평가하고 이를 검사, 모니터하는 절차를 수립할 수 있어야 한다고 제안한다.[33] 이는 앞서 언급했듯이 인공지능의 블랙박스 특성으로 인하여 편향을 모니터링하는 절차가 부재할 경우 편향의 존재를 파악하기가 대단히 어렵기 때문이다.

그러나 다른 한편으로 연령, 인종, 거주지, 사회계층 등으로 환자를 분류하여 데이터의 균형을 맞추는 과정에서 낙인효과 등으로 인해 환자에 부정적 영향이 가지 않도록 주의해야 한다는 지적도 존재한다. 이는 라벨링과 낙인효과에 거부감을 느낀 소수자 계층이 데이터 제공에 소극적이게 될 수 있다는 점에서 더욱 그러하다.[34]

결과치 편향을 감소시킬 수 있는 좋은 방안 중 하나는 제작된 인공지능이 다양한 타겟 집단 모두에 높은 정확성을 보이는지 확인하는 것이다.[35] 하지만 데이터 및 예산 부족 등으로 인해

---

31) Future Advocacy. "Ethical, social and political challenges of artificial intelligence in health", 2018. https://futureadvocacy.com/publications/ethical-social-and-political-challenges-of-artificial-intelligence-in-health/

32) Future Advocacy. "Ethical, social and political challenges of artificial intelligence in health", 2018. https://futureadvocacy.com/publications/ethical-social-and-political-challenges-of-artificial-intelligence-in-health/ / European Parliament Research Service. "Artificial Intelligence in Healthcare: Applications, Risks, and Ethical and Societal Impacts", 2022. https://www.europarl.europa.eu/thinktank/en/document/EPRS_STU(2022)729512.

33) European Parliament Research Service. "Artificial Intelligence in Healthcare: Applications, Risks, and Ethical and Societal Impacts", 2022. https://www.europarl.europa.eu/thinktank/en/document/EPRS_STU (2022)729512.

34) Academy of Medical Royal Colleges. "Artificial Intelligence in Healthcare", 2019. https://www.aomrc.org.uk/wp-content/uploads/2019/01/Artificial_intelligence_in_healthcare_0119.pdf.

불가피하게 모든 인구집단을 대표하는 데이터셋을 활용하지 못했다면 차선책으로 어떤 인구 집단을 타겟으로 검토하여 인공지능을 제작하였는지, 그리고 어떠한 집단에 인공지능이 높은 정확성을 가지는지를 명시해야 한다고 싱가포르 보건부는 "Artificial Intelligence in Healthcare Guidelines(AIHGIe)"에서 제안하고 있다.[36] 이는 편향 및 불공정의 근본적 해결 과는 거리가 있지만 편향의 가능성을 미리 고지한다는 점에서 불공정한 인공지능으로 인한 오류의 가능성을 줄일 수 있는 한 방법이 될 수 있다.

2) 인공지능 적용의 불평등

보건의료 인공지능의 혜택이 불평등하게 분배되지 않도록 하는 것 역시 중요한 윤리적 과제이다. 특히 저소득, 저개발 지역에 거주하는 집단에게는 데이터를 수집할 인프라가 부족할 뿐 아니라 개발된 보건의료 인공지능의 공급 역시 어려울 가능성이 크다. 더욱이 희귀질환이나, 유병률이 떨어지는 질병의 경우 소수민족/인종의 대표성 획득 어려움으로 인해 이들 지역에 거주하는 이들에게 보건의료 인공지능의 정확성이 떨어질 수 있다.[37]

따라서 의료 인공지능 개발의 이익을 다양한 인구 집단에 평등하게 분배하기 위해서 개발과 정과 마찬가지로 인공지능 전 생애주기에 걸쳐 불평등의 발생을 모니터링할 필요가 있다. 특히 중·저소득 국가의 경우 편향에 대한 사회적 분석의 부족, 낮은 기술활용능력, 소수자에 강한 편견 및 법적 보호 미비로 인해 편향이 더 강한 영향을 미칠 수 있음이 고려되어야 한다.[38] 이러한 문제의식에서 보건의료 인공지능 알고리즘이 다양한 맥락과 하위집단에서도 잘 적용될 수 있는지를 가늠할 수 있는 적합성(Appropriateness) 척도를 보건의료 인공지능의 중요한 조건

---

35) European Parliament Research Service. "Artificial Intelligence in Healthcare: Applications, Risks, and Ethical and Societal Impacts", 2022. https://www.europarl.europa.eu/thinktank/en/document/EPRS_STU(2022)729512.

36) Ministry of Health of Singapore, "Health Sciences Authority, IHIS. Artificial Intelligence in Healthcare Guidelines (AIHGIe)", 2021. https://www.moh.gov.sg/docs/librariesprovider5/eguides/1-0-artificial-in-healthcare-guidelines-(aihgle)_publishedoct21.pdf

37) Hart RD. "If you're not a white male, artificial intelligence's use in healthcare could be dangerous", New York: Quartz; 2017. https://qz.com/1023448/if-youre-not-a-white-male-artificial-intelligences-use-in-healthcare-could-be-dangerous

38) Hart RD. "If you're not a white male, artificial intelligence's use in healthcare could be dangerous", https://qz.com/1023448/if-youre-not-a-white-male-artificial-intelligences-use-in-healthcare-could-be-dangerous.

으로 제시하는 문헌도 있었다.[39]

다양한 차원에서의 편향과 불평등 문제를 해결하기 위해 UNESCO는 각국이 상호 다른 연령 그룹, 장애인, 언어 그룹, 장애인, 여성 외 기타 소외 집단의 인공지능 시스템에 대한 포괄적 접근성을 높이고 디지털 격차를 억제할 수 있어야 한다고 권고한다.[40] 인공지능 적용 불평등의 근본원인은 사회의 전반적 불평등 문제에 기인하는 만큼 단기적 해결은 어려울 수 있다. 그럼에도 의료 인공지능이 결과적으로 현재의 불평등을 심화시키지 않으며 완화에 기여할 수 있도록 설계와 배포 단계 때부터 고려할 필요가 있다.

3) 자율성 및 동의

보건의료영역 인공지능 윤리에서 자율성 및 동의 이슈 역시 두 가지 영역으로 나누어 생각해 볼 수 있다. 데이터 수집 단계에서 동의를 얻는 것, 그리고 인공지능을 임상현장에서 사용할 때 그 활용에 대한 동의를 얻는 문제이다. 이들 중 데이터 수집 단계의 동의 문제는 사생활 보호 원칙에서 다루고 있다. 아래에서는 임상진료에서의 인공지능 활용과 관련한 자율성 및 동의의 문제에 대해 주로 다루고자 한다. 이는 보건의료 인공지능 활용이 기존의 의료기기 활용과 마찬가지로 추가적인 동의를 받을 필요가 없는 통상적 진료에 해당하는가에 대한 논의로 귀결된다.

WHO는 보건의료영역에서 인공지능을 비롯한 기계의 자동화 수준이 높아지는 것이 인간의 자율성을 침해해서는 안 된다는 점을 기본 원칙으로 삼고 있다. 이는 기존 의료 맥락에서 의료인과 환자 간의 소통에 기반한 결정과정에 기계가 개입함에 따라 인간 행위자의 자율성[41]이 침해될 수 있다는 우려에서 비롯된다. 다시 말해 인공지능의 의사결정과정 및 소통방식은 기존

---

39) Fletcher RR, Nakeshimana A, Olubeko O. "Addressing Fairness, Bias, and Appropriate Use of Artificial Intelligence and Machine Learning in Global Health." Front Artif Intell. 2021;3:561802.

40) UNESCO. "Recommendation on the Ethics of Artificial Intelligence", 2021. https://unesdoc.unesco.org/ark:/48223/pf0000380455.

41) 인공지능이 진료 과정에서 일부 역할을 담당함에 따라 의료인과 환자의 의사결정 과정에서의 자율성이 침해될 가능성이 있다. 보건의료 인공지능의 일차적 목표가 환자에게 더 질 높은 의료를 제공하는 데 있는 만큼 본 글에서는 환자의 자율적 의사결정의 침해 가능성에 주목하여 논의를 진행하고자 한다. 의료인의 자율성에 대해서 덧붙이자면, 현시점에서 보건의료 인공지능의 도입은 의료인이 최종결정권을 가진다는 전제하에 도입되고 있다. 6)책무성, 책임성 파트에서 다루게 될 휴먼인더루프(human-in-the-loop) 개념이 이와 일맥상통한다. 그리고 추가적으로 인공지능의 도입으로 인해 변화하게 될 진료환경에 대한 의료인의 적응을 도울 교육 시스템 및 거버넌스 체계가 구비될 필요가 있을 것이다.

의 의사-환자 간 소통과는 질적으로 달라서 환자가 그를 이해하고 소통하는 데 어려움을 겪을 수 있는데, 그 결과 환자가 자율적 의사결정을 할 여지가 줄어들 수 있다는 것이다.[42]

현시점의 보건의료 인공지능 발전수준에서 의사의 개입 없이 인공지능이 최종 진단을 내리는 것이 바람직하지 않다는 데는 여러 문헌들의 견해가 일치한다.[43] 하지만 최종진단이 아닌 의사의 진단을 보조하는 수준의 의료 인공지능의 활용할 경우 환자에게 이를 알리고 동의를 받아야 하는지에 대해서는 다양한 의견이 존재한다.[44] 예를 들어 싱가포르 보건부에서 발간한 "Artificial intelligence in Healthcare Guidelines(AIHGIe)"와 UNESCO의 "Recommendation on the ethics of artificial intelligence"에서는 진료과정에서 AI가 개입할 경우 이를 미리 고지하고 사용에 대한 동의를 구하는 것을 원칙으로 제시한다. 이러한 관점은 인공지능 활용을 환자에게 공개하고 설명함으로써 진료 과정의 투명성을 높이는 데 주안점을 두고 있다.[45]

그러나 무조건적인 공개에 회의하며 인공지능의 활용으로 인한 위험의 특성과 그 발생가능성에 따라 공개 여부를 결정해야 한다는 시각도 존재한다. Cohen은 보건의료에서 인공지능이 의사의 감독하에 보조적으로 사용될 경우 이는 통상적 진료의 일환으로 그 사용을 공개할 의무는 없으며 추후 인공지능 사용이 보편화될 경우 더욱 그럴 것이라는 의견을 제시한다.[46] 현재

---

[42] WHO. "Ethics and Governance of Artificial Intelligence for Health", 2021. https://www.who.int/publications/i/item/9789240029200.

[43] WHO. "Ethics and Governance of Artificial Intelligence for Health", 2021. https://www.who.int/publications/i/item/9789240029200. / UNESCO. "Recommendation on the Ethics of Artificial Intelligence", 2021. https://unesdoc.unesco.org/ark:/48223/pf0000380455.

[44] European and North American Multisociety. "Ethics of AI in Radiology- European and North American Multisociety Statement", 2019. https://www.acr.org/-/media/ACR/Files/Informatics/Ethics-of-AI-in-Radiology-European-and-North-American-Multisociety-Statement--6-13-2019.pdf. / Kiener M. "Artificial intelligence in medicine and the disclosure of risks." AI Soc. 2021;36:705-13. / Cohen IG. "Informed Consent and Medical Artificial Intelligence: What to Tell the Patient?" Geo LJ. 2019;108:1425-1469. https://www.law.georgetown.edu/georgetown-law-journal/wp-content/uploads/sites/26/2020/06/Cohen_Informed-Consent-and-Medical-Artificial-Intelligence-What-to-Tell-the-Patient.pdf

[45] Ministry of Health of Singapore, "Health Sciences Authority, IHIS. Artificial Intelligence in Healthcare Guidelines (AIHGIe)", 2021. https://www.moh.gov.sg/docs/librariesprovider5/eguides/1-0-artificial-in-healthcare-guidelines-(aihgle)_publishedoct21.pdf. / UNESCO. "Recommendation on the Ethics of Artificial Intelligence", 2021. https://unesdoc.unesco.org/ark:/48223/pf0000380455.

[46] Cohen IG. "Informed Consent and Medical Artificial Intelligence: What to Tell the Patient?" Geo LJ. 2019;108:1425-1469. https://www.law.georgetown.edu/georgetown-law-journal/wp-content/uploads/sites/26/2020/06/Cohen_Informed-Consent-and-Medical-Artificial-Intelligence-What-to-Tell-the-Patient.pdf.

이미 현장에서 동의과정 없이 인공지능 사용이 이루어지고 있음을 받아들여야 한다는 입장도 존재한다. Kiener의 경우 블랙박스 속성을 지닌 인공지능은 편향과 사이버공격에서 완전히 자유로울 수 없기에 그 사용을 공개하는 것이 옳다고 주장하지만, 그럼에도 현재 임상현장에서는 위험성이 크지 않다고 판단되는 인공지능의 경우 동의 과정을 거치지 않고 사용되고 있다고 지적한다.[47]

인공지능 활용에 대한 동의를 받는다면 어떤 수준의 정보 및 설명에 근거하여 동의를 받아야 할지에 관해서도 검토가 필요하다. 유럽평의회에서는 인공지능 활용에 대한 정보를 공개할 경우 인공지능 시스템이 어떻게 기능하는지, 어떻게 설계되고 검증되었으며 운용되고 있는지, 그리고 시스템을 조사하기 위해서는 어떤 정보가 필요한지에 대한 설명이 필요하다고 주장한다. 그와 더불어 인공지능이 가지고 있는 잠재적인 위험요인 역시 공개될 필요가 있다고 주장한다.[48] 향후 충분한 설명에 근거한 동의(informed consent)가 가능하기 위해서는 인공지능에 대한 투명하고도 설명가능한 정보 공개가 선행될 필요가 있을 것이다.

4) 안전성, 보안성, 견고성

현재 인공지능 개발 분야에서는 안전성, 보안성, 견고성 등이 필수적인 가치로 등장하고 있다. 먼저 용어의 구체적 의미를 살펴보면, 안전성(safety)은 위험과 관련된 용어이며 인공지능 시스템 운영에 있어 시스템에 위협을 일으킬 수 있는 조건을 최소화하는 것을 의미한다. 보안성(security)은 사이버보안(cybersecurity)[49]의 개념을 포함하며 외부의 공격 혹은 예상치 못한 시스템의 변화에 대응할 수 있음을 뜻한다. 견고성(robustness)은 인공지능 시스템에 통제 불능한 요소가 존재하는 경우에도 제대로 기능할 수 있으며 발생 가능성이 있는 오류를 관리할 수 있음을 지칭한다. 신뢰성(reliability)은 수용될 수 있는 범위 내에서 통계적으로 편차가 적

---

47) Kiener M. "Artificial intelligence in medicine and the disclosure of risks." AI Soc. 2021;36:705-13.

48) Mittelstadt B. "The Impact of Artificial Intelligence on the Doctor-Patient Relationship", 2021. https://rm.coe.int/inf-2022-5-report-impact-of-ai-on-doctor-patient-relations-e/1680a68859.

49) 인공지능이 의료에 미치는 영향이 커짐에 따라, 의도적인 인공지능에 대한 공격으로 인한 작동 중지 및 데이터 탈취로 인한 위험 역시 커지고 있다. 사이버보안은 이러한 의도적 공격에 대응할 수 있는 능력에 대한 개념으로, 주로 인프라 및 기술적 개선을 통해 이루어지고 있다. / WHO. "Ethics and Governance of Artificial Intelligence for Health", 2021. https://www.who.int/publications/i/item/9789240029200.

은 결과를 생성할 수 있는지의 여부를 말한다.[50] 이러한 네 가지 요소들은 위험관리에 연계된 내용에 가깝다.

여러 문헌들은 인공지능이 의료적 의사결정에서 인간을 부분적으로 대체하고 보조하기 위해서는 보건의료 인공지능의 안전성에 대한 검증기준과 그 검증이 핵심적인 임상도입의 요건이어야 한다고 말한다.[51] 이를 위해서 인공지능시스템 전 생애에 걸쳐 안전성의 손상이 최소화되어야 하며 이를 보장할 수 있는 규제와 거버넌스가 필요하다.

또한 외부의 공격으로부터 보안성을 갖춘 인공지능을 갖추기 위해서는 자체보안성능이 구비되어 있어야 하며 잠재적 보안 위협에 대한 지속적인 모니터링 시스템과 보안 문제가 발생했을 때의 복구 시스템 역시 구비되어 있어야 한다.[52] 필요에 따라 인공지능 활용 과정에서 그 활용을 중단하여야 하는 최소한의 보안 하한선을 정해 두어야 할 수 있다.[53]

그러나 보건의료 인공지능이 기술적 차원에서 안전하고 신뢰 가능하며 오류산출 가능성이 적다 하더라도 임상적 적용에서는 또 다른 환자 안전에 대한 위협이 될 수 있다. 계산상에서는 오류가 없다고 하더라도 현실 맥락을 반영하지 못함으로써 위해를 가져올 수 있는 것이다. 가

---

[50] 신뢰성이 문제 될 수 있는 예로, 인공지능이 내놓는 결괏값 편차가 인간 의료진의 통상적 진료에 비해 클 경우 일부 환자가 위험해질 수 있다는 우려를 제기한다. Academy of Medical Royal Colleges. "Artificial Intelligence in Healthcare", 2019. https://www.aomrc.org.uk/wp-content/uploads/2019/01/Artificial_intelligence_in_healthcare_0119.pdf. 보건의료 인공지능 기술은 지속적으로 발전하고 있기에 신뢰성 문제는 점차 해결될 것이라는 견해도 있지만, 질 나쁜 의료 인공지능이 환자에 위해를 가할 가능성에 대해서는 지속적인 주의가 필요하다. High-Level Expert Group on Artificial Intelligence. "Ethics Guidelines for Trustworthy AI", European Commission, 2019. https://digital-strategy.ec.europa.eu/en/ library/ethics-guidelines-trustworthy-ai.

[51] Mittelstadt B. "The Impact of Artificial Intelligence on the Doctor-Patient Relationship", 2021. https://rm.coe.int/inf-2022-5-report-impact-of-ai-on-doctor-patient-relations-e/1680a68859. / BSI, AAMI. "Machine Learning AI in Medical Devices", Arlington, VA & London: BSI, AAMI; 2020. https://www.medical-device-regulation.eu/wp-content/uploads/2020/09/machine_learning_ai_in_medical_devices.pdf.

[52] 식약처에서는 「의료기기의 사이버보안 허가·심사 가이드라인」을 배포하여 의료기기 제작자가 위험분석, 위험통제 등 위험관리를 적용하도록 권고하고 있다. 식품의약품안전처. "의료기기의 사이버보안 적용방법 및 사례집(민원인 안내서)", 2022. https://www.mfds.go.kr/brd/m_1060/view.do?seq=15120&srchFr=&srchTo=&srchWord=&srchTp=&itm_seq_1=0&itm_seq_2=0&multi_itm_seq=0&company_cd=&company_nm=&page=1.

[53] Ministry of Health of Singapore, "Health Sciences Authority, IHIS. Artificial Intelligence in Healthcare Guidelines (AIHGle)", 2021. https://www.moh.gov.sg/docs/librariesprovider5/eguides/1-0-artificial-in-healthcare-guidelines-(aihgle)_publishedoct21.pdf.

령 한 의료 인공지능은 배경지식에 대한 인지 불능으로 인해 천식을 기저질환으로 가진 경우 그렇지 않은 경우보다 폐렴 감염의 예후가 좋다고 판단하였다. 인공지능이 데이터를 수집한 의료기관에서는 천식을 기저질환으로 가지고 있던 환자는 폐렴으로 병원에 내원할 경우 즉시 중환자실 입원 대상이었고, 중환자실의 집중치료는 매우 효과적이었기 때문에 생존율이 일반 환자보다 오히려 높았다. 인공지능은 이러한 맥락을 이해하지 못하여 천식과 생존율의 상관관계만을 고려했고 결과적으로 잘못된 인공지능 알고리즘을 갖추게 된 것이다.[54] 특히 딥러닝 인공지능이 가지는 블랙박스 특성으로 인해 인공지능이 위해를 발생시킬 가능성을 내재하고 있다고 하더라도 그를 파악하기 어려울 가능성이 존재하며 만약 오류를 감지해 내기 어렵거나 혹은 오류로 인해 연쇄반응이 이루어진다면 심각하게 환자에게 위해를 가져다주는 결과를 초래할 수 있다.[55]

임상현장에서 발생할 수 있는 위해를 최소화하기 위한 더 적극적인 대응으로, 인공지능 전반에 걸쳐 오류가 발생했을 때 이를 찾아내고 보완할 수 있는 개념인 추적가능성(traceability)을 최대한 보장해야 된다는 견해가 있다.[56] 추적가능성은 투명성, 설명가능성과도 큰 관련성이 있는데, 의료에 존재할 수 있는 모든 위협요소를 인공지능의 전 생애주기에 걸쳐 찾아내고 보완하기 위해서는 위협을 확인하고 해결할 수 있는 가능성을 가지고 있어야 하기 때문이다.

더 나아가서 EU에서는 견고함의 개념을 기술적인 차원을 넘어 사회적 차원으로 확대한다. 견고한 인공지능(robust AI)을 윤리적일 것(ethical), 적법할 것(lawful) 외 인공지능의 주요 3요소 중 하나로 설명하고 있다. 이는 사회적 평등, 지속가능성 등 사회적, 범지구적으로 중요한 가치 역시 손상시키지 않는 방향으로 인공지능이 개발되어야 한다는 취지이다. 이러한 시각은 평등, 지속가능성 등 다른 윤리적 차원과 맞닿아 있다고 할 수 있다.[57]

---

54) Caruana R, Lou Y, Gehrke J, et al. Intelligible Models for HealthCare: Predicting Pneumonia Risk and Hospital 30-day Readmission. Proceedings of the 21th ACM SIGKDD International Conference on Knowledge Discovery and Data Mining. 2015;1721-1730

55) Nuffield Council on Bioethics. "Artificial Intelligence (AI) in healthcare and research", 2018. https://www.nuffieldbioethics.org/publications/ai-in-healthcare-and-research.

56) OECD. "Recommendation of the Council on Artificial Intelligence", 2019. https://legalinstruments.oecd.org/en/instruments/oecd-legal-0449.

57) High-Level Expert Group on Artificial Intelligence. "Ethics Guidelines for Trustworthy AI", European Commission, 2019. https://digital-strategy.ec.europa.eu/en/library/ethics-guidelines-trustworthy-ai.

인공지능의 안전성을 확보하고 신뢰를 증진시키기 위해 유럽평의회는 기술적 차원 이상의 인공지능 평가 체계를 갖출 것을 요구한다. 즉, (1) 인공지능 의료기기의 임상적 역할을 명확히 세울 것, (2) 정확성 이외에 갖추어야 할 능력을 규정할 것, (3) 평가 과정을 간단한 것부터 차례대로 세분화할 것, (4) 제 3자를 통한 외부 평가 과정을 증진할 것, (5) 인공지능 평가 결과 보고를 위한 표준화된 가이드라인을 활용할 것을 제시하고 있다.58) 이러한 방법을 통해 의료적으로 불가피한 범위 이상의 위해와 안전성 위협은 인공지능 생애주기 전체에 걸쳐 최소화될 수 있어야 하며 예상치 못한 변화 혹은 위해 발생 가능성이 확인될 시 이에 대응하는 대응책이 마련되어 있어야 한다.59)

5) 투명성, 설명가능성, 해석가능성

설명가능성 및 투명성의 문제 또한 딥러닝 인공지능의 특성인 블랙박스 속성과 관련성이 크다. 딥러닝 인공지능은 인간의 뇌신경망을 모방하여 알고리즘 내부에서 여러 단계의 네트워크를 구성하여 결괏값을 산출하는데, 이 과정에서 결괏값을 내는 프로세스를 기존의 인간의 학습 및 정보전달 방식으로 제시하는 것이 어렵기 때문이다. 이러한 어려움은 의료 인공지능을 실제로 활용하는 의료진과 환자뿐 아니라 인공지능 개발자에게도 마찬가지로 적용된다. 이는 딥러닝 인공지능이 지니는 독특한 특성으로, 보건의료 인공지능의 개발 및 활용의 윤리적 논의에서도 설명가능성 및 투명성의 문제는 빈번히 다루어지고 있다.

투명성, 설명가능성, 해석가능성 등 용어들의 구체적 의미를 살펴볼 필요가 있다. 우선, 투명성(transparency)은 인공지능이 산출한 결괏값이 원래 의도했던 결괏값인지 평가하기 충분한 정보를 제공할 수 있도록 사전에 설계되어 있어야 함을 말한다. 설명가능성(explainability)은 인공지능 모델의 운영방식에 대한 설명이 쉽게 이해될 수 있어야 한다는 의미이며, 해석가능성(interpretability)은 인간이 의사결정을 내리기에 유용한 결괏값을 인공지능이 도출할 수 있어야 한다는 의미이다.60)

---

58) Mittelstadt B. "The Impact of Artificial Intelligence on the Doctor-Patient Relationship", 2021. https://rm.coe.int/inf-2022-5-report-impact-of-ai-on-doctor-patient-relations-e/1680a68859.

59) OECD. "Trustworthy AI in Health", 2020. https://www.oecd.org/health/trustworthy-artificial-intelligence-in-health.pdf. / UNESCO. "Recommendation on the Ethics of Artificial Intelligence", 2021. https://unesdoc.unesco.org/ark:/48223/pf0000380455.

인공지능이 편견을 가지는지 혹은 인공지능이 잠재적 위해의 가능성을 가지고 있는지 등 보건의료 인공지능의 윤리적 문제를 파악하기 위해서는 투명성과 설명가능성이 선행되어야 한다. 즉, 투명성과 설명가능성은 윤리적 인공지능이 기본적으로 갖추어야 하는 전제조건이다.[61] 우선 투명성은 기술의 재현가능성을 평가하기 위한 필수조건이다. 유럽의회 연구기구에서는 투명성이 결여될 경우 (1) 인공지능 알고리즘에 대한 독립적 재현 및 평가가 어려워지고, (2) 인공지능 오류의 원인 파악 및 책임소재 파악이 어려워지며, (3) 인공지능의 예측과 결정에 대한 신뢰 및 이해가 불가능해져 (4) 임상진료 및 일상생활에서 인공지능 도구 채택이 제한될 수 있다고 설명하고 있다.[62] 그리고 WHO는 투명성이 요구되는 내용에는 기술이 전제하는 조건과 그 한계, 운영 프로토콜, 데이터의 속성, 알고리즘 모델 개발의 속성에 대한 정확한 정보를 포함한다고 말한다.[63]

그러나 인공지능은 투명성뿐만 아니라 설명가능성의 가치 또한 필요로 한다. 인공지능이 특정한 결괏값을 낸 판단의 근거가 무엇인지, 인간의 언어로 해석하고 설명하고 이해가 가능해야 하기 때문이다. 의료진은 보건의료 인공지능과 효과적으로 상호작용하고 그 산출결과를 이해하며 그 결과에 대한 정보를 환자와 공유하기 위해서 투명성에 더해 설명가능성을 갖출 필요가 있다.[64] EU의 GDPR 역시 모든 사람은 자동화된 인공지능 프로세스 뒤에 존재하는 의미 있

---

60) European and North American Multisociety. "Ethics of AI in Radiology- European and North American Multisociety Statement", 2019. https://www.acr.org/-/media/ACR/Files/Informatics/Ethics-of-AI-in-Radiology-European-and-North-American-Multisociety-Statement--6-13-2019.pdf.

61) 인공지능의 투명성과 설명가능성이 의료 사고 대처에 유용함은 여러 예에서 알려져 있다. 한 예로, 마운트 시나이 병원(Mount Sinai Hospital)에서 개발한 고위험군 환자 분류 인공지능이 마운트 시나이 병원 외의 의료기관에서 그 정확성이 크게 떨어지는 것이 발견되었다. 그 이유를 파악한 결과 마운트 시나이 병원에서는 고위험군을 위한 중환자실에서 특정한 X-Ray 기기를 사용하고 있었고, 인공지능은 메타데이터의 기기정보를 환자 분류 알고리즘에 포함하고 있음이 확인되었다. 이 인공지능의 경우 인공지능의 메커니즘에 대한 설명가능성이 어느 정도 확보되어 있었기 때문에 타 병원에서 문제가 발견되었을 때 신속하게 대처할 수 있었다. UNESCO. "Recommendation on the Ethics of Artificial Intelligence", 2021. https://unesdoc.unesco.org/ark:/48223/pf0000380455. / Amann J, Blasimme A, Vayena E, et al. Explainability for artificial intelligence in healthcare: a multidisciplinary perspective. BMC Med Inform Decis Mak. 2020;20:310.

62) European Parliament Research Service. "Artificial Intelligence in Healthcare: Applications, Risks, and Ethical and Societal Impacts", 2022. https://www.europarl.europa.eu/thinktank/en/document/EPRS_STU(2022)729512.

63) WHO. "Ethics and Governance of Artificial Intelligence for Health", 2021. https://www.who.int/publications/i/item/9789240029200.

는 정보를 제공받을 권리가 있음을 언급하여 설명가능성의 중요성을 드러내고 있다.[65]

유럽의회 연구기구는 설명가능성 문제를 보완하기 위한 여러 가지 복안을 제시하는데, (1) 'AI패스포트'를 창출하는 것 [66], (2) 인공지능 알고리즘을 모니터링할 수 있는 추적가능한 (traceable) 도구를 개발하는 것[67], (3) 임상현장에서 사용자가 설명가능한 인공지능 설계에 참여하는 것, (4) 추적가능성[68]과 설명가능성을 인공지능 의료기기 인허가의 전제 조건으로 제시할 것 등을 들고 있다. 이러한 복안들은 인공지능 기술 도입 과정에서 설명가능성과 결과의 추적가능성 수준을 높일 것으로 일정 수준 기대된다.

그러나 일정 수준의 설명가능성과 추적가능성을 높이더라도 기존의 의료 수준의 설명가능성을 확보할 수 있을지는 의문이 크다. 현재 기술적 차원에서 딥러닝 인공지능의 설명가능성을 확보하기 위한 노력으로는 사후 설명가능성(post-hoc explainability) 확보 시도가 있다. 가령 영상의학적 이미지를 활용하는 의료 인공지능의 경우 히트 맵(heat map) 혹은 돌출 맵 (saliency map)을 통해 어떤 영역이 결괏값 산출에 큰 영향을 미쳤는지를 보여주는 시스템을 활용하는 것이다.[69] 하지만 이와 같이 인공지능의 작동원리를 개괄해 낼 수 있는 시스템을 마

---

[64] OECD. "Trustworthy AI in Health", 2020. https://www.oecd.org/health/trustworthy-artificial-intelligence-in-health.pdf.

[65] 그러나 EU-NA Radiologists Association에서는 GDPR의 '설명에 대한 권리'가 과정의 결과를 예상, 직시하는 권리(envisaged consequences)에 가까우며 특정한 개별 결정에 대한 설명과는 거리가 있다고 언급한다. 설명가능성을 충족하는 구체적인 설명 수준의 단계에 대해서는 앞으로 논의되어야 될 부분이다. European and North American Multisociety. "Ethics of AI in Radiology- European and North American Multisociety Statement", 2019. https://www.acr.org/-/media/ACR/Files/Informatics/Ethics-of-AI-in-Radiology-European-and-North-American-Multisociety-Statement--6-13-2019.pdf.

[66] 여기서 AI패스포트는 인공지능의 투명성을 생애주기 전 과정에서 추적하기 위해 인공지능과 관련된 정보를 기록하는 규격이라 할 수 있다. 예를 들어 AI패스포트에는 인공지능이 어떤 기술을 활용하여 제작되었는지, 어떠한 데이터를 사용하였는지, 평가는 어떻게 시행하였는지에 대한 정보, 인공지능 운용 및 유지와 관련된 정보를 기록해 둘 수 있다. 기록해야 할 정보를 규격화함에 따라 사용되는 특정 지역, 의료기관에 무관하게 지속적 모니터링을 용이하게 할 수 있다. Mittelstadt B. "The Impact of Artificial Intelligence on the Doctor-Patient Relationship", 2021. https://rm.coe.int/inf-2022-5-report-impact-of-ai-on-doctor-patient-relations-e/1680a68859.

[67] 아래에서 설명될 기술적 사후 설명가능성(post-hoc explainability) 확보가 그 예이다.

[68] OECD에 따르면 추적가능성은 인공지능이 산출한 결과에 대한 분석 및 조사가 필요한 경우 인공지능의 데이터셋, 프로세싱, 의사 결정 과정 등 생애주기 전반에 대해 최신기술을 활용한 분석, 그리고 인공지능 활용의 맥락을 고려한 분석을 가능하게 하는 것을 의미한다. OECD. "Recommendation of the Council on Artificial Intelligence", 2019. https://legalinstruments.oecd.org/en/instruments/oecd-legal-0449.

[69] 예를 들어 흉부 엑스레이 이미지를 기반으로 폐렴을 진단하는 인공지능은 이미지의 어떠한 부분이 진

런한다고 하더라도 딥러닝 인공지능 메커니즘의 특성상 임상에서 개별환자에 대해 인공지능이 산출해 낸 결괏값에 대해 그 환자에게 충분한 설명을 제공하기 어려울 수 있다. 설명가능한 인공지능에 대한 여러 문헌들은 설명가능성이 맥락, 청자, 목적에 따라 다르게 적용될 수 있음을 지적한다.[70] 이는 어떠한 정보가 더 중요하게 사용되었는지를 제시하는 수준의 사후 설명가능성 기술로는 임상적 활용에 충분한 설명수준을 확보하지 못할 수 있음을 시사한다.

또한 딥러닝 인공지능의 내재적 특성상 설명가능성의 확보에 한계가 있다는 시각도 존재한다. 많은 문헌에서 인공지능의 설명가능성은 그 가치 확보를 위해 정확성을 희생하는 상충(trade-off) 관계에 있음을 지적한다.[71] 설계 단계에서부터 설명가능한 인공지능을 제작할 경우 딥러닝의 장점을 일정부분 희생해야 할 수도 있다는 것이다.[72]

사후 설명가능성의 확보, 인공지능 패스포트 등 설명가능성 및 추적가능성을 확보할 수 있는 여러 방안이 제시되고 있지만, 블랙박스 특성의 한계로 인해 설명가능성을 완벽하게 확보하는 것은 어려운 상황이다. 그러나 UNESCO가 지적하듯, 투명성과 설명가능성 등에 대한 분명한 요건의 수립이 인공지능의 신뢰성 확보에 바탕이 되어야 하며, 인공지능 기술 인허가 과정에서 핵심 이슈가 될 필요가 있다.[73]

단에 영향을 미쳤는지를 보여주고 있다. 이를 바탕으로 인공지능이 작동을 간접적으로나마 설명해 낼 수 있다. Ghassemi M, Oakden-Rayner L, Beam AL. The false hope of current approaches to explainable artificial intelligence in health care. Lancet Digit Health. 2021;3:e745-50.

[70] OECD. "Trustworthy AI in Health", 2020. https://www.oecd.org/health/trustworthy-artificial-intelligence-in-health.pdf. / Nyrup R, Robinson D. Explanatory pragmatism: a context-sensitive framework for explainable medical AI. Ethics Inf Technol. 2022;24:13.

[71] High-Level Expert Group on Artificial Intelligence. "Ethics Guidelines for Trustworthy AI", European Commission, 2019. https://digital-strategy.ec.europa.eu/en/library/ethics-guidelines-trustworthy-ai. / Nyrup R, Robinson D. Explanatory pragmatism: a context-sensitive framework for explainable medical AI. Ethics Inf Technol. 2022;24:13. / Hamon R, Junklewitz H, Sanchez I, et al. Bridging the Gap Between AI and Explainability in the GDPR: Towards Trustworthiness- by-Design in Automated Decision-Making. IEEE Comput Intell Mag. 2022; 17: 72-85.

[72] 설명가능성을 확보하기 위해 인공신경망 기술의 장점을 최대로 활용하지 못할 수 있기 때문이다.

[73] UNESCO. "Recommendation on the Ethics of Artificial Intelligence", 2021. https://unesdoc.unesco.org/ark:/48223/pf0000380455.

6) 책무성, 책임성

인공지능 맥락에서 책무성(accountability)은 위험한 결과가 발생했을 때 책임질 수 있는 주체에 관한 개념이다. 개별 운영자와 조직은 인공지능이 산출한 결과에 대해 응답하고 책임질 수 있어야 한다.[74] 책임성(responsibility)은 책무성과 거의 동시에 사용되는데, 역시 결과에 대한 책임과 관련된 개념이라 할 수 있다. 책무성 및 책임성 역시 설명가능성과 연계된 개념이라고 할 수 있다. 문제가 발생했을 경우 그 원인에 대해 이해하고 설명하는 것이 책무성의 핵심 개념이기 때문이다.[75]

보건의료 인공지능의 책무성 문제에서 다루어지는 중요한 이슈 중 하나는 의료 인공지능 활용의 결과 오진이 발생했을 때 설명의 의무 및 책임이 누구에게 있는가의 문제이다. 이는 법적 책임(liability)을 누가 감수해야 하는지와 직결되어 있다. 인공지능을 활용한 진료에서 인간에게 위해가 발생할 수 있는 두 가지 경우 [(1) 인공지능을 따르지 않아 오진이 생기는 경우, 즉, 인공지능은 바르게 진단했으나 인간이 그를 따르지 않은 경우, (2) 인공지능을 따른 결과 오진이 생기는 경우, 즉, 인공지능은 잘못 진단했으나 인간이 그에 반하는 결정을 내리지 않음] 각 경우에 대해 인간의 책임은 어디까지인지, 책임을 져야 한다면 인공지능 개발자와 활용 의료진 중 누구의 책임인지에 대한 법적, 윤리적 불확실성이 해소되지 않은 상태이다. 이러한 불확실성은 책무성의 공백(gap in accountability)이라는 개념으로 표현된다.[76] 책무성의 공백이란 인공지능의 블랙박스 특성으로 인한 투명성 부족으로 인해 개발부터 활용에 참여하는 다양한 행위자의 역할과 책임을 규명하는 것이 어려움을 의미한다.[77]

책무성의 공백으로 인해 의료인들이 법적 책임의 가능성을 우려하여 인공지능 도입을 꺼리

---

[74] G20 Ministerial Meeting. "G20 AI Principles", G20 Ministerial Meeting; 2019. https://wp.oecd.ai/app/uploads/2021/06/G20-AI-Principles.pdf.

[75] Buruk B, Ekmekci PE, Arda B. A critical perspective on guidelines for responsible and trustworthy artificial intelligence. Med Health Care Philos. 2020;23:387-99.

[76] Price WN, Gerke S, Cohen IG. Potential Liability for Physicians Using Artificial Intelligence. JAMA. 2019;322: / Banja JD, Hollstein RD, Bruno MA. When Artificial Intelligence Models Surpass Physician Performance: Medical Malpractice Liability in an Era of Advanced Artificial Intelligence. J Am Coll Radiol. 2022;19:816-20.

[77] 14. Mittelstadt B. "The Impact of Artificial Intelligence on the Doctor-Patient Relationship", 2021. https://rm.coe.int/inf-2022-5-report-impact-of-ai-on-doctor-patient-relations-e/1680a68859.

게 될 수 있다. 구체적으로 책무성의 공백에 해당하는 요소로 유럽의회 연구기구는 (1) 책임과 책무성에 대한 명확한 법적 규제가 없는 점, (2) 의료 인공지능 개발 및 활용에 다양한 행위자가 참여하여 책임소재를 가리기 어려운 점, (3) 인공지능 산업에 법적, 윤리적 거버넌스가 미비한 점을 들고 있다.[78] 그와 함께 이러한 책무성의 공백을 완화할 수 있는 방안으로는 (1) 인공지능이 개인에 위해를 가했을 때의 개발자 및 사용자의 역할을 확인하는 프로세스를 도입하는 것, (2) 인공지능 개발자 및 사용자에 일관된 규제 프레임워크를 개발 및 적용하는 것, (3) 의료 인공지능을 규제하는 전문 규제기관을 설립하는 것이 제시되고 있다.[79]

UNESCO에서는 인공지능 생애주기에 있는 모든 행위자들이 윤리적, 법적 책임감을 가지고 인공지능 시스템의 결정과 행동에 대한 책임을 나눌 수 있어야 한다고 말하며, 이를 위해 내부고발자 보호를 위한 적절한 감독, 영향평가, 감사 및 실사(due diligence) 메커니즘을 확보해야 한다고 언급한다.[80] 책무성의 공백 해소에 대한 현재의 요구는 인공지능 시스템의 감사가능성(auditability)을 염두에 둔다.

다만 OECD는 책무성을 인간 주체성 및 감독(Human Agency and Oversight)과 구분하여 제시한다.[81] 여기서 인간주체성은 인공지능의 자동적 결정이 만들어낼 수 있는 무의식적인 종속, 조건화 등을 경계하고 이러한 특성에 대한 사전 설명이 이루어져야 한다는 개념이며, 책무성과 달리 고려해야 할 사안이라고 본다. 인간의 감독은 휴먼인더루프(Human-in-the-loop, HITL), 휴먼온더톱(Human-on-the-top), 휴먼인커맨드(Human-in-command) 등의 용어와 함께 사용된다. 휴먼인더루프는 인공지능의 모든 결정 사이클에 인간이 개입할 수 있는 역량을 의미하며, 휴먼온더톱은 인공지능의 설계 사이클 및 운영 모니터링에 인간이 개입할 수 있는 역량을 의미한다. 휴먼인커맨드는 인공지능 시스템의 전반적 활동을 감독하고 이를 어떤 상황

78) European Parliament Research Service. "Artificial Intelligence in Healthcare: Applications, Risks, and Ethical and Societal Impacts", 2022. https://www.europarl.europa.eu/thinktank/en/document/EPRS_STU(2022)729512.

79) European Parliament Research Service. "Artificial Intelligence in Healthcare: Applications, Risks, and Ethical and Societal Impacts", 2022. https://www.europarl.europa.eu/thinktank/en/document/EPRS_STU(2022)729512.

80) UNESCO. "Recommendation on the Ethics of Artificial Intelligence", 2021. https://unesdoc.unesco.org/ark:/48223/pf0000380455.

81) OECD. "Trustworthy AI in Health", 2020. https://www.oecd.org/health/trustworthy-artificial-intelligence-in-health.pdf.

에서 어떻게 사용할지를 결정할 수 있는 역량을 의미한다. 즉, 책무성이 부정적 영향의 최소화를 위한 감사가능성을 의미한다면, 인간 감독은 인간의 능동적 인공지능 시스템 개입 능력을 의미하는 것이다.

인간의 감독 관점에서는, 보다 주체적으로 인간이 인공지능을 제어하고 관리할 수 있기 위해 인공지능 시스템과 그 사용되는 환경에 대한 이해를 명확히 하고 인공지능에 대해 인간이 개입할 수 있는 충분한 시간을 확보하는 것이 필요하다. 가령 사이버 보안 문제가 발생할 시 제어하기 어려운 속도로 문제가 확산될 수 있는데 시스템적으로 인간이 개입할 여지가 미리 확보될 경우 여러 예외상황에서도 인간이 책무성을 가지고 이를 해결해 나갈 수 있게 된다.[82] 이것은 문제 발생 사후 감사가능성의 관점으로 책무성 문제에 접근하는 것과 다른 접근이 될 수 있다.

7) 지속가능성 및 포괄적 성장

1987년 세계환경개발위원회(World Commission on Environment and Development)에 따르면 지속가능한 발전은 미래세대가 누릴 수 있는 잠재적 이익을 침해하지 않으면서 현재 세대의 욕구를 충족시키는 발전을 의미한다.[83] 여러 문헌들은 지속가능한 개발과 포괄적 성장을 인공지능이 가져야 할 중요한 윤리적 특성으로 언급하고 있다.[84] 이는 사회, 문화, 경제, 환경 등 다양한 환경적 측면에서 인공지능이 지속가능한 사회를 만들어 나갈 수 있도록 기여해야 한다는 의미이다. 여기에는 인공지능에 투입되는 비용 대비 편익이 지속가능해야 된다는 좁은 의미의 내용[85]에서부터 소수자 집단과의 포괄적 성장, 성별, 인종, 민족 간 불평등 해소, 그리고 자연환경 보호의 개념이 모두 포함되어 있다고 할 수 있다. WHO는 지속가능성의 확보가 보건 의료 인공지능의 도입을 위해 필수적임을 강조한다.[86] 즉, 다양한 차원에서의 불평등을 해소

---

82) van der Waa J, Verdult S, van den Bosch K, et al. Moral Decision Making in Human-Agent Teams: Human Control and the Role of Explanations. Front Robot AI. 2021;8:640-647.

83) United Nations. Sustainability. https://www.un.org/en/academic-impact/sustainability.

84) UNESCO. "Recommendation on the Ethics of Artificial Intelligence", 2021. https://unesdoc.unesco.org/ark:/48223/pf0000380455./G20 Ministerial Meeting. G20 AI Principles, 2019. https://wp.oecd.ai/app/uploads/2021/06/G20-AI-Principles.pdf.

85) 영국 국가보건서비스(National Health Service: NHS)는 NHS에 도입하는 인공지능 도구의 시스템 평가 항목 중 하나로 비용 대비 이익이 지속가능해야 한다고 제시하고 있다. NHS. Artificial Intelligence: How to get it right, NHS; 2019. https://transform.england.nhs.uk/media/documents/NHSX_AI_report.pdf.

하고 지속가능한 근무환경, 자연환경의 유지를 토대로 보건의료 인공지능이 포괄적 성장을 이뤄낼 수 있을 것으로 기대한다.

현재 보건의료 인공지능의 도입에서 가장 많이 논의되는 지속가능성의 영역은 보건의료 근무환경이다. 보건의료 인공지능의 도입을 통해 환자의 의료 접근성 및 진료 정확성이 개선되어 환자에게 긍정적으로 작용할 것으로 기대되지만 의료상담, 조언, 치료과정에서 의료제공자의 역할에 큰 변화가 일어남에 따라 여러 예상치 못한 문제점을 유발할 수 있다.[87] 특히 보건의료 인공지능 시스템이 의료환경에 성공적으로 도입되기 위해서는 의료제공자가 인공지능을 신뢰하는 것이 중요한 요건이므로 인공지능 시스템이 보건의료환경에 성공적으로 정착되기 위해서는 의료제공자에 미칠 잠재적 영향을 고려하여야 한다.[88] 인공지능 도입으로 인해 의료인들은 자율성이 침해당한다는 생각이 들 수 있으며 요구되는 기술이 변함에 따라 환경에 대한 적응이 어려울 수 있다. 또한 의료인과 환자의 접촉 양상 또한 크게 달라질 수 있으므로 의료인들에게 이에 대한 대비 또한 요구된다. 따라서 근무환경이 지속가능하기 위해 정부 등 보건당국은 의료인이 바뀌는 근무환경에 쉽게 적응할 수 있도록 교육 프로그램을 제공해야 한다. 그와 더불어 인공지능 도입을 이유로 의료인력의 지나친 축소가 일어나지 않도록 감독하는 등 보건의료 직무환경의 지속가능성을 유지, 증진하는 노력이 꾸준히 동반되어야 한다.[89]

의료 인공지능의 발전이 인적, 물적 의료 자원이 넉넉하지 않은 개발도상국의 의료의 질 향상에 기여하여 지속가능한 세계를 만드는 데 큰 기여를 할 것이라는 기대 역시 존재한다. 보건의료 인공지능은 의료에 필요한 비용을 절감하고 의료 접근성을 강화하며 전염성 질환 등 개발도상국에 호발하는 질환의 추적 및 예방에 도움이 될 수 있다.[90] 하지만 인공지능의 활용을 통

86) WHO. "Ethics and Governance of Artificial Intelligence for Health", 2021.
    https://www.who.int/publications/i/item/9789240029200.

87) Academy of Medical Royal Colleges. "Artificial Intelligence in Healthcare", 2019.
    https://www.aomrc.org.uk/wp-content/uploads/2019/01/Artificial_intelligence_in_healthcare_0119.pdf.

88) Nuffield Council on Bioethics. "Artificial Intelligence (AI) in healthcare and research", 2018.
    https://www.nuffieldbioethics.org/publications/ai-in-healthcare-and-research.

89) WHO. "Ethics and Governance of Artificial Intelligence for Health", 2021.
    https://www.who.int/publications/i/item/9789240029200.

90) 비용 절감은 인적자원의 절감뿐 아니라 물적자원의 절감으로도 이어질 수 있다. 예를 들어 안과
    영역에서 인공지능 시스템을 활용할 경우 값비싼 다양한 종류의 안과전문진단기구의 구입을 최소화할
    수 있다. Alami H, Rivard L, Lehoux P, et al. Artificial intelligence in health care: laying the Foundation for

한 개발도상국 의료의 질 향상을 위해서 추가적으로 고려해야 할 사항이 존재한다. 가령 개발도상국에서는 인공지능 알고리즘의 높은 질을 보장하는 인풋 데이터의 확보가 어려울 수 있다. 선진국에서 수집한 데이터를 바탕으로 제작한 보건의료 인공지능은 선진국과는 다른 질병특성을 가진 개발도상국의 건강상태를 반영하지 못할 수 있으며, 부족한 경제적 상황을 고려하지 않는 고비용 치료를 권할 수 있다는 점에서 효용성이 떨어질 수 있다. 또한 개발도상국에서는 윤리적이고 효율적인 의료 인공지능을 관리하는 거버넌스 체계가 미비할 가능성도 있다.[91] 따라서 인공지능의 개발도상국 도입 및 확산 과정에서 이러한 특성에 대해 유념해야 할 필요성이 존재한다.

환경친화적 의료시스템 구축에 보건의료 인공지능이 기여할 수 있을 것이라는 기대도 존재한다. "녹색 생명윤리(green bioethics)"의 관점에서 지속가능한 의료는 미래세대의 잠재적 이익을 희생하지 않는 현세대의 발전으로, 정의의 원칙(principle of justice)에 부합하는 중요한 윤리적 가치이다. 이러한 관점에서 자원의 소비를 절감하는 응급의료 인공지능 트리아지 시스템(triage system)은 녹색생명윤리의 관점에서도 바람직한 인공지능 개발이 된다. 반면 거동이 불편한 환자를 모니터링하는 의료 인공지능에 오류가 발생하여 환자의 부상을 방치한다면 이는 의료적으로도 불량한 인공지능임과 동시에 자원낭비를 유도하는 인공지능에도 해당할 수 있다.[92]

Responsible, sustainable, 46. NHS. Artificial Intelligence: How to get it right. NHS, 2019. https://transform.england.nhs.uk/media/documents/NHSX_AI_report.pdf.

[91] WHO. "Ethics and Governance of Artificial Intelligence for Health", 2021. https://www.who.int/publications/i/item/9789240029200. / G20 Ministerial Meeting. "G20 AI Principles", 2019. https://wp.oecd.ai/app/uploads/2021/06/G20-AI-Principles.pdf. / Alami H, Rivard L, Lehoux P, et al. Artificial intelligence in health care: laying the Foundation for Responsible, sustainable, and inclusive innovation in low- and middle-income countries. Glob Health. 2020;16:52.

[92] Richie C. Environmentally sustainable development and use of artificial intelligence in health care. Bioethics. 2022;36:547-55.

8) 기타 고려해야 할 사항들

a) 의사-환자 관계의 신뢰

보건의료 인공지능이 의사-환자 관계에서 새로운 행위자로 참여하게 되면 의사-환자 관계에도 큰 변화가 일어날 것이라 예측되고 있다. 환자와 의료 인공지능의 접촉이 늘어날수록 실제 의사와의 접촉이 줄어들고 의사-환자 관계에서 얻을 수 있는 특수한 의료적 효용성이 손상될 수 있다는 우려가 존재한다.[93] 따라서 의료 인공지능의 도입으로 인해 변화가 자명한 의사-환자 관계의 신뢰도를 희생시키지 않도록 하는 것 또한 중요하게 거론되는 윤리적 과제이다. EU에서는 보건의료 인공지능이 사생활 침해, 의료접근 불평등 강화, 투명성 손상, 사회적 편향 위험, 의료진의 책임 희석[94], 자동화 편향 유발[95], 의료진의 비숙련화 유도, 책무성의 공백 등 앞서 살펴본 여러 윤리적 문제들을 유발하여 의사-환자 관계의 신뢰수준을 저하할 수 있음을 우려한다. 즉, 보건의료 인공지능의 윤리성을 확보해야 실제 활용에 있어 의사-환자 관계의 신뢰가 유지될 수 있다.[96]

여러 우려에도 불구하고 의사-환자 관계가 기존의 의사의 권위에 기댄 가부장적 모델에서 환자의 질병자기결정 모형으로 바뀌어 가고 있기에 의료 인공지능의 도입이 현재 의료 경향을 크게 바꾸지 않을 것이라는 예측도 존재한다. 또한 의사가 환자의 돌봄 및 감정적 영역에 더욱 집중할 수 있기에 의사-환자 관계는 더 긴밀해질 것이라는 의견 역시 존재한다.[97] 하지만 그럼

---

93) 구체적으로는 의료 인공지능으로 인해 돌봄(care)의 비기계적 측면, 비언어적 측면을 저하시킴으로써 오랜 기간 형성되어 온 전문가의 환자에 대한 맥락화, 역사화된 지식을 무력화할 수 있다는 우려가 존재한다. Bærøe K, Miyata-Sturm A, Henden E. How to achieve trustworthy artificial intelligence for health. Bull World Health Organ. 2020;98:257-62.

94) 의료진과 인공지능이 환자 진료에 있어 역할을 분담하게 됨에 따라 의료진의 책임의식이 감소할 위험이 존재한다.

95) 자동화 경향은 인공지능이 산출한 데이터가 잘못되었을 가능성을 배제할 수 없을 상황에서도 그에 의문을 품지 않는 경향을 의미한다. 자동화 경향으로 인해 AI의 잘못된 결괏값을 정정하지 못하고 과잉 의존함에 따라 환자의 건강이 훼손될 가능성이 있다. Mittelstadt B. "The Impact of Artificial Intelligence on the Doctor-Patient Relationship", 2021. https://rm.coe.int/inf-2022-5-report-impact-of-ai-on-doctor-patient-relations-e/1680a68859.

96) Mittelstadt B. "The Impact of Artificial Intelligence on the Doctor-Patient Relationship", https://rm.coe.int/inf-2022-5-report-impact-of-ai-on-doctor-patient-relations-e/1680a68859.

97) Nuffield Council on Bioethics. "Artificial Intelligence (AI) in healthcare and research", https://www.nuffieldbioethics.org/publications/ai-in-healthcare-and-research.

에도 의사-환자관계에서 환자의 취약성은 여전히 존재하며 따라서 의사에게는 여전히 (선량한 관리자의) 주의 의무(fiduciary duty)가 존재한다고 할 수 있다.[98] 이러한 우려를 불식시키기 위해 유럽의회 연구기구에서는 전체적으로 돌봄의 질 수준을 높이는 목표 아래 보건의료 인공지능 개발 및 사용자와 환자 사이의 적절한 가치균형을 이루어야 한다고 권고한다.[99]

b) 대중 신뢰, 다자 참여와 협력

현시점에서 보건의료 인공지능 개발은 민간기업에 의해 주도되고 있다. 인공지능 개발자들이 환자의 빅데이터를 수집하고 임상시험을 하고 규제당국의 의료기기 허가를 받는 과정에서 일반 대중들의 참여가 이루어질 여지는 대단히 적다. 이러한 상황은 민간기업이 환자 데이터에 접근하고 이를 통해 수익을 얻는 것에 대한 대중의 거부감을 유발할 수 있다.[100] 만약 인공지능 시스템이 공공의 이익에 부합하지 않는다는 느낌을 받게 되면 환자들이 자신의 정보를 제공하기를 꺼릴 수 있다는 점에서 대중들의 참여 가능성은 윤리적 관점 그리고 의료 인공지능의 정확성 관점 모두에 중요하다 할 수 있다.

인공지능을 제작하는 과정에서 민간기업이 정부가 가진 데이터를 활용하는 등 여러 방면에서 공공-민간 파트너쉽(public-private partnership)이 형성된다. 이러한 파트너쉽과 관련된 정보는 대중들에게 투명하게 공개될 필요가 있으며, 그 과정에 대해 대중들 역시 참여할 수 있어야 한다. 특히 이러한 파트너쉽은 개인과 공동체의 권리의 보호에 적극적으로 참여하여야 하며 제작된 인공지능으로 인한 이익이 모두에게 공유될 수 있도록 하여야 한다.[101]

공공-민간 파트너쉽 운영은 유연한 거버넌스와 협력을 필요로 한다. UNESCO는 유연한 거버넌스와 협력을 통해 인공지능 시스템 생애주기에 다양한 이해당사자가 참여하여 포괄적 개

---

[98] 14Mittelstadt B. "The Impact of Artificial Intelligence on the Doctor-Patient Relationship", https://rm.coe.int/inf-2022-5-report-impact-of-ai-on-doctor-patient-relations-e/1680a68859.

[99] 15European Parliament Research Service. "Artificial Intelligence in Healthcare: Applications, Risks, and Ethical and Societal Impacts", https://www.europarl.europa.eu/thinktank/en/document/EPRS_STU(2022)729512.

[100] Nuffield Council on Bioethics. "Artificial Intelligence (AI) in healthcare and research", 2018. https://www.nuffieldbioethics.org/publications/ai-in-healthcare-and-research.

[101] WHO. "Ethics and Governance of Artificial Intelligence for Health", 2021. https://www.who.int/publications/i/item/9789240029200.

발이 가능해야 한다고 지적한다. 여기서 이해당사자는 개발자 및 의료종사자 뿐 아니라 시민사회, 연구자 및 학자, 미디어, 교육계, 정책입안자를 포함하며, 제3의 이해당사자102)가 등장할 가능성 또한 염두에 둘 필요가 있다. 103)

4. 윤리원칙을 어떻게 적용할 것인가? 숙의 과정을 통한 윤리원칙 수렴과 상충 해결 모색

앞서 본문에서 저자들은 투명성(설명가능성, 해석가능성)의 가치는 의료 인공지능의 정확성과 상충관계에 있으며, 또한 데이터 수집 과정에서 사생활 보호의 가치를 위해 정보수집동의를 구할 경우 인공지능의 학습데이터 양에 제약을 가하기에 정확성의 가치와 상충관계에 있음을 보였다. 그 외에도 다양한 윤리 가치를 준수하기 위한 개발과정에서의 추가적인 고려는 인공지능 제작의 비용을 상승시킴에 따라 의료 인공지능 개발로 인한 잠재적 건강 이익을 감소시킬 가능성을 가지고 있다. 이처럼 다양한 가치의 상충을 어떻게 판단하고 합의점을 찾을 것인가는 컨센서스 페이퍼 마련 및 인공지능 거버넌스 구축에서 중요한 문제이다.

상충되는 가치 간의 합의점을 마련하고 컨센서스를 구축하기 위해서 윤리 및 인공지능 전문가들의 의견을 청취하고 일반인의 여론을 수렴하고 숙의 과정을 통해 도출하는 것은 필수적이다. 그러나 전문가들의 의견을 파악하는 과정은 상대적으로 원활히 이루어질 수 있으나, 다양한 시민의 의견을 듣고 이를 반영하는 것은 상대적으로 어렵다. 하지만 의료는 시민의 건강에 직결되고, 사회적으로도 큰 관심을 받는 분야이며, 집단별로 중시하는 가치가 다를 수 있기 때문에 여론 수렴과 컨센서스 형성은 매우 중요하다.

---

102) 보건의료 현장에 인공지능이 도입됨에 따라 의료 인공지능을 기획하고 생성하며 적용하고 이를 관리하는 새로운 의료전문가가 등장할 수 있다. 이처럼 새로운 전문가 집단의 출현은 기존의 의사-환자 관계의 윤리로 포괄되지 못하는 윤리 문제를 야기할 수 있으며, 각각의 전문가들이 환자와 맺는 관계들에 관한 윤리 문제가 고민되어야 할 필요가 있다는 지적이 존재한다. 필자들은 기본적으로 인공지능의 등장으로 말미암아 보건의료 분야에서 환자에게 지켜져야 할 가치가 달라져야 한다고 보지는 않는다. 그러나 보건의료서비스 전달에 있어 영역별로 새로운 전문가군이 형성될 수 있음은 주지할 만한 부분이며, 각 전문가군이 어느 정도 수준으로 윤리성을 책임질 수 있는지, 이것이 전체적으로 관리될 수 있을지는 고려되어야 할 필요가 있다.

103) UNESCO. "Recommendation on the Ethics of Artificial Intelligence", 2021.
https://unesdoc.unesco.org/ark:/48223/pf0000380455.

혹자는 윤리 원칙의 바람직한 균형점을 찾기 위해 일반인의 의견 청취를 포함하는 숙의 과정이 반드시 필요한지 의문점을 가질 수 있다. 일정한 수준 이상의 지식을 갖춘 학자나 전문가가 윤리 원칙을 다루기에 도리어 적절하다고 보는 것이다. 그러나 생명윤리 및 의료윤리 영역의 의사 결정은 전문가뿐만 아니라 공론의 영역에서 다양한 가치와 관점을 지닌 이해당사자들을 포괄해야 함을 원칙으로 삼고 있으며, 숙의민주주의는 중요한 도구이자 방법론이 되어 왔다.[104] 그리고 그 원칙과 방법론에 관하여 공적 생명윤리(public bioethics)라는 주제로 다양하게 다루고 있다.[105] 공공 숙의(public deliberation)는 낙태나 안락사 등의 쟁점이 첨예한 생명윤리 이슈 외에 백신 정책, 의료자원 우선 적용 문제 등 윤리적 상충점이 존재하는 의료 및 공중보건 문제들로 적용이 확대되고 있다.[106] 또한 이들 문제에 관하여 공공 숙의 방법론이 객관적이고 합리적이며 유용하다고 평가되어 왔다.[107] 윤리적 가치의 상충 가능성이 크게 존재하는 인공지능 개발과 적용 또한 예외가 되기 어렵다. 공공 숙의 접근법은 어떠한 가치를 우선할지, 어떻게 가치의 균형점을 찾으며 인공지능을 개발할 것인지를 결정함에 있어 유용할 수 있다. 누필드 재단에서도 AI 영역의 윤리 사회적 함의 연구 로드맵을 제안하면서 1) AI 테크놀로지가 상호 다른 가치를 지지하거나 위협할 수 있는 윤리적 긴장을 파악하고 해결할 것, 그리고 2) 윤리 사회적 이슈 토론을 위해 보다 확고한 근거를 구축할 것을 제안하며 이를 위해 기존의 공적 숙의 기구를 활용할 것을 덧붙이고 있다.[108]

---

[104] 이일학, "규제에서 소통으로: 국가생명윤리심의위원회의 변화에 관한 제언", 「생명, 윤리와 정책」, 2017;1(2):1-18

[105] 공적 생명윤리(public bioethics)는 생명윤리심의위원회 등 공공 숙의 기구를 통한 생명윤리 영역 의사 결정을 지칭한다. 그 원칙과 적용에 관해서는 Childress의 글, Kelly의 글 등을 참조할 것. Childress J. Public Bioethics: Principles and Problems. New York: Oxford University Press, 2020. / Susan EK. Public Bioethics and Publics: Consensus, Boundaries, and Participation in Biomedical Science Policy. Science, Technology and Human Values 2003; 28 (3):339-364

[106] O'Doherty KC, Crann S, Bucci LM, Burgess MM, Chauhan A, Goldenberg MJ, McMurtry CM, White J, Willison DJ. Deliberation on Childhood Vaccination in Canada: Public Input on Ethical Trade-Offs in Vaccination Policy. AJOB Empirical Bioethics. 2021;12(4):253-65 / Schindler M, Danis M, Goold SD, Hurst SA. Solidarity and cost management: Swiss citizens' reasons for priorities regarding health insurance coverage. Health Expect. 2018;21(5):858-869

[107] Manafò E, Petermann L, Vandall-Walker V, Mason-Lai P. Patient and public engagement in priority setting: A systematic rapid review of the literature. PLoS One. 2018;13(3):e0193579.

[108] Whittlestone J, Nyrup R, Alexandrova A, Dihal K, Cave S. "Ethical and societal implications of algorithms, data, and artificial intelligence: a roadmap for research." Nuffield Foundation. 2019.

보건의료 영역 AI의 윤리 원칙 결정에 관하여 전문가들의 의견만으로 윤리 원칙을 적용하기 어려움을 예상하고 이를 극복하기 위한 한 예로 2019년 영국 맨체스터 대학 연구팀의 시민 배심원(Citizens' Juries) 연구를 들 수 있다.[109] 연구팀은 시민 배심원을 구성하여 일반 시민들이 보건의료 인공지능의 설명가능성과 정확성이 상충되는 상황에서 어느 쪽을 더 중요시하는지에 대한 평가를 실시하였다. 이를 위해 18명의 다양한 배경을 가진 시민 배심원으로 구성된 두 팀을 선정하고 이들 간의 논의와 투표 과정을 관찰하였다. 특히 이 연구에서는 보건의료에서의 인공지능 활용과 다른 맥락에서의 활용을 구분하였고, 각 상황에서 설명가능성이 강화된 인공지능, 두 가치를 함께 고려한 인공지능, 그리고 정확성이 강화된 인공지능 세 가지 중 선호하는 시스템을 선택하도록 하였다. 이 과정에서 보건의료의 맥락과 그렇지 않은 맥락에서 선호하는 가치에 대한 차이가 존재하는지의 여부도 확인하고자 하였다.

위 조사의 결과 보건의료 상황의 경우 시민들이 설명가능성보다는 정확성의 가치를 중요시하는 것이 드러났다. 이는 일반적인 상황의 경우 두 가치를 비슷하게 평가하거나, 혹은 설명가능성을 중요시하는 것과는 차이가 있었다. 특히, 이 연구에서는 전문가들이 예상했던 것에 비해 시민들이 설명가능성의 가치에 비해 정확성의 가치를 높게 평가하고 있음이 지적되었다. 이는 전문가들을 통한 의견 수렴만으로는 보건의료 인공지능에 대한 대중의 평가를 파악하기 어려움을 시사하고 있다. 따라서 이러한 결과는 한국에서도 유사한 방식의 과정을 통해 심층적으로 시민들의 의견을 파악할 필요성을 드러낸다.

인공지능이 상호 다른 가치로 빠르게 개발될 가능성이 존재하는 현 상태에서 공동의 가치를 사회적으로 합의하고 어떤 가치를 우선할 것인지 거버넌스를 구축하는 것은 매우 필수적이다. 보건의료 영역에서는 의견 수렴과 함께 공론 조사, 숙의 토론 등을 바탕으로 한 숙의 메커니즘이 도입될 필요가 있다. 그리고 그 결정의 근거를 제공할 수 있을 만한 기술의 실현가능성, 효과, 대중 참여 방법론 등에 대한 광범위한 연구가 필요하다. 이는 인공지능을 개발하는 개발자뿐 아니라 보건의료영역의 다양한 당사자, 관련 정책들을 결정하는 정책결정권자들 모두에게 그 필요성에 대한 공감대가 확대되어야 할 것이다.

---

109) Van Der Veer SN, Riste L, Cheraghi-Sohi S, et al. "Trading off accuracy and explainability in AI decision-making: findings from 2 citizens' juries. J Am Med Inform Assoc. 2021;28:2128-38.

III. 결론

11개의 국외 보건의료 인공지능 윤리 가이드라인의 분석을 통해 다수 문헌에서 언급한 의료 윤리영역 인공지능 활용에서의 윤리적 영역, 키워드, 가치. 원칙(Ethical Domain, Keyword, Value, Principle) 등을 선별할 수 있었다. 이를 바탕으로 데이터 수집, 임상 환경, 사회 환경 등 3가지 영역에 대응하는 인간에 대한 존중, 책무성, 지속가능성의 테마를 도출할 수 있었다. 마지막으로 각 영역과 테마에 해당하는 핵심 윤리 키워드들을 제시하고 각 키워드에 대한 자세한 설명을 하고자 하였다.

현시점에서 보건의료영역 인공지능의 활용에 있어 여러 이견들이 해소되지 않고 있다. 딥러닝 인공지능 개발에 빅데이터를 활용하는 데 있어 사생활 보호의 원칙을 얼마나 완화할 수 있는가의 문제, 그리고 책무성의 공백의 문제 등에서 확인할 수 있듯이 여러 윤리적 원칙들이 상충(trade-off) 관계에 있음을 확인할 수 있었다. 이러한 이견들은 윤리적 차원뿐 아니라 법적, 기술적 차원에서 또한 논의가 되어야 하는 문제이다.

모든 이해 관계자들의 숙의 과정을 통한 컨센서스는 인공지능의 윤리적 활용을 위한 필수적인 조건이다. 법적, 기술적, 윤리적 컨센서스 없는 의료 인공지능의 광범위한 확산은 환자의 건강을 위협하는 등 여러 차원의 사회 문제를 유발할 수 있다. 또한 법적, 윤리적 불확실성으로 인해 인공지능의 개발 및 활용을 저해함에 따라 보건의료 인공지능의 도입으로 얻을 수 있는 여러 혜택을 누리지 못할 가능성이 있다.

이번 연구에서는 문헌들이 제시한 윤리적 개념에 대한 이슈, 원칙, 그리고 적용에 대한 구체적인 설명을 하는 데 집중하였다. 현재 국내에서는 보건윤리영역 인공지능의 원칙을 다루는 컨센서스 페이퍼가 부재한 상황이다. 주요 국외 보건윤리 인공지능 가이드라인에 제시된 개념을 설명하고 향후 공론 조사 등을 통한 컨센서스 형성을 제안한 이번 연구가 향후 사회적 합의 도출에 도움이 되기를 바란다.

제 9 장

유럽의 인공지능 규제법과
생명과학에 대한 영향

최정윤 (Covington & Burling LLP, Brussels 변호사)

생명의료법연구소

9

유럽의 인공지능 규제법과 생명과학에 대한 영향

최정윤 (Covington & Burling LLP, Brussels 변호사)

Ⅰ. 머리말

유럽연합(이하 EU)의 AI 규제법은 EU가 AI 시스템을 규제하기 위해 채택한 획기적인 법률이다.[1] 이 법은 여러 산업을 한 번에 규제할 수 있도록 하는 "수평적" 규제이다. 또한 지침(directive)이 아닌 규정(regulation)으로서 회원국에 직접적인 구속력이 있으며, 국내법으로 전환할 필요 없이 27개 EU 회원국 전체에 직접 적용되는 법이다.[2] 이 법의 입법 초기 단계에서는 EU가 AI 규제와 관련하여 각 산업 분야별 개별 접근 방식을 취할 것인지, 구속력 있는 접근 방식을 취할 것인지에 대한 열띤 논쟁이 있었다. 이에 대하여 EU 의원들은 가장 야심 찬 결

---

[1] Regulation of the European Parliament and of the Council laying down harmonised rules on artificial intelligence and amending Regulations (EC) No 300/2008, (EU) No 167/2013, (EU) No 168/2013, (EU) 2018/858, (EU) 2018/1139 and (EU) 2019/2144 and Directives 2014/90/EU, (EU) 2016/797 and (EU) 2020/1828 (Artificial Intelligence Act) (이하 AI규제법).

[2] 유럽연합 회원국 내에서 '규정'은 직접 적용이 가능한 반면, '지침'은 직접 적용이 불가능하며 회원국 국내규정으로 바꾸어 적용하여야 한다.

정을 내렸는데, 그것은 수평적이고 구속력 있는 AI 규제 방식을 채택한 것이다.

이 글에서는 생명과학 분야에서 사용되는 AI 시스템에 초점을 두고 EU AI규제법이 구상하는 전반적인 규제 프레임워크를 소개하고자 한다. 그리고 (1) AI 의료기기, (2) 응급 치료를 위해 환자를 분류하는 AI 시스템, (3) 디지털 의료 애플리케이션의 챗봇, (4) 신약 개발에서의 AI 등 생명과학 분야에서 사용되는 사례에 이 법이 어떻게 적용될 것인지 개괄적으로 논의할 것이다. 또한 생명과학 분야에서 활동하는 기업에서 발생할 수 있는 실질적인 문제와 관련된 AI규제법의 자세한 측면과 추가적인 규제 지침 및 설명이 필요한 부분을 짚어보는 것으로 마무리하고자 한다.

II. EU AI규제법의 전체적인 틀

EU AI규제법은 2024년 8월 1일 발효될 예정이며, 6개월 뒤부터 금지 대상 AI 규정을 우선 시행하고, 2026년 중반부터 전면 시행 예정이다. 이 법은 건강, 안전, 기본적 인권을 보호하는 방식으로 EU에서 AI의 개발, 사용 및 배포에 대한 통합규칙을 수립한다.

AI규제법은 'AI 시스템'에 적용되며, 'AI 시스템'은 아래와 같이 정의된다:

> "다양한 수준의 자율성을 가지고 작동하도록 설계된 기계기반 시스템으로, 이용 단계에서 적응성을 가지며, 명시적 또는 암묵적 목적을 위해 수신되는 데이터로부터 물리적 또는 가상 환경에 영향을 미칠 수 있는 예측, 콘텐츠, 추천, 결정과 같은 산출물을 어떻게 생성하는가를 추론하는 소프트웨어."(제3조 제1항).

'AI 시스템'의 이러한 정의는 OECD의 AI 정의와 유사하다.[3] 이 정의는 의도적으로 광범위하며, 특히 머신러닝, 딥러닝, 강화 학습, 기계 추론 및 자동화된 로봇 공학을 포함한 컴퓨터 기반 시스템의 많은 접근 방식과 기술을 포괄한다.[4]

---

[3] OECD. AI, OECD AI Principles overview 및 AI terms & concepts, (https://oecd.ai/en/ai-principles).

[4] AI 정의에 대한 유럽의회의 접근방식은 "European Commission, A definition of Artificial Intelligence:

AI규제법은 제공자(개발자), 배포자, 수입업체, 유통업체, 제조업체 및 이들 기업의 대표 등 AI 공급망의 다양한 당사자에게 다양한 의무를 부과한다. 이 글에서는 AI 시스템의 제공자 및 배포자에게 적용되는 의무에 초점을 맞출 것이다.

이 법은 다른 EU 기술 규제(GDPR 등)와 유사하게 역외 적용이 된다. 즉, AI 규제법 적용 대상은 (1) 설립 지역에 관계없이 EU 시장에 AI 시스템을 배포하거나 EU에서 서비스를 제공하는 제공자, (2) EU에서 설립된 AI 시스템의 배포자, (3) AI 시스템에서 생성된 결과물을 EU에서 사용되는 AI 시스템의 제공자 및 배포자 등을 포함한다.

AI규제법의 전체적인 구조는 다음과 같다:

- 금지대상 AI 시스템 목록 (제5조);
- 고위험 AI 시스템을 분류하고 이에 대한 일련의 강화된 의무 부과 (제6조-49조);
- 개인과 직접 상호 작용하거나 현실감 있는 콘텐츠를 생성할 수 있는 시스템 ("딥페이크"라고도 함)과 같은 일부 "제한된 위험" AI 시스템에 투명성 의무 부과 (제50조);
- "범용 AI 시스템"에 적용되는 의무 명시 (제51조-56조);
- 규제 샌드박스를 통한 혁신 지원 방안 소개 (제57조-63조);
- 시장 모니터링, 감시, 집행 및 행동 강령을 포괄하는 EU 및 회원국 차원의 거버넌스 시스템 구축 (제64조-101조).

AI규제법은 대부분의 조항에 대해 2년의 유예기간을 정하고 있지만, 금지 대상 AI 규정은 6개월 후, 범용 AI 시스템과 EU AI규제법의 거버넌스 프레임워크와 관련된 규정은 1년 후, 고위험 AI 시스템과 관련된 규정은 3년 후에 적용된다. AI규제법은 AI규제법 적용 이전(즉, 2027년 6월)에 시장에 출시된 고위험 AI 시스템에 대해서는 AI규제법을 적용하지 않는다고 명시하고 있지만[5], 해당 날짜 이후 AI 시스템에 "중대한 변경"[6]이 있는 경우에는 AI규제법이

---

main capabilities and scientific disciplines (December 18, 2018)" (https://digital-strategy.ec.europa.eu/en/library/definition-artificial-intelligence-main-capabilities-and-scientific-disciplines).

[5] AI규제법 제111조 2항.

[6] AI규제법 전문 177조는 "중대한 변경(substantial modification)"의 개념을 "실질적인 수정"과 동일한 개념으로 이해해야 함을 명확히 하고 있다. 동법 제3조 제23항은 "중대한 변경"을 "AI 시스템이 시장에 출시되거나 서비스에 투입된 후 발생한 변경으로 제공자가 수행한 최초 적합성 평가에서 예측히거나 계획

적용된다.

　AI규제법에 따르면 회원국은 적어도 하나의 인증감독기관(notifying authority)과 하나의 시장감시기관(market surveillance authority)을 해당 회원국의 국가권한기관(national competent authority)으로 지정하도록 규정하고 있다.[7] AI규제법은 이러한 규제기관들에 광범위한 권한을 부여한다. 예를 들어, 시장감시기관은 제공자에게 AI 시스템과 관련된 문서, 학습, 검증 및 테스트 데이터에 대한 접근을 요청하고 이를 확보할 수 있는 권한을 갖는다.[8] 또한, 시장감시기관의 요청이 있을 때에는 제공자는 시장감시기관에 (i) 고위험 AI 시스템 요구사항의 충족을 평가하기 위해 필요하고, (ii) 테스트, 감사 및 검증만으로는 불충분한 것으로 판명된 경우, AI 시스템의 소스 코드에 대한 접근을 허용해야 한다.[9] AI규제법을 준수하지 않을 경우, 즉 (i) 금지 대상 AI 규정을 위반한 경우 전 세계 연간 총매출액의 7% 혹은 최대 3,500만 유로의 벌금이 부과될 수 있으며(둘 중 더 높은 금액), (ii) 기타 의무를 위반한 경우 전 세계 연간 총매출액의 3%, 혹은 최대 1,500만 유로, (iii) 통보된 기관 및 국가 권한 기관에 잘못된 정보를 제공한 경우 전 세계 연간 총매출액의 1%, 혹은 최대 750만 유로의 벌금이 부과될 수 있다.[10] 회원국은 경고 및 비금전적 조치를 포함한 추가 페널티를 부과할 수도 있다.

　기업이 AI규제법을 위반하는 경우 누구나 관련 시장감시기관에 민원을 제기할 수 있다. AI규제법 자체는 AI 시스템으로 인한 피해에 대한 책임 문제에 대해 침묵하고 있지만, AI규제법은 (향후 입법될) AI 책임지침(AI Liability Directive)과 함께 작동될 것이다.[11] AI 책임지침은 AI 시스템에 대한 손해배상 소송에서 입증 책임, 관련 증거에 대한 접근과 관련된 절차적 규정을 통일할 것이다. AI 책임지침은 아직 채택되지 않았으며, 그 성격이 규정(regulation)이 아

　　하지 않았던 것이고, 그 결과 제3장 제2절에 명시된 요건에 대한 AI 시스템의 충족 여부에 영향을 주거나 AI 시스템의 평가 당시의 사용 목적에 변경을 초래하는 것"으로 정의하고 있다.

7) AI규제법 제70조 제1항.

8) AI규제법 제74조 제12항.

9) AI규제법 제74조 제13항.

10) AI규제법 제99조.

11) "Proposal for a DIRECTIVE OF THE EUROPEAN PARLIAMENT AND OF THE COUNCIL on adapting non-contractual civil liability rules to artificial intelligence (AI Liability Directive)", COM/2022/496 final (September 28, 2022) (https://eur-lex.europa.eu/legal-content/EN/TXT/?uri=CELEX%3A52022PC0496).

닌 지침(directive)이기 때문에, 효력을 발휘하려면 개별 EU 회원국의 법률로 도입되어야 한다. AI책임지침이 적용되기 시작하면 AI규제법과 함께 EU에서 AI 시스템의 안전과 책임을 모두 다루는 포괄적인 AI 규제 프레임워크를 구성하게 될 것이다.

III. 생명과학분야에서의 사용 사례에 대한 EU AI규제법의 적용

1. AI 의료기기

EU에서는 Medical Device Regulation(MDR)[12]이 의료기기를 규제하는 근거 법령인데, 여기에는 AI요소가 적용된 소프트웨어 의료기기가 포함된다. AI규제법은 그 자체가 의료기기인 AI 시스템 또는 MDR에 따라 규제되는 의료기기의 안전 장치 역할을 하는 AI 시스템에 추가 의무를 부과하는 방식으로 MDR에 적용된다. AI 의료기기에 적용되는 AI규제법 조항은 AI규제법 발효 3년 후인 2027년 6월부터 적용될 예정이다.

AI규제법은 부속서 I과 III에 "고위험"으로[13] 간주되는 AI 시스템을 한정적으로 열거하고 있다. 제6조 1항에 따르면, 다음 두 가지 조건이 모두 충족되는 경우 AI 시스템은 "고위험"으로 간주된다: (i) AI 시스템이 부속서 I에 나열된 EU 통합 법률의 적용을 받는 제품의 안전장치로 사용되거나 AI 시스템 자체가 부속서 I에 나열된 EU 통합 법률의 적용을 받는 제품; (ii) (i)항에 언급된 제품/안전장치가 AI규제법 부속서 I에 나열된 EU 통합 법률에 따라 해당 제품의 시장 출시 또는 서비스 투입을 위해 제3자 적합성 평가를 받아야 하는 경우이다. 그런데 MDR은 AI규제법 부속서 I에 나열되어 있다. 즉 MDR에 따라 제3자 적합성 평가를 거쳐야 하는 의

---

[12] Regulation의료기기(EU) 2017/745 on medical devices.

[13] 여기에는 이미 안전에 관한 EU 통합 법률의 적용을 받는 제품(예: 기계, 장난감, 엘리베이터, 의료기기 등), 다른 EU 법률의 적용을 받는 제품(예: 자동차, 민간 항공, 해양 장비 등), 특정 상황 또는 특정 목적(예: 생체인식, 교육 또는 직업 훈련 등)에 사용되는 AI 시스템이 포함되며, 이러한 제품에는 안전 구성요소인 AI 시스템도 포함될 수 있다.

료기기는 AI규제법에 따라 "고위험"으로 간주되어 강화된 의무가 적용된다.

AI규제법에 따른 절차적 의무 중 상당수는 제조업체가 MDR에 따라 준수해야 하는 의무와 중복되며, AI규제법도 이를 인지하고 있다. 예를 들어, AI 의료기기의 경우 AI규제법 준수를 위해 필요한 제3자 적합성 평가(conformity assessment)는 MDR에서 요구하는 것과 동일하며, AI규제법상의 실질적 의무 준수 여부도 MDR에 따른 평가의 일부를 구성하게 될 것이다.[14] 또한 AI규제법에서 요구하는 위험 관리 시스템(risk management system) 및 품질 관리 시스템(quality management system)은 MDR에서 요구하는 위험 관리 시스템 및 품질 관리 시스템과 결합되거나 그 일부를 구성할 수 있다.[15] 그리고 MDR에 따른 고위험 AI 시스템의 경우,[16] 제공자는 MDR과 AI규제법의 목적을 위해 단일 기술 문서 세트를 작성해야 한다. CE 마크의 경우, 부착된 CE 마크에는 AI규제법과 MDR을 모두 준수함을 표시해야 한다. [17] MDR에 따른 고위험 AI 시스템 제공업체는 AI규제법에서 요구하는 시판 후 모니터링 시스템(post-market monitoring system)을 MDR에서 수립한 시판 후 모니터링 시스템과 통합할 수 있다.[18]

AI 의료기기 제조업체는 MDR에서 준수해야 하는 기존 절차를 발판 삼을 수 있지만, AI규제법 제3장 제2절에 명시된 일련의 실질적인 의무를 준수해야 한다. 이러한 실질적 의무는 크게 다음과 같은 사항을 요구한다:

- 데이터 및 데이터 거버넌스(제10조): 훈련에 사용되는 데이터가 적절한 데이터 거버넌스 및 관리 관행, 편향성 감지 및 보정 등 구체적 기준을 충족하는지 확인해야 함.
- 기록 보관(제12조): 고위험 AI 시스템이 시스템의 전체 수명 기간 동안 자동으

---

[14] AI규제법 제43조 제3항.

[15] AI규제법 제9조 제1항과 제17조 3항.

[16] AI규제법에 따르면 MDR에 의한 제3자 적합성 평가를 받아야 하는 의료기기는 AI규제법에서 고위험으로 간주하지만, MDR에서는 고위험 의료기기에 대한 정의를 별도로 두고 있고 그 범위는 제3자 적합성 평가를 받아야 하는 의료기기의 일부에 불과하다. 즉, AI규제법에서 고위험으로 분류하는 의료기기의 범위가 MDR에서 고위험으로 분류하는 의료기기의 범위보다 넓어진다.

[17] AI규제법 제11조 제4항.

[18] AI규제법 제72조 제4항.

로 로그를 기록할 수 있는 기술적 역량을 갖추고 있는지 확인하고, 기술 로그에는 다음과 관련된 사항이 기록되어야 함: (i) 위험 또는 상당한 변경 사항 식별, (ii) 시판 후 모니터링의 용이성, (iii) 배포자에 의한 AI 시스템의 작동 모니터링 가능성.

- 투명성(13조): 제공자와 배포자가 각자의 의무를 준수하고 배포자가 시스템 결과물을 해석할 수 있도록 AI 시스템 운영이 충분히 투명하게 이루어지도록 보장해야 함. 또한 제공자는 법이 정한 최소한의 정보를[19] 포함하여 간결하고 완전하며 정확하고 명확한 사용 지침을 AI 시스템과 함께 제공해야 함.
- 인적 감독(제14조): 고위험 AI 시스템을 사용하는 동안 사람이 감독할 수 있는 방식으로 구축되어야 함.
- 정확성, 견고성 및 사이버 보안(제15조): 고위험 AI 시스템이 수명 주기 동안 적절한 수준의 정확성, 견고성 및 사이버 보안을 달성하도록 보장해야 함.

이러한 의무 가운데 기록 보관, 투명성, 견고성 및 사이버 보안 등 일부는 이미 MDR에 따라 적용되는 의무와 일부 중복되지만 AI규제법이 이를 확장한다. 예를 들어, MDR에서도 제조업체는 의료기기 사용 지침을 제공해야 하지만 AI규제법에서는 추가적인 규정 준수 요소가 추가된다. 데이터 품질 및 데이터 거버넌스, 인적 감독과 관련된 의무 등은 의료기기 제조업체가 해결해야 할 새로운 의무이다. 업계 표준과 기술 벤치마크가 시간이 지나면서 발전할 것으로 예상되지만, 그전까지는 이러한 실질적인 의무를 어떻게 준수할 것인가를 놓고 고민을 겪을 것으로 예상된다.

2. 응급 치료 목적 '환자 분류' AI 시스템

AI 의료기기처럼 환자에게 의료 서비스를 제공하는 데 AI를 사용하는 것 외에도 생명과학 분야에서 AI를 활용할 수 있는 또 다른 방법은 병원 진료의 부수적인 측면을 개선하여 효율성을 높이는 것이다. 병원에서는 이미 환자의 전자 의무 기록을 관리하고 분석하는 등 다양한 업무에 AI를 사용하고 있으며, 응급 치료 중인 환자를 분류하는 데에도 AI를 활용하고 있다. "환

---

[19] AI규제법 제13조 제1항.; 최소한의 정보 요건에는 고위험 AI 시스템의 의도된 목적, 정확도 수준, 건강 및 안전 또는 기본권에 위험을 초래할 수 있는 알려진 또는 예측 가능한 모든 상황, 학습 데이터와 관련된 사양, 고위험 AI 시스템의 결과물을 설명하고 해석하기 위한 정보 등이 포함된다.

자 분류(triage)"는 질병 상태의 심각도에 따라 환자의 우선순위를 정하고 그 수준에 가장 적절한 임상 치료를 받을 수 있도록 하는 절차를 말한다.[20] 환자 분류 시스템이 얼마나 효율적이냐가 일부 환자의 생사를 가를 정도로 치료 결과에 큰 차이를 만들 수 있다.[21] 한편, 응급실 분류 시스템에서 성별, 인종, 민족 간 불평등이 관찰될 수 있다는 연구 결과가 보고된 바 있으며,[22] 이러한 편향적 데이터를 인코딩하고 확대시키는 AI에 대한 우려가 제기되고 있다. AI규제법은 이러한 우려를 인식하고 있다. AI규제법은 환자의 응급 전화를 평가 및 분류하거나 의료 지원을 포함한 응급 대응 서비스의 출동 결정 또는 출동 우선순위를 결정하는 데 사용되는 AI 시스템, 그리고 응급 의료 환자 분류 시스템을 '고위험' AI 시스템으로 분류하고 있다.[23]

여기서 주목할 점은 (위에서 설명한) AI 의료기기는 AI규제법의 부속서 I에 따라 고위험으로 분류되는 반면, 응급 의료 환자 분류 시스템에 사용되는 AI 시스템은 부속서 III에 따라 고위험으로 분류된다는 점이다. 부속서 I과 부속서 III에 나열된 고위험 AI 시스템은 모두 다음과 같은 의무를 준수해야 한다:

- 고위험 AI 시스템 제공자는 여러 가지 실질적인 의무를 준수하고, 적합성 평가를 받아야 하며, 품질 관리 시스템을 갖추고, 기술 문서와 로그를 보관하며, 위원회가 관리하는 EU 데이터베이스에 고위험 AI 시스템을 등록해야 한다. 또한 제공자는 고위험 AI 시스템이 AI규제법에 정의된 고위험 AI 시스템에 적용되는 요건 (예: 위험 관리 시스템, 데이터 및 데이터 거버넌스, 기술 문서, 기록 보관, 투명성, 인적 감독, 정확성, 견고성 및 사이버 보안)을 충족하는지 확인해야 할 책임이 있다. 또한, 시판 후 모니터링 시스템을 구축하고 이를 문서화하며, 심각한 사고가 발생한 회원국의 시장감시기관에 보고해야 한다.
- 고위험 AI 시스템 배포자는 제공자가 제공한 사용 지침에 따라 고위험 AI 시스템을

---

20) Love RA, Murphy JA, Lietz TE, Jordan KS. "The effectiveness of a provider in triage in the emergency department: a quality improvement initiative to improve patient flow." Adv Emerg Nurs J. 2012;34(1):65 등.

21) Adam, H., Balagopalan, A., Alsentzer, E. et al. "Mitigating the impact of biased artificial intelligence in emergency decision-making." Commun Med 2, 149, 2022.

22) Mehul D. Patel, Peter Lin, Qian Cheng, Nilay T. Argon, Christopher S. Evans, Benjamin Linthicum, Yufeng Liu, Abhi Mehrotra, Laura Murphy, Serhan Ziya. "Patient sex, racial and ethnic disparities in emergency department triage: A multi-site retrospective study." The American Journal of Emergency Medicine, Vol. 76, 2024, pp. 29-35.

23) 부속서III, 제5조의 (d).

사용하고, 감독하는 사람은 필요한 역량, 교육, 권한을 갖춰야 하며, 고위험 AI 시스템의 운영을 모니터링하고, 제공자 및 관련 당국에 심각한 사고를 보고하며, 고위험 AI 시스템에서 자동으로 생성되는 로그를 보관해야 한다. 또한 배포자는 채용, 신용평가 등의 결정을 내리는 데 고위험 AI 시스템을 사용하는 경우 이를 상대방에게 알려야 한다. 일부 고위험 AI 시스템 배포자는 기본권 영향 평가를 수행해야 한다.

부속서 I에는 MDR과 같은 다수의 제품 안전에 관한 기존 EU 법령이 나열되어 있는데, 이들 법령에는 AI규제법이 정한 AI 규제와 중복되는 제품 규제 절차적 프레임워크가 이미 존재한다. 이와는 대조적으로 부속서 III에 명시된 고위험 AI 시스템은 기존의 시장 접근 및 시장 감시 규제 프레임워크의 적용을 받지 않는다. 즉, 부속서 III에 따른 고위험 AI 시스템의 제공자와 배포자는 AI규제법 준수를 위해 활용할 수 있는 기존 프로세스(내부적으로는 회사, 외부적으로는 업계 및 규제 당국 모두)가 드물 가능성이 높다.

그런데, 부속서 III에 나열된 고위험 AI 시스템 중 상당수는 특히 개인에 대한 중요한 결정을 내리기 위해 개인 데이터를 처리한다. 따라서 이러한 처리는 기존 데이터 보호법, 즉 EU 일반 데이터 보호 규정(General Data Protection Regulation 또는 "GDPR")의 적용을 받을 가능성이 높다. 따라서 실제로는 AI규제법 준수가 GDPR을 준수하기 위한 노력과 통한다. AI규제법 준수의 과제 중 하나는 이와 같이 GDPR과 같은 다른 EU 법률에 따른 규정 준수 노력과 연계성을 확보하는 것이다.

3. 의료 애플리케이션의 챗봇

챗봇은 음성 명령, 텍스트 채팅 또는 두 가지 모두를 통해 사람의 대화를 시뮬레이션하는 컴퓨터 프로그램이다.[24] 챗봇은 이미 여러 의료 애플리케이션에 배포되어 의료진의 진단 결정 지원, 신체 활동의 장려 및 증가, 인지 행동 치료를 통한 환자 지원 등 다양한 분야에서 활용되고 있다.[25] 의료 애플리케이션에서 챗봇을 사용하는 것은 의료 서비스 제공의 효율성을 개선하고, 저렴한 의료 서비스에 대한 접근성을 높이며, 환자에게 맞춤형 치료를 제공할 수 있는 잠

[24] Louis J. Catania. "Foundations of Artificial Intelligence in Healthcare and Bioscience.", Academic Press, 2021, p. 185.
[25] 위의 책, p. 188.

재력을 가지고 있다. 시장에 출시된 대규모 언어 모델("LLM")이 더욱 강력해지고 그 결과물이 더욱 설득력 있고 섬세해지면서, 정책 입안자들은 챗봇과 이를 구동하는 LLM의 위험에 대해 많은 주의를 기울이게 되었다. LLM은 착각이나 환각과 같은 결함에 취약할 수 있으며, 원래 학습 데이터에서 나온 편향이 AI 모델에 의해 증폭되어 시스템적 편향을 일으킬 수 있다.[26] 또한 LLM이 AI가 생성한 데이터로 학습되어 자기 자신을 참조하는 피드백 루프를 생성하고, 의료진이 LLM에 과도하게 의존하게 되어 그들의 숙련도가 떨어질 수 있는 위험도 있다.[27]

AI규제법은 챗봇과 LLM에 대한 이러한 우려로 인간과 직접 상호 작용하는 AI 시스템에 투명성 의무를 부과한다. 이러한 AI 시스템의 개발자(즉, 제공자)는 합리적인 사용자의 관점에서 명백하지 않은 한 AI 시스템과 상호 작용하는 인간 사용자가 AI 시스템과 상호 작용하고 있다는 사실을 알 수 있도록 AI 시스템을 설계하고 개발해야 한다. 이미 업계에서는 AI 챗봇 사용자 인터페이스에 'AI로 구동됨'과 같은 라벨을 표시하여 사용자들이 인간이 아닌 AI와 상호작용하고 있다는 사실을 공개하는 것이 일반적인 관행이다.

EU AI규제법은 이러한 라벨보다 더 높은 수준의 투명성을 요구하지 않는다. 그러나 여기서 주목해야 할 점은 의료 분야에서 일부 AI 기반 챗봇은 MDR에 따라 규제되는 의료기기로서 소프트웨어로 간주될 수 있다는 점이다. 그렇다면 이러한 챗봇은 위에서 설명한 강화된 의무가 적용되는 고위험 AI 시스템으로 분류되고 제13조에 따라 최종 사용자에게 정확도 수준과 그 한계를 공개하는 '사용 지침'을 제공하는 등의 추가적인 투명성 의무가 적용된다.

4. 신약 개발에서의 AI

마지막 활용 사례로 신약 개발에서의 AI 활용 사례에 대해 설명하고자 한다. 많은 다국적 제약 회사에서 이미 신약 개발 주기에서 AI를 사용하고 있으며, 새로운 표적 발굴, 약물–표적 상호 작용 평가, 약물 메커니즘 조사, 저분자 화합물 설계 및 최적화, 약물 효능, 반응 및 내성 연구 등 신약 개발을 위한 다양한 AI 서비스가 시중에 나와 있다.[28] 신약 개발에 AI를 사용하는 것

---

26) Peng, C., Yang, X., Chen, A. et al. "A study of generative large language model for medical research and healthcare." npj Digit. Med. 6, 210, 2023.

27) Choudhury A, Chaudhry Z. "Large Language Models and User Trust: Consequence of Self-Referential Learning Loop and the Deskilling of Health Care Professionals." J Med Internet Res. 2024 Apr 25;26:e56764. doi:10.2196/56764.

은 이 글에서 설명하는 다른 AI 응용 분야와 달리 개인의 건강, 안전 또는 기본권에 직접적인 영향을 미치지 않는다. 신약 개발의 맥락에서 연구자와 전문가는 과학적 인사이트를 얻고 연구 효율성을 개선하기 위해 AI를 사용하며, 그 결과물은 해당 의약품의 시판 허가를 얻기 위한 관련 규정에 따라 안전성 및 임상 효능을 검증받게 된다.

지금으로서는 AI규제법이 신약 개발에서 활용되는 AI에 직접 적용되지는 않을 것으로 보인다. AI규제법에는 과학 연구 및 개발만을 목적으로 특별히 개발되어 서비스에 투입된 AI 시스템 또는 AI 모델 및 그 결과물에 대한 명시적인 예외 규정이 포함되어 있다(제2조 5항). 또한 신약 개발 분야의 AI는 금지, 고위험, 제한적 위험 또는 범용 AI로 분류되지 않기 때문에 AI규제법에서 명시적으로 규제하는 AI 시스템 유형에 포함되지 않을 가능성이 높다. 현재로서는 신약 개발에 AI를 사용하는 것이 EU에서 거의 규제를 받지 않을 것으로 예상할 수 있지만, EU 규제 당국은 신약 개발에서 AI가 점점 더 널리 사용되고 있다는 사실을 인지하고 있다.

유럽의약품청(EMA)은 EU에서 의약품의 과학적 평가, 감독 및 안전 모니터링을 담당하는 기관이다. 2023년 7월, EMA는 의약품 수명 주기에서의 AI 사용에 관한 보고서 초안을 발표하고 공청 절차를 가졌다.[29] 이 보고서 초안에서 EMA는 신약 개발 과정에서 AI를 활용하는 것이 규제 관점에서 '낮은 위험'에 해당한다고 언급했다. 그러나 규제 당국의 검토를 위해 제출된 증거를 전적으로 오로지 AI가 창출한 경우, 기존의 표준 운영 절차 및 모범 실무 원칙을 포함하여 비임상 개발 원칙을 따라야 한다. EMA는 신약 개발을 위해 AI에 사용되는 모든 모델과 데이터 세트는 데이터 품질과 양적 관점에서 윤리적 문제, 편향의 위험, 소수 유전자형과 표현형의 차별을 완화하기 위해 검토되어야 한다고 지적한다. 그러나 EMA의 보고서는 구속력이 없는 초안일 뿐이다. 2023년 12월에 EMA는 의약품 규제에서 AI 사용을 가이드하는 작업 계획을 발표했으며,[30] 여기에는 도메인별 지침(예: 약물감시)을 포함하여 의약품 수명 주기에 AI 지침을 개발하는 계획이 포함되어 있다.

---

[28] 신약 개발에서의 AI 사용 사례에 대하여는 Qureshi R, Irfan M, Gondal TM, Khan S, Wu J, Hadi MU, Heymach J, Le X, Yan H, Alam T. AI in drug discovery and its clinical relevance. Heliyon. 2023. Jul;9(7):e17575. doi:10.1016/j.heliyon.2023.e17575.

[29] European Medicines Agency(EMA), "The use of Artificial Intelligence (AI) in the medicinal product lifecycle." https://www.ema.europa.eu/en/use-artificial-intelligence-ai-medicinal-product-lifecycle.

[30] EMA, "Artificial Intelligence Workplan to Guide Use of AI in Medicines Regulation (December 18, 2023)" https://www.ema.europa.eu/en/news/artificial-intelligence-workplan-guide-use-ai-medicines-regulation.

IV. 맺음말

EU AI규제법은 유럽연합 국가들에서 인공지능 규제 방식에 큰 변화를 가져올 것으로 예상된다. 한국 독자들이 가장 궁금해할 수 있는 질문은 'AI규제법이 한국에서 생명과학 분야의 AI를 규제하는 방식에 어떤 영향을 미칠 것인가'일 것이다. 이 질문에 대한 답은 현 단계에서는 명확하지 않지만, EU의 AI규제법이 최초로 채택된 포괄적 AI규제법 중의 하나이기 때문에 향후 다른 국가의 AI규제법 제정에 영향을 미칠 것임은 의심의 여지가 없다. 저자가 관찰한 몇 가지 사항은 다음과 같다:

첫째, EU GDPR이 '브뤼셀 효과'로 인해 다른 관할권으로 일부 전파된 것과 같은 방식으로 AI규제법이 다른 관할권에서 현재 형태로 전파될 가능성은 낮아 보인다. GDPR과 같은 데이터 보호법은 AI규제법보다 훨씬 더 협소하다. 즉, 데이터 보호법은 기본적으로 인간의 기본적 프라이버시 권리를 보호하기 위하여 개인정보 처리라는 단일 영역을 규제한다. 반면 AI규제법은 기존 제품의 안전 규제 프레임워크와 같은 다른 법률, 특히 의료기기와 같은 부속서 I의 고위험 AI 시스템에 대한 규제와 복잡하게 얽혀 있다. 다른 관할권에서는 필연적으로 기존 규제 법률의 구조에 AI 규제를 통합할 방법을 찾아야 하는데, 그 결과는 각양각색이 될 가능성이 높다.

둘째, 투명성과 설명 가능성, 데이터 품질 및 데이터 거버넌스, 인간의 감독권, 정확성, 견고성 및 사이버 보안, 기록 보관, 위험 평가 등 AI규제법에서 찾을 수 있는 실질적인 의무는 다른 법률에 이식될 가능성이 높다. 이러한 원칙은 경제협력개발기구(OECD)의 AI 원칙,[31] 유럽평의회 인공지능과 인권, 민주주의와 법치에 관한 기본협약,[32] 신뢰할 수 있는 AI의 책임 있는 관리를 위한 글로벌 AI 파트너십의 원칙 등 이미 국제적인 합의를 이룬 책임 있는 AI의 핵심 원칙과 겹친다.[33] 다만 문제는 다른 관할권에서 이러한 원칙에 법적 구속력을 부여할 것인지 아닌지, 원칙의 준수를 어떻게 절차적으로 보장하고 강제할 것인지, 그리고 AI 시스템으로부터

---

[31] OECD.AI Policy Observatory, "OECD AI Principles overview" https://oecd.ai/en/ai-principles.

[32] Committee on Artificial Intelligence (CAI), "Council of Europe Framework Convention on Artificial Intelligence and Human Rights, Democracy and the Rule of Law." https://search.coe.int/cm/Pages/result_details.aspx?ObjectId=0900001680afb11f.

[33] "The Global Partnership on Artificial Intelligence (GPAI)." https://gpai.ai/about/.

피해를 받은 개인에게 민사 청구 또는 기타 사법적 구제를 받는 수단을 제공할지 여부이다.

셋째, AI규제법이 실제로 어떻게 작용할지는 아직 알 수 없다. AI 의료기기에서 인간의 감독권을 어떻게 보장해야 할까? 학습 데이터 자료가 특정 성별이나 소수 인종에 대한 체계적인 편향을 보이는 경우 AI 응급 환자 분류 시스템에서 어떻게 공정한 결과를 보장할 수 있을까? AI규제법에는 이러한 질문에 대한 구체적인 답변이 포함되어 있지 않으며, 지침, 판례 및 업계 규범에 따라 점차 관행이 발전해야 할 것이다. 이러한 실질적인 고려 사항은 해당 관할권의 기존 관행에 따라 달라질 수 있으며, EU에서 허용되는 관행이 한국과 같은 다른 관할권에서도 허용된다는 보장은 없다.

마지막으로, EU의 AI규제법이 AI규제법의 선구자적 역할을 할 수는 있지만, 향후 수십 년간 AI 규제의 표준이 될 불변의 획일적 방식은 아니라는 것이다. AI규제법은 새로운 혁신에 의해 검증되고 변화될 것이며, 다른 관할권에서는 AI 사용으로 인해 발생하는 문제를 해결하기 위한 새로운 방법을 제시할 것이다. EU 집행기관이 AI규제법을 처음 제안한 2021년 4월 이후 3년 동안에도 생성형 AI 서비스(generative AI)의 등장으로 인해 AI규제법에 이른바 "범용 AI"(general-purpose AI)를 다루는 완전히 새로운 섹션이 포함되었다. EU의 AI규제법은 AI를 적용할 수 있는 방법과 AI가 각광받을 국가의 수만큼이나 다양해질 새로운 법률 분야의 시작에 불과할 것이다.

제 10 장

미국 행정부의 의료 인공지능 규제 동향

이원복 (이화여자대학교 법학전문대학원 교수)

생명의료법연구소

10

미국 행정부의 의료 인공지능 규제 동향*

이원복 (이화여자대학교 법학전문대학원 교수)

앞의 장에서 보았듯이 유럽 연합은 구속력 있는 단일 법률을 통하여 인공지능에 대한 수평적 규제를 시도하고 있다. 그렇다면 세계 최대의 시장이자 의료 인공지능의 개발 및 이용에 있어서도 세계를 선도하고 있는 미국은 어떤 접근을 하고 있는가? 우선 미국은 유럽과 달리 연방정부 차원에서 인공지능 전체에 대한 수평적 규제를 입법하려는 당장의 구체적인 움직임은 없다. 인공지능에 대한 수평적, 일반적 규제가 아니라 인공지능을 활용한 마케팅이라든가 채용 결정과 같은 한정된 맥락에서의 규제 또는 인공지능에 의한 차별금지와 같이 구체적인 의무의 부과가 일부 주에서 입법적으로 이루어진 바가 있을 뿐이다.[1] 미국 연방 상원 사법위원회 산하의 프라이버시, 테크놀로지 및 법률 소위원회가 2023년 가을에도 청문회를 개최하는 등 연방 차원의 입법 필요성을 평가하고 있으나, 당장 성숙한 논의가 진행된 법률안이 있는 것도 아니므로 짧은 기간 안에 입법이 이루어지기는 어려울 것으로 보인다.

---

* 이 글의 일부는 공법학연구 제25권 제2호, 2024.에 실린 필자의 논문에 기초하였습니다.

[1] 미국 주 단위의 인공지능 규제 입법을 정리한 웹 사이트로는 https://www.csg.org/2023/12/06/artificial-intelligence-in-the-states-emerging-legislation/

물론 미국 연방정부가 인공지능에 대한 정책을 마냥 방기하는 것은 아니다. 바이든 대통령은 비록 법적 구속력이 없는 선언적 지침이지만 2022년 10월 「AI 권리장전 청사진 (Blueprint for an AI Bill of Rights)」을 통하여 안전하고 효과적인 시스템 구축, 차별 방지, 개인정보 보호, 자동화 시스템의 이용에 대하여 알 권리, 인간으로 대신할 권리 등 5대 원칙을 천명한 바 있다.[2] 법적 구속력이 있는 첫 지침은 2023년 10월30일 발표한 「안전성, 보안성 및 신뢰성을 갖는 AI의 개발과 활용에 관한 행정명령 (Executive Order on the Safe, Secure, and Trustworthy Development and Use of Artificial Intelligence, Executive Order 14110」이었다. 이는 미국 연방차원에서 발령한 최초의 법적 구속력을 가진 AI 규제로, 50개 이상의 연방정부기관에 대해 약 150개의 요건을 부과하는 광범위한 명령이다.[3] 다만 이 행정명령은 연방정부기관에 대하여 법적 구속력을 가지는 것으로 민간사업자의 권리의무나 벌칙을 직접 정하고 있는 것은 아니다.

이처럼 인공지능에 대한 굵직한 규제는 아직까지는 선언적 지침이거나 정부기관에 대한 행정명령의 형태에 불과하지만, 그렇다고 미국에서 의료 인공지능에 대한 아무런 규제가 없는 것은 아니다. 소프트웨어 의료기기라든가 전자의무기록을 규제하는 기존 실정법 테두리에서 안에서 미국 행정부가 아래에서 설명하는 것과 같은 규제 권한을 발휘하고 있기 때문이다. 이를 통하여 의료 인공지능의 취약점에 관하여 미국 정부가 갖고 있는 생각을 엿보고자 한다.

---

[2] https://www.whitehouse.gov/ostp/ai-bill-of-rights/

[3] https://www.whitehouse.gov/briefing-room/presidential-actions/2023/10/30/executive-order-on-the-safe-secure-and-trustworthy-development-and-use-of-artificial-intelligence. 이 행정명령의 자세한 내용은 이화여대 생명의료법연구소, "미국의 AI 개발 및 이용에 관한 행정명령: 주요내용과 의생명산업에 대한 시사점", 이슈페이퍼 (2024) 참고.

I. FDA의 의료용 인공지능 규제

1. 규제 근거

Food & Drug Administration(FDA)은 1906년 의약품과 식품의 순도와 표시를 규제하기 위해 설립된 감독 기관으로, 1938년에 제정된 Food, Drug & Cosmetic Act에 근거하여 의약품에 대한 사전 승인제를 도입하였다. 의료기기에 대한 규제는 의약품보다 훨씬 늦게 시작되었는데, 1976년 Medical Device Amendment를 통하여 Food, Drug & Cosmetic Act가 개정되며 시작되었다.

미국 Food, Drug and Cosmetic Act에 담긴 의료기기의 정의를 보면 아래와 같이 "instrument, apparatus, implement, machine, contrivance, implant, in vitro reagent, or other similar or related article" 가운데 하나의 태양을 취해야 하는 것을 조건으로 하고 있다.[4] 무체물인 소프트웨어에 구현된 인공지능이 과연 이 가운데 하나에 해당할 수 있는 것인지는 의문이 있을 수 있는데,[5] 미국 FDA는 "소프트웨어 형태의 의료기기"라는 SaMD(Software as Medical Device)라고 보고 있다.

> (1) The term "device" (except when used in paragraph (n) of this section and in sections 331(i), 343(f), 352(c), and 362(c) of this title) means an instrument, apparatus, implement, machine, contrivance, implant, in vitro reagent, or other similar or related article, including any component, part, or accessory, which is —
>
> (A) recognized in the official National Formulary, or the United States Pharmacopeia, or any supplement to them,
> (B) intended for use in the diagnosis of disease or other conditions, or in the cure, mitigation, treatment, or prevention of disease, in man or other animals, or
> (C) intended to affect the structure or any function of the body of man or other animals, and

---

[4] 21 U.S.C 321 (h).

[5] R. Beckers and P. Van Hoydonck, "Impact of the Regulatory Framework on Medical Device Software Manufacturers: Are the Guidance Documents Supporting the Practical Implementation?; Comment on 'Clinical Decision Support and New Regulatory Frameworks for Medical Devices: Are We Ready for It? - A Viewpoint Paper'" *International Journal of Health Policy and Management*, Vol. 12, No. Issue 1 (2023), pp. 1-4.

SaMD의 개념은 규제 승인을 원하는 인공지능에 기반한 소프트웨어가 등장하기 전부터 존재하였던 개념이다. SaMD에는 임상 의사 결정 지원, 진단 도구 및 모니터링 시스템 등에 사용되는 다양한 유형의 소프트웨어가 포함된다. 이러한 유형의 소프트웨어는 AI와 기계학습 기술이 도입되기 전에 이미 의료 현장에서 사용 중이었고 그에 걸맞은 규제도 마련되어 있었다. SaMD의 정의 및 규제는 국제 의료기기 규제기관의 연맹인 IMDRF(International Medical Device Regulators Forum)가 주도하였고, FDA 역시 그 프레임워크를 따라왔다. 다만 의료기기 규제의 근거 법령인 Food, Drug & Cosmetic Act에 따른 의료기기의 정의를 문리적으로 해석한다면 소프트웨어가 포함되는가 하는 의문이 있는 것이다.

그에 반하여 유럽의 의료기기 규제 법령인 Medical Device Regulation은 정의 규정에서 의료기기의 태양 가운데 하나로 소프트웨어를 명시하고 있으므로, 순수한 소프트웨어 역시 그 기능에 따라서는 의료기기에 해당할 수 있다는 점에 의문이 없음을 입법적으로 해결하고 있다.[6]

---

6) Medical Device Regulation, Article 2.

소프트웨어를 의료기기로 보는 미국 FDA의 입장은 특히 임상 의사 결정 지원 소프트웨어까지 의료기기의 영역으로 끌어들이게 되어 너무 규제의 범위를 넓힌다는 비판에 직면하였고, 결국 21st Century Cures Act를 통해 일부 소프트웨어를 의료기기의 범주에서 제외하도록 입법적으로 해결하였다. 그에 관하여는 아래에서 더 자세히 다룬다.

2. 의료기기 등급

Food, Drug & Cosmetic Act법에 따라 FDA는 의료기기를 3등급으로 분류하여 리스크에 따라 다른 수준의 규제를 적용한다. 1등급(Class I)은 해당 카테고리의 의료기기에 공히 적용되는 일반적인 품질관리 요건(General Controls)과 라벨링 요건을 준수하면 되는 가장 낮은 리스크의 기기이고, 2등급(Class II)은 일반적인 품질관리 요건뿐만 아니라 개별 의료기기에 별도로 적용되는 특수한 규제요건(Special Controls)을 충족해야 하는 중간 리스크의 기기이며, 3등급(Class III)은 인체의 생존과 건강에 관련된 기기로서 대개는 FDA의 사전 승인(Premarket Approval; PMA)을 받아야 하는 가장 높은 리스크의 기기이다.

1등급과 2등급 의료기기는 규제 당국에 아무런 신고 절차 없이도 또는 510(k) 시판 전 통지라는 간단한 절차를 거쳐 판매에 나설 수 있다. 510(k) 시판 전 통지(premarket notification)란 이전에 승인된 적이 있는 다른 1등급 또는 2등급 의료기기(predicate device)와 실질적으로 동등한 기기라고 FDA에 통지를 하고 FDA가 이를 인정할 경우 의료기기의 시판이 허용되는 절차이다. 만약 기존의 1등급 또는 2등급 의료기기와 실질적으로 동등한 기기가 없다면 일단은 3등급 의료기기로 분류가 된다. 3등급 의료기기에 적용되는 사전 승인은 해당 의료기기의 안전성 및 효능에 관한 증거자료를 요구하는데, 경우에 따라 임상시험을 동반할 수도 있으므로 길게는 수 년이 소요될 수 있다.

이처럼 510(k) 시판 전 통지 절차는 이미 FDA의 승인을 받은 기존의 1등급 또는 2등급 의료기기 가운데 실질적으로 동등한 것이 있음이 전제가 되는데, 혁신적인 의료기기라서 기존의 의료기기 가운데 실질적으로 동등한 것이 없지만 많은 위험을 동반하는 의료기기가 아니라서 3등급으로 분류 받는 것이 비합리적이라는 판단이 설 경우에는 De Novo 경로라는 절차를 통하여 FDA에게 새로운 등급 분류를 신청함으로써 1등급 또는 2등급 의료기기로 분류 받을 수 있는 여지가 생긴다. 따라서 De Novo 경로는 의료 AI와 같은 혁신적이면서 고위험을 수반하지 않는 제품에 유용하게 쓰일 수 있다. 예를 들어 안과 전문의의 개입 없이 일반의에게도 당뇨병성 망막 질환을 진단하는 IDx-DR 소프트웨어는 기존에 유사한 소프트웨어가 없었기 때문에 De Novo 경로를 통해 등급을 신청하였고 최종적으로 2등급을 판정받은 바 있다.[7]

의료기기로서의 소프트웨어, 즉 SaMD가 갖추어야 하는 요건은 그동안 FDA가 발간한 다양한 가이던스 문서에 상세히 기술되어 있으며, 주요 가이드라인을 나열하면 다음과 같다.

항목	해당 가이드라인
총론	Content of Premarket Submissions for Software Contained in Medical Devices (2023)[8]
임상적 효능	Clinical Evaluation of Software as a Medical Device (SaMD) (2017)[9]
사용의 용이	Applying Human Factors and Usability Engineering to Medical Devices (2016)[10]
검증	General Principles of Software Validation(2002)[11]
사이버 보안	Cybersecurity in Medical Devices: Quality System Considerations and Content of Premarket Submissions (2023)[12]
상호운용성	Design Considerations and Pre-market Submission Recommendations for Interoperable Medical Devices (2017)[13]

---

7) https://www.accessdata.fda.gov/scripts/cdrh/cfdocs/cfpmn/denovo.cfm?ID=DEN180001

8) https://www.fda.gov/regulatory-information/search-fda-guidance-documents/content-premarket-submissions-device-software-functions

9) https://www.fda.gov/regulatory-information/search-fda-guidance-documents/software-medical-device-samd-clinical-evaluation

10) https://www.fda.gov/regulatory-information/search-fda-guidance-documents/applying-human-factors-and-usability-engineering-medical-devices

11) https://www.fda.gov/regulatory-information/search-fda-guidance-documents/general-principles-software-validation

12) https://www.fda.gov/regulatory-information/search-fda-guidance-documents/cybersecurity-medical-devices-quality-system-considerations-and-content-premarket-submissions

13) https://www.fda.gov/regulatory-information/search-fda-guidance-documents/design-considerations-and-pre-market-submission-recommendations-interoperable-medical-devices

FDA 심사를 거친 의료용 AI의 목록은 공개되고 있으므로 누구나 검색이 가능하다.[14] 우리나라 기업들의 심사 결과도 확인할 수 있다. 예를 들어 국내 기업인 (주)루닛의 유방암 판별 인공지능인 Lunit Insight DBT는 510(k) 경로를 통해 기존의 2등급 의료기기와 실질적으로 동일하다고 인정받았다.[15]

FDA의 인공지능 또는 기계학습 탑재 의료기기 심사 현황을 분석한 한 연구는 2018년 이후 인공지능 의료기기에 대한 FDA 승인이 크게 증가했으며, 2022년에는 역대 최고인 139개의 의료기기가 승인되었다고 밝혔다. 전문 분야별로 나누면 진단방사선과의 기기가 전체 77%로 1위를 차지했다고 한다.[16] 대부분의 기기는 510(k) 경로를 통해 승인되었고(96.7%), 일부는 De Novo 경로를 통해 등급을 새로 받아 승인되었으며(2.9%), 극소수가 시판 전 승인(PMA)을 통해 승인되었다(0.4%).

3. FDA의 의료 인공지능에 대한 접근 방식

과거에도 FDA가 소프트웨어에 대한 규제를 해왔다고 하더라도, 기계학습을 거친 인공지능이 가진 특수한 성격은 무시할 수 없다. 따라서 FDA는 지속적으로 의료 인공지능에 대한 효율적인 규제를 위한 프레임워크를 개선하고 있다.

FDA가 의료용 인공지능에 대하여 표명한 최초의 입장은 2019년 4월 2일에 발표한 "Proposed Regulatory Framework for Modifications to Artificial Intelligence/Machine Learning(AI/ML)-Based Software as a Medical Device(SaMD) - Discussion Paper and Request for Feedback"이다.[17] 여기에는 FDA가 인공 지능 및 머신러닝 기반 소프트웨어 변경에 대한 시판 전 검토를 어떻게 접근할 것인가에 대한 입장이 담겨있는데, (1) 제품이 개발되는 시점부터 시판 후 모니터링까지의 소위 전주기 동안 규제기관이 관여하는 Total Product

---

[14] https://www.fda.gov/medical-devices/software-medical-device-samd/artificial-intelligence-and-machine-learning-aiml-enabled-medical-devices.

[15] https://www.accessdata.fda.gov/scripts/cdrh/cfdocs/cfpmn/pmn.cfm?ID=K231470.

[16] G. Joshi, A. Jain, S.R. Araveeti, S. Adhikari, H. Garg and M. Bhandari, "FDA-Approved Artificial Intelligence and Machine Learning (AI/ML)-Enabled Medical Devices: An Updated Landscape" *Electronics*, Vol. 13, No. 3 (2024)

[17] https://www.fda.gov/media/122535/download?attachment.

Lifecycle(TPLC) 접근방식, (2) 시판된 이후에도 지속적으로 학습을 통해 기능이 향상되는 제품군의 특성을 반영한 Predetermined Change Control Plan, (3) 개발자의 투명성 및 (시판 전 승인을 위하여 제출하는 정제된 임상시험 결과가 아니라) 실제 임상 현장에서 사용되면서 얻은 성능의 모니터링, (4) 승인 후 제품 변경에 대하여 리스크에 비례하는 유연한 대응 등 기존의 의약품이나 의료기기와는 성격이 다른 소프트웨어의 특성을 반영한 탄력적인 규제를 시사하였다.

이어서 2021년 1월에는 "Artificial Intelligence and Machine Learning Software as a Medical Device Action Plan"(약칭 "AI/ML SaMD 액션 플랜")을 발표했다.[18] 이 AI/ML SaMD 액션 플랜에는 FDA가 앞으로 추가 지침을 통하여 인공지능 및 기계 학습 소프트웨어 규제를 구체화할 것을 약속하였는데, 그에 따라 2021년 10월에는 "Good Machine Learning Practice for Medical Device Development: Guiding Principles"(약칭 "GMLP")을,[19] 2023년 3월에는 "Marketing Submission Recommendations for a Predetermined Change Control Plan for Artificial Intelligence/Machine Learning (AI/ML)-Enabled Device Software Functions" 초안을,[20] 2023년 10월에는 "Predetermined Change Control Plans for Machine Learning-Enabled Medical Devices: Guiding Principles"을[21] 각각 공개하였다.

GMLP는 미국의 FDA, 영국의 MHRA, 캐나다의 Health Canada 3개 규제기관이 합동으로 작성한 지침으로서, 다음과 같은 의료용 인공지능 규제의 10대 원칙을 담고 있다:

(1) Total Product Lifecycle(TPLC) 규제는 다양한 분야 전문가들의 전문성을 최대한 활용한다.
(2) 우수한 소프트웨어 엔지니어링 및 보안 관행이 시행되도록 한다.

---

18) https://www.fda.gov/media/145022/download?attachment

19) https://www.fda.gov/medical-devices/software-medical-device-samd/good-machine-learning-practice-medical-device-development-guiding-principles

20) https://www.fda.gov/regulatory-information/search-fda-guidance-documents/marketing-submission-recommendations-predetermined-change-control-plan-artificial

21) https://www.fda.gov/medical-devices/software-medical-device-samd/predetermined-change-control-plans-machine-learning-enabled-medical-devices-guiding-principles

(3) 임상시험에 참여하는 연구대상자 및 임상시험에서 얻은 데이터 세트는 실제 사용 대상 환자 모집단을 잘 대표한다.

(4) 학습 데이터 세트와 테스트 데이터 세트는 독립된 별개의 데이터 세트를 사용한다.

(5) 참조 데이터 세트(reference datasets)는 사용 가능한 최상의 방법을 기반으로 선택한다.

(6) 모델 설계는 사용 가능한 데이터에 맞게 설계되며 임상에서의 사용 목적을 반영한다.

(7) 인간-AI 가 이루는 팀의 성과에 중점을 둔다.

(8) 실제 임상과 유사한 조건에서의 성능을 입증하는 시험이 이루어진다.

(9) 사용자에게 명확하고 필수적인 정보가 제공된다.

(10) 배포된 모델의 성능을 모니터링하고 재학습 시 발생할 수 있는 리스크 - 예컨대 과적합, 예상하지 못한 편향의 발생 또는 데이터 드리프트 등 - 를 관리한다.

다른 2개의 지침은 FDA의 승인을 받아 임상에서 사용되기 시작한 이후에도 지속적으로 학습을 통해 기능이 향상될 수 있는 인공지능 제품의 특수성이 반영된 지침들이다. FDA의 규제를 받는 기존의 의약품이나 의료기기는 승인받은 제품을 그대로 판매해야 하고 만약 승인받은 제품을 변경한 제품으로 판매를 하려면 다시 승인을 받아야 하는 것이 원칙이지만, 기계학습을 통해 개선이 가능한 인공지능 제품에 대해서도 변경 시마다 재승인을 요구하면 오히려 개발자가 제품을 개선하려는 유인이 떨어질 수 있으므로, 미리 계획된 범위 내에서 - 이를 "Predetermined Change Control Plans", 약어로 "PCCP"라고 한다 - 학습을 통한 알고리즘의 변경은 재승인을 요구하지 않는 혁신적인 발상이다.

FDA가 PCCP를 구현하기 위하여 설정한 5대 원칙은 다음과 같다:

(1) PCCP는 원래 사용 목적의 범위 내에서 어떤 변경이 이루어질 것인지를 상세하게 기술하여야 한다.

(2) PCCP의 설계 및 실행은 발생할 수 있는 리스크를 고려한 것이어야 한다.

(3) PCCP는 제품의 안전성과 효능이 계속 유지됨을 증거로 뒷받침하여야 한다.

(4) 알고리즘 변경 전후의 성능이 이해 당사자들에게 투명하게 제공되어야 한다.

(5) PCCP는 제품의 전주기(TPLC), 즉 개발에서부터 시판 후까지의 모든 기간을 염두에 두고 작성되어야 한다.

2024년 3월 15일에는 "Artificial Intelligence and Medical Products: How CBER, CDER, CDRH, and OCP are Working Together"를 발표했다.[22] 이는 "AI/ML SaMD 실행 계획"을 보충하는 내용인데, FDA의 3개 하위 부서인 CBER(Center for Biologics Evaluation and Research), CDER(Center for Drug Evaluation and Research), CDRH(Center for Devices and Radiological Health) 및 부서 간 협력을 조율하는 OCP(Office of Combination Products) 간의 협력을 촉진하고 의료용 AI의 심사과정에서 터득한 노하우를 FDA에 전반적으로 확산시키는 데 목적을 두고 있다. 위에서 보았듯이 소프트웨어 자체 또는 인공지능이 탑재된 의료기기 공히 CDRH가 담당 부서인데, 이제는 의약품 또는 생물의약품의 개발에도 인공지능이 적극 활용되는 현실을 반영하여 이들 부서의 협력을 강화하기로 한 것이다.

FDA의 인공지능/기계 학습(AI/ML) 기반 의료 소프트웨어의 규제에 대하여는 다양한 평가가 있다. 우선 510(k) 시판 전 통지 절차를 통하여 기존에 시판되고 있는 의료기기와 실질적으로 동등하다는 이유로 성능이 제대로 평가되지 아니한 의료용 인공지능이 지나치게 쉽게 시장으로 쏟아진다는 비판이 있다.[23] 위에서 보았듯이 510(k) 시판 전 통지 절차에서는 성능에 관한 아무런 검증을 요구하지 않으므로, (비록 안전할지는 모르지만) 임상에서 의미 있는 기능을 발휘할 것인지 의문이라는 지적이다. AI/ML 기반 의료 기기가 복잡한 의료 시스템 내에서 다양한 요소와 상호작용하기 때문에 단순히 제품만 평가하는 것은 충분하지 않으므로, 규제를 제품 중심에서 시스템 중심으로 바꿔야 한다고 주장하는 견해도 있다.[24] 시스템 전체를 평가해야 AI/ML 기술의 안전성과 효과를 최대화할 수 있으며, 이렇게 해야 일관되고 신뢰할 수 있는 의료 서비스를 제공할 수 있다고 말한다.

---

22) https://www.fda.gov/media/177030/download?attachment

23) B.V. Alan G Fraser Elisabetta Biasin, Bart Bijnens, Nico Bruining, Enrico G. Caiani, Koen Cobbaert, Rhodri H. Davies, Stephen H. Gilbert, Leo Hovestadt, Erik Kamenjasevic, Zuzanna Kwade, Gearóid McGauran, Gearóid O'Connor and F.E. Rademakers, "Artificial Intelligence in Medical Device Software and High-Risk Medical Devices - a Review of Definitions, Expert Recommendations and Regulatory Initiatives" *Expert Review of Medical Devices*, Vol. 20, No. 6 (2023), pp. 467-491.

24) S. Gerke, B. Babic, T. Evgeniou and I.G. Cohen, "The Need for a System View to Regulate Artificial Intelligence/Machine Learning-Based Software as Medical Device" *npj Digital Medicine*, Vol. 3, No. 1 (2020), pp. 1-4.

4. 임상 의사 결정 지원 시스템(CDSS)에 대한 예외

임상 의사 결정 지원 시스템(Clinical Decision Support Systems, 약어로 "CDSS")은 의료인들에게 임상 지식과 환자 정보를 제공하여 진료 결정을 지원하기 위하여 개발된 시스템이다. CDSS의 역사는 1970년대부터 시작된다. 초기에는 주로 학문적 목적으로 개발되었으나, 1980년대에는 처음으로 임상 현장에서 사용되기 시작했다고 한다. CDSS는 2000년대 이후 의료기관의 전자 의무 기록(EHR) 및 컴퓨터화된 전자 처방 시스템(CPOE)과 통합되면서 급격히 발전한다. 미국 정부는 Health and Medicare Acts를 통해 CDSS 도입을 장려하였는데, 2013년에는 미국 병원의 41%가 EHR과 함께 CDSS를 사용하고 있었고, 2017년에는 40.2%의 병원이 고급 CDSS 기능을 갖추게 된다.[25]

오늘날 CDSS는 데스크탑, 태블릿, 스마트폰 등 다양한 디바이스를 통해 제공되며, 생체 신호 모니터링 장치나 웨어러블 기술과도 연계된다. 인공지능(AI)과 머신러닝(ML)을 활용한 시스템도 등장하여 의료 분야에서 중요한 역할을 하고 있다. CDSS는 지식 기반 시스템과 비지식 기반 시스템으로 구분된다. 지식 기반 시스템은 주로 규칙 기반 시스템으로, "IF-THEN" 형태의 규칙을 사용하여 작동한다. 이러한 규칙은 문헌 기반, 실무 기반, 또는 환자 지향 증거를 바탕으로 만들어지며, 시스템은 해당 규칙에 따라 데이터를 평가하고 결과를 생성한다. 이 시스템은 명확하고 이해하기 쉬운 규칙을 기반으로 하며, 의료 전문가의 지식과 경험을 체계적으로 활용한다. 예를 들어, 특정 증상이 있을 때 어떤 검사를 해야 하는지 또는 어떤 약을 처방해야 하는지에 대한 구체적인 지침을 제공하는 시스템이 있다. 반면, 비지식 기반 시스템은 인공지능(AI), 머신러닝(ML), 통계적 패턴 인식 등의 기술을 사용하여 작동한다. 이 시스템은 미리 정의된 전문가 지식 없이 대규모 데이터 세트를 분석하여 통계적 연관성을 찾아내고 이를 바탕으로 추천이나 결정을 제공한다. 비지식 기반 시스템은 데이터의 가용성과 품질에 크게 의존하며, 결정 과정이 "블랙박스"처럼 불투명할 수 있다. 따라서 이해하기 어려운 경우도 많아 사용자가 결과를 신뢰하는 데 어려움을 겪을 수 있다. 예를 들어, 환자의 의료 기록을 분석하여 질병 발병 가능성을 예측하거나, 방대한 이미지 데이터를 분석하여 암을 진단하는 시스템이 있다.[26]

---

[25] R.T. Sutton, D. Pincock, D.C. Baumgart, D.C. Sadowski, R.N. Fedorak and K.I. Kroeker, "An Overview of Clinical Decision Support Systems: Benefits, Risks, and Strategies for Success" *npj Digital Medicine*, Vol. 3, No. 1 (2020), pp. 1-10.

그런데 2016년 12월에 제정된 21st Century Cures Act에는 일부 유형의 CDSS를 FDA 심사에서 면제하도록 Food, Drug & Cosmetic Act를 개정하는 내용이 포함되어 있다. 이 면제 조항은 임상에서 사용될 여지가 있다는 이유로 FDA가 자신들의 제품에 광범위한 규제를 하는 것을 우려한 소프트웨어 산업의 로비로 도입되었다고 한다.[27]

위 법은 다음과 같이 의료기기의 범주에서 제외되는 일부 기능들을 명시하고 있다.

(o) Regulation of medical and certain decisions support software

(1) The term device, as defined in section 321(h) of this title, shall not include a software function that is intended-

(A) for administrative support of a health care facility, including the processing and maintenance of financial records, claims or billing information, appointment schedules, business analytics, information about patient populations, admissions, practice and inventory management, analysis of historical claims data to predict future utilization or cost-effectiveness, determination of health benefit eligibility, population health management, and laboratory workflow;

(B) for maintaining or encouraging a healthy lifestyle and is unrelated to the diagnosis, cure, mitigation, prevention, or treatment of a disease or condition;

(C) to serve as electronic patient records, including patient-provided information, to the extent that such records are intended to transfer, store, convert formats, or display the equivalent of a paper medical chart, so long as-

(i) such records were created, stored, transferred, or reviewed by health care professionals, or by individuals working under supervision of such professionals;

(ii) such records are part of health information technology that is certified under section 300jj-11(c)(5) of title 42; and

(iii) such function is not intended to interpret or analyze patient records, including medical image data, for the purpose of the diagnosis, cure, mitigation, prevention, or treatment of a disease or condition;

(D) for transferring, storing, converting formats, or displaying clinical laboratory test or other device data and results, findings by a health care professional with respect to such data and results, general information about such findings, and general background information about such laboratory test or other device, unless such function is intended to interpret or analyze clinical laboratory test or other device data, results, and findings; or

(E) unless the function is intended to acquire, process, or analyze a medical image or a signal from an in vitro diagnostic device or a pattern or signal from a signal acquisition system, for the purpose of-

---

26) 앞의 글

27) B. Evans and P. Ossorio, "The Challenge of Regulating Clinical Decision Support Software After 21st Century Cures" *American Journal of Law & Medicine*, Vol. 44, No. 2-3 (2018), pp. 237-252.

(i) displaying, analyzing, or printing medical information about a patient or other medical information (such as peer-reviewed clinical studies and clinical practice guidelines);

(ii) supporting or providing recommendations to a health care professional about prevention, diagnosis, or treatment of a disease or condition; and

(iii) enabling such health care professional to independently review the basis for such recommendations that such software presents so that it is not the intent that such health care professional rely primarily on any of such recommendations to make a clinical diagnosis or treatment decision regarding an individual patient.

즉, (A) 의료 기관의 행정 기능, (B) 질병 또는 상태의 진단, 치료, 완화, 예방 또는 치료와 관련이 없는 건강한 생활 방식 유지 및 장려에 관한 기능, (C) 전자의무기록, (D) 검사 결과 및 그에 대한 의료인의 판단 등을 전송, 저장, 변환 또는 표시하는 소프트웨어, (E) 의료 영상 또는 체외 진단 기기의 신호를 직접 수집, 처리 또는 분석하지 않는다는 전제하에 (i) 환자에 관한 또는 기타 의료 정보를 표시하고, (ii) 질병의 예방, 진단, 치료에 관한 권장 사항을 의료인에게 제공하며, (iii) 의료인이 그와 같은 권장 사항의 근거를 독립적으로 검토함으로써 의료인이 권장 사항에 주로 의지하여 의사 결정을 내리지 않는 임상 의사 결정 지원이 그것이다.[28]

바로 이 (E)의 유형이 CDSS를 의료기기의 범주에서 제외할 수 있는 근거가 되는 것이다. 다만 의료인이 CDSS 권장 사항의 근거를 이해하고 평가할 수 있다는 점이 전제가 되어야 하므로, CDSS가 어떤 데이터와 논리로 자신의 권장 사항에 도달했는지를 투명하게 의료인에게 제공해야 한다. 위와 같은 입법에 대하여는 기계 학습 알고리즘, 특히 심층 학습 신경망은 "블랙박스" 특성을 가지고 있어 그 결정 과정을 사람에게 설명하기 어렵기 때문에, 권장 사항을 의사에게 이해할 수 있는 방식으로 설명할 수 있는지에 대해 의문을 제기하는 비판적인 견해도 있다.[29]

그런데 2022년 9월, FDA는 임상 의사결정 지원(CDS) 소프트웨어에 대한 최종 가이드라인을 발표하면서 CDSS 규제에 약간의 변화가 일고 있다.[30] 이는 2019년의 초안과 비교할 때 FDA의 규제 대상이 되는 CDSS의 범위가 늘어날 전망이기 때문이다.[31] 특히 최종 가이드라인은 IMDRF 위험 분류 프레임워크에 따른 저위험 CDSS에 집행재량을 발휘하는 기존의 입장

---

28) 21 U.S.C. 360j(o)(1).

29) B. Evans and P. Ossorio, 위의 글 [주 27].

30) https://www.fda.gov/regulatory-information/search-fda-guidance-documents/clinical-decision-support-software

31) 초안은 https://www.fda.gov/media/109622/download 에서 다운로드할 수 있다.

을 폐지함으로써, 과거에는 의료기기로 분류되더라도 저위험인 경우 FDA가 심의를 하지 않던 CDSS가 이제는 FDA의 심의 대상이 되는 결과가 된다.[32] 최종 가이드라인은 위 (E)조항이 다음과 같은 4개의 요건을 충족해야 하는 것으로 해석한다:

    (a) 이미지를 획득, 처리 또는 분석하지 않아야 한다.
    (b) 의료인 간에 일반적으로 전달되는 의료 정보를 처리해야 한다.
    (c) 의료인에게 구체적인 결론이나 방향을 제시하는 것이 아니라 권장 사항을 제공한다.
    (d) 의료인에게 권장 사항의 근거를 제공함으로써 의사 결정을 하는데 소프트웨어에 주로 의존하지 않도록 해야 한다.

이를 도식화하면 아래 그림과 같다.

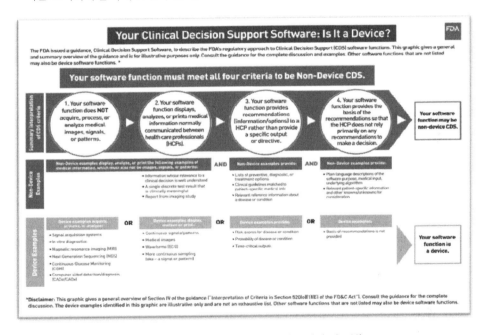

[그림 1] CDSS의 의료기기 해당 여부 판단 차트[33]

---

32) FDA의 집행재량에 관하여는 박정연 & 이원복, "미국 행정청의 집행재량(enforcement discretion)에 관한 법리와 시사점 ― 부집행(non-enforcement) 행정작용을 중심으로 ―", 「公法研究」, 제45권 제3호, 2017.
33) https://www.fda.gov/medical-devices/software-medical-device-samd/your-clinical-decision-support-software-it-medical-device

비록 FDA의 최종 CDSS 가이드라인이 기존의 초안보다는 규제의 범위를 확장했지만, 여전히 EU의 CDSS 규제보다는 융통성 있고 혁신적인 소프트웨어가 규제기관을 거치지 않을 가능성이 높다고 평가하는 견해가 있다.[34]

또한 전자의무기록(EHR)에 탑재되어 환자의 정보를 입력받아 실행되는 CDSS의 경우에는 위와 같이 의료기기에 해당하여 FDA의 규제를 받는지 여부와 별도로 아래 ONC의 HTI-1 시행령에 따른 투명성 기준을 충족해야 할 수도 있다.

II. 보건성의 ACA 제1557조 시행령

1. 의료 AI의 차별 사례

의료 인공지능에 의한 차별은 이론상의 문제가 아니라 현실에서 이미 나타나고 있는 문제이다. 문헌을 통해 보고된 대표적인 사례들을 소개하면 다음과 같다.

학계에서 가장 많은 주목을 받은 사례는 고위험 환자군을 예측하는 알고리즘이다. 미국의 상당수 의료기관에서 다양한 기업이 개발한 알고리즘이 이미 이용되고 있는데, 알고리즘을 분석한 결과 질환 상태가 동등한 백인환자와 흑인환자에 대하여 고위험 환자군 예측 알고리즘은 일관되게 흑인환자의 위험 정도를 상대적으로 낮게 평가하였다고 한다.[35] 그 이유는 알고리즘 개발 과정에서 위험도를 나타내는 지표로 각 환자에게 지출된 의료비를 사용했기 때문이었다. 질환 상태가 동등하더라도 경제적 이유 등으로 인하여 흑인환자들은 백인환자에 비하여 적은 의료비를 지출하는 경향이 있었는데, 알고리즘이 이를 건강 상태가 양호하여 그만큼 의료 기관을 이용할 필요가 적었던 것으로 해석하게끔 되어버린 것이다.

구체적인 질병을 진단하는 알고리즘에서도 다양한 편향 또는 차별 사례들이 보고된다. 우선 피부 병변 사진을 보고 질병을 진단하는 알고리즘이 백인에 대해서는 비교적 정확하였으나 유

---

[34] R. Beckers and P. Van Hoydonck, 위의 글 [주 5]

[35] Z. Obermeyer, B. Powers, C. Vogeli and S. Mullainathan, "Dissecting Racial Bias in an Algorithm Used to Manage the Health of Populations" *Science*, Vol. 366, No. 6464 (2019), pp. 447-453.

색인종에 대하여는 정확도가 떨어졌다는 연구결과가 있다.[36] 다양한 인종의 피부 병변 사진을 포함한 시험용 데이터베이스인 Diverse Dermatology Images(DDI)에 실제 피부과 현장에서 사용되고 있는 ModelDerm, DeepDerm, and HAM10000라는 3개의 알고리즘을 적용한 결과였다. 학습 데이터에 유색인종의 피부 병변 사진이 충분히 포함되지 않았기 때문에 발생한 편향으로 보고, 이번에는 시험용 데이터로 사용된 DDI를 학습용 데이터로 사용하여 다시 학습시킨 결과 유색인종에 대하여도 피부 질환 진단 정확도가 향상되었다고 한다.

흉부 X-선 영상을 보고 질병을 진단하는 한 알고리즘이 여성 환자, 흑인과 히스패닉 환자, 20세 이하의 미성년자 및 의료보호제도인 Medicaid 가입자에 대하여 진단 정확도가 상대적으로 떨어졌다는 연구도 있다.[37] 그 원인으로는 이들 취약 집단이 의료기관을 충분히 이용하지 못하므로 학습용 데이터에 포함된 X-선 영상에 질병이 있음에도 불구하고 진단을 받지 못했을 가능성과 상대적으로 숫자가 적은 이들 집단의 X-선 영상이 학습 데이터에 충분히 포함되지 않아 알고리즘이 이들 집단을 학습할 기회가 적었을 가능성이 지적되었다.

신경정신과 방문 환자들을 대상으로 자살 가능성을 예측하는 알고리즘에서는 백인, 히스패닉 및 동양인 환자에 대하여 비교적 정확한 예측도를 보였으나, 흑인과 인디언 및 인종에 관한 기록이 없는 환자들에 대해서는 상대적으로 예측도가 떨어졌다는 연구결과도 있다.[38] 이로 인하여 후자 집단에 대한 자살 예방 노력이 상대적으로 비효과적이었을 것이라는 분석이다.

진료용이 아닌 의료기관 관리용 인공지능에서도 편향이 보고된 바 있다. 전 세계 최대의 전자의무기록(EHR) 기업인 미국 Epic사는 진료예약일에 나타나지 않을, 즉 "no-show" 할 가능성이 높은 환자를 예측하는 알고리즘을 개발하였는데, 사회경제적 지위가 열악한 환자들이 "no-show" 예측 점수를 상대적으로 높게 받았다고 한다.[39] 이 알고리즘의 정확성이 비록 높

36) R. Daneshjou et al., "Disparities in Dermatology AI Performance on a Diverse, Curated Clinical Image Set" *Science Advances* (2022)

37) L. Seyyed-Kalantari, H. Zhang, M.B.A. McDermott, I.Y. Chen and M. Ghassemi, "Underdiagnosis Bias of Artificial Intelligence Algorithms Applied to Chest Radiographs in Under-Served Patient Populations" *Nature Medicine*, Vol. 27, No. 12 (2021), pp. 2176-2182.

38) R.Y. Coley, E. Johnson, G.E. Simon, M. Cruz and S.M. Shortreed, "Racial/Ethnic Disparities in the Performance of Prediction Models for Death by Suicide After Mental Health Visits" *JAMA Psychiatry*, Vol. 78, No. 7 (2021), pp. 726-734.

39) S.G. Murray, R.M. Wachter and R.J. Cucina, "Discrimination By Artificial Intelligence In A Commercial

을지는 몰라도, 사회경제적 지위가 열악한 환자들이 진료예약을 놓치는 이유는 아이를 대신 돌봐줄 사람이 없다거나, 직장에서 연차를 사용할 수 없다는 등 열악한 사회경제적 지위의 결과였을 가능성이 있는데, 알고리즘이 이를 감안하지 못한다는 지적이다.

2. 의료 분야 통합 차별금지법 ACA 제1557조

이처럼 의료 AI에 의한 편향 또는 차별이 현실에서 나타나고 있는데, 미국은 이미 의료 영역의 차별에 대응하는 차별금지법을 두고 있다. 따라서 의료 AI에 의한 차별이 현행법에 의하여 어떻게 의율 될 것인가가 자연스럽게 법적 논란이 된다. 아래에서는 미국의 의료 분야 차별금지법의 내용과 알고리즘에 어떻게 적용될 것인가를 순서대로 알아본다.

미국은 흑인 인권 운동이 이를 변화시키기 전까지 대중시설에서 백인과 유색인종의 공간이 분리되었듯이 의료시설에서도 마찬가지의 인종 간 격리(segregation)가 엄연히 존재하고 있었다. 그러나 전 세계 차별금지법의 시초라고도 할 수 있는 민권법(Civil Rights Act)이 1964년에 제정되면서 인종 간 격리는 종말을 고하게 되었다.

미국의 민권법은 현대사회에서 최초로 제정된 포괄적인 차별금지 법률로 알려져 있다. 주로 흑인에 대한 차별이 촉매가 되어 탄생한 이 법률은 선거권 행사 시의 차별 금지 (제I편), 공중시설에서의 차별금지(제II편, 제III편), 공립학교에서의 인종분리 금지(제IV편), 고용 시 차별금지(제VII편) 등의 광범위한 내용을 담고 있다. 민권법 제VI편은 연방 재정 지원을 받는 여하한 활동에서 인종, 피부색 또는 출신 국가를 이유로 차별을 금지하는 내용을 두고 있었고,[40] 연방 정부의 재정지원에 기반하여 설계된 의료 제도로는 65세 이상의 고령층에 제공되는 공적 보험인 메디케어(Medicare)와 극빈자에게 제공되는 공적부조인 메디케이드(Medicaid)가 1966년 시행되면서 양 프로그램의 환자를 받는 의료시설에서의 인종 간 격리가 조금씩 사라지기 시작했다.[41] 의료시설에서의 인종 간 격리 제거가 단순하게 선언적인 의미만 있는 것은 아니었다.

Electronic Health Record—A Case Study" *Health Affairs Forefront* (2020)

[40] 42 U.S.C. 2000d No person in the United States shall, on the ground of race, color, or national origin, be excluded from participation in, be denied the benefits of, or be subjected to discrimination under any program or activity receiving Federal financial assistance.

[41] R.A. Hahn, B.I. Truman and D.R. Williams, "Civil Rights as Determinants of Public Health and Racial and Ethnic Health Equity: Health Care, Education, Employment, and Housing in the United States" *SSM -*

그전까지 백인들만이 이용할 수 있었던 우수한 의료시설을 유색인종도 이용하는 것이 가능해 짐에 따라 유색인종들의 보건 상태를 엿보는 다양한 의료 지표들이 개선되었는데, 대표적인 것이 흑인의 영아사망률이다.[42] 한 연구에 의하면 의료시설에서의 인종분리 폐지 후 1965년과 1971년 사이에 백인의 유아 사망률은 거의 변하지 않았던 반면, 흑인이 주를 차지한 유색인종의 유아 사망률은 출생아 1,000명당 40명에서 28명으로 급격히 감소하였다고 한다.[43]

이처럼 노골적인 형태의 인종 차별이 의료 영역에서 자취를 감추었지만, "은근한" 형태의 인종 차별은 여전히 지속되었다는 지적도 있다. 의료에서 "은근한" 형태로 지속되는 인종 차별로는 대표적으로 "의료인에 의한 백인 선호(provider preference)"가 있다. "의료인에 의한 백인 선호"는 비록 의료인이 백인과 유색인종을 공히 진료하더라도, 다른 전문가에게의 의뢰, 입원 결정 등에 있어서 결국은 의료인들이 백인들을 우대한다는 개념이다.[44] 의료인에 의한 백인 선호는 적어도 아래에서 설명할 ACA 제1557조 제정 이전에는 다수의 유색인종이 의료 보험을 갖고 있지 않았고, 의료보험 비가입자로부터는 진료비를 지불받을 수 있다는 보장이 없었기 때문에 지속되는 경향이 있었다고 한다.[45]

그러다가 소위 "오바마케어"라는 별명으로도 불리는 Patient Protection and Affordable Care Act가 2010년에 제정되었는데, 이 법 제1557조(이하 "ACA 제1557조")가 의료 영역에서의 포괄적인 차별금지 규정을 두고 있다. 기존의 차별금지법이 폐지된 것은 아니지만 앞에서 본 민권법 제VI편에 비하여 의료영역에서 금지되는 차별사유도 확장되었고 수범자의 범위 역시 확대하고 있기 때문에 현재는 이 법을 미국 의료 영역의 차별금지법으로 이해하면 된다.[46]

Population Health, Vol. 4 (2018), pp.17-24. 민권법 제정 이전에 헌법상의 평등권 조항을 사인간에 적용하여 의료시설의 인종 간 격리가 불법이라고 판단한 판결로는 Simkins v. Moses H. Cone Memorial Hospital, 323 F. 2d 959 (4th Cir. 1963). 그러나 동 판례는 항소법원 판결로서 미국 전역에 구속력을 갖는 것은 아니었다.

42) 영아사망률은 한 사회의 의료가 얼마나 고르게 혜택을 제공하는지 파악하는 대표적인 공중 보건 지표이다.

43) R.A. Hahn, B.I. Truman and D.R. Williams, 위의 글 [주 41].

44) D.B. Smith, "Racial And Ethnic Health Disparities And The Unfinished Civil Rights Agenda" *Health Affairs*, Vol. 24, No. 2 (2005), pp. 317-324.

45) 앞의 글.

46) 의료 영역에서의 차별금지법으로는 이외에도 유전적 소인을 사유로 보험, 교육, 고용 맥락에서 차별하는 것을 금지하는 연방법률인 Genetic Information Nondiscrimination Act도 있고, 또 50개 주가 독자적인 차별금지법을 주 법(state law)으로 두고 있기도 하다. 여기서는 의료 이외의 영역의 차별금지법과도 차별금지 사유가 공통되는 ACA 제1557조에 집중하기로 한다.

ACA 제1557조는 금지되는 차별사유를 규정하는 방식이 독특한데, 법에서 직접 언급하는 것이 아니라 민권법 제VI편에서 금지하는 차별사유,[47] Education Amendments of 1972 제9편에서 금지하는 차별사유,[48] Rehabilitation Act of 1973 제504장에서 금지하는 차별사유,[49] Age Discrimination Act에서 금지하는 차별사유를[50] 인용하면서, 위 사유들을 이유로 의료 영역에서 차별행위를 하는 것을 금지하는 방식으로 법조문을 구성하고 있다. 종합하면 인종, 피부색, 출신 국가, 성별, 연령 또는 장애를 보호대상 집단으로 설정하고,[51] 이들에 대한 차별을 금지하는 것이다. 그러나 법조문이 기존의 다른 차별금지법에서 정한 차별사유를 인용하는 형식이다 보니, ACA 제1557조의 해석 역시 기존의 차별금지법 해석의 구속을 받는 것인가와 관련하여 충돌하는 판결이 등장하기도 한다. 이는 아래에서 보는 바와 같이 특히 결과적 차별과 관련하여 가장 쟁점이 되고 있다.

ACA 제1557조가 이처럼 비록 기존의 4개 차별금지법에서 금한 사유를 그대로 옮겨왔지만 수범자의 범위는 크게 확대하였다. 신용, 보조금 또는 보험 계약 등 형태의 연방 재정 지원을 받거나 연방정부가 관리하는, 의료 프로그램 또는 의료 활동에서의 차별이 금지되기 때문이다.[52] 이는 기존의 민권법 제VI편이 단순히 연방정부로부터 직접적인 재정지원을 받는 의료 프로그램에만 적용되는 것과 비교된다. 또한 연방정부로부터 재정적인 지원을 전혀 받지 않더라도 연방 정부의 프로그램에 참여하여 관리를 받게 되면 이 법의 적용 대상이 되는데, 민간 의

---

[47] 즉, ACA에서 민권법 제VI편의 차별사유를 인용한다는 것은 결국 ACA가 인종, 피부색, 출신국가에 대한 차별을 금지한다는 의미가 된다.

[48] 결국 성별을 의미한다.

[49] 결국 장애를 의미한다.

[50] 결국 연령을 의미한다.

[51] "보호대상 집단(protected classes)" 혹은 "보호대상 속성(protected characteristics)" 개념은 미국 차별금지법에 명문으로 등장하지는 않는다. 하지만 미국에서는 강학상 매우 자주 언급되는 개념이다.

[52] 42 U.S.C 18116 (a) Except as otherwise provided for in this title (or an amendment made by this title), an individual shall not, on the ground prohibited under title VI of the Civil Rights Act of 1964 (42 U.S.C. 2000d et seq.), title IX of the Education Amendments of 1972 (20 U.S.C. 1681 et seq.), the Age Discrimination Act of 1975 (42 U.S.C. 6101 et seq.), or section 794 of title 29, be excluded from participation in, be denied the benefits of, or be subjected to discrimination under, any health program or activity, any part of which is receiving Federal financial assistance, including credits, subsidies, or contracts of insurance, or under any program or activity that is administered by an Executive Agency or any entity established under this title (or amendments). 위 주 41의 민권법 제VI편 조문과 비교하더라도 차별금지가 적용되는 영역, 환언하면 차별금지 수범자의 범위가 크게 늘어난 것을 볼 수 있다.

료보험이 거의 대부분 정부가 운영하는 의료보험 검색 프로그램에 참여하기 때문에 이제는 민간 의료보험사들까지 ACA 제1557조의 적용 대상이 되는 것이다.[53] 수범자의 범위가 의료인 또는 의료기관뿐만 아니라 의료보험까지 획기적으로 늘어난 것이다.

ACA 제1557조는 또한 차별 민원을 처리하기 위한 고충 처리 절차 및 준법지원인을 둘 의무를 수범자에게 요구하는 등 법 시행을 위한 구체적인 메커니즘을 수립했다. 개인이 보건성의 민권국(Office for Civil Rights)에 직접 차별 클레임을 제기할 수 있는 권한을 부여하여 의료에서의 차별과 관련된 불만을 해결할 수 있도록 했다.

3. ACA 제1557조 시행령

의료 AI와 관련하여 미국 보건성(Department of Health and Human Services)이 2024년 4월 30일 공포한 ACA 제1557조의 하위 법령(이하 "시행령")을 주목할 필요가 있다.[54] 개정 시행령은 ACA 제1557조의 적용 대상에 임상결정 보조도구 알고리즘(patient care decision support tools)이 포함되는 것으로 명시하고,[55] 의료인 및 의료기관에 인종, 피부색, 국적, 성

---

53) 민간 의료보험에 대하여도 차별금지법이 적용되는 것을 ACA 제1557조의 제일 큰 치적으로 평가하는 연구자도 있다. S. Rosenbaum, "The Affordable Care Act and Civil Rights: The Challenge of Section 1557 of the Affordable Care Act" *The Milbank Quarterly*, Vol. 94, No. 3 (2016), pp.464-467

54) 이 시행령은 차별 금지 사유에 포함되는 성별에 성적 기호 및 성적 정체성도 포함되는지, 차별의 예외 사유로 종교적 이유가 인정되는지 등 진보와 보수 사이에서 대립하여 온 문제에 관한 민주당 정권의 입장을 관철하기 위한 것이 주된 목적이다. Neese v. Becerra, 2:21-CV-163-Z (N.D. Tex.) 사건에서 텍사스 동부 지방법원은 ACA 제1557조가 차별금지사유로 명시하는 성별에 성적 기호 또는 성적 정체성이 포함되지 않는다고 판시한 바 있고, 여기에 대하여 정부 측이 민권법 제VII편에서의 성별에는 성적 기호나 성적 정체성이 포함된다고 본 연방대법원의 Bostock v. Clayton County, 590 U.S. 644 (2020) 판결에 위배된다는 이유로 항소하여 현재 항소심이 진행 중이다. 시행령은 이와 같은 해석을 입법적으로 수정하려는 의도를 갖고 있다. 다만 그사이 의료 AI에 의한 차별 역시 문제로 떠오르면서 부수적으로 함께 다룬 것이다.
개정 시행령의 전반적인 해설은 https://www.hhs.gov/civil-rights/for-individuals/section-1557/1557-fact-sheet/index.html을 참고. 한편 개정 시행령이 실리는 관보에는 시행령의 입법 배경이나 입법예고 기간에 제출된 의견 및 그에 대한 답변이 상세히 기술되어 있어 매우 좋은 참고자료 역할을 한다. ACA 제1557조 시행령이 실린 관보는 https://www.federalregister.gov/documents/2024/05/06/2024-08711/nondiscrimination-in-health-programs-and-activities.

55) § 92.210 (a) General prohibition. A covered entity must not discriminate on the basis of race, color, national origin, sex, age, or disability in its health programs or activities through the use of patient care decision support tools.

별, 연령 또는 장애를 변수 또는 평가요소로 사용하는 임상결정 보조도구 알고리즘이 어떤 것이 있는지 파악해야 하는 합리적인 노력을 기울일 의무를 부과하며,[56] 그 결과로 파악된 임상결정 보조도구 알고리즘에 의한 차별을 예방할 합리적인 노력을 기울일 의무를 부과한다.[57] 다만 의료인이 진료에서 인공지능을 활용할 경우 환자에게 고지하는 의무를 신설해야 한다는 일부의 요청은 받아들여지지 않았다.

이는 무려 2년 전인 2022년에 의견청취 절차가 개시되었던 시행령안보다는 의료 인공지능에 의한 차별의 규제 측면에서 한 걸음 뒤로 물러난 것이기는 하다. 기존 시행령안은 적용대상을 임상결정 보조도구 알고리즘으로 국한하지 않았고, 또한 전문에서는 "대상자는 개발하지 않은 임상 알고리즘에 대해 책임을 지지 않지만, 임상 알고리즘에 의존하여 내린 결정에 대해서는 이 조항에 따라 책임을 질 수 있습니다." 라고 함으로써 편향이 있는 알고리즘을 사용했고 결과적으로 알고리즘과 같은 의사결정을 내리더라도 의료인이 알고리즘의 권장을 참고만 했을 뿐 결정 자체는 본인의 판단으로 내렸다면 그 자체만으로 시행령 위반이 되는 것은 아니지만, 역으로 알고리즘에 과도하게 의존하여 결정을 내리는 경우에는 설령 의료인이 알고리즘의 개발에 전혀 관여하지도 않았고 알고리즘의 결론이 어떻게 도출되는지에 관한 아무런 이해가 없다고 하더라도 책임을 피할 수 없다는 내용을 담고 있었다.[58] 기존의 시행령안에 대하여는 찬성하는 견해도 있지만,[59] 의료인이 자신이 개발하지도 않은 알고리즘의 편향에 대한 책임을 지게 된다는 점,[60] 혁신을 둔화시킬 수 있다는 점[61] 등을 이유로 비판적인 견해도 있었다.

---

[56] § 92.210 (b) *Identification of risk.* A covered entity has an ongoing duty to make reasonable efforts to identify uses of patient care decision support tools in its health programs or activities that employ input variables or factors that measure race, color, national origin, sex, age, or disability.

[57] § 92.210 (c) *Mitigation of risk.* For each patient care decision support tool identified in paragraph (b) of this section, a covered entity must make reasonable efforts to mitigate the risk of discrimination resulting from the tool's use in its health programs or activities.

[58] 87FR47824, 47883.

[59] R. Khazanchi, J. Tsai, N.D. Eneanya, J. Han and A. Maybank, "Leveraging Affordable Care Act Section 1557 To Address Racism In Clinical Algorithms" *Health Affairs Forefront*, (2022); A. Kupke, C. Shachar and C. Robertson, "Pulse Oximeters and Violation of Federal Antidiscrimination Law" *JAMA*, Vol. 329, No. 5 (2023), pp.365-366; J. Gallifant, L.F. Nakayama, J.W. Gichoya, R. Pierce and L.A. Celi, "Equity Should Be Fundamental to the Emergence of Innovation" *PLOS Digital Health*, Vol. 2, No. 4 (2023), p.e0000224

[60] Carmel Shachar, C. Shachar and S. Gerke, "Prevention of Bias and Discrimination in Clinical Practice Algorithms" *JAMA*, Vol. 329, No. 4 (2023), pp. 283-283-284.

4. 알고리즘에 대한 차별금지법 적용

의료 분야뿐만 아니라 미국 차별금지법이 작동하는 고용, 교육, 주거 분야를 통틀어서 알고리즘에 대하여 차별금지법을 적용한 판례는 아직 알려져 있지 않다. 국내에는 알고리즘에 의한 차별 사례로 재범 가능성을 예측하는 COMPAS 소프트웨어에 관한 Loomis 사건 정도가 알려져 있는데,[62] 비록 위 사건이 언론 등을 통하여 널리 알려진 계기는 알고리즘이 계산하는 재범 가능성의 위양성 비율 및 위음성 비율이 백인과 흑인 사이에서 크게 차이가 났기 때문이지만, 위스콘신주 법원에서는 차별금지법이 아닌 헌법상 인정되는 적법절차를 기준으로 판단하였으므로 알고리즘에 대한 차별금지법 적용 사례라고 보기가 어렵다.

하지만 학계에서는 기존의 차별금지법의 조항들이나 판례의 기준을 알고리즘에 어떻게 적용할 것인가를 놓고 매우 활발한 논의가 몇 년 전부터 이어져 오고 있다. 알고리즘에 의한 예측 시 사용되는 변수에 인종이나 성별과 같은 보호대상 속성을 포함할 경우 법에서 금지하는 차별적 결과가 야기될 우려에서 아예 처음부터 보호대상 속성을 학습 데이터에서부터 제외하고 기계학습에 들어가는 경우가 있는데, 그 결과는 오히려 보호대상 집단에게 불리할 수도 있다는 지적이 대표적이다. 예를 들어 개인의 신용을 평가하는 알고리즘이 여성을 차별하는 것이 우려되어 성별을 제외하고 학습을 시키게 되면 오히려 소비성향이 낮고 저축성향이 높은 여성들에게 불리한 결과가 나올 수 있다는 주장이다.[63]

연방 대법원의 Ricci v. DeStefano 판결이 차별금지법과 인공지능 상호작용의 난이도를 더욱 높인다. 코네티컷주 뉴헤이븐의 소방관들이 승진 시험을 치렀는데, 그 결과 승진 자격을 갖춘 거의 모든 후보자가 백인이었고 그 결과를 그대로 채택하면 흑인 소방관 전원과 대부분의

---

[61] K.E. Goodman, D.J. Morgan and D.E. Hoffmann, "Clinical Algorithms, Antidiscrimination Laws, and Medical Device Regulation" *JAMA*, Vol. 329, No. 4 (2023), pp. 285-286

[62] State v. Loomis, 881 NW 2d 749 (Wis. Supreme Court 2016). 이 사건에 관한 국내 문헌으로는 이병규, "AI의 예측능력과 재범예측알고리즘의 헌법 문제 - State v. Loomis 판결을 중심으로", 「공법학연구」, 제21권 제2호, 2020.; 이슬아, "인공지능 판사 앞의 7가지 숙제 -재범위험성 예측 알고리즘을 둘러싼 과학기술적·법적 논의 분석", 「사법」, 제64호, 2023.

[63] S. Kelley, A. Ovchinnikov, D.R. Hardoon and A. Heinrich, "Antidiscrimination Laws, Artificial Intelligence, and Gender Bias: A Case Study in Nonmortgage Fintech Lending" *Manufacturing & Service Operations Management*, Vol. 24, No. 6 (2022), pp. 3039-3059. 실제로 Apple 창업자인 워즈니악 부부가 함께 Apple 신용카드를 신청했는데, 동거하는 부부임에도 남편이 부인에 비하여 10배 많은 이용한도가 부여되었다고 하여 논란이 된 바 있다. https://www.reuters.com/article/idUSKBN1XL038/ .

히스패닉 후보자가 승진에서 제외될 가능성이 높기 때문에 뉴헤이븐시는 시험 결과를 채택하지 않기로 결정했다. 시험 결과를 채택할 경우 고용 차별을 금지하는 1964년 민권법 제7편에 따른 소송에 직면할 것을 우려한 것이다. 그러자 이번에는 시험에 합격했지만 승진을 거부당한 백인과 히스패닉계 소방관들은 결과를 채택하지 않은 시의 결정이 오히려 자신들에 대한 인종 차별에 해당한다고 주장하며 시를 상대로 소송을 제기했다. 연방대법원은 뉴헤이븐시가 승진 시험 결과를 무시함으로써 시험에 합격한 소방관에 대한 의도적 인종 차별에 이르렀다고 판시했다. 뉴헤이븐시의 조치는 시험 결과를 채택하는 것이 민권법 제VII편이 금지하는 결과적 차별을 야기할 것이라는 확실한 증거도 없으면서 결과적 차별 소송을 회피하기 위해 의도적 차별 행위를 저질렀다고 판단했다.[64] 이 판결로 인하여 알고리즘의 예측이 결과적 차별을 야기할 것이라는 우려에서 사후에 알고리즘을 다시 수정하는 행위가 이번에는 의도적 차별에 해당할 수 있다고 보는 견해도 있고,[65] Ricci 사건에서는 승진 시험을 치른 백인과 일부 히스패닉 소방관들의 신뢰를 보호하기 위하여 연방대법원이 의도적 차별을 인정한 측면도 있으므로 알고리즘으로 인한 결과적 차별을 완화하기 위한 알고리즘 수정 작업은 의도적 차별에 해당하지 않을 것이라는 견해도 있다.[66]

미국에서 자동화된 결정 또는 알고리즘이 개발된 이유 가운데 하나는 인간이 직접 판단을 내릴 경우 피하기 어려운 편견의 개입을 원초적으로 제거하기 위한 목적도 상당한데,[67] 그럼에도 불구하고 여전히 알고리즘의 예측이 차별을 야기할 수 있어서 이를 저감하기 위한 방법을 차별금지법의 테두리 안에서 고민해야 하는 모습은 아이러니컬하기도 하다.

의료 분야 차별금지법인 ACA 제1557조로 논의를 국한하면, 동 법이 인공지능의 차별에 대처하기에 부족하다는 미국 학자들의 견해가 상당수 발견된다. 그 논거로는 (1) 앞에서도 보았

---

[64] Ricci v. DeStefano, 557 U.S. 557 (2009)

[65] J.A. Kroll, S. Barocas, E.W. Felten, J.R. Reidenberg, D.G. Robinson and H. Yu, "Accountable Algorithms" *University of Pennsylvania Law Review*, Vol. 165, No. 3 (2017), pp. 694-695.

[66] P.T. Kim, "Auditing Algorithms for Discrimination" *University of Pennsylvania Law Review Online*, Vol. 166 (2017), pp. 189-204.

[67] S. Barocas, M. Hardt and A. Narayanan, F*airness and Machine Learning: Limitations and Opportunities* (MIT Press, 2023) Ch.1 Introduction. 실제로 주택담보대출을 결정하는 알고리즘이 인간 심사자보다 정확하였고, 그 덕분에 주택담보대출시장에서 소외될 수 있었던 소수 민족이 혜택을 보았다는 연구 결과로는 V.G.P. Susan Wharton Gates and P.M. Zorn, "Automated Underwriting in Mortgage Lending: Good News for the Underserved?" Housing Policy Debate, Vol. 13, No. 2 (2002), pp. 369-391.

듯이 ACA 제1557조로 확장된 차별금지법제에 의하더라도 일부 차별사유에 대하여는 결과적 차별에 대한 사적 소권이 인정되는지 의문이 있다는 점,[68] (2) 만약 ACA 제1557조가 결과적 차별에 대한 사적 소권을 인정하지 않는 것으로 해석할 경우에는 개인이 아닌 보건성의 민권국이 대응해야 하는데 민권국은 예산과 인력 부족 등으로 대응이 소극적이라는 점,[69] (3) 차별을 입증하기 위하여는 기술적이고도 통계적인 방법들이 동원되어야 하는데 매우 난해한 작업이라는 점[70] 등을 이유로 들고 있다.

5. 소결

의료 AI에 의한 차별적 혹은 편향적 예측은 이미 다수가 보고되었고, 앞으로도 발생할 수밖에 없을 것으로 보인다. 그렇다면 이를 사전에 방지하거나 사후에 신속히 교정되도록 하는 데 있어 미국 차별금지법은 어떤 역할을 하고 있는가?

일견으로는 그다지 의미 있는 역할을 하고 있지 않다고 평가할 여지도 있다. (개발자가 의도적으로 특정 집단을 차별할 목적으로 코딩을 한 것은 아닌 이상) 인공지능에 의하여 차별이 발생한다면 성질상 결과적 차별에 해당할 것인데, 앞에서 보았듯이 ACA 제1557조로부터 결과적 차별에 따른 사적 소권이 인정되지는 않으므로, 인공지능에 의하여 보호대상 집단에 대한 결과적 차별이 발생한다고 하더라도 피해자는 손해배상소송 등을 통하여 직접 피해를 구제받을 수는 없고, 대신 보건성의 민권국에 민원을 제기하면 민권국이 검토한 후 제재를 가하는 방식으로 결과적 차별을 해소하는 길만이 열려 있다. 그러나 직접 손해배상을 구할 수 있는 유인이 있어야만 피해자들이 차별 해소에 적극적으로 나서게 되고, 보건성 민권국이 결과적 차별에 얼마나 적극적으로 대처하는지는 예산 등 외부적인 영향을 받게 되므로, 일부 학자들은 의료

---

68) S. Hoffman and A. Podgurski, "Artificial Intelligence and Discrimination in Health Care" *Yale Journal of Health Policy, Law and Ethics*, Vol. 19, No. 3 (2020), pp.1-49; D. Schwarcz, "Health-Based Proxy Discrimination, Artificial Intelligence, and Big Data" Houston Journal of Health Law & Policy, Vol. 21, No. 1 (2021), pp.95-124.; K.M. Kostick-Quenet et al., "Mitigating Racial Bias in Machine Learning" Journal of Law, Medicine & Ethics, Vol. 50, No. 1 (2022), pp.92-100.

69) S. Takshi, "Unexpected Inequality: Disparate-Impact from Artificial Intelligence in Healthcare Decisions" *Journal of Law and Health*, Vol. 34, No. 2 (2021), pp.215-251.

70) S. Hoffman and A. Podgurski, 위의 글 [주 68]

영역의 결과적 차별에 사적 소권을 인정하지 않는 법원의 입장으로 인하여 ACA 제1557조의 위하력이 크지 않다고 평가한다. ACA 제1557조가 명문으로 결과적 차별에 대하여도 사적 소권을 인정하는 내용으로 개정하자는 주장이 나오는 것도 그런 이유에서이다.[71]

그러나 다른 한편으로는 의료 AI에 의한 차별이나 편향을 판별하기 위한 기준이나 이를 사전에 저감하는 방법론을 제시하는 연구들은 현행 차별금지법인 ACA 제1557조를 염두에 두지 않을 수 없다. 차별금지법 및 관련 판례의 기준은 적법한 AI가 지켜야 하는 하한선의 역할을 하기 때문이다.[72] 즉, ACA 제1557조가 결과적 차별에 대응하는 실천적 효력이 강하지 않을 뿐, 결국 ACA 제1557조 및 차별금지법을 적용한 다양한 판례가 알고리즘의 편향을 줄이는 노력의 방향성을 제시하는 것이다.

III. ONC의 HTI-1 시행령

1. ONC의 Health IT 규제

선진국답지 않게 미국은 전자의무기록 시스템(electronic health record, 약어로 "EHR")[73] 도입이 지지부진했으나, 2000년대 후반 금융위기 극복을 위한 재정집행의 일환으로 EHR을 도입하는 병원과 의료인에게 인센티브를 지급하면서 EHR이 비약적으로 확산하였다.[74] 당시

---

71) 앞의 글. 이외에도 저자는 규제기관인 FDA에 의한 보다 적극적인 심사, 개발자들이 이행할 수 있는 구체적인 차별 예방적 기술적 조치의 공포 등을 제안하고 있다.

72) 의료 AI의 편향을 줄이기 위한 굉장히 많은 양의 연구가 이미 쏟아져 나오고 있는데, 이를 종합적으로 분석한 scoping review로는 M.P. Cary et al., "Mitigating Racial And Ethnic Bias And Advancing Health Equity In Clinical Algorithms: A Scoping Review" *Health Affairs*, Vol. 42, No. 10 (2023), pp.1359-1368.

73) 국내 문헌에서는 EMR(electronic medical records)과 EHR(electronic health records)을 구분하면서 전자는 순수한 의료 정보만이 수록되고 후자는 의료 정보뿐만 아니라 일상생활에서 수집된 건강정보도 함께 수록된 것으로 차별하는 경향이 강한데, 미국에서는 그런 구분이 보편적으로 받아들여지는 것 같지는 않고 대체로 EHR 용어가 사용된다. 즉, 환자의 일반 건강정보를 수록하지 않고 순수한 의무기록만을 담고 있는 경우에도 EHR로 불리는 것이 보통이다.

74) J. Adler-Milstein and A.K. Jha, "HITECH Act Drove Large Gains In Hospital Electronic Health Record Adoption" *Health Affairs*, Vol. 36, No. 8 (2017), pp.1416-1422.

근거 법령인 HITECH 법은 미국 대통령 직속기구인 The Office of the National Coordinator for Health Information Technology (이하 "ONC")에 EHR의 확산 및 의료기관 사이의 의료 정보 교류 등 전국적인 의료 IT 인프라 구축을 기획할 수 있는 권한과 예산을 부여하였고, 이후 보건의료 분야의 혁신을 목적으로 제정된 21st Century Cures Act의 수권을 받아 미국 내 Health IT 정책을 진두지휘해 오고 있다.[75]

그런데 ONC는 2024년 1월 ONC의 핵심 과제인 Health Data, Technology, Interoperability 의 앞자를 따서 HTI-1이라는 이름으로 21st Century Cures Act의 하위 시행령을 공포한 바 있다.[76] 그리고 이 HTI-1 시행령에 EHR 인증 기준의 일부로서, EHR에 탑재되는 결정 지원 시스템의 투명성에 관한 기준이 포함되었다.[77]

2. 결정 지원 시스템의 투명성 기준

HTI-1 시행령은 전자의무기록(EHR)에 탑재되는 결정 지원 시스템(decision support interventions)에 대한 새로운 인증 기준을 도입한다. 기존의 전자의무기록 인증 기준에서는 EHR에 탑재되는 임상 의사 결정 지원 시스템, 즉 clinical decision support(CDS 또는 CDSS) 에 대한 인증 기준만을 두고 있었는데, HTI-1 시행령에서는 decision support interventions (DSI)에 대한 인증 기준으로 범위를 확대하였다. CDS는 말 그대로 임상 현장에서 의료인이 내리는 진료에 관한 결정을 돕기 위한 전산기능이라면, DSI는 임상에서는 물론이거니와 질병의 사전 탐지와 같이 진료 전에 일어나는 활동이라든가 의료비 청구와 같이 진료 후에 일어나는 활동을 지원하기 위한 전산기능도 포괄하는 더 넓은 개념이다. 이와 같이 인증 기준의 대상을 확대한 이유는, 아래에서 보다시피 인증 기준의 주요 목적이 차별 예방인데 의료 맥락에서 자

---

75) 김재선, "미국의 보건의료데이터 보호 및 활용을 위한 주요 법적 쟁점—미국 HIPAA/HITECH, 21세기 치료법, 공통규칙, 민간 가이드라인을 중심으로 -", 「의료법학」, 제22권 제4호, 2021.

76) https://www.healthit.gov/topic/laws-regulation-and-policy/health-data-technology-and-interoperability-cert ification-program. 입법 배경과 입법예고 기간에 제출된 의견 및 그에 대한 답변과 함께 HTI-1 시행령이 실린 관보는 https://www.federalregister.gov/documents/2024/02/08/2024-02519/health-data-technology-and-interoperability-certification-program-updates-algorithm-transparency-and.

77) 45 C.F.R. 170.315(b)(11). 즉, 의료기관에서 사용하는 IT 시스템의 인증 기준을 담고 있는 45 C.F.R. 170.315의 일부이다.

동화된 시스템에 의하여 발생하는 차별은 이미 위에서 보았다시피 임상 진료와 무관한 예약 관리 시스템에 의하여도 발생하는 것이 현실이므로 이에 대한 대응으로 보인다.

HTI-1 시행령은 다시 DSI를 Evidence-based DSI(증거 기반형 DSI)와 Predictive DSI(예측형 DSI)로 구분하며, 각각에 대하여 EHR 인증 요건을 달리하고 있다. Evidence-based DSI는 중환자실에서 환자의 상태를 평가하는 SOFA 지수라든가 뉴욕심장학회 심부전 등급과 같이 사전에 정의된 규칙에 따라 결과가 나오는 시스템이다. 반면 Predictive DSI는 데이터의 학습에 기초하여 예측, 분류, 권고, 평가 또는 분석을 내리는 시스템이다. Predictive DSI에는 대수 방정식, 기계 학습 및 자연어 처리가 포함된다. 악성 종양의 존재 또는 패혈증의 위험 측정과 같은 의학적 상태를 예측하는 데 사용되는 도구가 이 범주에 속한다. Evidence-based DSI는 광범위한 임상 증거를 기반으로 확립된 연구 및 임상진료지침에 의존하여 일반화된 권장 사항을 제공하는 반면, Predictive DSI는 장래의 사건 또는 결과에 대한 데이터 기반 예측을 개별 환자 데이터에 적용하여 보다 개인화된 결과를 내놓을 수 있다. 요컨대 Evidence-based DSI는 치료를 표준화하고 사용 가능한 최상의 증거와 일치하도록 하는 것을 목표로 하는 반면, Predictive DSI는 개별 환자의 위험과 결과를 예측하여 치료를 개인화하는 것을 목표로 한다.

HTI-1 시행령에 따르면 의료 IT 개발자는 EHR에 탑재되는 DSI와 관련된 포괄적인 정보를 제공해야 하는데, 이를 HTI-1 시행령은 source attributes라고 부른다. HTI-1 시행령이 요구하는 source attributes에는 DSI를 만드는 데 사용되는 기술 성능 및 품질 정보가 포함된다. 구체적인 항목은 Evidence-based DSI이냐 아니면 Predictive DSI이냐에 따라 차이가 있는데, Evidence-based DSI의 경우 DSI에 이용된 참고 문헌의 서지정보, 개발자 정보 및 개발 자금 출처, 환자의 인구통계학적 변수 사용 여부 등 13가지 항목을 포함한다. Predictive DSI의 경우에는 좀 더 범위가 넓은데, 학습 데이터 세트, 인구통계학적 변수 사용 여부, 외부 검증 프로세스, 성능 측정 방법, 공정성을 보장하고 편견을 제거하는 방법 등 31가지 항목이 요구된다.

<표 1> HTI-1 시행령이 요구하는 DSI관련 source attributes

Evidence-based DSI	(1) Bibliographic citation of the intervention (clinical research or guideline); (2) Developer of the intervention (translation from clinical research or guideline); (3) Funding source of the technical implementation for the intervention(s) development;

	(4) Release and, if applicable, revision dates of the intervention or reference source; (5) Use of race (6) Use of ethnicity (7) Use of language (8) Use of sexual orientation (9) Use of gender identity (10) Use of sex (11) Use of date of birth (12) Use of social determinants of health data (13) Use of health status assessments data

Predictive DSI	(1) Details and output of the intervention, including:
	    (i) Name and contact information for the intervention developer;
	    (ii) Funding source of the technical implementation for the intervention(s) development;
	    (iii) Description of value that the intervention produces as an output; and
	    (iv) Whether the intervention output is a prediction, classification, recommendation, evaluation, analysis, or other type of output.
	(2) Purpose of the intervention, including:
	    (i) Intended use of the intervention;
	    (ii) Intended patient population(s) for the intervention's use;
	    (iii) Intended user(s); and
	    (iv) Intended decision-making role for which the intervention was designed to be used/for (*e.g.,* informs, augments, replaces clinical management).
	(3) Cautioned out-of-scope use of the intervention, including:
	    (i) Description of tasks, situations, or populations where a user is cautioned against applying the intervention; and
	    (ii) Known risks, inappropriate settings, inappropriate uses, or known limitations.
	(4) Intervention development details and input features, including at a minimum:
	    (i) Exclusion and inclusion criteria that influenced the training data set;
	    (ii) Use of variables in (5) through (13) of above;
	    (iii) Description of demographic representativeness according to variables in (5) through (13) of this section including, at a minimum, those used as input features in the intervention;
	    (iv) Description of relevance of training data to intended deployed setting; and
	(5) Process used to ensure fairness in development of the intervention, including:
	    (i) Description of the approach the intervention developer has taken to ensure that the intervention's output is fair; and
	    (ii) Description of approaches to manage, reduce, or eliminate bias.
	(6) External validation process, including:
	    (i) Description of the data source, clinical setting, or environment where an intervention's validity and fairness has been assessed, other than the source of training and testing data
	    (ii) Party that conducted the external testing;

(iii) Description of demographic representativeness of external data according to variables in paragraph (b)(11)(iv)(A)(5)-(13) including, at a minimum, those used as input features in the intervention; and

(iv) Description of external validation process.

(7) Quantitative measures of performance, including:

(i) Validity of intervention in test data derived from the same source as the initial training data;

(ii) Fairness of intervention in test data derived from the same source as the initial training data;

(iii) Validity of intervention in data external to or from a different source than the initial training data;

(iv) Fairness of intervention in data external to or from a different source than the initial training data;

(v) References to evaluation of use of the intervention on outcomes, including, bibliographic citations or hyperlinks to evaluations of how well the intervention reduced morbidity, mortality, length of stay, or other outcomes;

(8) Ongoing maintenance of intervention implementation and use, including:

(i) Description of process and frequency by which the intervention's validity is monitored over time;

(ii) Validity of intervention in local data;

(iii) Description of the process and frequency by which the intervention's fairness is monitored over time;

(iv) Fairness of intervention in local data; and

(9) Update and continued validation or fairness assessment schedule, including:

(i) Description of process and frequency by which the intervention is updated; and

(ii) Description of frequency by which the intervention's performance is corrected when risks related to validity and fairness are identified.

Evidence-based DSI와 Predictive DSI에 공히 요구되는 source attributes에 환자의 인구통계학적 정보가 다수 포함된 것은 의료 DSI에 의한 차별을 막으려는 의도가 반영된 것이다. Predictive DSI에는 추가로 공정성(fairness) 확보에 관한 source attributes가 다수 요구되는데, 이것 HTI-1 시행령의 중요 목적 가운데 하나가 인공지능에 의한 차별을 예방하는 데 있음을 시사한다. 즉, FAVES (fair, appropriate, valid, effective, and safe) 원칙[78]을 실현하려는 의도이다. 이미 잘 알려진 연구나 임상진료지침에 근거한 Evidence-based DSI의 경우에는 DSI의 개별적인 공정성 확인의 필요성이 없으나,[79] Predictive DSI의 경우에는 각 DSI가 독

---

[78] https://www.whitehouse.gov/briefing-room/blog/2023/12/14/delivering-on-the-promise-of-ai-to-improve-health-outcomes/

[79] 그렇다고 임상 현장에서 확립된 임상진료지침이 편향이나 공정성 차원에서 아무런 논란이 없는 것은

자적인 알고리즘에 의하여 구동되고 있을 것이므로 개별 DSI 차원에서 공정성 확인의 필요가 요구되는 것이다.

끝으로 개발자에 대한 정보를 넘어 심지어는 개발 자금의 출처를 source attribute에 포함하는 것은 다소 의아하게 느껴지는데, 최근 특정 마약성 의약품 제약회사의 사주를 받아 환자에게 마약성 의약품 처방을 하라는 안내창이 필요 이상으로 뜨도록 CDSS 알고리즘을 조작한 전자의무기록 회사가 2020년 형사 처벌을 받은 사건과 무관하지 않아 보인다.[80]

HTI-1 시행령은 Predictive DSI에 대하여는 추가로 위험관리(intervention risk management, IRM)를 의무화한다. 이에 따라 개발자는 Predictive DSI의 유효성, 신뢰성, 견고성, 공정성, 명료성, 안전성, 보안 및 개인 정보 보호를 고려하여 잠재적인 위험과 부정적인 영향을 분석해야 한다. 또한 이러한 위험을 완화하기 위한 방법을 구현하고 공개적으로 액세스할 수 있는 하이퍼링크를 통해 IRM 방법에 대한 요약 정보를 제공해야 한다.

3. 소결

그동안 ONC가 펼쳐 온 활동은 EHR의 상호운용성 확보 및 "information blocking rule"로 대표되는 의료정보의 이동 강화에 있었으므로,[81] HTI-1 시행령에 의료 인공지능에 관련한 내용이 들어간 것은 다소 이질적인 측면이 있다. HTI-1 시행령의 내용을 보더라도 DSI 관련 규정을 제외한 대부분의 내용은 EHR의 상호운용성 및 의료정보 이동에 관한 내용이 주된 것이다. 하지만 DSI는 환자의 데이터를 입력받아 작동하기 위하여 EHR에 탑재되는 것이 보통이므로, 이미 임상에서 널리 사용되는 DSI를 구동하는 알고리즘을 규율하기 위한 근거를 ONC가 제정하는 규정에 삽입하는 것이 자연스러운 것도 사실이다.[82] 앞에서 보았듯이 CDSS 가운데

아니다. 현재 임상 현장에서 널리 사용되는 진료지침에 인종 차별 또는 성 차별적인 요소가 많음을 밝혀 학계의 큰 주목을 받은 연구로는 D.A. Vyas, L.G. Eisenstein and D.S. Jones, "Hidden in Plain Sight — Reconsidering the Use of Race Correction in Clinical Algorithms" *New England Journal of Medicine*, Vol. 383, No. 9 (2020), pp.874-882. 다만 그 경우에는 학회 또는 의료계 차원에서 차별 요소를 색출하고 개선하는 것이 적절한 절차가 될 것이다.

80) https://news.bloomberglaw.com/us-law-week/dojs-healthcare-probes-of-ai-tools-rooted-in-purdue-pharma-case

81) 김재선, 위의 글 [주 75], pp. 139-141.

82) 한 연구에 따르면 2017년 기준으로 미국 병원에서 사용하는 EHR의 40.2%에 고도화된 CDSS가 탑재되어 있었다고 한다. R.T. Sutton, D. Pincock, D.C. Baumgart, D.C. Sadowski, R.N. Fedorak and K.I.

는 FDA의 규율 대상인 의료기기의 정의에 포섭되지 않는 것들도 얼마든지 있으므로, 적어도 EHR에 탑재되어 운영되는 CDSS는 ONC가 규제 권한이 있는 EHR의 인증 기준을 지렛대로 삼는 것이 현실적인 수단이다.

IV. 나가는 글

지금까지 보았듯이 미국 연방정부는 비록 민간을 직접 규제하는 수평적 AI 규제 입법을 통하지 않더라도 기존의 실정법에 기초하여 의료 AI에 적용할 필요가 있는 중요 원칙들을 이미 집행하고 있는 셈이다. 그 원칙 가운데는 편향 또는 차별 금지가 매우 중요하게 자리잡고 있다고 할 수 있다. 아무래도 의료 뿐만 아니라 미국의 사회 전체를 놓고 보더라도 인종을 경계로 하는 차별은 크고 작은 사건을 통하여 경험하였듯이 미국 사회의 안정을 흔들 수 있는 커다란 문제인데, 의료 현장에서 이미 널리 활용되고 있고 앞으로 활용이 늘어날 수 밖에 없는 AI에 의하여 차별이 심화되는 것을 방지하는 것이 중요한 문제일 수 밖에 없기 때문이다.

Kroeker, 위의 글 [주 25]. 국내에 가장 잘 알려진 CDSS는 왓슨 포 온콜로지이다.

찾아보기

Executive Order on the Safe, Secure, and Trustworthy Development and Use of Artificial Intelligence / 207, 279

(F)

Food and Drug Administration, FDA / 165, 211, 212, 225, 280

FRAND / 103

(G)

General Data Protection Regulation / 166, 236

GradCAM / 161

(H)

HTI-1 / 302

human-in-the-loop / 80, 117, 253

(L)

LIME / 161

(M)

Medical Device Regulation / 165, 281

(O)

OECD / 265

(P)

Patient Protection and Affordable Care Act / 295

Product Liability Directive / 175

(R)

Recommendation on the Ethics of Artificial Intelligence, UNESCO / 50, 189, 228

(S)

SaMD / 26, 280

SHapley Additive exPlanations(SHAP) / 160

(T)

Text and Data Mining / 122

(U)

UPP / 135

(W)

Watson for Oncology / 24, 39, 77, 83, 224

WHO / 60

(X)

XAI / 11, 158

판례 찾아보기